D0411319

:nbare Bibliotheek
Bijlmerplein 93
1102 DA Amsterdam Z-O
Tel.: 020 – 697 99 16

afgeschreven

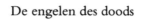

De engelen des doods

Van David Hewson verscheen eveneens bij Uitgeverij De Fontein:
De Vaticaanse moorden
Het Bacchus offer
De Pantheon getuige

DAVID HEWSON

DE ENGELEN DES DOODS

Openbare Bibliotheek
Bijlmerplein 93
1102 DA Amsterdam Z-O
Tel.: 020 – 697 99 16

De Fontein

Oorspronkelijke titel: *The Lizard's Bite*
Oorspronkelijke uitgever: Macmillan, een imprint van Pan Macmillan Ltd.
Copyright © 2006 David Hewson
Copyright © 2008 voor deze uitgave:
Uitgeverij De Fontein, Postbus 1, 3740 AA Baarn
Uit het Engels vertaald door: Ineke van den Elskamp
Omslagontwerp: Wil Immink
Zetwerk: Hans Gordijn
ISBN 978 90 261 2270 5
NUR 332

www.uitgeverijdefontein.nl
www.davidhewson.com

Alle personen in dit boek zijn door de auteur bedacht. Enige gelijkenis met bestaande
– overleden of nog in leven zijnde – personen berust op puur toeval.

Alle rechten voorbehouden. Niets uit deze uitgave mag worden verveelvoudigd en/of
openbaar gemaakt door middel van druk, fotokopie, microfilm, elektronisch, door geluids-
opname- of weergaveapparatuur, of op enige andere wijze, zonder voorafgaande schriftelijke
toestemming van de uitgever.

DEEL 1
HET INFERNO

1 Laag boven het deinende donkere water lag de hond trillend in de schimmige duisternis onder in de boot. De man, de zeer geliefde man, zijn baas,
was naast hem aan het werk en snapte niet waarom het dier zo angstig was.
Hij maakte klokkende geruststellende geluidjes en merkte niets van de gebeurtenissen op de hoger gelegen kade. Mensen, begreep het beest, hadden een zwakkere, inferieure vorm van bewustzijn. Soms merkten ze niet dat er bloed in de
buurt was...

De zwarte adem van de sirocco luwde. Op het kleine, eenzame Isola degli Arcangeli, dat blonk in de korte glimp maanlicht, was het stil. Toen ging de nachtwind
nog harder en strakker waaien dan daarvoor. Het iele geraamte van het indrukwekkende *palazzo* kraakte onder het geweld. Stukken broos glas tuimelden uit
vensters die de afgelopen dag juist voor een deel waren hersteld door de restaurateurs. Wolken zanderig stof geselden de goudkleurige steen van het nabijgelegen
woonhuis van de familie Arcangelo en sloegen tegen de barokke ramen van het
overdreven uitkijkpunt op de eerste verdieping dat uitwelfde boven de lagune.
Aan de andere kant van het *palazzo,* in de glasblazerij, ooit de bron van het fortuin van de familie, joeg de wind door het rookkanaal van de schoorsteen omlaag,
als een reus uit een andere wereld die in een papieren zak blies, zocht de zwakke
plekken op in alle hoeken en gaten, en liet de hoge gammele deuren rammelen
en het wanstaltige glazen dak met de broze overspanning van oude houten steun-
balken doorbuigen.

De zomerstorm uit de Sahara woei al drie dagen vrijwel onafgebroken door
de stad. Hij droeg droge verstikkende stof met zich mee dat zoekend naar een
schoon, helder en volmaakt iets wat het kon bederven, door de kieren de *fornace*
in stoof en de precieuze processen verstoorde die daar plaatsvonden. De productie van goed glas, die de laatste tijd beneden de maat was geweest, was nu
lager dan ooit. Overal heerste onrust. Zandhozen wervelden over de kanalen en
joegen achter elkaar aan door de smalle steegjes van het eiland. Achter Murano,
aan de overkant van de lagune, in het eigenlijke Venetië, klotste kolkend donker
water voortdurend over de stenen aan de rand van het Piazza San Marco.

De augustusstorm had de normale afmattende vochtige warmte verdreven en
er iets onbekends voor in de plaats gesteld. Zelfs nu, kort na twee uur in de ochtend, onder de vrijmoedige blik van een volle maan die door de storm de kleur
van roest kreeg, leek de lagune verstoken van zuurstof. Achter het Isola degli Arcangeli lag een hele stad in de fluitende zanderige sirocco naar adem te snakken.

Hij luisterde naar de razernij waarmee de storm zich op het broze geraamte van de glasblazerij stortte. Het was of de zuchten van de wind maat hielden met het zware, rokerige gepuf van de kolossale primitieve oven voor hem.

Geliefd en gehaat stond het gevaarte midden in het vertrek. Het loeide wanneer harde windvlagen zich door de bouwvallige gemetselde schoorsteen omlaagstortten en hun snikhete adem over het smeulende vuur lieten gaan. Hij hoefde niet op de temperatuurmeter te kijken om te zien dat het vuur te heet was. De halfronde binnenkant van de oven was bijna witgloeiend en te fel om naar te kijken. In zijn muil stond de kostbare pot met het kolkende mengsel – gemalen *cogoli*-kiezels uit Istria en de soda uit verbrand zeewier, precies wat een maestro uit Murano vijfhonderd jaar geleden zou hebben gewild – een onderdeel van een ongewis mysterie dat hij stuurde maar nooit helemaal beheerste.

Een uur geleden was alles normaal geweest. Maar toen hij even naar het verlaten kantoor was gegaan en een paar glazen *grappa* had gedronken om de nacht sneller te laten verlopen, had ze hem gebeld, hoewel haar werk erop zat, en hem opgedragen het vurige beest eerder dan anders te controleren. Ze had niet gezegd waarom ze hem naar de *fornace* riep. En ze was er ook niet toen hij bij de glasblazerij kwam, nadat hij in het toilet in het kantoor zijn gezicht had gewassen en zijn mond met water had gespoeld om de dranklucht te verbloemen. Een van de dubbele deuren stond op een kier en hij was naar binnen gelopen, had hem achter zich dichtgetrokken en niemand aangetroffen.

Hij schudde zijn hoofd en wilde dat de alcohol was uitgewerkt. De oven was altijd lastig; dat kwam vooral door de ouderwetse manier van stoken met zowel hout als gas, onderdeel van het geheime proces van de familie Arcangelo. Maar nu begreep hij er helemaal niets van. Terwijl hij stond te kijken, loeide het grommende, kreunende monster opnieuw onder de schuivende massa van het gevensterde dak en ademde toen eenstemmig met de wind uit.

Uriel.

Het was net of ze samen tergend zijn naam fluisterden. Zijn vader had een reden gehad hem zo te noemen. De familie Arcangelo was altijd anders geweest, vóór de tijd van zijn vader al, toen ze nog gewoon welvarende scheepsbouwers waren die de laatste behoorlijke *squero* in Chioggia dreven. Als kind opgroeiend in Murano was Uriel zich altijd bewust geweest van de afstand tussen de Arcangelo's en de anderen. Je kwam nooit een Bracci of een Bullo tegen die een dergelijke last moest dragen. Ze zouden dag in dag uit genadeloos zijn gepest op de eenvoudige, strenge school bij de kerk. Met Uriel Arcangelo werd nooit de spot gedreven. Nooit vriendschap gesloten ook, zelfs niet toen hij een van hen tot vrouw nam.

Misschien, zei de *grappa* smalend in zijn achterhoofd, wisten ze wat de naam betekende.

Vuur van God. Engel der verschrikking.

7

Het was een van de vele wrede grapjes van zijn vader om van alle vier zijn kinderen tweemaal een engel te maken, ieder met zijn vaste rol. Michele, die hem zou opvolgen als *capo*, 'gelijk God'. Gabriele, de sterke man bij de oven, de maestro met de pijp, die ervoor zorgde dat het de familie goed ging. Of niet. Raffaela, de verzoenster, die tussenbeide moest komen wanneer iets uit de hand liep, het verstand van een vrouw moest laten spreken bij hun beraadslagingen. En Uriel. De zwaarste, de eenzaamste taak. Uriel de tovenaar, de alchemist, de *omo de note* van de familie, de gefluisterde, bijna eerbiedige benaming van de Venetianen voor een man van de nacht, de bewaarder van de geheimen, die waren overgeleverd uit het kleine zwarte boekje dat vroeger altijd veilig voor de nieuwsgierige blik van buitenstaanders in de jaszak van zijn vader Angelo zat.

Uriel sloot zijn ogen, voelde dat de hitte uit de oven zich door het vertrek verspreidde en zijn huid schroeide, en dacht aan die laatste dagen van Angelo, toen deze in de ouderslaapkamer van het woonhuis naast het verdomde *palazzo* – de bodemloze put die hen in de loop der jaren had leeggezogen – langzaam de dood in gleed. Het beeld van die allerlaatste nacht zou hem altijd bijblijven: hoe de oude man de anderen de kamer uit had gestuurd, en hem – een jongen nog, de tienerjaren net voorbij – opdracht had gegeven het boekje te lezen, de oude recepten te bestuderen en die geheimen uit het hoofd te leren. Uriel had, zoals altijd, gehoorzaamd. Zo goed, dat Angelo Arcangelo een bediende had geroepen en het boekje voor hun ogen had laten verbranden, totdat er alleen wat as in een oude pispot van over was. Zijn vader had gelachen, maar niet vriendelijk, want dit was een test. De familie Arcangelo zou altijd op de proef worden gesteld.

Om middernacht was Angelo Arcangelo dood, een bleek, stijf lijk op de witte lakens van het antieke hemelbed waarin al zijn kinderen, die om hem heen stonden, waren verwekt. Het tafereel stond Uriel nu, dertig jaar later, nog altijd helder, onbarmhartig scherp voor de geest. De recepten zaten veilig in zijn hoofd, wisselende mengsels van arseen en lood, antimoon en veldspaat, die elk stonden voor een vorm of een kleur die zich in de massa van de onbewerkte *fritta* zou vormen, die in het binnenste van de oven ontstond en in iets moois zou veranderen wanneer de volgende tovenaar, Gabriele de maestro, met zijn armen van staal, zijn longen als blaasbalgen, zijn tang en zijn pijp in de ochtend de flexibele, kronkelende vorm bewerkte. Zo probeerde de familie Arcangelo brood op de plank te krijgen, niet door *bragozzi*-barken te bouwen voor de vissersgeslachten van Chioggia. Magie leverde hun geld op, hield hen in leven. Maar magie was een hardvochtige en onberekenbare meesteres, die veeleisend was en soms niet mee wilde werken. De laatste tijd vooral.

Angelo had een slimme, onfeilbare manier gekozen om die geheimen door te geven. De herinnering aan zijn vader in die laatste momenten, bleef Uriel altijd bij, het doodshoofdachtige gezicht dat veelzeggend grijnsde alsof het wachtte op het moment dat de zoon zou falen, zoals iedere *omo de note*, omdat hun vak een onexacte kunst was, die volledig verknoeid kon worden door een milligram te veel soda of een minieme verandering in de verschroeiende hitte van 1400 graden van brandend hout en gas. Toch had Uriel de recepten uit zijn hoofd geleerd, ze telkens herhaald, in zijn synapsen gebrand, en gezworen dat er een dag zou komen dat hij de moed had de demon te verslaan van zijn vaders laatste vermaning: 'Schrijf ze nooit op, anders zullen de vreemdelingen je bestelen.' Hij wachtte nog steeds. Zelfs nu, lang nadat zijn vader tot stof was vergaan, ging hij bij de gedachte alleen al nog heviger transpireren onder de geelbruine voorschoot die hij over een oud, sjofel katoenen pak droeg.

Ooit zou dat moment komen. Maar tot die tijd zou de litanie van recepten vanzelf, ongevraagd door zijn gedachten gaan, wanneer hij met een bonzend hoofd van de drank wakker werd in het verblindende licht van hun appartement in het woonhuis, of tijdens een van die zeldzame momenten dat hij met Bella op het oude, krakende koperen bed stoeide en een ander soort geheim in haar hete, strakke lichaam probeerde te vinden, terwijl hij zich afvroeg waarom dit tegenwoordig de enige manier was waarop ze konden communiceren.

'Bella,' mompelde hij bij zichzelf en hij schrok ervan hoe oud en droog zijn stem klonk. Uriel Arcangelo was negenenveertig. Al zijn nachten bij de oven, de vervloekte, geliefde oven met het vuur dat de adertjes op zijn harder wordende wangen deed springen, hadden hem de teint en de donkere, depressieve kijk van een oude man bezorgd.

'Wat is dit?' schreeuwde hij boos tegen niemand. Hij hoorde alleen het dierlijke geloei van de oven als antwoord.

Hij begreep dit vurige beest beter dan wie ook. Hij was ermee opgegroeid, had uren lang geploeterd om zijn nukken en grillen de baas te worden. Hij kende zijn vele luimen, niet één beter dan die lange, trage uren waarin hij maar niet op temperatuur wilde komen. De oven was nog nooit oververhit geraakt. De constructie van broos geworden ijzer en baksteen was te zwak en liet te veel kostbare energie ontsnappen door zijn gebarsten poriën.

Uriel Arcangelo moest opeens ergens aan denken. Hij had heel wat brandwonden opgelopen in de glasblazerij. Eén keer was hij bijna een oog kwijtgeraakt. Zijn gehoor was slecht; zijn reukzin beschadigd bij een ander hachelijk incident. Maar er was nooit brand geweest, een echte brand, zo'n vlammenzee die concurrerende glasblazerijen van tijd tot tijd had stilgelegd. De gebroeders Arcangelo waren daarom laks met veiligheidsmaatregelen. Ze volgden de orders van de brandweer nooit tot in detail op. Het was altijd goedkoper de steekpenningen te laten langsbrengen dan het werk uit te voeren.

De brandslang hing buiten aan de muur van de glasblazerij als een stoffig opgerold serpent. Er was niet eens een brandblusser in de buurt.

Uriel hoestte. Er zat rook in de damp die uit de oven kwam, een vreemde lucht ook. Zonder erbij na te denken, uit gewoonte eigenlijk, haalde hij de platvink met *grappa* voor de dag en nam een flinke slok. Hij was zich ervan bewust dat er een paar druppels van de scherpe drank over zijn kin dropen en op zijn bruine voorschoot vielen.

Ze zou het merken. Ze zou snuiven en ze zou hem aankijken, met die Bracci-blik, die gemene grijns vol haat en vertwijfeling die haar trekken tegenwoordig zo vaak bedierf.

Er kwam een geluid uit het hart van de oven. Het was een geluid dat hij nog nooit had gehoord, niet van gas, of hout, of glas. Een zachte, organische explosie veroorzaakte een regen van vonken, die uit de boze, oranje mond van het ding vlogen. Hun licht danste stoffig weerspiegeld over het plafond. De sirocco loeide en deed de glasblazerij schudden alsof het een gedroogde zaadbol was die heen en weer zwiepte in de wind.

Uriel Arcangelo haalde zijn sleutelbos uit zijn zak, liep terug naar de deur en stak er een in het oude insteekslot voor het geval dat hij vlug weg moest zien te komen.

De oven had hulp nodig. Misschien was het meer dan één man aankon. Als dat het geval was, kon hij tenminste snel naar buiten rennen en de kade op gaan, naar het huis achter het *palazzo*, waar de anderen lagen te slapen zonder zich bewust te zijn van deze ongewone gebeurtenis die op slechts een paar meter afstand op hun privé-eiland gestalte kreeg.

2 Ze riepen Piero Scacchi, de *garzone de note*, maar in werkelijkheid was hij helemaal geen jongen. Scacchi was drieënveertig, een boom van een kerel met de bouw en de houding van de keuterboer die hij overdag was op de vlakke, groene velden van Sant' Erasmo, het agrarische eiland van de lagune dat Venetië het hele jaar door van verse groenten voorzag. Zijn moeizaam verkregen oogst van artisjokken, roodlof di Treviso en felrode trossen *peperoncini* was nog te klein om een man alleen dezer dagen in leven te houden. Daarom had hij enkele maanden geleden, toen hij had geaccepteerd dat er geen andere mogelijkheid was, met tegenzin de familie Arcangelo benaderd, met Michele, de baas van het spul, gesproken en zijn diensten aangeboden tegen een prijs die naar hij wist zo billijk was, dat ze het eigenlijk niet konden afslaan.

Het was algemeen bekend dat de familie Arcangelo slecht bij kas was. Het schijntje dat ze uiteindelijk bij hem bedongen, was belachelijk, ook al werd het contant betaald om de belastingen te omzeilen. Het was eenvoudig werk, met flexibele uren: hout en as ophalen bij boeren en kleine leveranciers rondom de lagune en naar het privé-eiland van de familie vervoeren dat aan de zuidkant van Murano hing als een traan die op het punt stond te vallen. Hij moest een beetje sjouwen, een beetje schoonmaken en zo nu en dan illegaal vuil storten. Het werk hield Scacchi op het water, een plek waar zowel hij als zijn hond van hield, ver weg van Venetië met haar duistere steegjes en nog duisterdere mensen. Hij was opgegroeid in de lagune, op de eenzame boerderij die zijn moeder hem tien jaar geleden had nagelaten. Als Scacchi daar was, of op zijn boot, had hij het gevoel dat hij thuis was, veilig voor de stad en haar gevaren.

De Arcangelo's waren anders, net als hij, maar dit punt van overeenkomst bracht hen niet dichter bij elkaar. De familie leefde teruggetrokken en was zwijgzaam, op een manier die Scacchi triest en soms bijna sinister vond. In weerwil van, of misschien juist vanwege, zijn eenzame bestaan was hij een spraakzame, hartelijke man die hield van een borrel en een geintje met zijn maten. Hij voer na een bezoek aan de markt in Rialto in de vroege ochtend nooit helemaal nuchter naar huis. Piero Scacchi kon gezellig zijn als het hem uitkwam. Deze talenten werden op slag overbodig wanneer de *Sophia* onder de smalle ijzeren brug doorvoer die het privé-eiland verbond, dat de familie het Isola degli Arcangeli noemde – een zelfverzonnen naam die hij pretentieus vond –, en afmeerde bij de kleine steiger tussen het *palazzo* en het gigantische huis, Ca' degli Arcangeli, waar ze woonden.

De familiegeschiedenis was algemeen bekend. Ze waren op aandringen van wijlen hun vader uit Chioggia gekomen, hadden het glasatelier overgenomen, geprobeerd de klok terug te draaien en een weifelende wereld ervan te overtuigen dat het de moeite waard was minstens twee keer zoveel te betalen voor een combinatie van traditioneel en experimenteel werk dat bij de rest van het voorspelbare opzichtige aanbod van Murano uit de toon viel. De eerste jaren van nieuwigheid en succes, onder Angelo Arcangelo, lagen al ver achter hen. Het gerucht ging dat de familie binnenkort failliet zou gaan, of zou worden uitgekocht door iemand met een beetje verstand van zaken. Dan zou Piero Scacchi weer een ander bijbaantje moeten zoeken. Tenzij de marktprijs voor *peperoncini* opeens steeg. Of er een ander wonder gebeurde.

Hij trok zijn kraag strakker om zijn nek tegen de stoffige wind en zuchtte bij het zien van de hond. Het beest lag met zijn snuit begraven onder zijn zachte, lange zwarte oren te trillen op de planken van de motorsloep.

'Kijk niet zo zielig. We zijn zo thuis.'

De hond haatte de glasblazerij. Scacchi had het dier Xerxes genoemd omdat het heer en meester was van de stille en verlaten plaatsen waar ze samen gingen jagen. De stank van de oven, de rook, het geloei van de vlammen... alles leek er alleen maar op uit te zijn bange voorgevoelens op te wekken in zijn pientere, schrandere zwarte kop. Op Sant' Erasmo, of in het moerasland van de lagune, wanneer hij op zoek was naar de eenden die door Scacchi's altijd accurate geweer waren neergehaald, was de hond in zijn element en stortte hij zich onverschrokken in koud bruin slijk om het nog warme lijf van een watervogel te halen die in het helmgras en de tamarisken op de kusteilandjes was verdwenen. Hier drukte hij zich voortdurend plat tegen de grond. Scacchi zou hem op de boerderij hebben gelaten als de hond hem de kans had gegeven. Het geluid van de astmatische motor van de boot was al genoeg om hem dolblij te maken. Dieren hadden weinig besef van consequenties. Voor Xerxes was elke handeling een prelude tot mogelijk plezier, wat ervaringen uit het verleden daar ook tegenin brachten. Scacchi benijdde het dier daar om.

'Xerxes...' zei hij. Toen hoorde hij iets, een vreemd, koortsig gesis, gevolgd door iets wat op een schreeuw van een mens leek, en even was hij even bang als het dier.

Hij draaide zich om naar de ijzeren voetbrug, een van de idiootste verspillingen van Angelo Arcangelo, een groots ontwerp in miniatuur, dat met behulp van één pijler en identieke, barokke kraagliggers aan weerszijden niet meer dan dertig meter water overspande. De korte centrale boog was overdreven hoog gemaakt aan de zuidzijde, dicht bij de vuurtoren bij de *vaporetto*-halte en de steiger waar Scacchi had afgemeerd. Aan deze kant stond er een skeletachtige lange engel op met roestende rechtopstaande vleugels van zeker vijf meter hoog, een beeld geheel van smeedijzer gemaakt. Het zag eruit als een gekwelde geest gevangen in metaal. Om het beeld heen zat elektrische feestverlichting. De rechterarm was geheven en hield een toorts vast die hoog in de lucht stak. Boven op de toorts brandde een echte gasvlam die voortdurend, dag in dag uit, ter nagedachtenis aan de oude man, van brandstof werd voorzien door de eigen methaantoevoer van de glasblazerij.

Piero Scacchi had net zo'n hekel aan het ding als de hond.

Hij luisterde nogmaals. Er was een menselijk geluid van het eiland gekomen. Nu was het weg. Het enige wat hij hoorde, was de ijzeren engel die boven het geloei van de wind uit suisde, sputterde en plofte, terwijl de vurige toorts onregelmatig opvlamde.

Hij had geen verstand van gas. Hij was de nachtjongen, de bediende, iemand die sjouwde en schoonmaakte, op metertjes tikte om te controleren of ze niet in het rood schoten en een beroep deed op Uriel, de arme, treurige Uriel, die de hele nacht met een fles *grappa* opgesloten zat in zijn kantoortje, als er iets mis was. Piero Scacchi wist niet veel van de verschillende apparaten in de glasblazerij, alleen wat hij had opgestoken door naar Uriel te kijken wanneer hij zonder een woord te zeggen naar de kranen en schakelaars vloog, aanmaakhout in de *fornace* gooide, de zo belangrijke vuren naar zijn pijpen liet dansen.

Maar Scacchi wist genoeg om te begrijpen dat er iets mis was. Misschien doofde de wind de vlam van de stomme toorts van de engel, zodat er zuiver brandbaar gas de nacht boven Murano in stroomde. Hoewel het probleem eerder te weinig dan te veel gas leek te zijn. Terwijl hij stond te kijken, ging de toorts opeens uit en slikte zijn vlam in met een onverwachte, ploffende explosie.

De hond jankte, keek naar hem op en kwispelde met zijn pluimstaart.

Hij had alle reden om weg te gaan. Hij hoefde hier niet eens te zijn. Scacchi was hier alleen om zichzelf de komende nacht wat werk te besparen. De Arcangelo's kregen altijd waar voor hun geld.

Toen ving de jager in hem weer iets op. Opnieuw een mensenstem, onverstaanbaar, weggeblazen door de sirocco voordat hij hem kon thuisbrengen.

'Xerxes...' zei hij, maar hij maakte de zin niet af.

Van de kade boven hem schoot iets loeiend de nacht in. Een lange helle vuurtong, als van een boze draak, strekte zich een moment uit in de zwarte lucht. De spaniël gilde. Piero Scacchi gooide zijn jasje over de kleine, trillende gedaante, klauterde de glibberige verraderlijke ladder naast de ankerplaats op en hoorde bij elke stap het geschreeuw van een mens luider worden.

3 Er was iets mis met de vlammen in de oven. En met de rook, een roetige zwarte sliert die uit de ovenmond kwam en omhoogkringelde naar het schuddende dak. Uriel wist hoe het vuur eruit hoorde te zien. Hij kon aan de hand van de intensiteit van de hitte op de gebarsten bloedvaatjes in zijn wangen al bepalen hoe het met het vuur stond.

Er zat iets vreemds in de muil van de koepelvormige constructie, achter de pot met glas in wording, iets wat fel brandde en veel rook verspreidde. Hij pijnigde zijn halfdronken hersens op zoek naar een verklaring en vroeg zich af wat hij moest doen. Uriel Arcangelo werkte hier al sinds zijn twaalfde. Het proces was zo vertrouwd, dat hij er nauwelijks nog over nadacht. Op een normale werkdag stapelde hij omstreeks vijf uur 's middags hout in de oven en zette hij de gasbrander op 1250 graden Celsius voordat hij een ruwe lading in de oven zette. De hele avond door gingen Bella en hij van tijd tot tijd kijken om te zien of de temperatuur geleidelijk aan steeg tot 1400 graden en om hout toe te voegen, volgens de instructies van zijn vader, tot de oven zo heet was, dat alle eventuele bellen uit het glas ontsnapten. Omstreeks drie uur legde Uriel, en alleen hij, als *omo de note*, zijn laatste bezoek af en begon hij de temperatuur langzaam te verlagen. Tegen zevenen in de ochtend was het glas dat hij had gemaakt, soepel genoeg om door Gabriele verwerkt te kunnen worden tot de dure en unieke bokalen en vazen met het handelsmerk van de glasblazerij, een skeletachtige engel, op de voet.

In alle decennia van noeste nachtelijke arbeid had hij nog nooit iets meegemaakt wat het schouwspel kon verklaren dat hij nu voor zich zag: een oven die om onverklaarbare redenen niet meer in de hand was te houden.

'Bella?' riep hij boven het loeien van het vuur uit, half hopend dat ze er was. Niemand antwoordde. Er was slechts de roep van de vlammen.

Uriel Arcangelo haalde diep adem. Hij wist welke beslissing hij moest nemen: de oven uitzetten zou betekenen dat ze een hele dag productie verloren. De familie was al blut. Zo'n tegenslag konden ze zich niet veroorloven.

Alhoewel...

Er zat altijd een eenzaam, verbitterd stemmetje in zijn achterhoofd als hij had gedronken. Alhoewel ze de laatste tijd vrijwel niets hadden verkocht. Het enige wat ze zouden verliezen, was een stel ongewenste artikelen die zouden worden opgeslagen in het magazijn, bij de talloze dozen met identieke kostbare, mooie glazen objecten; ze wáren mooi, dat vond hij nog steeds, echte kunstwerken.

Uriel keek op zijn horloge en vroeg zich af of hij zijn broer moest roepen. Het was nu bijna drie uur. Een dag kwijt was erg, maar niet zo verschrikkelijk dat

14

hij zich daarvoor de woede van Michele op de hals moest halen. Bovendien was Uriel de *omo de note*. Hij was aangesteld om deze beslissingen te nemen. Het was zijn taak, zijn verantwoordelijkheid.

Hij liep naar de wirwar van oude methaanpijpen en de enorm grote kraan waarmee de gastoevoer naar de branders werd gereguleerd. Hij kon de temperatuur misschien wel met de hand bijstellen. Dat zou hij inmiddels toch moeten doen.

Hij dacht eraan wat hij gemeend had te zien toen hij in de buik van de oven keek en draaide zich om om naar de rookspiraal te kijken die nog altijd omhoogkringelde naar de gevlekte maan die zichtbaar was door het dak. Er was iets vreemds aan de hand en omdat hij niet begreep wat, kon hij onmogelijk inschatten hoe groot het gevaar was. Hij kon geen risico nemen met de oven. Als het monster zelf beschadigd raakte, zouden ze veel meer dan een dag productie kwijt zijn. Een langdurige sluiting zou het einde van het bedrijf als geheel kunnen betekenen.

Hij legde zijn beide handen op het wiel met zijn vingers stevig op de vertrouwde plaatsen waar de verf vanaf gesleten was en probeerde het negentig graden te draaien om de gastoevoer helemaal af te sluiten. Michele mocht morgen klagen wat hij wilde. Dit was een beslissing die niet kon wachten.

Uriel Arcangelo sjorde zeker een minuut met steeds meer kracht aan het metaal. Het was zo heet dat hij zijn handen brandde. Het bewoog niet, nog geen millimeter.

Hij hoestte. De rook werd dichter, werd zo dik dat hij van het plafond weer omlaagzakte. Zijn hoofd was zwaar, suf. Hij probeerde in gedachten de opties op een rij te zetten. De enige werkende telefoon in de glasblazerij hing bij de deur. De familie Arcangelo geloofde niet in mobieltjes. Als de boel uit de hand liep – en daar moest hij nu rekening mee gaan houden – zat er niets anders op dan Michele en de brandweer te bellen, het gebouw uit te gaan en te wachten.

Vertwijfeld stortte hij zich nog één keer op het wiel. Er was geen beweging in te krijgen. Het zat muurvast, door de hitte zelf misschien, of jaren achterstallig onderhoud.

Hij vloekte binnensmonds en liep met een laatste, enigszins bevreesde blik op de oven naar de deur.

Hij was halverwege toen hij iets op zijn voorschoot voelde bewegen, een merkwaardige, hete vinger die over zijn borst kriebelde. Hij keek omlaag en wilde zijn ogen niet geloven. Ter hoogte van zijn middenrif schoot vuur uit de stof. Een duidelijke, flinke vlam, vergelijkbaar met die van een bijzonder grote kaars, kwam onder de voorschoot vandaan alsof zijn eigen lichaam onder de huid een soort inwendige brander had. En hij werd groter.

De vlam breidde zich flakkerend naar boven en zijwaarts uit. Hij sloeg er met zijn mouw tegen, met als enig resultaat dat de stof daar ook vlam vatte. Het vuur danste over zijn arm, dreef de spot met hem, als de oven zelf die achter zijn rug steeds luider pufte ...

Uriel. Uriel.

De lucht trilde. Opeens wist hij wat er was gebeurd. Een van de branders was tot stof vergaan. De verschroeiende hitte had zich door de pijp in de richting van de onbeweeglijke kraan gewerkt, zich te goed doend aan het brandbare gas, het stukje bij beetje verslonden.

De explosie trof hem vol in de rug, zo hard, dat hij gillend op de stijve kei-harde houten vloer viel. Hij voelde dat zijn tanden tegen het versteende hout sloegen, dat er iets brak in zijn mond, zodat er een pijn naar zijn hersenen schoot die daar heel veel andere boodschappen tegenkwam: angst en vrees en een steeds flauwer wordende overtuiging dat hij dit kon overleven als hij maar bij de deur met de sleutel wist te komen, de magische sleutel die hij met een vooruitziende blik slechts een paar lange minuten geleden in het slot had gestoken.

4 Scacchi klauterde de roestige ladder op en kwam wankelend met zo veel vaart aan land, dat hij direct op de harde, stoffige stenen van de kleine kade van het eiland tuimelde. Hij kroop verder op handen en voeten, terwijl hij tegen de harde hete wind in op adem probeerde te komen. Zijn mobiele telefoon lag nog in de boot. Hij had geen idee hoe hij snel iemand in de buurt kon waarschuwen. Maar iemand moest het vuur toch zien, zelfs in dit binnenwater bij Murano, op een eiland dat zijn kleine voetbrug naar de buitenwereld altijd afgesloten hield nu er geen toonzaal voor bezoekers meer was. Als het vuur oversloeg naar het *palazzo*, zou het een bedreiging vormen voor het woonhuis zelf, waar de rest van de familie Arcangelo lag te slapen in hun aparte slaapkamers verspreid in het ruime gebouw.

De steekvlam die over de *Sophia* heen was geschoten, was snel gedoofd. Dat was nog een geluk. Maar de kinderhoofdjes van de brede kade bij de glasblazerij lagen bezaaid met glasscherven en hete, gloeiende stukken smeulend hout. Hij had zijn handen al opengehaald toen hij in de scherven viel en voelde de scherpe pijn van hete splinters die in zijn huid prikten.

Vloekend krabbelde hij overeind en sjokte naar de half verbrijzelde ruiten van de glasblazerij om te zien waar het menselijke geluid dat hij zo-even had gehoord, vandaan kwam. De ramen liepen door tot aan de grond om toeschouwers buiten de gelegenheid te geven het proces binnen gade te slaan. Nu bruiste er een smerige storm van stof en rook uit het gat dat de ontploffing in het midden had geslagen. Hij schermde zijn ogen af tegen de zwarte, kolkende wolk en probeerde zich een voorstelling te maken van de kracht die zo'n verschrikkelijke schade had kunnen aanrichten.

Scacchi had geen ervaring met vuur. Branden kwamen op Sant' Erasmo nauwelijks voor en op de boot hoefde je er vrijwel geen rekening mee te houden. Met de verschroeiende adem van het machtige inferno in zijn gezicht voelde hij zich dom en hulpeloos.

De oude brandslang hing op de hem bekende plek tegen de gemetselde muur naast de dubbele deuren, opgerold als een dood serpent half tegen een brandkraan aan die eruitzag alsof hij al jaren niet was gebruikt.

Hij hoorde het gesis van ontsnappend gas en ook het geluid van zo-even, nu nog harder en hoger: iemand die gilde in doodsnood.

Piero Scacchi slaakte een boze vloek, rukte de slang van zijn haken, hees hem onder zijn ene arm en trok met zijn sterke rechterhand aan de grote industriële kraan. Na veel moeite gaf hij mee. Een vrij krachteloze straal water, waarschijnlijk gewoon uit de zwakke hoofdleiding van het eiland onder normale druk, stroomde weinig enthousiast uit de spuit naar buiten.

Hij liep voorzichtig naar de kapotte ramen, richtte de straal op de dichtstbijzijnde vlammen die zich in het tondelachtige houtwerk vraten en zag hoe ze met tegenzin kleiner werden en in een sissende, stomende massa veranderden, zodat hij net genoeg ruimte kreeg om dichterbij te komen. Scacchi schuifelde naar voren en ging voorzichtig voor het glas en het heldere, zonachtige licht staan dat uit de glasblazerij kwam. Door de enorme hitte werd elke snelle, moeizame ademhaling een kwelling en begon de huid van zijn gezicht samen te trekken en pijn te doen. Toen losten alle gedachten aan zijn eigen hachelijke situatie op in het niets en werd Piero Scacchi overspoeld door zorgen en verdriet om de mens die, naar zijn weten, binnen zou zijn.

Scacchi rende naar de oude houten dubbele deuren, rukte de klink omhoog en ging er met zijn hele gewicht aan hangen. Er zat geen beweging in. Ze waren naar alle waarschijnlijkheid aan de binnenkant op slot gedraaid. Hij kon voelen dat het stevige mechaniek goed bestand was tegen zijn kracht. Uriel had waarschijnlijk de sleutel, dacht hij, maar hij was te bang, te zeer gegrepen door de vlammen misschien, om hem te gebruiken.

Scacchi hield zijn hoofd bij het hete, droge hout van de deur in een poging zichzelf verstaanbaar te maken.

'Uriel! Uriel!' schreeuwde hij, zonder te weten hoe ver zijn stem in deze vreemde, vurige wereld buiten zijn gezichtsveld zou dragen. 'De deur, man! De sleutel!'

Hij hoorde binnen geen enkel menselijk geluid meer, alleen het triomfantelijke geloei van het inferno.

Scacchi gooide de slang neer en keek om zich heen of hij iets kon vinden, een ijzeren staaf of een stuk hout, wat hij kon gebruiken om de ingang open te wrikken. De kade was leeg op een paar dozen met gebroken glas na, die klaarstonden om aan het nieuwe mengsel te worden toegevoegd. Toen keek hij opnieuw naar de ramen en hij wist dat er eigenlijk geen andere manier was.

Hij had al eerder een paar mensen op de lagune gered. Idioten van terra firma die stomme spelletjes met boten speelden zonder zich bewust te zijn van de gevaren. Als hij bereid was geweest voor hen zijn leven te wagen, was er werkelijk geen excuus nu werkeloos toe te zien en een goed mens als Uriel Arcangelo in deze vlammen om te laten komen.

'Geen keus,' mompelde hij en hij greep de slang onder zijn arm. 'Geen keus...'

Scacchi's aandacht verschoof naar het terras met kinderhoofdjes. De hond had de boot verlaten om hem te zoeken. Het dier stond aan de rand van de kade naar hem te kijken. Zijn verschrikte ogen weerspiegelden de brand binnen en zijn zwarte vacht lag glanzend en glad tegen zijn magere lijf. Xerxes moest van de *Sophia*, die naast de ladder bij de ondergrondse goedereningang lag afgemeerd, naar het trapje bij de brug zijn gezwommen. Hoe bang hij ook was.

De spaniël legde zijn kop in zijn nek en stootte een lang, klaaglijk gejank uit. Scacchi keek naar de hond. Hij had het beest vanaf zijn geboorte grootgebracht. Het deed alles wat hij vroeg. Meestal.

'Blaffen,' sommeerde hij. 'Blaffen, Xerxes. Zo hard als je kunt.'

Luisterend naar het opgewonden gekef dat steeds luider werd toen de hond langs de waterkant heen en weer ging rennen, stopte hij de slang onder zijn arm. Hij nam een grote hap lucht en vroeg zich af hoelang hij daarmee toe kon in de hel die voor hem lag.

Sneeën en blauwe plekken. Rook en vuur. Uiteindelijk waren die helemaal niet belangrijk wanneer er een mensenleven op het spel stond.

Piero Scacchi tikte met de ijzeren spuit van de versleten slang een gat in het raam, maakte dit met zijn elleboog groter en probeerde in te schatten wanneer het breed genoeg was om erdoor te kunnen. Toen wierp hij zichzelf tussen de resterende punten en scherven glas door zonder iets te voelen omdat dat een verlies aan concentratie zou vergen en hij moest zich op dat moment op meer dingen concentreren dan menselijkerwijs mogelijk was. Alles – machines, muren, werktafels, houten balken en pilaren – leek in brand te staan. Hij trad een wereld binnen die niet helemaal echt was, een universum van vuur en pijn waar hij zich een armzalige infanterist voelde die een eenzame strijd voerde tegen een leger van vurige wezens. Eén vuriger, bezielder dan de rest.

'Uriel,' zei hij opnieuw, dit keer zacht omdat hij niet zeker wist of de woorden van enig nut waren voor de man die half mens, half vurige geest was en gillend voor hem over de grond rolde.

Het wezen bleef even stil liggen en keek hem aan. Hij was, begreep Scacchi, op dat moment niet echt menselijk, niet meer te redden, en wist dat ook.

De autoriteiten waren gearriveerd. Te laat, zoals altijd.

Hij keek met stille ontzetting toe toen twee waterstralen, dikke, krachtige stralen – niet te vergelijken met zijn eigen zielige poging – door de restanten van de ramen heen braken, er genadeloos alle glas uit haalden en zo hard in het gebouw naar binnen drongen, dat ze vuil van het metselwerk bliezen en van het geblakerde, fragiele hout dat het dak van de glasblazerij trachtte te dragen.

Een enorme wolk stoom steeg op uit de oven en vermengde zich met de rook; de vlammen sisten furieus vanwege hun naderende einde. Piero Scacchi keek nogmaals naar wat er over was van de donkere gedaante die als menselijke houtskool voor hem lag, en probeerde voor ogen te houden dat dit een mens was geweest. Hij had Uriel aardig gevonden. De treurigheid en het merkwaardige gevoel van verlies die hij met zich mee leek te dragen, hadden hem altijd ontroerd.

Eén stuivende straal water trof de oven zelf, viel op het bijenkorfachtige bouwsel, vocht met de gloeiend hete stenen van het bolronde dak.

Het vuur was uit, gesmoord door een vloed van schuim en water. Er was een soort overwinning behaald, te laat voor Uriel Arcangelo, maar snel genoeg om zijn familieleden te redden, die geïsoleerde groep mensen die zich nu zouden verzamelen, meende Scacchi, om getuige te zijn van de vreemde, onverklaarbare tragedie die uit de nacht tevoorschijn was gespat en hun een verkoold lijk had gebracht.

Hij kon het niet laten naar voren te lopen en in de buik van het monster te kijken. Er lag daar iets uit elkaar te vallen in de kreunende gloeiende as, een duidelijk herkenbaar ding dat misschien alles zou verklaren, alleen niet nu, want er zat onvoldoende ruimte in Scacchi's hoofd voor de spanning die de vraag wat het zou kunnen betekenen opriep.

Een luid gekraak achter hem maakte dat hij zich omdraaide. De bijlen van de brandweermannen hadden eindelijk de aanval geopend op de stomme houten deuren. Als de man binnen maar de kracht had gevonden de sleutel om te draaien.

Als hij maar...

Scacchi knikte naar de witte, broze schedel, die plat en zonder kaak op de hete as lag te glimmen en mompelde een woordeloze zegen.

Een sterke arm greep hem bij de schouder, blafte tegen hem dat hij opzij moest gaan. Hij haalde de vingers van de brandweerman weg en keek de man in het gezicht met een blik die geen tegenspraak duldde.

Daarna liep hij hoestend door de opengebroken deuren naar buiten. Zijn ogen prikten van de rook en hij voelde dat zijn huid stuk was door brandwonden van de hete stoom, sneeën en splinters die in zijn handen zaten.

Op de kinderhoofdjes van de kade stond de familie bij elkaar tussen de brandweermannen en een paar mensen van de plaatselijke politie. Twee personen werden vermist: Uriel en zijn vrouw. Een woordeloze intuïtieve gedachte, waarvan hij hoopte dat het domme, door angst ingegeven speculatie was, vertelde Piero Scacchi een mogelijke versie van wat er die nacht was gebeurd, en waarom een man misschien liever stierf dan dat hij de sleutel van een oud stel deuren omdraaide om zichzelf te redden.

Vrijwel onmiddellijk kwam Michele met vuurspuwende ogen op hem af en begon vlak voor zijn gezicht met zijn benige hand heen en weer te schudden, zodat zijn vingers af en toe Scacchi's pijnlijke wangen raakten.

'Achterlijke idioot,' beet het hoofd van de familie hem trillend van woede toe. Hij was een kleine man, bijna zestig. En hij droeg een pak. De Arcangelo's hadden zich voor hun begrafenissen gekleed, dacht Scacchi bij zichzelf, en toen vervloekte hij zijn eigen onbeschaamdheid.

Michele begroef zijn twee miezerige vuisten in Scacchi's rokerige, gescheurde jasje. 'Wat heb je gedaan, idioot? Nou?'

Scacchi haalde de handen van de man van zijn kleren en duwde hem op zo'n manier weg, dat Michele begreep dat dit geen goed idee was, geen daad die voor herhaling vatbaar was.

Gabriele stond zwijgend een stukje bij zijn oudste broer vandaan, ook in een oud pak, met donkere, vochtige ogen naar het zwarte glimmende water te kijken. Misschien wachtte hij op bevelen, zoals altijd. Raffaela stond naast hem. Ze was nog in nachthemd en keek Scacchi met glinsterende ogen van schrik en opwinding enigszins meelevend, meende hij, en ook een beetje angstig aan.

Een ambulanceboot was gearriveerd. Een broeder kwam naar hem toe en bekeek hem. Scacchi schudde zijn hoofd en knikte naar de glasblazerij.

'Ik heb geprobeerd te helpen,' zei hij zacht achterom, half tegen Michele, half tegen iedereen die wilde luisteren. Hij was zich ervan bewust hoe oud, schor en vermoeid zijn stem klonk.

DEEL 2

EEN KLUSJE VOOR DE ROMEINEN

1 De twee mannen stonden voor het station Santa Lucia met hun ogen af-
geschermd tegen de felle zon naar alle commotie op het volle en drukke
kanaal dicht bij het Canal Grande te kijken. Het was bijna acht uur in de
ochtend en Venetiës korte spitsuur was in volle gang. Forenzen stroomden binnen met de bussen uit Mestre en omgeving, die hun lading aan de andere kant
van het water op het Piazzale Roma losten. *Vaporetti* streden met elkaar om een
vrije aanlegplaats. Watertaxi's gaven een dot gas om indruk te maken op de buitenlanders die ze een poot zouden gaan uitdraaien. Een eindeloze stoet kleinere
scheepjes – particuliere bootjes, commerciële schuiten, skiffs met bloemen en
groenten, de lage slanke vorm van de incidentele *gondola* – voer zigzaggend tussen
de vloot van verkeer door. Achter hen denderde een trein over de brug van terra
firma, het vasteland, en het geratel galmde abnormaal hard over het kanaal.

Licht en lawaai. Dat, dacht Nic Costa, zouden de voornaamste indrukken zijn
die hij mee naar Rome zou nemen wanneer deze detachering erop zat. Beide
leken te worden versterkt in deze stad op het water, waar alles scheller was dan
op het land en elk geluid ergens ver weg in de doolhoven van dicht op elkaar
gepakte gebouwen die op een kluitje boven de onophoudelijke golfslag van de
lagune uittorenden, leek na te galmen.

De sirocco had 's nachts zijn laatste adem uitgeblazen. Zelfs op dit vroege
uur drukte de zomer zwaar op de stad, waar het benauwd en vochtig was, en
bedompt door het zweet van verwarde toeristen die probeerden uit te maken hoe
ze de vreemde metropool waarin ze zich bevonden, moesten doorkruisen.

Gianni Peroni at zijn kleine *panino* belegd met zachte, rauwe *prosciutto* op en
wilde het papier waarin het verpakt had gezeten, in het kanaal gooien toen de
afkeurende frons van Costa hem tegenhield. Hij stopte het papier in zijn zak en
wierp een blik achterom naar de stoep voor het station waar een paar louche
figuren geld stonden te wisselen.

'Waarom trekken stations altijd smeerlappen aan?' vroeg hij zich af. 'Ik bedoel
maar, de helft van de mensen hier zou rond het Termini niet misstaan. In Rome
is het nog te begrijpen. Min of meer. Maar hier?'

Nic Costa vond dat zijn partner tot op zekere hoogte gelijk had. Ze waren nu bijna negen maanden in Venetië. Het was een soort verbanning, een
vorm van straf voor een daad van interne ongehoorzaamheid die te subtiel was
voor conventionele maatregelen. In werkelijkheid was het bijna een vakantie
geweest. Venetië was heel anders dan Rome. Hier betekende alledaagse criminaliteit minderjarige zakkenrollers, dronkaards en kleinschalige drugshandel.

Zelfs de schooiers bij het Santa Lucia vertoonden slechts een oppervlakkige gelijkenis met de doorgewinterde criminelen die bij het centraal station van Rome hun oneerlijke boterham verdienden, en dat wist Gianni Peroni. Toch kon Costa zijn aangeboren voorzichtigheid niet van zich afschudden. Ook al wekte het die schijn, Venetië was geen paradijs in stil binnenwater waar een paar politiemannen, nu in uniform omdat dat deel van hun straf uitmaakte, hun gedachten al te lang konden laten afdwalen. Ze waren in het kleine wijkbureau in Castello met zo veel achterdocht en rancune behandeld, dat ze zich geen van beiden op hun gemak voelden. En dat was nog niet alles. De melancholieke apathie van de lagune was misleidend. Costa had fragmenten opgevangen van geruchten die de ronde deden op het bureau. De krantenkolommen stonden niet vol met zware criminaliteit, maar dat betekende niet dat er geen zware criminelen waren. Het leven was in Italië nooit zwart-wit, maar in het licht van de lagune leken water, lucht en gebouwen soms op het in elkaar vloeiende wazige universum dat Turner had afgebeeld op de schilderijen van de stad die Costa vol ontzag had bewonderd op de tijdelijke tentoonstelling in de Accademia die zomer. Venetië had iets wat hem zowel verontrustte als interesseerde. Het deed hem denken aan een slechte maar naaste verwant, gevaarlijk om te kennen, moeilijk los te laten.

Hij nam zijn partner eens op. Peroni zag er niet uit in een uniform. De blauwe broek en het overhemd hingen slonzig om het grote lijf van de oudere man; waarschijnlijk waren ze één maat te groot. En zoals altijd nam Peroni expres een loopje met de voorschriften. Aan zijn forse platte voeten droeg hij een paar sportschoenen, zwartleren sportschoenen weliswaar, die bij deze gelegenheid zelfs glommen omdat hij ze had gepoetst. Costa was het uniform gaan dragen zonder erbij na te denken. Het was nog niet zo lang geleden dat hij een beginnende agent in Rome was die elke dag een uniform aantrok. Maar Gianni Peroni had het blauw al bijna drie decennia niet meer aangehad; hij ging niet zonder protest terug in rang en in de tijd.

Costa keek nog eens naar die gigantische voeten, die strak in een paar zo te zien dure Reeboks zaten geperst.

'Het is voor mijn gezondheid,' zei Peroni op een klagerig toontje. 'Hou je mond maar. Ik heb in deze stad verdomme meer gelopen dan thuis in een heel leven. Het is gewoon onmenselijk.'

'Ze hebben hier geen surveillancewagens...'

'Ze hadden ons een boot kunnen geven!'

Dit was voor Peroni vanaf het moment dat ze waren gearriveerd een bron van misnoegen geweest. Gianfranco Randazzo, de chagrijnige *commissario* in Castello, was, misschien niet geheel ten onrechte, tot de conclusie gekomen dat het geen zin had een paar tijdelijke bezoekers de lastige en intensieve opleiding voor een vaarbewijs voor de lagune te laten volgen. Zodoende waren ze allebei veroordeeld tot de straten en het openbaar vervoer, behalve als ze van een van de lokale politiemensen een lift wisten te krijgen.

'Dat is een gepasseerd station, Gianni. We zijn hier bijna klaar. Wat zouden we thuis trouwens aan een vaarbewijs hebben?'

'Daar gaat het niet om,' hield Peroni vol en hij zwaaide met een grote, dikke vinger voor Costa's neus heen en weer. 'Ze hadden ons op gelijke voet moeten behandelen. Niet als buitenstaanders. Als vreemdelingen zelfs.'

Vreemdelingen. Maar in zekere zin waren ze dat. Venetië was zó anders. Het was een stad die voortdurend haar best deed hun het gevoel te geven dat ze vreemden waren die zich door een schel, tweedimensionaal landschap bewogen dat nooit helemaal echt was. De lokale bevolking viel, wanneer ze enige privacy wilden, zelfs terug op het lagunedialect, een merkwaardig taaltje dat voor gewone Italianen vrijwel onverstaanbaar was. Costa had zich een paar woorden van het dialect eigen gemaakt. Soms kon je ze raden: *mèrkore* voor *mercoledì*, woensdag. Soms leek het op een Balkantaal, Kroatisch misschien. Vandaag was, voor de Venetianen, *xòbia*, een dag die begon met een letter die een ware Italiaan bijzonder vreemd in de oren klonk.

Dit was niet de verbanning geweest die ze hadden verwacht. Leo Falcone, de inspecteur die in hun subtiele schande deelde, was niet lang nadat ze waren gearriveerd, gedetacheerd bij een team in Verona dat zich bezighield met kunstroof. Op straat was hun tijd in Venetië, afgezien van een paar arrestaties voor diefstal, tot hun genoegen zonder veel incidenten verlopen. Toch hadden ze het nooit echt naar hun zin gehad, en daar waren twee uitstekende redenen voor, twee omissies in hun leven die spoedig zouden worden hersteld.

Er kwam een luider geratel van de sporen achter het station. Costa keek op zijn horloge. De sneltrein uit Rome was op tijd. Emily Deacon en Teresa Lupo zouden erin zitten, uitkijkend naar een vakantie van twee weken die die avond zou beginnen. Het was allemaal geregeld. Hij had, als verrassing, een klein fortuin uitgegeven voor kaartjes voor *La Fenice* voor de volgende avond. Voor die avond had Peroni een rustig tafeltje voor hen vieren gereserveerd in zijn favoriete restaurant, een knijpje waar de grote man van hield en waar van hem werd gehouden door de twee zussen achter de bar, die hem extra *cicchetti* te eten gaven alsof hij een zwerfhond was die de deur was komen binnen wandelen. Emily en Teresa waren van plan geweest tijdens de verbanning van de mannen regelmatig op bezoek te komen. Dat was niet gelukt. Teresa bleef het maar druk hebben in het mortuarium in Rome en Emily was, toen ze eenmaal aan de universiteit in Trastevere aan haar doctoraal bouwkunde was begonnen, opgeslokt door het academische leven. Hun vrije tijd afstemmen op die van twee politiemannen die altijd de vervelendste diensten schenen te krijgen, was niet eenvoudig gebleken. Costa had Emily de afgelopen zes maanden maar drie keer gezien, terwijl ze nota bene in zijn eigen boerderij bij de Via Appia woonde. Maar nu hadden ze allemaal vrij. Twee weken verlof die aan het einde van de dag ingingen, en twee appartementen van de politie in de smalle achterafstraatjes in Castello, ver van het toeristengebied, om als uitvalsbasis te gebruiken.

Peroni stond naar hem te kijken en Costa wist dat hij zijn gedachten las. Ze waren al achttien maanden partners. Meer dan partners, vrienden.

De grote man keek naar zijn zwarte sportschoenen, bewoog met zijn schouders ten teken dat hij op het punt stond in beweging te komen en lachte.

'Lekker gevoel, hè?' zei hij.

Voor Costa antwoord kon geven, keek hij al tegen Peroni's rug aan en was de grote man met die onverwachts felle snelheid van hem die mensen altijd verraste, op weg naar de ingang van het station.

'Zeg,' zei Costa toen hij hem had ingehaald, 'misschien kan ik nog twee kaartjes voor *La Fenice* voor morgen krijgen. Wie weet vindt Teresa het leuk.'

Peroni keek verschrikt om. De lange, moderne trein kwam binnen op het laatste perron.

'Opera?'

Costa speurde het perron af. Daar waren ze, net zichtbaar in een zee van mensen, half rennend ondanks hun zware schoudertassen als een stel schoolmeisjes op reis naar een onbekende plek. Hij vond het vreselijk dat hij nog moest werken, dat hij dat stomme uniform aanhad om nog één dag door de straten van Venetië te sjokken, verdwaalde toeristen de weg terug naar de waterkant te wijzen en op zijn horloge te kijken om te zien hoelang nog voor zijn dienst erop zat.

Een domme forens in een glanzend pak botste tegen hem op en mompelde een verwensing. Venetianen waren nog erger dan Romeinen in een menigte. Er kwam een gestage stroom mensen van de drukke perrons. Hij was achter Peroni's omvangrijke lijf aan gelopen en per ongeluk in hun baan terechtgekomen. Het maakte de grote man niet uit wie er opzij geduwd en geschoven werd. Tegen de tijd dat Costa zich tussen de mensen door had geworsteld, had Peroni zijn armen al stijf om Teresa Lupo heen geslagen en stond hij haar natte smakzoenen op haar volle, roze wangen te geven, zonder acht te slaan op het gefladder van haar armen op zijn rug, een gebaar dat als protest niet erg overtuigend was.

Costa keek naar hen tweeën en schudde zijn hoofd. Zoals wel vaker de laatste tijd vroeg hij zich af wie er van hem en Peroni nu eigenlijk het broekie was.

Hij was nog met zijn gedachten bij hen toen Emily voor hem opdook, zijn gezichtsveld binnenkwam en hem met een geamuseerde en blije blik op haar slimme, onderzoekende gezicht aankeek. Haar haar was langer en had een levendige, natuurlijke goudblonde tint. Haar ogen straalden een intelligentie uit waarmee ze dwars door hem heen scheen te kijken. Ze leek helemaal niet meer op de serieuze, doelbewuste FBI-agente die ze was geweest toen hij haar, een leven geleden, leerde kennen.

Emily glimlachte: prachtige witte tanden, volmaakte roze lippen, een gezicht dat in zijn geheugen stond gegrift, onvergetelijk, een deel van hem. Ze droeg een spijkerbroek en een simpel crèmekleurig T-shirt met een V-hals die liet zien dat ze een beetje bruin was geworden. Met de tas aan haar schouder zag ze eruit als een studente die voor het eerst een lange reis naar het buitenland maakt.

'Zou u me de weg kunnen wijzen, agent,' zei ze zacht, bijna deemoedig, zonder een spoortje Amerikaans, haar moedertaal, in het zorgvuldige, vloeiende Italiaans.

'Waar wilt u heen?' vroeg hij, een beetje opgelaten in het ongebruikelijke blauwe kostuum. Even wilde hij dat hij net zo weinig zelfbewust was als Gianni Peroni en dat hij kon vergeten dat hij een politieman was die zomaar midden in het spitsuur op een druk spoorwegstation stond.

Emily Deacon liet een slanke wijsvinger over de voorkant van zijn jasje glijden. 'U bent de man met het uniform. Zegt u het maar.'

Costa wierp even een blik op de fotoautomaat op het perron, vroeg zich af of iemand het zou zien, haalde diep adem, duwde haar naar binnen en trok het gordijntje dicht. Het was een klein hokje en het stonk er naar sigarettenrook. Emily's ogen glinsterden hem toe in het flauwe licht.

'Welk een kiesheid,' fluisterde ze. Ze pakte hem stevig vast. 'Ik vind dat we hier bewijzen van moeten hebben.'

Haar munten vielen in de gleuf toen hij zijn armen om haar slanke, zachte lichaam sloeg. Het flitslicht ging af op het moment dat ze elkaar kusten.

'Nic!'

De felle flitsen hielden op. Costa kwam weer op adem. Hij vroeg zich af wat er was. Emily zag rood en keek beschaamd.

'Wat is er?' vroeg hij met zijn gedachten half bij de vraag of hij de rest van de dag het werk niet voor gezien kon houden.

'Gezelschap,' murmelde ze en ze keek even snel naar het gordijntje.

Daar stond Leo Falcone. Hij hield de groezelige stof open met een enigszins sardonische grijns om zijn dunne lippen. Kennelijk had hij plezier, wat een paar jaar geleden, toen hij gewoon een van de vele verbeten bazen in Rome was, nooit was voorgekomen.

'Ik was in de veronderstelling dat u in Verona was,' zei Costa onthutst en hij voegde er vlug 'chef' aan toe.

'Ik was in de veronderstelling dat jij boeven aan het vangen was,' antwoordde Falcone niet onvriendelijk.

Costa stapte het hokje uit. Hij zag Peroni naast Teresa staan met een argwanende verbaasde blik op zijn gezicht. *Commissario* Randazzo stond op het perron heen en weer te wiebelen op zijn glimmende schoenen en leek in zijn mooie grijze pak op-en-top een zakenman. Naast hem bevond zich een merkwaardig heerschap van in de vijftig. Het was een noorderling die er vrij fit en sterk uitzag. Hij had een normaal postuur en een aristocratisch, zeer glad geschoren gezicht met wangen die rood waren van de zon of slechte gewoonten. Vroeger knap geweest, dacht Costa, maar op de geforceerde en kunstmatige manier van filmsterren, het soort schoonheid dat er van een afstand beter uitzag. De man droeg een felblauwe pantalon en een keurig gestreken wit zijden overhemd met een felrode choker. Hij was kaal aan het worden, wat hij probeerde te verbergen door de resterende dunne plukjes haar over zijn gebruinde schedel te kammen. Een buitenlander, dacht Costa ogenblikkelijk. Een Engelsman misschien. Met geld en een verleden.

'Is er iets aan de hand?' vroeg Costa aan niemand in het bijzonder.

Randazzo was degene die antwoord gaf en Costa kon zich niet aan de indruk onttrekken dat de *commissario* zijn woorden op een goudschaaltje woog om er zeker van te zijn dat de persoon naast hem het ermee eens was.

'Helemaal niet,' zei Randazzo op die dorre, stugge toon die kenmerkend was voor een bepaald type Venetiaan. 'Jullie zijn geselecteerd. Jullie alle drie. Gefeliciteerd.'

'Waarvoor?' wilde Peroni weten.

'Voor een zeer belangrijke taak,' merkte de onbekende op. Hij sprak goed Italiaans, maar met een opvallend Engels accent. 'Ik denk,' voegde hij er tegen Randazzo aan toe, 'dat de uniformen...?' Hij wees met een lange wijsvinger naar de twee mannen in het blauw. 'Die kunnen beter uit, Gianfranco.'

Randazzo knikte gehoorzaam.

Nic Costa keek even naar Emily. Ze liet net de foto's uit de automaat discreet in haar tas glijden, alsof het iets was om je voor te schamen.

'Ik ben Hugo Massiter,' verklaarde de Engelsman. Hij stak hen om beurten een lange bleke hand toe en zweeg even toen hij Emily's uitgestoken vingers pakte om zijn glimlach van wat meer warmte te voorzien. 'Mag ik u een lift aanbieden?'

2 Het was niet zomaar een boot. Het was een varende limousine, een compacte, wendbare, drijvende Ferrari die met een arrogante onverschilligheid ten aanzien van de wet hard tussen het verkeer op de lagune door voer. Het dek was van gelakt walnotenhout, dat glansde in de zon, en er stond een stuurman in een wit uniform aan het onoverdekte roer. Ze zaten met zijn vijven in de hut, op chique antieke bruinleren banken, Randazzo en Massiter allebei rokend aan één kant. De drie Romeinen tegenover hen zwegen, allemaal, meende Costa, lichtelijk bezorgd, en in het geval van Peroni ronduit woedend.

'Ik hoop niet dat we iets hebben verstoord,' zei Massiter toen het schip voorzichtig van de waterkant in de richting van de werven en Murano wegggleed. Het had maar iets meer dan een kwartier gekost om van het station naar de steiger dicht bij de *vaporetto*-halte Giardini te komen. Daarvandaan hadden Costa en Peroni de twee vrouwen weggebracht naar de appartementen in een smalle straat met arbeiderswoningen met felgekleurde, bladderende gevels in blauw en oker, en lijnen vol wasgoed. Ze hadden nauwelijks tijd gehad zich om te kleden en de huizen te laten zien. Randazzo had buiten op hen staan wachten en voortdurend op zijn horloge gekeken omdat hij snel terug wilde naar de waterkant.

'We hebben twee weken verlof,' bromde Peroni. 'Allemaal keurig geregeld. Er is voor getekend. Vanaf vanavond.'

'Jullie heb nu toch nog dienst?' beet Randazzo hem toe.

Costa dacht na over het feit dat hij de *commissario* die ochtend meer woorden had horen spreken dan op enig ander moment in de afgelopen negen maanden. Maar wat de stijve, zuur kijkende man tot nu toe had gezegd, verklaarde niet waarom Falcone uit Verona was teruggeroepen en zij uit hun normale dienst op straat waren geplukt en uit hun uniform waren gehaald, en dat allemaal kennelijk ten behoeve van deze merkwaardige buitenlander, die naar Randazzo zat te kijken met een blik waar afkeuring en een zekere macht uit sprak.

'Dat is niet de manier om deze kerels aan onze kant te krijgen,' zei Massiter ontevreden. 'Moet je horen. Ik vind het vervelend dat het zo moet. Als er een andere manier was, dan zouden we dat doen. Ik ben jullie ook allemaal iets verschuldigd bij wijze van compensatie. We moeten elkaar een beetje beter leren kennen. Morgenavond is er een receptie op een plek waar, naar mijn volste vertrouwen, ooit mijn galerie gevestigd zal worden. Beetje handjes schudden. Een paar potentiële financiers opvrijen. Je snapt wel wat ik bedoel. Het gebouw wordt nog gerestaureerd, maar wat niet in Venetië? Ik hoop dat jullie komen, alle drie, met jullie partner.'

Peroni en Falcone keken elkaar aan, zeiden niets en keken naar hem. Costa zuchtte. Hij begreep de boodschap.

'Ik heb kaartjes voor *La Fenice*,' zei hij. 'Maar bedankt voor de uitnodiging.'

Massiters wenkbrauwen gingen omhoog. 'Heb je de kaartjes bij je?'

Costa haalde de envelop van *La Fenice* uit zijn jaszak. Het waren de duurste kaartjes die hij ooit had gekocht.

'Hmm.' Massiter trok een somber gezicht naar de twee *biglietti* van het operahuis bekroond met het wapen met de feniks. 'Ik kan niet zeggen dat ik dat deel van de zaal ken, maar ik vermoed dat je een verrekijker nodig zult hebben. Als er tenminste geen pilaar in de weg staat. Ik heb een bedrijfsloge. Een van de beste die er is. Er kunnen acht mensen in. Neem een paar vrienden mee. Wanneer je maar wilt.'

Peroni hoestte hard achter zijn hand en wierp Costa een verschrikte blik toe.

'Laat me maar weten wanneer.'

'Ik weet niet...' wierp Costa tegen.

Massiter luisterde niet eens. 'Het is deze week helemaal uitverkocht, weet je. Ik ken iemand die je twee keer de prijs kan geven die je ervoor hebt betaald. Hier...'

Hij stak zijn hand in zijn broekzak, haalde een zilveren geldklem met een stapeltje bankbiljetten tevoorschijn, trok er een paar briefjes van 200 euro uit, boog zich naar voren, liet ze op Costa's schoot vallen en pakte de kaartjes.

'Ik neem het risico wel. Dat vind ik niet erg. Als ze meer opbrengen, krijg je het van me.'

Costa zei niets. Hij verwachtte dat een van de twee mannen naast hem zou ingrijpen.

'Goed,' ging Massiter verder. 'Morgen dus. Zeven uur. Niets ingewikkelds. Gewoon wat fatsoenlijke hapjes en drankjes. Een beetje muziek. Het zal prettig zijn er een paar echte mensen bij te hebben in plaats van de gebruikelijke klaplopers. En –'

Leo Falcone boog zich naar voren en tuurde Massiter strak aan. De Engelsman keek beledigd. Hij was het niet gewend dat iemand hem onderbrak.

'Waarom zijn we hier?' wilde Falcone weten. 'Waarom zitten we in een of andere dure particuliere boot die god mag weten waarheen gaat? En wie bent u trouwens?'

Randazzo keek kwaad naar de drie mannen tegenover hem. 'Falcone...' zei hij kortaf. 'Je bent hier niet in Rome. Ik verwacht een beetje respect van je.'

'Het zijn redelijke vragen,' wierp Massiter tegen. 'Het zou me verbazen als hij het niet wilde weten. Sterker nog: het zou een hele teleurstelling zijn. We willen tenslotte geen idioten voor dit klusje, nietwaar?'

Peroni liet een zacht afkeurend gebrom horen en vroeg toen: 'Wat wilt u dan?'

Massiter leunde naar achteren op het oude bruine leer, liet zijn arm naar het piepkleine koelkastje dwalen dat in de kast naast de bank was ingebouwd en haalde een kleine beslagen fles Pellegrino tevoorschijn. 'Neem iets te drinken,' zei hij.

'We wachten nog op een antwoord,' merkte Falcone op.

De Engelsman nam een grote slok en veegde met de mouw van zijn zijden overhemd zijn mond af. Ze waren om de punt van het eiland gevaren, langs de reusachtig grote werven en dokken, het voetbalstadion en de merkwaardige verzameling arbeidershuisjes waar niemand veel aandacht aan besteedde, zelfs de politie niet. Murano lag aan de vlakke, heldere horizon, een stekelig woud van schoorstenen en kranen dat uit het grijsblauw van de lagune opprees, achter San Michele, het eiland met de begraafplaats met zijn buitenmuur van bleke baksteen, als die van een privékasteel, bekroond met een groene franje van cedertoppen.

'Wat we willen,' zei Hugo Massiter, 'is voorkomen dat deze arme oude stad nog verder in haar eigen stront zakt. Als dat wil lukken.'

Hij leunde weer naar achteren, sloot zijn ogen en gooide vervolgens de lege waterfles uit het open raampje in het grijze, schuimende kielzog van de snelle boot.

'En dat, heren, hangt voor een groot deel van u af.'

3 Angelo Arcangelo had het eiland zelf tot en met het laatste detail ontworpen en gecreëerd met de bedoeling een onsterfelijk meesterstuk te maken van de puinhoop die hij voor een schijntje had gekocht. Alles was nieuw, alles was uniek, in vormen gegoten die onbestaanbaar leken. Het eiland was een hulde aan de kracht en de schoonheid van glas en dus de familie Arcangelo zelf. Op drie afzonderlijke plaatsen had Angelo zijn kunnen getoond opdat de wereld het kon bewonderen. Het *palazzo* bestond voor negentig procent uit glas-in-lood en voor tien procent uit zwart ijzer en hout; een hoog, organisch lichtbaken met drie koepelvormige daken, het middelste hoger dan de andere, dat meer dan twintig meter boven de kade uittorende. Achter de toegangsdeuren stond nog het overblijfsel van een reusachtige palmboom die Angelo van Sicilië had geïmporteerd. Het wachtte op de restaurateurs van Hugo Massiter, die hun eigen ideeën hadden, ideeën waar Angelo nooit mee zou hebben ingestemd. Aan de rechterkant, vanaf het water gezien, stond de glasblazerij, een vierkante elegante werkplaats met zes van de hoogste ramen in Venetië in de voorgevel. Ze liepen van de vloer tot aan het lage, hellende dak en waren groot genoeg om plaats te bieden aan alle mensen die hun neus tegen het glas wilden drukken om zich te vergapen aan de wonderen die de *maestri* van de familie Arcangelo tot stand brachten. En op het laatste stuk aan de waterkant, aan de andere kant van het *palazzo*, stond Ca' degli Arcangeli, het woonhuis van de familie, tien appartementen op drie verdiepingen, met keukens en badkamers, werkkamers en ruimte om vergaderingen, recepties en banketten te houden... Angelo was aan het project van zijn leven begonnen als hulde aan de dynastie die hij aan het vestigen was. Tegen de tijd dat hij stierf, wist hij de waarheid: dat het eiland een ramp was. Het was te duur om het in stand te houden voor een publiek wiens smaak voor glas wispelturig en wisselend was; te ingewikkeld en onpraktisch om te worden beheerd door de kinderen die hem opvolgden.

Een deel van de schoonheid was echter nog intact. Vooral in de tempel van de Arcangelo's, hun heiligdom dat het middelpunt van het gezinsleven vormde: een luchtige, grote eetkamer, altijd vol licht van de lagune, die een groot deel van de voorkant van de eerste verdieping in beslag nam en een onbelemmerd uitzicht langs de vuurtoren van Murano op San Michele en de Fondamente Nove bood. Angelo had het glas eigenhandig gemaakt, bijna een jaar hard gewerkt om een verbijsterend uit ramen bestaand ooglid boven de lagune te vervaardigen, met doorzichtige ruiten en vervormende ossenogen met talloze kleuren, die tezamen een gigantisch, welvend uitkijkpunt vormden dat bijna de hele voorgevel van het gebouw in beslag nam.

Angelo zei tegen iedereen dat hij de kapiteinshut van een middeleeuwse Venetiaanse oorlogsgalei wilde nabootsen, een verwijzing naar het verleden van de familie Arcangelo in de scheepsbouw, hoewel de *squero* in Chioggia nooit iets indrukwekkenders had gebouwd dan vissersboten die niet verder gingen dan de Adriatische Zee. Hij keek nog altijd streng en veeleisend, maar ook met een ijzeren, standvastige liefde, neer op zijn kinderen vanaf het grote portret dat boven de marmeren Dorische open haard hing tegenover wat ze allemaal kenden als de *occhia*, het oog. In de jaren zestig, tijdens de hoogtijdagen van het Isola degli Arcangeli, kwamen hier kunstenaars bijeen. Raffaela herinnerde zich nog enkelen: Igor Stravinsky, die haar liefdevol op haar hoofd klopte en dan geduldig luisterde als ze de C-toonladder op de oude Steinway speelde; Ezra Pound, een donkere, sombere man, die zwijgend met een glas in zijn hand in de hoek van de kamer zat. Beiden lagen nu onder de grond op San Michele aan de overkant van het water, tussen het handjevol uitverkorenen dat langer mocht blijven dan het strikte decennium dat werd toebedeeld aan iedereen die hen nu daarheen wilde volgen.

Hoe beroemd hun bezoekers ook waren geweest, het was de geest van haar vader die in de kamer bleef rondwaren. Dit was de plaats waar de familie drie keer per dag bijeenkwam om te eten, te praten, de toekomst uit te stippelen. In de voorbije lange jaren – zevenenveertig sinds Raffaela ter wereld kwam – hadden ze hier ruzies uitgevochten, samenwerkingsverbanden en bondgenootschappen gesmeed, huwelijken gepland en ook één keer helaas een echtscheiding. En van tijd tot tijd een soort directievergadering gehouden. Niet dat de glasblazerij volgens een conventioneel stramien werkte, of ooit een bedrijf was geweest dat openstond voor de stem van meer dan één man. Er was altijd een *capo*. Eerst Angelo, daarna Michele, de oudste, wiens naam 'gelijk God' betekende, zoals hij maar al te goed wist.

Raffaela had wat historisch onderzoek gedaan in haar vrije tijd, nadat ze tijdens een te kort verblijf aan de universiteit in Parijs naar huis was teruggeroepen om in het familiebedrijf te werken toen de financiële toestand verslechterde. De zogenaamde voorouders van de kamer waren, zoals zo veel wat met de familie Arcangelo te maken had, een mythe. De galeien van de republiek hadden nooit zo'n versierde, onpraktische verhoging met ramen op het achterschip gehad. Venetië was Venetië, altijd doelbewust, praktisch. Oorlogsschepen werden gemaakt om kanonnen te vervoeren en hadden geen plaats voor een ingewikkeld praalstuk van met de hand gemaakte ruiten, gefacetteerd als het uitpuilende, veelkleurige oog van een vlieg. Angelo Arcangelo had overdreven, iets uit zijn duim gezogen, zoals altijd. Schoonheid vergaf alles volgens hem, en de merkwaardige uitstulping aan het huis was uitzonderlijk mooi. Zijn dochter zat nu in de omhelzing van

de lange gebogen bank met kussens die in de onderkant van het raam was ingebouwd, raakte met haar vingers het vertrouwde vaal geworden fluweel aan en liet
haar ogen door de kamer dwalen.

Buiten hoorde ze de brandweermannen die op de kade aan het werk waren,
brommen, hun machines en hun zware slangen verplaatsen en wat ze niet langer nodig hadden weer op hun boten laden. Het felle ochtendlicht sijpelde naar
binnen door de jaloezieën. Het stonk naar gesmoorde rook. Ze wist dat ze een
handjevol politiemensen zou zien als ze naar buiten keek, die bij de ingang van
de glasblazerij verveeld met hun voeten stonden te schuifelen achter het gele lint
dat ze hadden opgehangen.

Raffaela vroeg zich af wanneer ze de moed zou hebben deze kamer uit te
gaan en de wereld buiten tegemoet te treden. Onder de vele mythen die ze de
afgelopen paar jaar binnen de familie hadden gepropageerd, was het idee dat dit
vertrek, met zijn oog uitkijkend over de lagune, een plek was waar de macht van
de Arcangelo's nog intact was en niet was aangetast door de problemen die zich
om hun kleine eiland verzamelden. Terwijl de rest van het Isola verging en ver-
stofte, bleef deze ruimte gaaf en schoon. Hij werd dagelijks door haar persoonlijk
geveegd nu er geen bedienden meer waren, en bleef, fraai en goed onderhouden
als hij was, een symbool van wat ze ooit waren geweest, misschien weer konden
worden. Hier serveerde ze het ontbijt, de lunch en het diner, goede eenvoudige
spijzen in de traditie van Murano: *cornetti* van de bakker een klein stukje wandelen van de brug; dikke *bigoli*-pasta met smeuïge rode saus van ansjovis en tomaten
van Sant' Erasmo. Vlees voor het avondeten, hoewel niet altijd het beste. En
soms vis, als ze het kon krijgen tegen een goede prijs. Deze kamer vertegenwoordigde voor haar de plek waar ze zich altijd konden terugtrekken.

Uitkijkend over de grijze lagune met een blik die mistig was van de tranen,
merkte ze dat er allerlei gedachten tegelijkertijd door haar hoofd speelden. Herinneringen en gevoelens van spijt vermengden zich met praktische zaken, details van
de begrafenis, mensen die op de hoogte moesten worden gesteld. De dood was al
zo lang aan hun familie voorbijgegaan. Geen enkele naaste bloedverwant had hen
verlaten sinds hun vader was overleden. En zelfs hij was niet echt vertrokken. De
kamer waar hij zijn laatste adem had uitgeblazen, stond nog altijd leeg. Ze veegde
hem elke dag, maakte het bed op, verschoonde één keer per week de gesteven
witte lakens, omdat Michele het zo wilde, omdat de *capo* zei dat het zo moest.
Een foto van hun moeder, een aantrekkelijke vrouw die er afgetobd uitzag, stond
op het hoofdeinde van het bed naast een klein kruisbeeld. Zij was overleden toen
Raffaela nog heel klein was en ze was altijd een beetje onwerkelijk gebleven voor
haar dochter, een persoon die nooit echt had bestaan, behalve misschien in hen
die haar overleefden, zich afvragend waarom zij genoten van de gift van het leven
terwijl de vrouw die het hun had geschonken, was heengegaan.

Ze hadden niet over het familiegraf nagedacht, al heel lang niet. Er waren zo veel andere nare, dringende zaken geweest om zich druk over te maken. Nu was de dood gekomen op de rug van de nachtelijke sirocco en had met onverwachte hardvochtige wreedheid twee levens genomen.

Ze hoorde iets bij de deur. Michele kwam binnen, op de voet gevolgd door Gabriele, zoals altijd, en ze merkte tot haar verbazing dat ze hen allebei in een nieuw licht zag. Michele was twaalf jaar ouder dan zij. In zekere zin was hij altijd een volwassene geweest en nu was het hem aan te zien hoe oud hij was, meer dan haar ooit was opgevallen. Uriels dood had haar bewust gemaakt van de sterfelijkheid van alle Arcangelo's, iets wat ze in de afgelopen jaren allemaal hadden getracht te verbergen. Het was of de gebeurtenis een sluier had weggetrokken die tussen hen had gehangen en zo de afstandelijkheid toonde, niet de innigheid waar zij op had gehoopt.

Door een lichte beroerte was de rechterkant van Micheles gezicht verlamd. Met zijn glad achterover gekamde, gepommadeerde grijzende haar en de diepe inhammen op zijn voorhoofd zag hij eruit als een man die, eerder dan zou moeten, aan het laatste deel van de reis van het bestaan bezig was. Hij was klein van stuk en tenger gebouwd, op het eerste gezicht een weinig indrukwekkende man, vond ze, tot hij het woord nam, en in die stem, die krachtig en monotoon was en moeiteloos van Veneto op Italiaans, Frans, Engels of Duits overschakelde, zat een gezag dat niemand kon ontgaan. En nu was hij oud. Oud en verbijsterd en boos.

Hij ging aan de gepolitoerde tafel zitten, sloeg zo hard met een vuist op het blad, dat het oude porselein danste, dronk toen zonder een woord te zeggen de koffie op die ze had ingeschonken en verslond een *cornetto*.

Gabriele ging bij hem zitten en nam ook een kop koffie en een broodje.

Raffaela veegde haar gezicht droog met de mouw van haar oude katoenen shirt, wierp nog één blik op de lagune, nam tegenover hen plaats en keek hen beiden over het glanzende, glimmende hout aan. De familie Arcangelo at samen. Dat zouden ze altijd doen.

Ze wachtte. Toen hij klaar was met de koffie en de zoete broodjes, keek Michele haar aan met zijn ene goede oog.

'Straks komt er nog meer politie. Ze zullen opnieuw met iedereen willen praten. Dezelfde domme vragen stellen. Die lange, scherpe neus van ze in zaken steken waar ze niets mee te maken hebben.'

'Michele...' zei ze zacht. Ze hoopte dat het er niet op leek alsof ze hem wilde tegenspreken. 'De politie zal toch iets moeten doen. Wat had je dan verwacht? Uriel. Die arme Bella...'

'Die arme Bella!' viel hij fel tegen haar uit, zodat de kruimels *cornetto* uit zijn mondhoeken vlogen. 'Die vrouw heeft, sinds ze hier kwam, niets dan ellende gebracht. Nog een mond om te voeden, zonder dat het iets opleverde. Die arme Bella! En wij dan?'

Gabriele, die twee jaar jonger was dan Michele, hoewel het verschil groter leek, staarde naar zijn bord en scheurde zwijgend zijn brood in reepjes, omdat hij er niet bij betrokken wilde raken.

'Ze zijn dood,' zei Raffaela zacht. 'Allebei. Wat er ook is gebeurd, ze verdienen enig respect.'

Michele zette zijn koffiekopje neer en keek haar boos aan. Ze kon het niet laten een blik op het portret achter hen te werpen. Hij was soms net hun vader. Het was moeilijk hen uit elkaar te houden.

'We weten allemaal wat er is gebeurd,' zei hij onomwonden. 'Hoe sneller het zwart op wit wordt gezet, des te sneller kunnen we verder met belangrijkere zaken. Met het bedrijf.'

'Michele...'

De blik op zijn gezicht was genoeg om haar tot zwijgen te brengen. Er was nooit lichamelijk contact tussen de Arcangelo's onderling geweest. Zelfs niet toen Angelo nog leefde. Dat was geen bewuste keuze. Lichamelijke dwang was gewoon nooit nodig geweest, niet zolang de felle blik van een koud, harteloos oog hen allemaal op de knieën kon krijgen.

'We zullen niet falen, Raffaela. Dat laat ik niet gebeuren.'

Hij veegde met een kordate hand de kruimels van zijn schoot en stond op. Gabriele werkte tot haar afschuw snel zijn eten en koffie naar binnen om zijn voorbeeld te volgen.

'Waar gaan jullie in hemelsnaam heen?' vroeg ze.

'De branders testen,' antwoordde Michele. 'Het gas aansluiten. Kijken hoe snel we de glasblazerij weer in bedrijf kunnen hebben. Ik zal mensen van buiten halen als het moet. Dat zullen we wel kunnen bekostigen met het geld van de verzekering.'

'Weet je dat zeker?' vroeg ze nors.

'Niets is onoverkomelijk. We huren ergens anders ovenruimte als dat nodig is. Wat betekent een brand in deze bedrijfstak? Vroeger gebeurde het om de haverklap.'

Hij was zo gedecideerd. Hij geloofde echt dat dit het enige was waarover moest worden nagedacht.

Gabriele vond eindelijk de kracht om te spreken. 'We zullen een dag of twee verliezen, Michele. Op zijn minst. Hou jezelf nou niet voor de gek.'

'Een dag, een dag.' De oude man snoof en maakte een afwerend gebaar met zijn arm. 'Wat is nou een dag?'

'Het is een dag waarop we niet iets maken wat niemand wil kopen,' zei ze zuur en ze haatte de bittere toon in haar stem zodra ze hem hoorde. Dit was een vorm van ketterij. Het enige onderwerp waar een taboe op rustte, waar niet over werd gesproken onder het oog dat voortdurend over de lagune uitkeek.

Beide mannen draaiden hun hoofd om en zagen haar met onverholen afkeer aan.

'Het is waar,' hield ze vol. Ze zou zich niet het zwijgen op laten leggen. 'Hoe langer jullie daar weg blijven, des te langer doen we met het geld, stelletje dwazen. Als je niets maakt, hoeven we niemand voor grondstoffen te betalen, hè, Michele?'

'We betalen nu ook niemand,' kaatste hij onvriendelijk terug. 'Laat de zaken aan mannen over. Dat is niets voor jou.'

Ze voelde een razende woede in haar hoofd oplaaien, een onbekende emotie, die daar door tragische gebeurtenissen was geplant en niet meer wilde vertrekken. 'En wat wordt een vrouw dan geacht te doen in deze situatie? Onze broer en zijn vrouw begraven? Waar? En waarmee?'

Michele knikte naar het raam. 'Je weet waar Uriel thuishoort. Op het eiland. Voorlopig althans. De Bracci's kunnen zich druk maken over die andere. Zij is hun probleem. Dat had ze ook moeten blijven.'

Haar stem verhief zich tot een gekrijs. Ze kon er niets aan doen. 'We hebben geen geld voor San Michele!' gilde ze tegen hem. Ze kon haar emoties niet meer in bedwang houden. 'Begrafenisondernemers willen geld. Geen beloften. We krijgen nergens krediet meer. Snap je dat dan niet?'

Hij had de houding van een patriarch; op dat moment had hij zijn vader kunnen zijn. Michele Arcangelo liep naar een van de kasten en haalde er het kostbaarste object uit dat er nog in stond. Het was een zestiende-eeuwse waterschaal in de vorm van een galei, een prachtig stuk, de romp van het schip in helder glas, het tuigage in blauw. Op de zijkant stond het merk van de Tre Mori-blazerij, een garantie dat er overal een goede prijs voor zou worden betaald. Ze hadden het naar haar idee al eeuwen in bezit. Met name Angelo had veel van het stuk gehouden en dat was de reden dat het tot nu toe niet was verkocht.

Michele draaide het kostbare object rond in zijn hand en bewonderde het met één scherp, professioneel oog.

'Begraaf hem hier dan mee,' zei hij zonder een spoor van emotie.

4 Het kostte maar een paar minuten om het relaas van Randazzo aan te
horen. Daarna keken de drie mannen uit Rome elkaar aan en vroegen
ze zich af wat ze hadden misdaan dat ze hiermee werden opgezadeld.
Venetië had politie genoeg. Een van de plaatselijke mensen kon de zaak op zich
nemen, doen wat de ellendige *commissario* wilde, het rapport ondertekenen en
vervolgens weer toeristen naar hun cruiseschepen gaan begeleiden. Costa wist
zeker dat Randazzo een reden had drie tijdelijke vreemdelingen in de kleine
Questura van Castello voor de klus uit te kiezen. Hij vroeg zich af of ze die te
horen zouden krijgen. En er zat hem nog iets dwars. De naam Hugo Massiter
kwam hem bekend voor. Hij kon hem alleen niet thuisbrengen.

Falcone knikte toen het verhaal ten einde was en vroeg: 'En u weet zeker dat
het zo is gegaan? Een andere verklaring is er niet?'

Randazzo zwaaide met een hand naar de dichterbij komende steiger. Costa kon
de rook van het eiland ruiken. De boten van de brandweer lagen bij elkaar aan de
geblakerde kade, vlak bij de nog smeulende contouren van iets wat eruitzag als een
groot, ooit elegant industrieel gebouw met een kleine, stevige schoorsteen die uit
het gebarsten en beroete dak stak. Links ervan stond een opmerkelijk glazen bouw-
werk, net een gigantische broeikas van de hand van een krankzinnige, waar ladders
en steigers tegenaan stonden. Aan de andere kant zag hij een *palazzo* van hardsteen,
dat enigszins op het Dogenpaleis leek, maar met een opmerkelijke oogachtige glazen bobbel die uit een van de verdiepingen stulpte. Deze vreemde architecturale
fantasieën bevonden zich op een klein eiland naast een plompe vuurtoren bij een
vaporetto-halte met het opschrift MURANO FARO. Een smalle ijzeren brug vormde de
enige verbinding met het eigenlijke Murano. Boven op de brug stond een ijzeren
engel, als een icoon dat bezoekers lokte. Aan de voet van het beeld was een grijsharige man aan het werk. Hij stond met een gezicht dat rood aanliep van boosheid
te worstelen met een weerbarstige kluwen kabels.

'Kijk zelf maar,' zei de *commissario*. 'Alleen de familie Arcangelo woont hier.
's Nachts is het afgesloten.'

Hij keek hen strak aan om hun duidelijk te maken dat zijn volgende woorden
een cruciaal stukje bewijs vormden.

'De ruimte waar ze werden gevonden, was aan de binnenkant op slot gedraaid. Er is geen andere toegang behalve door de ramen, en de werknemer zei
dat die intact waren tot ze van de hitte sprongen.'

'Hoe weet u dat hij de waarheid spreekt?' vroeg Peroni.

Randazzo snoof geamuseerd. 'Wat zou er anders gebeurd moeten zijn? Dit individu laat zichzelf binnen, vermoordt zowel Uriel Arcangelo als zijn vrouw, draait dan de deur op slot, gaat door de vlammen naar buiten, gaat weer naar binnen en doet alsof hij de man wil redden die hij zojuist heeft gedood? Waarom?'

'En de man die omgekomen is? Had die een motief om zijn vrouw te vermoorden?' vroeg Costa.

'Er is ergens een motief. Daar komen jullie wel achter. We kennen de statistieken allemaal. Familieleden vermoorden elkaar. Daar ga je intuïtief toch van uit, nietwaar?'

'Je kunt iemand niet veroordelen op grond van statistieken,' zei Falcone voorzichtig, 'of je intuïtie. Met alle respect, commissaris, maar ik denk dat we meer ervaring met moordonderzoeken hebben dan u. Zo'n stad is Rome nu eenmaal.'

'Daar twijfel ik niet aan!' snauwde de *commissario*. 'Maar ik heb je niet uit Verona laten komen voor een college criminologie. Er moet wat schrijfwerk worden gedaan en ik trek jullie verlof in zodat jullie dat kunnen doen. Uriel Arcangelo heeft zijn vrouw vermoord en het lijk in de oven gestopt. Daarna is hij, expres of per ongeluk, omgekomen in de vlammen. Een andere verklaring is er niet. Straks weten we meer. Ze zijn nu bezig met de lijkschouwing.'

Falcone was even sprakeloos. Toen vroeg hij: 'Wilt u zeggen dat de slachtoffers niet meer ter plaatse zijn?'

'Nee! Waarom zouden ze?'

'Ik ben het niet gewend misdrijven te onderzoeken waar de bewijzen zijn weggehaald voor we er zijn.'

Randazzo zweeg even. Hij was furieus. 'En ik ben het niet gewend dat ik mezelf moet rechtvaardigen als ik orders geef. Je kunt de lijken in het mortuarium zien als je daar een kick van krijgt.'

'Waarom wij?' vroeg Costa.

'Omdat ik dat wil.'

Dat was niet goed genoeg.

'Maar er zijn al mensen van u geweest,' wierp Costa tegen. 'Mensen van hier. Waarom kunnen zij het niet afmaken?'

'Ze hebben wel wat anders te doen. Bovendien hebben jullie veel ervaring. Zoals jullie zelf al zeiden.'

Peroni's ogen werden groot. 'Niet met opruimen,' wierp hij tegen. 'U wilt geen onderzoek. U wilt administratief werk. U –'

'Ik wil dat je doet wat je wordt gezegd, verdomme,' viel Randazzo hem in de rede. 'Ik heb niet gevraagd om jullie. Het wordt tijd dat jullie je salaris gaan verdienen. Jullie zijn ons tot nu toe alleen maar tot last geweest, iets wat ik geen moment uit het oog mocht verliezen. Waarom denk je dat ik hem naar Veróna heb gestuurd?'

Falcone glimlachte, hetgeen de *commissario* woest maakte.

'Ik geloof dat u nu een beetje overdrijft, commissaris,' merkte de inspecteur opgewekt op. 'Naar onze maatstaven hebben we ons uitzonderlijk goed gedragen.'

'Naar jullie maatstaven.' Er gleed een miniem lachje over Randazzo's gezicht. 'En daarom laat ik jullie ook gaan zodra jullie klaar zijn met dit onderzoek. Dat zou jullie, alles bij elkaar genomen, drie weken extra betaald verlof kunnen opleveren. Jullie kunnen teruggaan naar Rome, waar jullie thuishoren. Jullie kunnen doen wat jullie willen. Op voorwaarde dat...'

Hij reikte naar de walnoothouten sigarettendoos die op de tafel tussen hen in stond. Randazzo kende deze boot, dacht Costa. Hij stond op vertrouwelijke voet met de Engelsman, die tijdens dit hele intermezzo met een geamuseerde uitdrukking op zijn opvallende gezicht had zitten zwijgen.

'...jullie leveren wat ik wil hebben. Een rapport, een gróndig rapport van een team dat ervaring heeft met moordzaken. Een rapport waar de waarheid in staat, zoals wij die kennen, namelijk dat Uriel Arcangelo zijn vrouw heeft vermoord en daarna is overleden, mogelijk zelfmoord heeft gepleegd. Jullie hebben er een week voor. Dat is lang genoeg. Je moet het ook niet overhaasten. Ik wil niet dat de mensen straks zeggen dat we onzorgvuldig zijn geweest. Ik verwacht niet dat jullie je uit de naad werken. Jullie tweeën zouden zelfs wel wat meer tijd voor jullie vriendin kunnen overhouden.'

Peroni stompte zijn partner zacht op zijn schouder. 'Zie je nou! Daarom moeten ze ons hebben. Snap je het? We zijn geloofwaardig.'

'We snappen het,' bromde Falcone. Hij keek naar Hugo Massiter. 'En u?'

De Engelsman spreidde zijn armen in een gebaar van onschuld. Ze waren nu bij de kade. Ondanks alle schade en de rommel die de brandweermannen hadden achtergelaten, was het een indrukwekkend gezicht. Het ding dat Costa al eerder was opgevallen op de eerste verdieping van het huis, dat beter harmonieerde met het Canal Grande dan met het stille water bij Murano, bleek op het achterschip van een middeleeuwse galei te lijken, een groot glazen oog dat uitwelfde boven de lagune.

'Wat is dit in godsnaam?' vroeg Peroni verbijsterd.

'Een uit de hand gelopen sprookjesland, vrees ik,' zei Massiter zacht. 'Het is een grote tragedie, heren. Maar u moet goed begrijpen dat ik in deze gebeurtenissen enkel de bezorgde weldoener ben, zoals *commissario* Randazzo graag zal bevestigen. Zonder mij is het eiland verloren. En als het eiland verloren gaat, gaan ook enkele miljoenen euro gemeenschapsgeld verloren die beter besteed hadden kunnen worden.'

'En daar wilt u mee zeggen...?' vroeg Falcone nadrukkelijk.

Massiter zuchtte en wierp een blik op de geblakerde glasblazerij. 'Het Isola degli Arcangeli is failliet. Het is al een tijdje failliet en er zijn maar twee redenen waarom het nog overeind staat. Een aanzienlijke, en naar mijn mening onverstandige, "investering" zullen we maar zeggen, van de gemeentelijke en de regionale autoriteiten. Ze hebben de toeristen nodig, snapt u. Dit is, in theorie althans, een uitstekend vakantieoord. Daarnaast is er een wekelijkse gulle gave van mijn kant gekomen omdat ik het *palazzo* heb gehuurd, die glazen tentoonstellingshal. Als het allemaal lukt, wil ik er een galerie van maken. Als ik dat ding eindelijk in orde kan krijgen. Het is ontworpen door een gek, maar dat zien jullie zelf waarschijnlijk ook wel.'

Costa dacht na over de man, met zijn ouderwetse filmsterrenuiterlijk, zijn luxueuze boot en ook iets akeligs in zijn verleden. Daar was Costa van overtuigd. Onderweg van het station naar Castello had Massiter zijn 'huis' aangewezen toen ze er voorbij kwamen, deels om indruk te maken op Emily, meende hij. Het was een groot motorjacht, een soort paleis waar de boot waar ze nu in zaten, gemakkelijk tien keer in kon, dat opvallend aan de kade in de buurt van het Arsenaal lag afgemeerd.

'Waarom is de gemeente erbij betrokken?' zei hij. 'U ziet eruit als iemand die het zich kan veroorloven.'

'Schijn bedriegt,' antwoordde Massiter. 'Rijkdom en schulden gaan hand in hand. Ik doe het natuurlijk allemaal niet belangeloos. Zes maanden geleden hebben enkele mensen van de gemeente en de regionale overheid me benaderd of ik wilde helpen. Er waren al potentiële kopers geweest, maar die konden geen van allen de goedkeuring van de familie Arcangelo wegdragen. Er is een grens aan de hoeveelheid gemeenschapsgeld die je in een bodemloze put kunt gooien. De Arcangelo's zijn niet de gemakkelijkste mensen om mee om te gaan, maar uiteindelijk is het me gelukt een overeenkomst te sluiten om het eiland te kopen met alles erop en eraan, op voorwaarde dat ik de glasblazerij en een deel van het *palazzo* voor een schijntje aan hen verhuur om hen er weer bovenop te helpen. En daarna open ik de galerie, bouw misschien een paar appartementen op de rest van het eiland om alles te bekostigen en doe er een extra toeristische attractie bij om nog meer hordes toeristen te lokken die de Venetianen kunnen leegmelken. Maar het gaat niet alleen om geld, wat mij betreft niet. Ik vind het vreselijk traditties ten onder te zien gaan enkel en alleen omdat ze slecht beheerd worden. Het glas is prachtig, hoewel enigszins ouderwets. Met een beetje hulp zouden ze een succes van hun bedrijf kunnen maken, als ze eenmaal van hun schulden af zijn. En wij het beheer van het eiland overnemen. Wat ook de reden is dat –'

'Ze hoeven de details niet te weten,' onderbrak Randazzo hem. 'Die gaan ze geen flikker aan.'

Massiter wierp de man een scherpe blik toe, een blik die hem tot zwijgen bracht. 'Wat maakt het uit, Gianfranco? Als zij hun werk niet doen, wordt het toch algemeen bekend. En alleen God weet wat er dan zal gebeuren.'

De speedboot meerde af bij de steiger. Massiter blafte tegen de stuurman dat hij de boot moest vastleggen om Falcone en zijn mannen te laten uitstappen en daarna terug moest gaan naar de stad. Costa keek omhoog naar de opmerkelijke glazen constructie aan de voorkant van het woonhuis. Er stond iemand achter de ramen. Een rijzige vrouw met lang donker haar en een bleek gezicht sloeg hun komst aandachtig gade.

'Ik bevind me op een lastig punt in deze onderhandelingen,' ging Massiter verder. 'De advocaten hebben ons het vel over de oren gehaald. De overeenkomst is nog altijd niet getekend. De gemeenschapskas is leeg. Alleen mijn huur van de hal houdt de familie nog overeind. Op dit roteiland rusten allerlei verplichtingen en contracten. Het heeft ons alleen al maanden gekost om alle kleine lettertjes te lezen. Nu' – een chagrijnige frons ontsierde even de knappe trekken van zijn gezicht – 'moeten we de overeenkomst sluiten, of de hele zaak voor gezien houden. Ik heb tot eind volgende week om deze onderhandelingen af te ronden, anders gaan mijn financiers kijken of ze hun geld ergens anders kunnen onderbrengen. En dat kan ik hen niet kwalijk nemen.'

Falcone keek naar Randazzo. 'Dus we doen dit om een financiële transactie van hem te vergemakkelijken?'

Het antwoord kwam van Massiter. 'In zekere zin, maar daar zijn goede redenen voor. Als jullie dat rapport kunnen schrijven waarin staat dat Uriel zijn vrouw heeft gedood – wat naar ons aller overtuiging de enige mogelijkheid is – dan kunnen we voort met het contract. Omdat jullie ervaren rechercheurs zijn, uit Rome bovendien, niet van hier, zal niemand het in twijfel trekken. Maar anders...'

'Uw zakelijke aangelegenheden kunnen mij niet schelen, meneer Massiter,' verklaarde Falcone. 'Daar hebben wij niets mee te maken.'

Randazzo drukte zijn sigaret uit in de zilveren asbak die tussen hen in stond. De geur van gedoofde tabak vermengde zich met de brandlucht van de steiger.

'Daar hebben we wel van alles mee te maken,' verklaarde de *commissario*. 'Als het onderzoek naar deze zaak aan het eind van de week nog niet is afgerond, kan de buitenwereld dat alleen maar opvatten als een teken dat wij een van de andere familieleden verdenken. Er was tenslotte niemand anders op het eiland. Hoe belachelijk dat ook is – en begrijp me goed, Falcone, het ís belachelijk – het betekent het einde van het contract van *signor* Massiter. Dat kan alleen doorgaan als alle drie de in leven zijnde Arcangelo's tekenen. Als ze dat doen en er wordt er vervolgens eentje beschuldigd van de moord op Uriel Arcangelo, dan zouden er allerlei civiele procedures kunnen volgen waardoor het hele contract op losse schroeven kan komen te staan. Deze mensen komen om in de schulden. Er zijn talloze smerige advocaten die een criminele aanklacht zouden aangrijpen als excuus om het contract nietig te laten verklaren en direct beslag te laten leggen op het perceel, of om *signor* Massiter meer geld af te persen, dat hij niet heeft, in ruil voor hun zwijgen. De onderhandelingen zijn al lastig genoeg. Als de vrees bestaat dat er in de toekomst allerlei rechtszaken aangespannen zullen worden, betekent dat het einde. Geen enkele investeerder zal dat risico nemen. Het onderzoek naar de zaak moet snel worden afgerond, anders gaan de Arcangelo's volgende week failliet en...'

Meer wilde hij niet zeggen. Falcone leunde naar achteren en schudde zijn hoofd.

'Ik herhaal,' zei de inspecteur, 'dat het me niet kan schelen.'

Massiter knikte naar de man naast zich. 'Je moet het ze vertellen, Gianfranco. Wat hebben we te verliezen?'

De *commissario* slaakte een bittere vloek en stak weer een sigaret op voor hij verderging.

'Dit is niet zakelijk. Het is politiek. Jullie drieën zouden toch moeten weten dat je in de politiek geen vijanden moet maken. Méér vijanden in jullie geval.'

Ze zaten in een proeftijd. Dat wist Costa net zo goed als Falcone en Peroni. Maar daarom hoefden ze zich nog geen oor te laten aannaaien.

'Vertel het maar,' zei Costa.

'Jezus,' bromde Randazzo en hij trok een grimas naar Falcone. 'Stelletje arrogante klootzakken. Jullie denken echt dat jullie een team zijn, hè? Allen voor een, een voor allen. Word toch wakker. Denken jullie dat jullie daardoor onaantastbaar zijn? Kijk, de familie Arcangelo is al jaren failliet. Al minstens vijf jaar. Waarschijnlijk langer. Ze hebben het hoofd boven water kunnen houden omdat ze een paar invloedrijke vrienden hebben ingeschakeld. Als je hier de juiste mensen kent, is het verbazingwekkend eenvoudig een graantje uit de staatsruif mee te pikken. Ze hebben een betalingsachterstand van zeker tien jaar bij de belastingen die in de miljoenen loopt. Ze hebben in het geniep van alle kanten subsidie gekregen om dat idiote bedrijf draaiende te houden, ook al is het gewoon een museum dat niet eens meer goed genoeg is om zijn deuren voor het publiek te openen. Cultuurzorg heeft betaald. De historische commissies hebben betaald. De gemeente, de regio. De Arcangelo's hebben ze overgehaald geld op te hoesten met de belofte dat het binnenkort allemaal goed zou komen.'

'En er is zeker ook wat in een paar privézakken terechtgekomen?' bracht Peroni in het midden. 'Is dat het?'

'Misschien wel,' snauwde Randazzo. 'Misschien niet. Voor niets gaat de zon op. Dat is overal zo, nietwaar? Of kennen jullie in Rome geen smeergeld? Zijn jullie daar allemaal te hoogstaand voor?'

Falcone trok een lelijk gezicht. 'Wíj wel.'

'Nou, dat is je goed recht. Maar ik zal je één ding zeggen. Als de familie Arcangelo failliet gaat, heeft deze stad opeens een gat ter grootte van de lagune in zijn boeken. Dan zullen ze het niet meer stil kunnen houden. Het gaat om veel te grote bedragen. Als het tot een of ander gerechtelijk onderzoek komt – en daar kun je dan wel van uitgaan – staan er straks opeens allerlei keurige mensen in het beklaagdenbankje.'

Peroni trok een gehavende wenkbrauw op. 'Keurig?'

'Hou je preken maar voor je!' schreeuwde Randazzo. 'Jij hoort hier niet thuis. Je weet niet hoe we werken.'

Massiter boog zich naar voren en klopte de *commissario* op de knie. 'Er is geen reden om boos te worden,' zei hij vermanend. 'Dit zijn praktische kerels. Ze weten ook wel wie ze te vriend moeten houden.' De Engelsman keek hen aan. 'Of niet soms?'

Falcone haalde zijn blocnote tevoorschijn, krabbelde er iets op, scheurde het blaadje eruit en gooide het op Randazzo's schoot.

'Daar hebt u mijn handtekening,' zei hij. 'Schrijf het rapport en plak hem op de laatste bladzij. Dan kunnen we allemaal naar huis.'

'Nee!' blafte de *commissario*. 'Jullie moeten dit doen. Jullie zijn buitenstaanders. Jullie hebben ervaring. Niemand zal een rapport van jullie hand aanvechten. Uriel Arcangelo heeft zijn vrouw vermoord. Dat wéten we. Jullie hoeven geen bewijzen te verdraaien, of iets te tekenen waar je niet in gelooft. De feiten liggen er. Ze moeten alleen op papier worden gezet. Jullie hebben een week de tijd. En dan' – hij gebaarde naar de lagune en de wolkeloze blauwe hemel – 'zijn jullie hier weg. Zijn we het eens?'

Falcone schudde zijn hoofd. 'Je kunt geen tijdslimiet stellen voor een onderzoek.'

Massiter maakte nog een fles water voor zichzelf open en haalde zijn schouders op. 'Een week is alles wat ik heb. Daarna gaat de hele zaak op zijn gat, met mij erbij. Dat wil zeggen, ik verlies alleen geld. Andere mensen...'

'En als uit ons onderzoek nu blijkt dat hij het niet heeft gedaan?' vroeg Peroni.

'Dat gebeurt niet,' zei Randazzo vermoeid. 'Dat is onmogelijk. Moet je horen, we willen alleen voorkomen dat een vervelende situatie uit de hand loopt omdat hij dan een heleboel mensen schade zou kunnen berokkenen.'

Hij keek boos naar Falcone. 'Hun onnódig schade zou berokkenen,' zei de *commissario* nadrukkelijk. 'Uriel Arcangelo heeft zijn vrouw vermoord. Een andere verklaring is er niet. Mocht je bewijzen dat het anders is, Falcone, dan mag je mijn baan hebben. Er zijn toch al momenten dat ik hem het liefst zou opzeggen.'

Falcone leek het aanbod aanlokkelijk te vinden. Costa begreep wel waarom. Het idee van een ontspannen onderzoek dat hun allemaal een snel ticket naar huis garandeerde, was aantrekkelijk, zelfs in deze uitzonderlijke omstandigheden.

'Wat had u precies in gedachten?' vroeg Falcone.

Randazzo keek opeens hoopvol. 'Neem de verklaringen door die we al hebben. Bekijk de plaats delict. Ondervraag de Arcangelo's nogmaals als je dat wilt. Tegelijk. Apart. Dat maak jij uit. Het is waarschijnlijk de moeite waard ook nog een keer met die nachtwaker te praten, en met wie je verder maar wilt. Ik zal je direct maar waarschuwen voor de familie van de overleden vrouw, de Brac-ci's, waar je ook mee zult moeten praten. Dat zijn vaste klanten van ons; kleine criminaliteit, je kunt het zo gek niet verzinnen. Een stelletje klootzakken. Jeetje, wat zullen die nu pissig zijn.'

'En het mortuarium?' vroeg Costa.

'Ga erheen en vraag wat je wilt. We hebben een goede patholoog-anatoom. Tosi is hier al jaren. Jullie hoeven geen dingen te verdoezelen. Ik wil alleen dat de feiten snel en efficiënt worden vastgesteld, en daarna een rapport dat ik overal kan laten zien om duidelijk te maken dat deze kwestie is afgehandeld. Begrepen?'

Commissario Randazzo wachtte een beetje angstig af. Toen hij geen bezwaren hoorde, zelfs niet van Peroni, keek hij op zijn horloge en produceerde hij een flauw glimlachje. 'Ga niet lopen haasten. Dat zou een verkeerde indruk wekken. Als het klaar is, gaan jullie met vakantie. Dat hebben jullie dan wel verdiend.'

Hij zweeg gespannen.

Peroni boog zich naar voren en bleef even zo zitten, enkel om de *commissario* nog nerveuzer te maken dan hij al was.

'We moeten wel een boot hebben,' zei hij toen. 'Onze eigen boot. Met een chauffeur.'

'Uiteraard,' zei Randazzo zacht. 'Alleen noem je het geen –'

De kleine *paf* van een explosie onderbrak de *commissario*. Het geluid was hard genoeg om hen allemaal aan het schrikken te maken. Ze hoorden een man opge-wonden schreeuwen. Nic Costa rekte zich uit om te zien wat er gebeurde.

Er kwam een vlam uit de toorts aan het einde van de uitgestoken hand van de ijzeren engel. Het grijsharige individu dat aan de kabels had staan trekken, stond ernaar te kijken.

'Michele Arcangelo,' zei Randazzo bij wijze van verklaring. 'Hij is de *capo* hier.'

Een lachende *capo*, zag Costa. Met een scheef gezicht. Een man die zijn ogen niet van het vuurbaken kon houden dat hij zojuist weer tot leven had gewekt.

5 Nic Costa nam het geblakerde interieur van de glasblazerij in ogenschouw
en vroeg zich af hoeveel de vlammen en de rook hadden weten te vernietigen. Hij had geen ervaring met branden van deze aard en omvang.
Welke bewijzen waren verder nog verdwenen in de harde straal uit de brand-
weerslangen en door het geloop van agenten en anderen die het gebouw al waren
binnen gegaan voordat Randazzo hen naar de plaats delict had gestuurd?

Ze hadden zich alle drie zwijgend neergelegd bij de eisen van de *commissario*.
Het had toch bijzonder weinig zin ertegenin te gaan. Bovendien, wist Costa,
vonden ze het allemaal best een verleidelijk voorstel, ook al schoten ze er op
korte termijn een paar dagen verlof bij in. Voer een grondig onderzoek uit,
produceer een gedegen, voorspelbaar rapport over een misdrijf dat al volkomen
duidelijk is en geniet van wat extra vakantie voor je teruggaat naar Rome. De
omstandigheden waren ongebruikelijk, maar mogelijk niet ongekend, vooral niet
in Venetië. Bovendien had Emily de komende maand vrij van de universiteit. Ze
konden misschien eerst naar Sicilië gaan, of langzaam door Toscane en Umbrië
terug reizen naar Lazio.

Mits ze Gianfranco Randazzo en de Engelsman aan wie de *commissario* om
de een of andere reden verplichtingen scheen te hebben, precies gaven wat ze
wilden.

Costa en Falcone waren voorzichtig door de glasblazerij gewandeld. Ze hadden eerst de oven geïnspecteerd waar de stoffelijke resten van de vrouw waren
aangetroffen en vervolgens de met krijt getekende omtrek om het besmeurde en
deels ontbrekende stuk van de houten vloer bekeken waar Uriel Arcangelo was
neergevallen. Ze bestudeerden ook de minder belangrijke details. De gesprongen ramen werden – volkomen in strijd met de gebruikelijke werkwijze van de
politie – juist op dat moment door een paar timmermannen dichtgetimmerd met
platen hout. De hoge houten deuren, die door de hitte bijna in houtskool waren
veranderd, waren door de bijlen van de brandweer uit hun scharnieren geslagen.
Falcone wond zich op over de sporen die de bijlen hadden achtergelaten, haalde
toen een zakdoek tevoorschijn en boog zich over de deur die nu op de grond lag.
De sleutel zat nog in het slot, aan een ring met een stel andere. Het was een ouderwets insteekslot. Als er eenmaal aan één kant een sleutel in was gestoken, was
de deur vanaf de andere kant niet open te maken. Falcone morrelde aan de sleutel
in het mechaniek, haalde hem eruit en stopte hem in een plastic monsterzak die
hij in zijn jas stak. Costa sloeg hem aandachtig gade.

'De deur zat op slot, nietwaar?' vroeg hij.

47

'Zeker weten,' antwoordde Falcone. 'Dat hadden ze ons al verteld. Je denkt toch niet dat ze liegen, hè?'

Hij probeerde Falcones houding te doorgronden. Bedoelde hij het sarcastisch? Het was vaak moeilijk te bepalen wat de afstandelijke, weinig expressieve inspecteur dacht. Op dat moment had Costa werkelijk geen idee.

'Dan moet hij zichzelf hierbinnen hebben opgesloten.'

De ijzige, kritische ogen boorden zich in hem. Falcone keek teleurgesteld.

'Dat is één mogelijkheid,' gaf hij toe.

'Wat anders? Zijn sleutel zit in de deur...' stamelde Costa, terwijl hij zat te bedenken hoeveel andere mogelijkheden er konden zijn.

'Zeker. Je moet niet op de zaken vooruitlopen, Nic. Dat is een slechte gewoonte. Begin met een blanke geest en laat je wijzer maken door de feiten, niet door je eigen ideeën. Randazzo heeft ongetwijfeld gelijk en deze zaak is vast zo simpel als hij beweert. Maar je kunt niet van me verwachten dat ik nu al mijn levenslange gewoonten overboord zet, of wel soms? Ga een beetje rondkijken. Ik ben hier nog niet helemaal klaar. Onvoorstelbaar, dat ik een plaats delict onderzoek zonder technische mensen erbij. Toe... Tenzij je nog iets toe te voegen hebt.'

'Hugo Massiter heeft een verleden,' zei Nic kortaf.

Falcone keek geïnteresseerd. 'Wat voor verleden dan?'

'Dat weet ik niet meer. Maar ik ken de naam. Hij heeft in de krant gestaan. Het had iets met muziek te maken. En een sterfgeval. Misschien meer dan één. Ik kan het uitzoeken.'

'Ik denk dat je iemand als Massiter beter aan mij kunt overlaten,' was Falcones reactie.

Costa voelde zich net een klein kind dat een tik op zijn vingers had gekregen. Hij liep terug naar de gesprongen ramen en keek naar de mannen in overalls die de goedkope platen hout ervoor spijkerden.

'Werkt u hier?' vroeg hij de voorste, een gedrongen kerel van middelbare leeftijd in groezelige kleren.

De twee mannen keken elkaar aan en lachten. 'Leuk grapje,' zei de man. 'Denk je dat ze geld hebben om personeel te betalen? Dat is nieuw voor mij. Nieuw voor heel Murano. Verzekering, meneertje. Die stuurt ons, die betaalt ons. Ze willen dat deze ramen worden dichtgespijkerd omdat de rekening anders alleen maar oploopt. Het verbaasde me trouwens dat de Arcangelo's nog verzekerd waren. Waarschijnlijk de enige rekening die ze het afgelopen jaar hebben betaald.'

'Dank u,' mompelde Costa en hij ging een stukje bij het geklop van hun hamers en de stank van hun sigaretten vandaan.

Peroni deed een poging een gesprek aan te knopen met de gebroeders Arcangelo, die allebei meer interesse voor de oven schenen te hebben en de wirwar van

48

pijpen die erheen liepen, te lijf wilden gaan met ijzerzagen en soldeerlampen. Het had weinig zin zijn partner te gaan helpen. Randazzo had de familie klaarblijkelijk *carte blanche* gegeven alle nog aanwezige bewijzen te vernietigen.

Improviseer. Dat was het leidend advies van Falcone in omstandigheden als deze: zaken die net lege bladzijden leken die gevuld moesten worden met bewijzen. Costa kende de inspecteur inmiddels goed genoeg om te begrijpen wat hij ermee bedoelde. Snuffel rond, word één met de plaats delict. In dit geval: probeer jezelf in Uriel Arcangelo te verplaatsen, die wacht tot de vlammen hem verteren terwijl zijn overleden vrouw in as en rook verandert in de oven waar de twee broers nu even normaal en achteloos mee omsprongen, alsof het slechts een defecte machine was.

Maar hij kon niet doen wat Falcone wilde. Er klopte hier iets niet en omdat Falcone zo terughoudend, maar ook zo gespannen was, vroeg hij zich af of de inspecteur dat ook wist. Geen twee families reageerden hetzelfde op een tragedie. Soms was er boosheid en haat; soms simpel ongeloof en een stille weigering een duidelijk feit te accepteren. Maar Michele en Gabriele Arcangelo kon het kennelijk helemaal niet schelen wat er was gebeurd. Of, beter gezegd, ze vonden dat het opnieuw in bedrijf stellen van de glasblazerij – en de vlam van het baken van de gigantische engel buiten – voorrang had, hoger op hun rigide lijst met prioriteiten stond dan het feit dat hun jongste broer nog maar een paar uur geleden hier, in dit gebouw, zijn vrouw had vermoord.

Nic Costa voelde zich even verloren en werd zich er toen van bewust dat hij niet alleen was. Hij keek opzij en zag een vrouw die stil naast hem was komen staan. Ze leek een jaar of vijfenveertig. Haar lange donkere haar was zeer schoon en steil en er zat een vleugje zilver in, alsof het van oorsprong grijs was en ze het had geverfd. Ze droeg een oud rood katoenen shirt, ooit van goede kwaliteit, maar in de loop der jaren vormeloos geworden, en een donkere goedkope lange broek. De armoedige kleren pasten niet bij haar gladde gezicht, dat aristocratisch en aantrekkelijk was en waarin opvallende, onderzoekende bruine ogen stonden. Dit was de persoon die hij door het boven de lagune uitstekende raam had gezien, waar ze, naar zijn idee nogal verloren, naar hen had staan kijken.

Die indruk werd ogenblikkelijk tenietgedaan door haar manier van doen.

'Ik dacht dat u met meer zou zijn,' zei ze met een warme, beschaafde stem. 'Ik ben Raffaela Arcangelo. Ik moet mijn excuses maken voor mijn broers. Ze zijn soms... nogal eigenzinnig.'

'Nic Costa,' antwoordde hij en hij merkte dat Falcone nieuwsgierig, met arendsogen, op hen af kwam. 'Dit is inspecteur Falcone.'

'*Signor* Costa,' zei ze, een beetje peinzend. 'Inspecteur.'

Hij wachtte tot Falcone het voortouw nam. Dat gebeurde niet. Een inwendig stemmetje zei hem verbaasd dat Falcone een beetje onder de indruk was van deze aantrekkelijke vrouw die zijn vrijmoedige blik zonder enige schroom beantwoordde.

'We kunnen beter boven praten,' zei ze. 'Ik zal mijn broers vragen of ze ook komen als ze klaar zijn.' Ze keek even naar Peroni, die op het punt stond zijn pogingen een woord uit de Arcangelo's te krijgen op te geven. 'Het heeft geen zin. We hebben het al meegemaakt met de mannen die hier vóór u waren. Mijn broers praten pas als ze wíllen praten. Eerder niet.'

Falcone vond zijn spraak terug. 'Dat is begrijpelijk, *signora* Arcangelo,' zei hij, terwijl hij haar zijn persoonlijke kaartje overhandigde. 'Mogen we u onze welgemeende deelneming betuigen? En mag ik me verontschuldigen voor het feit dat we op dit moment hier moeten zijn? Twee familieleden tegelijk verliezen moet verschrikkelijk zijn. Ik kan me goed voorstellen dat wij wel de laatsten zijn die u wilt zien.'

De ogen van de vrouw vielen op het kaartje dat hij had gegeven en gleden daarna over Falcone. 'U bent de eerste die het fatsoen heeft zoiets te zeggen,' antwoordde Raffaela Arcangelo een beetje verrast. 'Dank u wel. Kunnen we hier nu weggaan? Alstublieft? Ik... ben hier nu liever niet.'

'Uiteraard,' beaamde Falcone. 'Dit is beslist het verkeerde moment. De politiemensen die al met u hebben gesproken, hebben die verklaringen afgenomen?'

Ze keek verbaasd. 'Jazeker. Ik dacht dat u dat wel zou weten.'

'Het systeem is soms een beetje traag. Het is onvergeeflijk.'

Hij kon zijn ogen niet van de sleutelbos aan haar riem afhouden. Falcone strekte een hand naar de sleutels uit. 'Zou ik die even mogen zien?'

Het verzoek verraste haar. Toch haalde Raffaela de bos zonder enige aarzeling van haar riem en overhandigde hem aan Falcone. Deze bekeek alle sleutels om de beurt en besteedde de meeste tijd aan de lange, oude schacht van metaal die, naar Costa's idee, hetzelfde was als die in de deur. Daarna hield hij de bos even onder zijn neus, rook eraan en gaf hem terug.

'Sorry,' zei hij. 'Dat was dom van me. Alles ruikt hier momenteel naar rook.'

Ze was niet van haar stuk gebracht door zijn gedrag, noch beledigd.

'Inderdaad,' beaamde ze. 'Was u... ergens naar op zoek, inspecteur?'

Hij glimlachte, een uitdrukking die Nic Costa zelden zag, maar die op dat moment opvallend oprecht leek.

'Gewoon een slechte gewoonte, vrees ik. Wie heeft er verder nog sleutels van dit gebouw? Sorry. Ik neem aan dat u dat al is gevraagd.'

'Nee,' antwoordde ze peinzend. 'Die vraag is me niet één keer gesteld. Alleen de familie heeft sleutels. Ik. Michele. Gabriele. En Uriel en Bella uiteraard.'

'En Hugo Massiter?' vroeg Costa.

Er gleed een schaduw van afkeer over haar gezicht. 'Waarom zou hij sleutels moeten hebben?'

'Ik dacht dat hij bezig was met het *palazzo* hiernaast.'

'Zijn mensen zijn bezig met het *palazzo*. Massiter komt van tijd tot tijd langs. We laten ze alleen overdag toe. Michele doet het hek voor hen open. Meer is niet nodig. Voorlopig niet althans. We zijn geen eigendom van *signor* Massiter.' Haar stem klonk duidelijk bitter. 'Nóg niet.'

Falcone dacht even na. 'U en uw broers... U bent geen van allen getrouwd.'

'Michele is gescheiden. Gabriele en ik zijn nooit getrouwd.'

'En verder woont er niemand op het eiland?'

Ze keek hem even argwanend aan. 'We kunnen ons al een tijdje geen personeel meer veroorloven, inspecteur. Ik dacht dat ze u dat ook wel hadden verteld.'

'We zijn niet van hier. Maar dat had u vast al gemerkt. En de nachtwaker? Die had geen sleutels?'

'Piero? Nee. Dat was niet nodig. Hij brengt alleen met de boot materiaal naar het magazijn beneden. Dat doen we niet eens op slot. Er staat niets van grote waarde in en je kunt daarvandaan niet in een ander deel van de gebouwen komen.'

'En,' ging Falcone onverstoorbaar verder, 'Uriel en Bella? Die hadden allebei een eigen stel?'

'Ja,' antwoordde ze. Er sloop een lichte ergernis in haar stem. 'Bella werkte hier ook wel eens. Is dit echt allemaal belangrijk?'

'Waarschijnlijk niet,' antwoordde hij glimlachend en hij schudde zijn hoofd. 'Weet u, we zijn tegenwoordig aan alle kanten gebonden door voorschriften. In zaken als deze moeten we over elk stukje bewijs, hoe onbelangrijk ook, verslag uitbrengen. Het is eigenlijk alleen maar papierwerk. O...'

Hij haalde de monsterzak tevoorschijn en hield het doorzichtige plastic voor haar neus. 'Ik zou graag willen dat u deze bos voor me identificeert, alstublieft. Aan die van u zit een groen lintje, zie ik. Aan deze een rood, grotendeels verschroeid door de hitte, maar toch nog herkenbaar. Waren deze van Uriel?'

Ze keek treurig naar het object in de zak. 'Dat klopt,' antwoordde ze.

'En die van Bella? Zat daar ook een lintje aan?'

'Ja, een geel.' Ze stond na te denken. 'En voor u het vraagt, Michele heeft een zwart en Gabriele een blauw. We zijn een ordelijke familie. Michele wil graag kunnen achterhalen wie de schuldige is als er iemand onvoorzichtig is geweest.'

'Voor de goede orde zouden we eigenlijk moeten weten waar de sleutels van Bella zijn,' zei hij, alsof het een onbelangrijke kwestie was.

Raffaela's ogen dwaalden naar de oven. 'Maar... Ze lag daarin. Zou u daar dan niet moeten kijken?'

Falcone knikte. 'Waarschijnlijk wel. Ik heb gehoord dat er een grote hoeveelheid materiaal in de Questura is. We komen bijzonder ongelegen, *signora*. Ik vind echt dat de politie een familie zo weinig mogelijk moet storen in haar verdriet.

U bent al genoeg lastiggevallen. We weten weliswaar nog niet waarom deze tragedie heeft plaatsgehad, maar het is wel duidelijk dat het, hoe zal ik het zeggen, op zichzelf staand is?'

Op het knappe gezicht van Raffaela Arcangelo verscheen een grimmige, besliste uitdrukking. 'Het is onverklaarbaar, inspecteur. Uriel was mijn broer. Hij was driftig. Dat zijn alle mannen in de familie. Maar iemand vermoorden. Zijn vrouw... Nee. Dat geloof ik niet. Het enige wat ik kan bedenken, is dat zich een afschuwelijk ongeluk heeft voorgedaan.'

Falcones ogen fonkelden. 'Zou kunnen. En Bella? Wat was dat voor iemand? Waren ze al lang getrouwd? Vormden ze een... hecht paar?'

Raffaela trok een grimas. 'Ze waren al een jaar of twaalf getrouwd. Ik kan het me niet precies herinneren. Ze deden al een tijdje een beetje koel tegen elkaar. Dat soort dingen komt voor in een huwelijk, nietwaar? Zij wilde graag kinderen. Het is er niet van gekomen.'

Hij zweeg even en vroeg toen: 'Heeft Bella u dat verteld?'

Er verscheen een boze blik in haar ogen die beide mannen begrepen. Raffaela Arcangelo's geduld met hen was helemaal op.

'Nee, Uriel,' zei ze kortaf. 'Hoe luidt die uitdrukking ook alweer; het hemd is nader dan de rok? Het was een ongeluk, inspecteur. Een andere verklaring is er niet.'

'Een ongeluk dat hij had kunnen voorkomen,' merkte Falcone kalm op. 'Snapt u het probleem? Wat er ook is gebeurd, hij had naar de deur kunnen lopen en hem open kunnen maken om hulp te gaan halen. In plaats daarvan...'

Daar liet Falcone het bij. De diepe, aantrekkelijke ogen van Raffaela Arcangelo stonden opeens vol tranen en dat was voor haar net zo'n schok als voor hen.

Ze wierp een bittere blik op haar twee broers, die bezig waren met de oven en alles om zich heen vergaten.

'Ik kan dit niet aan,' zei ze ten slotte, zodra ze zichzelf weer enigszins in de hand had. 'De begrafenis moet worden geregeld en ik ben de enige die dat kan doen.'

'Als we u ergens mee kunnen helpen,' merkte Costa op.

Raffaela Arcangelo keek hem met een donker gezicht aan. 'Deze familie begraaft zijn eigen overledenen. Dat is geen politiewerk. Wanneer wilt u ons weer spreken, inspecteur?'

'Morgen,' antwoordde Falcone. 'Ik zal contact opnemen om een geschikte tijd af te spreken. Als u me eerder nodig hebt, mijn mobiele nummer staat op mijn kaartje.'

'Morgen.'

Toen liep ze weg en stapte over de gevallen deuren naar buiten de heldere blauwe dag in.

Falcones ogen volgden haar vertrek zeer aandachtig. Er stond een ongezonde hoeveelheid belangstelling op zijn scherpe, ascetische gezicht.

'Is er iets wat ik moet weten, chef?' vroeg Costa.

'Straks,' antwoordde Falcone opgewekt en hij keek op zijn horloge. 'Moet je horen. Ik ga terug naar de stad om te zien wat ze hier onder een mortuarium verstaan. Jij snuffelt nog een beetje rond om ze te laten merken dat we geïnteresseerd zijn. Daarna neem je een uur lunchpauze. Of langer, als je wilt. Bezoek een paar cafés. Daar is Peroni goed in. Wees nieuwsgierig. Zorg dat je opvalt. Vervolgens ga je met de familie Bracci praten. Ik wil dat ze het gevoel krijgen dat we veel vragen stellen. Dat wordt vast en zeker doorgebriefd aan Randazzo en dat is in ons voordeel. Morgen wil ik eerst die losse werkman van de Arcangelo's op Sant' Erasmo spreken. We hebben tenslotte een boot. Moeten we hem ook maar gebruiken. Als je hier klaar bent, zal het trouwens wel tegen vijven lopen. Dan eindigt je dienst. Jullie vriendinnen zijn er. Ga gerust eerder weg als jullie klaar zijn.'

Costa was sprakeloos. Falcone was een man die geen moment rust nam zodra ze eenmaal aan een onderzoek waren begonnen. Ze waren het gewend alle uren van de dag te werken tot een zaak was opgelost. Diensten, lunch, avondeten, familie... alles werd aan de kant gezet tot hij had wat hij hebben wilde.

'Waarom kijk je me zo raar aan?' vroeg de inspecteur.

'Ik, eh...' stamelde Costa. 'Lúnchen? We gaan nooit lunchen. Dit is een moordonderzoek.'

'Scherp opgemerkt!' antwoordde Falcone vrolijk. 'Maar je hebt Randazzo gehoord. Hij is de baas. Hij wil alleen een zorgvuldig onderzoek, en dat ga ik hem dus geven. Bovendien heb je het zelf gezien. Wat er gebeurd is, is hier in deze ruimte gebeurd. Ik geloof niet dat er een schuldige partij is die zich uit de voeten probeert te maken. Jij wel? Eigenlijk zie ik hier helemaal niemand die aanstalten maakt om iets te ondernemen. Zelfs niet voor een begrafenis.'

Costa zweeg. De man was iets op het spoor en het had geen zin ernaar te vissen. Hij zou zeggen wat hij te zeggen had, wanneer hij wilde, en niets zou hem ertoe brengen er eerder mee voor de dag te komen.

Falcone rammelde met de sleutels in zijn jaszak.

'O,' vervolgde hij. 'Jullie eten vanavond waarschijnlijk met elkaar? Met zijn vieren? Ik neem aan dat jullie naar dat restaurantje gaan dat Peroni heeft ontdekt? Waar ze die boerenkost serveren?'

'De "huiselijke keuken" wordt het volgens mij genoemd.'

'Bij mij thuis anders niet. Maar ik vind het niet erg me een keertje te behelpen. Je vindt het toch niet vervelend als ik meega? Het is eeuwen geleden dat ik de dames heb gezien. Ik zal me niet opdringen. Dat beloof ik. Hoe laat?'

'Halfnegen,' mompelde Costa een beetje opstandig. Hij had al niet samen met Peroni en Teresa willen eten. Emily en hij hadden toch al veel te weinig tijd met elkaar doorgebracht. En dan nóg iemand aan tafel erbij...

'Goed.'

Falcone keek nog eenmaal zelfingenomen het vertrek rond. Toen ving hij Costa's blik. 'Twee lijken betekent meestal twee moorden, Nic. Denk daaraan. Begin altijd bij het aannemelijke. Laat het onaannemelijke zichzelf bewijzen. Ik maak nog wel een rechercheur van je.'

'Twéé moorden?'

'Precies,' zei Falcone. De sleutels rammelden in zijn jas. 'Maar we hebben er tenminste al eentje in onze zak.'

6

Om vier uur die middag zaten Teresa en Emily een klein stukje bij het San Marco-plein vandaan aan de waterkant bij te komen van de drukte en de warmte. Na de telefoontjes met het slechte nieuws van de mannen hadden ze zich in een restaurantje in de luwte van de scheve toren van de Greci-kerk te goed gedaan aan pasta en daarna een paar *gelati* gekocht: een geestrijke lekkernij van vanille met boerenjongens voor Teresa, een citroenijsje voor Emily Deacon. Nu zaten ze een beetje verveeld te soezen in de schaduw van de voor-steven van een reusachtig cruiseschip op een plekje waar ze net langs het witte metaal de mooie en drukke lagune konden zien.

'Venetië in augustus,' kermde Teresa. 'We moeten wel gek zijn. Het stínkt zelfs. Het was hier toch een mythe volgens iedereen?'

'Italianen zeuren te veel,' verklaarde Emily. 'Meestal is het een mythe. Ont-span, let niet op je neus en geniet.'

'In deze hitte!'

Teresa Lupo had het gevoel dat ze een emmer water uit haar slappe katoenen shirt kon wringen. Het was ongelooflijk vochtig. Elk stap kostte haar moeite en pleegde een aanslag op het kleine beetje energie dat ze na de nachttrein nog over had. Ze wist niet eens zeker of ze het wel zo vervelend vond dat Peroni aan het eind van de dag toch geen vakantie zou hebben. De stad maakte haar lethargisch. Als hij echt extra verlof mocht opnemen als de zaak was afgerond, kon ze haar eigen vakantieschema aanpassen en mogelijk twee weken omwisselen. Voor Emily gold hetzelfde. Ze waren aanvankelijk witheet geweest, dat sprak vanzelf. Maar het kon allemaal toch nog goed komen.

En ze was weg uit Rome. Weg uit het mortuarium, voor het eerst in maanden. Het was toch een rustige periode. Silvio Di Capua, haar assistent, zou zich wel red-den. Silvio werd steeds meer van het zelfredzame soort. Binnenkort kon ze de hele boel voor gezien houden, als ze dat wilde, zonder dat ze zich – veel – zorgen hoef-de te maken over wat ze achterliet. Ze had het er met Peroni over gehad, meestal wanneer de fles *grappa* tevoorschijn was gekomen na het avondeten. Om met zijn tweeën de stad uit te gaan, naar Toscane te verhuizen. Zij kon als plattelandsdokter werken, boeren verbinden, voor hun dikke, zwangere vrouwen zorgen. En hij kon een poging wagen met iets wat hij altijd al had willen doen, al sinds zijn jeugd op het platteland: varkens fokken op een kleine boerderij, verrukkelijke geroosterde *porchetta* verkopen op de weekendmarkten in en rond Siena. Dromen... Ze waren belachelijk, onmogelijk. Ze kwelden haar ook, al was het maar omdat ze, voor Gianni Peroni in haar leven kwam, eigenlijk nooit dromen had gehad.

Emily at haar *gelato* op en mikte haar servetje precies in een prullenbak die vlakbij stond. Teresa wilde dat ze Peroni zo goed kon leren mikken.

Ze staarde over het uitgestrekte vlakke grijze water met de altijd actieve vloot van scheepjes, de veerboten en de *vaporetti*, de speedboten en de transportschuiten, en zuchtte.

'Ik zal het hem moeten vertellen, Emily. Ik kan niet gewoon mijn mond houden.'

Ze hadden dit, met de hoofden dicht bij elkaar, in een tweedeklascoupé in de trein besproken toen deze door de donkere bedompte nacht ratelde. Teresa had tot twee uur 's ochtends dienst gehad. Er was eigenlijk geen andere mogelijkheid geweest dan zo vroeg in de ochtend vertrekken. En het was echt iets voor Emily om akkoord te gaan met het vervelende tijdstip. Teresa kende haar pas iets meer dan acht maanden. Toch was ze tot de ontdekking gekomen dat ze goed met haar kon praten. Over dit onderwerp het beste. Het was zo veel gemakkelijker dan het Gianni Peroni in zijn gezicht te zeggen en uit te leggen.

'Je weet het niet zeker,' zei ze, terwijl ze haar kalm aankeek. 'Ik zou niets overhaasten.'

'O, hou toch op!' zei Teresa snibbig. 'Ik ben arts, ja? Met dat soort onzin hoef je bij mij niet aan te komen. Ik heb dat soort dingen in het verleden zelf tegen mensen gezegd. Het is gewoon zo, Emily. Daar valt niets aan te veranderen.'

Je liet een patiënt nooit alle hoop verliezen. Behalve als er echt geen alternatief was. Al die specialisten die ze zonder Peroni's medeweten had bezocht, hadden hun best gedaan de waarheid te verbloemen. Maar dat was hun niet gelukt. Zij raakte niet in de war van woorden als ernstige tubaire occlusie. Ze wist hoe ze hun uitspraken uit elkaar moest rafelen. Toen ze dat deed, was ze verbaasd dat er iets zo fundamenteel, hoewel goedaardig, mis kon zijn met haar voortplantingsorganen zonder dat ze dat wist. En ze kon de blik in hun ogen ook interpreteren, wanneer ze hen confronteerde met alle onvermijdelijke vragen die ze kon bedenken. Niets – geen chirurgie, zelfs geen in vitro fertilisatie – zou enig verschil maken. Teresa Lupo was – ze vond het een afschuwelijk woord, maar het vatte de situatie met een passende stelligheid samen – steriel en zou dat de rest van haar in aantal slinkende zogenaamd vruchtbare jaren blijven.

Emily keek terneergeslagen. Teresa verweet zichzelf de korte uitbarsting. Het was niets voor haar, en onterecht ook nog.

'Sorry, sorry, sorry,' zei ze en ze drukte de handen van de Amerikaanse vrouw. Nic mocht blij zijn met haar, vond Teresa. Ze was aardig, knap en goudeerlijk. Intelligent ook. Op een dag zou ze als architect zelf een goede boterham verdienen. Daar twijfelde Teresa niet aan, hoewel ze zich wel afvroeg of het een beroep was dat goed samenging met een partner die politieman was. 'Hierbij zie ik af van mijn slechte humeur en beloof ik plechtig de rest van deze vakantie het toonbeeld van lieve, blije onschuld te zijn.'

'Dat lijkt me nogal ambitieus,' waarschuwde Emily.

'Hoezo? Het was toch een belachelijk idee. Gianni en ik kinderen. Hij tegen de vijftig, en al twee van zichzelf. Ik een ouwe vrijster van... ver in de dertig... die, tot het moment dat hij in mijn leven kwam, vond dat kinderen in een dierenwinkel thuishoorden.'

Op Emily's levendige gezicht verscheen een scherpzinnige sceptische blik. Teresa was heel erg jaloers op haar uiterlijk. Ze was slank, ze was blond, ze had fijn sluik haar dat nooit plat zat. Ze was het soort vrouw dat andere vrouwen haatten. Nee, niet haatten. Van wie ze dachten: waarom jij wel en ik niet? Omdat het was of het hun allemaal kwam aanwaaien, alhoewel dat misschien maar schijn was. Er waren de laatste tijd momenten geweest dat Teresa dat had gedacht. Dat ze meende dat ze een schaduw over Emily's gezicht zag glijden als het onderwerp Rome, Nic en dat grote oude huis bij de Via Appia Antica, waar ze nu alleen woonde en studeerde, ter sprake kwam.

Dit dreigde een van die gesprekken te worden waar Teresa een hekel aan had. Het soort dat ze anders altijd ontwrichtte met een zoen, een woede-uitbarsting, of door opeens koffie te willen, wat in de huidige omstandigheden allemaal niet voorhanden of passend was.

'Het probleem is Gianni,' bekende ze. 'Hij zal zich eroverheen zetten. Ik heb nog nooit iemand ontmoet die alle ellende die hem te beurt valt, zo snel verwerkt. Zo ben ik niet. Ik blijf erover doormalen. Als ik de kans krijg, stort ik mezelf op mijn werk, om te vergeten wat er door mijn hoofd gaat. Dat duurt dan niet lang ook. Alleen kan ik dat nu niet. Niet hier. Niet' – ze gebaarde met haar hand naar de afspiegeling van de *campanile* van de San Giorgio Maggiore op het San Marco die op het gevlekte water lag – 'met dit om me heen.'

'Kunst,' verklaarde Emily met een strenge blik, waar alweer dat verontrustende vleugje moederlijkheid in zat.

'Ik weet helemaal niets van kunst!'

'Ik vertel je er wel wat over.'

Teresa zat te mokken als een klein kind, en dat wist ze. Ze zat ook om woorden verlegen en schaamde zich een beetje. Een vrouw van halverwege de dertig zou geen steun moeten zoeken bij een slanke, knappe Amerikaanse, de jonge vriendin van een man die ze graag mocht en bewonderde. Ze hoorde niet te hopen dat iemand van zesentwintig een beetje evenwicht kon geven aan een leven dat zich zo veel jaren op de grens van het normale had bewogen.

'Hebben ze ook iets bloederigs hier?' vroeg Teresa. 'Dat ik een beetje in training kan blijven.'

Emily Deacon fronste haar wenkbrauwen. 'Niet echt. Venetië is anders. Eh... subtieler. Ik denk dat dat het goeie woord is. Maar ik zal mijn best doen.'

'Bedankt,' zei Teresa. 'Je maakt een oude vrouw erg gelukkig. En...'

Emily Deacon moest lachen om dat laatste. Misschien was dat de reden dat

Teresa het gevoel had dat ze kon zeggen wat ze daarna zei, de stomme gedachte naar buiten kon laten glippen die ongezegd, die verborgen in haar hoofd had moeten blijven zitten.

'...als jullie tweeën zover zijn, dat jullie aan kinderen beginnen, kan ik de maffe tante zijn. Het mens dat altijd met cadeautjes komt. De babysitter. Verzin maar wat...'

Ze vervloekte zichzelf en keek naar Emily Deacon, die zwijgend naar de lagune staarde. Het was een mooi uitzicht, vond Teresa, zelfs met die flauwe ziekenhuislucht op de achtergrond.

'Sorry, Emily,' zei ze. 'Dat was echt onnadenkend van me. Brutaal ook. Ik wilde alleen maar zeggen...'

Die lange, jonge vingers knepen in haar hand. Emily's bleke, glimlachende gezicht keerde zich naar haar toe. Teresa hoopte dat ze zich vergiste, maar het was net of er een spoortje vocht in de hoeken van die scherpe blauwe ogen zat.

'Het geeft niet,' merkte Emily kalm en beslist op.

7 Aldo Bracci was een gedrongen, zuur kijkende man van een jaar of vijftig met een kaal hoofd en kleine kraaloogjes. Hij werkte in een piepklein kantoortje op de begane grond van de glasblazerij van de familie bijna een kilometer van het Isola degli Arcangeli vandaan, in een donkere smalle *ramo* bij het museum. Het was een heel andere wereld dan het Murano dat de toeristen zagen. Troosteloze, stinkende doorgangen, met hoge muren aan weerszijden, die zo smal waren dat er maar een paar voetgangers tegelijk door konden, liepen vanaf het kanaal naar de *ramo*. Er hing een scherpe lucht van rook en verbrand gas. De alledaagse huizen rondom de glasblazerij van de familie Bracci waren on-opgesmukt, pretentieloos. Hier woonden mensen die met de moed der wanhoop de kost probeerden te verdienen met die dagelijkse dans met gesmolten glas en laaiend vuur. Bracci zag er, in zijn stoffige blauwe overall, uitgehongerder uit dan anderen. De chaos in het kantoortje – overal rekeningen en facturen – en de povere toestand van het bedrijf vertelden hun eigen verhaal. Dit waren kleine visjes, een klasse lager dan de indrukwekkende namen die dicht bij de *vaporetto*-haltes waren gevestigd. Individuen die in de marge leefden die de grote spelers overlieten, en hoopten dat er voor hen wat kruimels zouden blijven liggen.

Bracci wierp een lusteloze blik op een ouderwets uitziende vaas die net uit de werkplaats kwam, vloekte in onverstaanbaar Venetiaans, wandelde naar het kantoortje en zette hem op een stapel waar een bordje met het opschrift 'B-keus' boven hing. De twee politiemannen zaten verwonderd op hun stoel te wachten, Costa een beetje trillerig omdat hij, voor ze naar Aldo Bracci gingen, tijdens hun speurtocht naar geruchten in allerlei cafés achter elkaar drie koppen sterke koffie had gedronken. Ze hadden Falcones orders naar de letter uitgevoerd. Ze hadden een bord pasta gegeten in een klein, onooglijk restaurantje. Tot Costa's verbazing was dat een slimme zet geweest. De mensen waren hier van nature niet spraakzaam, tot je de magische naam Arcangelo te berde bracht. Dan begon er een beeld te verschijnen, zowel van de familie als van Murano zelf, een plek met weinig tijd voor nieuwkomers die hun plaats niet kenden.

'U hebt personeel, meneer Bracci,' merkte Peroni op. 'Dat is meer dan wijlen uw zwager.'

'Mensen vinden het prettig van tijd tot tijd hun salaris te krijgen. Jullie niet?'

'Uiteraard,' antwoordde Costa. 'Komt het gelegen dat we even met u praten, meneer? We willen u niet storen in uw verdriet.'

Hoewel daar niet veel van te merken was, dacht Costa. Bracci was even bruusk en onaangedaan als de Arcangelo's, zij het op een andere manier. Er hing een bordje op de deur van de glasblazerij met de mededeling: GESLOTEN WEGENS STERFGEVAL. Pas toen ze er een tijdje stonden, hadden ze zich gerealiseerd dat er achter gesloten luiken werd gewerkt, misschien omdat ze niet wilden dat de buitenwereld dat wist.

'Verdriet,' herhaalde Bracci. 'We hebben een ochtend om Bella gerouwd. Als jullie ons toestemming geven haar te begraven, zullen we nog een beetje rouwen. Hoewel dat voor haar niet veel meer uitmaakt, hè? We maken er geen vertoning van. Jullie zijn buitenstaanders. Jullie snappen dat niet.'

Costa en Peroni keken elkaar aan. Ze wisten geen van beiden hoe ze dit gesprek moesten voeren. Bracci zag er niet uit als de diepbedroefde broer. Maar Bella's dood leek hem ook niet helemaal onverschillig te laten.

'Zijn de Arcangelo's buitenstaanders?' vroeg Costa.

Bracci smoorde een grimmige lach. 'Wat denk je? Heb je ze ontmoet?'

Peroni knikte. 'Ze zijn hier al toch vijftig, zestig jaar of zo? Hoelang duurt zoiets?'

'Sinds 1952,' verbeterde Bracci hem. 'Die arrogante oude klootzak verkocht zijn werf in Chioggia en nam die puinhoop op dat eiland over met het idee dat hij ons allemaal wel eens even een lesje zou leren.'

'En heeft hij dat gedaan?' vroeg Costa.

De man schoof heen en weer op de oude, versleten leren stoel aan het bureau. 'Een tijdje. Angelo Arcangelo was een ander slag. Helemaal niet zoals die kinderen van hem. Hij is zo streng voor ze geweest, dat ze nooit op eigen benen hebben leren staan. Stom. Maar Angelo was heel goed in geld verdienen. Hij kon goed slijmen tegen al die rijke buitenlanders. Dan zei hij: "Kijk. Ziet u dit? Zo maakten ze het drie eeuwen geleden! Verbrand zeewier en kiezels. Een houtoven. Het is volmaakt! Moet u nagaan wat het over twintig jaar waard zal zijn!" Of een zogenaamde moderne kunstenaar een paar ontwerpen laten maken en dan doen alsof het meesterwerken waren. Alleen...'

Hij trok een la van het bureau open en haalde er een doosje uit dat rammelde toen hij het pakte. 'De mode verandert. Je verandert mee, of er komt op een dag niemand meer bij je aan de deur.'

Hij gooide de inhoud van het doosje op het bureau. Het waren piepkleine, bont gekleurde prulletjes. Tekenfilmfiguurtjes: Mickey Mouse, Homer Simpson, Donald Duck. Maar net herkenbaar. Het was rotzooi en dat wist Bracci.

'Ik kan een schoolkind in huis halen die er vijftig per uur maakt. Ik betaal hem vier euro. Ik verkoop ze voor vijftig euro aan een straatventer bij het station. Hij sluist ze voor vier, misschien vijf euro per stuk door aan die idiote toeristen die een stukje echt Murano-glas mee naar huis willen nemen. En dat krijgen ze ook. Dat staat buiten kijf. Denk je dat de familie Arcangelo zich hiertoe zal verlagen?'

Dit was hun handel niet, dacht Costa, en dat zei hij ook.

'Wat is hun handel dan wel, wijsneus?' vroeg Bracci. 'Zal ik je eens iets zeggen? Ze werken in een museum. Die stomme oude oven, tien keer groter dan ze nodig hebben. Ze hebben geen moderne apparatuur, niets wat tijd of geld bespaart. Ze gebruiken al die oude recepten en ontwerpen. Het kost ze vier keer zoveel tijd als de rest van ons om iets te maken wat er, in de ogen van de meeste mensen, precies hetzelfde uitziet. Denk je dat ze vier keer de prijs krijgen? Welnee. Zelfs geen twee keer. Soms niet eens dezelfde prijs, omdat het oud spul is dat ze verkopen. Ontwerpen die al jaren uit de mode zijn. Met foutjes, want met de oude werkwijze krijg je foutjes en niemand gelooft nog dat het echt bijzondere dingen zijn, niet meer. Weet je waar zij goed in zijn? In failliet gaan. En als Bella er niet was geweest, had het me geen zier kunnen schelen. Maar nu is ze er niet meer en kunnen ze wat mij betreft de pest krijgen. Voor mijn part verkopen ze dat hele roteiland aan die Engelsman en wordt het een pretpark of zo. Geen hond die het wat kan schelen.'

'Die Engelsman?' vroeg Costa achteloos.

'O, toe nou!' beet Bracci hem toe. 'Het is een publiek geheim dat ze al een hele tijd met hem tot afspraken proberen te komen. Het zou allemaal al geregeld zijn als die ouwe niet zo veel contracten had gesloten, dat de juristen alleen al rijk worden doordat ze overal een oplossing voor moeten zoeken. Maar' – Bracci hief een vinger om zijn woorden kracht bij te zetten – 'wat de Engelsman wil hebben, krijgt hij. Ik zou met hem geen geintjes uithalen. Te veel belangrijke vrienden. En als hij dat eiland koopt...'

'Nou?' vroeg Peroni bars.

Bracci trok een lelijk gezicht. 'Dan is hij binnen. Je zou daar alles op kunnen zetten wat je maar wilt... Een hotel. Zo'n winkelcentrum als ze op terra firma hebben. Als de Arcangelo's een beetje gezond verstand hadden, zouden ze het hele spul op de vrije markt tegen opbod verkopen. Ze zouden er een vermogen aan overhouden. Maar ze willen glas blijven maken. Stom.'

Costa vond deze informatie over Massiter interessant. Hij was al een invloedrijke man. Als hij het eiland in handen had, zou hij nog machtiger worden.

'Wat vindt u ervan dat u een Engelse buurman krijgt?' vroeg hij.

'Geweldig. Maar dan hebben we tenminste maar met één klootzak te maken. Zijn er nog meer dingen die u me wilt vragen? Zo niet, dan...'

Hij keek naar het hoopje glazen tekenfilmfiguurtjes op het bureau en schoof ze voorzichtig terug in het doosje.

Costa was niet van plan het hierbij te laten. 'Vertelt u eens iets over de familie Bracci. Ouders. Broers. Zussen.'

'Ik ben de broer.' Hij schopte de deur naar de glasblazerij open. Twee stevig gebouwde, norse mannen van in de twintig stonden bij een oven, die een tiende was van die van de Arcangelo's, en keken verstoord op. De ene had stekeltjeshaar. Zijn mouwen waren opgestroopt, zodat oude diepblauwe tatoeages op allebei zijn armen te zien waren. De andere was een tikkeltje dunner, had langer haar en zag er iets minder agressief uit, maar niet veel.

'Enzo.'

De getatoeëerde knikte.

'Fredo. Dit zijn mijn zonen. Ze zijn ook het personeel hier, meestal. Hun moeder is jaren geleden met een of andere verzekeringsman opgekrast naar Padua. Beter af zonder dat kreng.'

'Ja.' Enzo Bracci knikte, keek toen boos naar zijn broer en wachtte tot hij weer aan het werk ging voor hij de deur voor hun neus dichtdeed.

'Verder niemand?' vroeg Peroni.

'We waren maar met zijn tweeën, Bella en ik. Ik denk dat mijn vader een loopje heeft genomen met een paar van de regeltjes voor een goed katholiek, als je begrijpt wat ik bedoel. Niet dat er nog iemand in leven is om het aan te vragen. Er wonen hier al vijfhonderd jaar Bracci's. Ga maar in de kerk kijken als je me niet gelooft. De ouwe heeft ons tweeën geproduceerd en dat was genoeg om er zeker van te zijn dat we niet zullen uitsterven. Mijn jongens zullen hetzelfde doen. En Bella... Zij wilde zelf met een van dat stel omhooggevallen boeren trouwen. Moest ze zelf weten. Bovendien...'

Aldo Bracci keek opeens alsof hij boos was op zichzelf, een zeldzame gebeurtenis, vermoedde Costa. Het was net of hij te ver was gegaan.

'Ja?' drong Peroni aan.

'Het was gewoon een slecht idee,' zei Bracci met een afwerend gebaar van zijn hand. 'Ik heb het nooit begrepen. Uriel was niet zo'n geweldige vangst. Bella was knap. Een schoonheid. Ze had beter kunnen krijgen. Het was net of...'

Hij trok een grimas, terwijl hij nadacht over wat hij ging zeggen. 'Het is allemaal na het overlijden van mijn vader gebeurd. Hij zou het nooit hebben toegestaan. Het leek wel of het op de een of andere manier een gearrangeerd huwelijk was. Bella en Uriel overvielen ons er gewoon mee en ik was niet van plan een of andere vendetta te beginnen om ze tegen te houden. Bovendien bleef Michele maar aandringen. In het begin dacht ik eigenlijk dat hij achter haar aan zat. Maar hij was gewoon te oud. Het ging trouwens toch alleen maar om het geld. Waarschijnlijk dacht hij dat wij hem misschien konden redden. Bella kwam uit een glasfamilie. Ze wist overal van. Productietechnieken. Kleine geheimpjes die we buiten het eiland aan niemand vertellen. Ik dacht altijd dat Michele eigenlijk daar op uit was. Maar ze liet ze nooit meekijken als ze aan het werk was. Ze deed het midden in de nacht, als er niemand was. Althans, dat zei ze. Maar goed ook. Als was gebleken dat ze aan het jatten waren, hadden ze wel kunnen inpakken. Dan waren ze er geweest in Murano. Wat we hebben, is van ons. Dat gaat nergens anders heen. Al helemaal niet naar een stelletje bootjesmensen.'

Bij het horen van Bracci's opmerkingen ging er bij Costa een lampje branden. Hij had tijdens al die lange eenzame avonden dat hij alleen was, verschillende

62

geschiedverhalen over Venetië gelezen. Een ervan beschreef de glasindustrie, die in de dertiende eeuw op bevel van de doge naar het eiland was verplaatst omdat ze zo veel branden veroorzaakte in Venetië. Er bestond een broederschap op het eiland, een gesloten organisatie die veel weg had van de vrijmetselarij, de leden een eed van geheimhouding liet afleggen en met afschrikwekkende gevolgen dreigde, mocht iemand de technieken aan buitenstaanders verklappen.

'Wist Bella veel van glas?' vroeg Costa.

Bracci knikte heftig. 'Ze was even goed met een oven als welke man ook. Niet dat een vrouw dat werk hoort te doen. De Arcangelo's dachten daar anders over. Ze praatte er niet veel over, maar ze lieten haar er vaak bij. Ze had haar eigen kleding. Haar eigen voorschoot. Bella maakte een betere *omo de note* van Uriel dan hij verdiende. En moet je zien wat ze ervoor terugkreeg.'

In het ouderwetse bakbeest van een oven van de Arcangelo's gegooid, dacht Costa. Zonder aanwijsbare reden.

'Is het ooit bij u opgekomen dat uw zus in gevaar zou kunnen zijn?' vroeg Peroni.

'Bella?' Bracci lachte. 'Jullie hebben haar niet gekend. Bella was voor niemand bang. Zeker niet voor die echtgenoot van haar.'

'Iemand heeft haar vermoord,' zei Costa op bijtende toon en hij had er onmiddellijk spijt van.

Bracci's gezicht stond op onweer, een akelige, snelle reactie die wellicht meer over de man zei dan zijn bedoeling was. 'Je hoeft niet zo uit de hoogte te doen, hoor, jochie!' bulderde Bracci. 'Het is toch jouw taak uit te zoeken wat daar is gebeurd? Als ik had geweten dat Uriel haar ging vermoorden, had híj in die oven gelegen. Maar dat wist ik niet.'

Er verscheen even een peinzende uitdrukking op het uitgebluste, vermoeide gezicht van de man. 'Wil je de waarheid weten?' vroeg hij. 'Ik kan nog steeds niet geloven dat hij haar dat zou aandoen. Niet echt. Het is krankzinnig. Maar dat is Bella's pech en mijn gebrek aan inzicht. Nou, hebben jullie nog meer domme vragen? Of mag ik weer eens verder met m'n werk?'

Werk. Dat was het enige waarin heel Murano geïnteresseerd leek te zijn. Niet twee merkwaardige, onverklaarbare sterfgevallen. Enkel geld, het dagelijkse spektakel van vuren en veranderlijke hompen glas, zichtbaar door heel veel deuropeningen van werkplaatsen, lichtbakens die het slinkende aantal voorbijgangers naar zich toe probeerden te trekken, het donker in probeerden te lokken om hun portemonnee lichter te maken.

'U zou ons kunnen vertellen of u een stel sleutels van de gebouwen van de Arcangelo's hebt,' vroeg Costa, die zich niet uit het veld liet slaan. 'En waar u om twee uur vanochtend was.'

Bracci stond op, stormde de kamer door en hield de deur naar het steegje buiten open. 'Eruit!' blafte hij.

63

Geen van beide mannen verroerde een vin. 'Het zijn eenvoudige vragen,' merkte Peroni op. 'Ze raken volgens mij niet aan uw verdriet.'

Bracci richtte zijn woedende blik op hen beiden. De deur naar de werkplaats ging open. Daar stonden zijn twee zonen, groot en dreigend. Ze keken allebei naar Peroni omdat ze inzagen dat hij het grootste gevaar vormde.

Er zat geweld in deze familie, dacht Costa. Iets wat hij bij de Arcangelo's helemaal niet had bespeurd.

De politiemannen verroerden zich niet. Peroni schonk de zonen zijn mooiste, verminkte grijns en zei: 'Nog twee vragen, Bracci. Dan zijn we klaar.'

De oudere man keek giftig en bitter naar zijn nakomelingen. Hij was kwaad dat hun aanwezigheid niet had geholpen.

'Nee! Ik heb geen sleutels. Waarom zou ik? En gisterennacht? Vraag maar aan hen. We waren allemaal hier. Ik was de *omo de note*. Zij hebben me geholpen. Nou ja' – hij keek chagrijnig naar de stapel B-keus – 'dat hebben ze geprobeerd. We doen hier wat nodig is. We werken. We verdienen geld.'

'De hele nacht?' vroeg Costa.

Enzo stapte naar voren. Hij had het zure gezicht van zijn vader; het zat onder de roet en het zweet. Een grote, sterke man, dacht Costa. De tatoeages hadden iets met muziek te maken. Heavy metal. Thrash. Afbeeldingen van zwaarden en schedels, dikke strepen, strepen die pijn moesten hebben gedaan.

'De hele nacht,' zei Fredo halfhartig met een blik op de andere twee om te zien of het goed was wat hij deed. 'Wij alle drie. We kunnen voor elkaar instaan.'

'Daar heb je familie voor,' zei Peroni zachtjes.

Enzo pakte een lap en veegde het roet en het vet van zijn bijzonder grote handen. Daarna nam hij hen op en vroeg: 'Jullie zijn niet van hier, hè?'

Peroni glimlachte opnieuw. 'Valt het op?'

'Ja,' bromde Enzo. Hij liep naar de stapel B-keus, haalde de afgekeurde vaas eraf, sloeg ermee op de rand van de tafel zodat er een rij puntige scherpe glazen punten ontstond.

Hij zwaaide niet met het ding in hun richting. Dat hoefde hij niet te doen.

'Een goede raad,' zei hij. 'Doe voorzichtig buiten. Het wordt sneller donker dan je denkt.'

8   Enzo Bracci had ongelijk. De avond viel langzaam over Venetië, zoals
     hij aan het einde van elke heldere, mooie dag viel: met een zonsonder-
     gang die zo mooi was, dat hij onecht leek, een vol uur gouden glorie
die de stad aan het water in stralend amber tooide. Leo Falcone stond er bij de
drukke eindhalte van de *vaporetti* bij het Piazzale Roma naar te kijken, terwijl
hij nadacht over wat hij zojuist in het gemeentelijk mortuarium had gezien en
wat hij had gehoord van een patholoog-anatoom die zo anders was dan Teresa
Lupo, dat je je bijna niet kon voorstellen dat hij in hetzelfde vak zat. Alberto
Tosi was minstens zeventig, een lange, stijve man van de oude school, nauwge-
zetter in zijn manieren dan in zijn werk, als Falcones indruk van hem juist was.
Een man met ideeën ook. Hij beschikte niet over de praktische nuchterheid
van Teresa Lupo, hoewel hij zo goed op de hoogte was was, dat hij enkele van
haar zaken noemde toen Falcone onthulde dat hij door Rome was uitgeleend.
En dat, met het officiële nieuws dat Tosi had meegedeeld, schiep mogelijkheden samen met het magere rapport over Hugo Massiter dat Falcone op het
hoofdbureau had gelezen. Een handeling die met een zekere nieuwsgierigheid
werd gadegeslagen door de dienstdoende politieman in het archief, was hem
opgevallen.

De inspecteur keek op zijn horloge, vroeg zich met een naar voorgevoel af
wat voor soort restaurant Gianni Peroni zo onweerstaanbaar vond dat hij er vier
of vijf keer per week at, liep toen de steiger op naar de halte en wachtte op de
snelle lijnboot rechtstreeks naar de San Zaccaria.

Raffaela Arcangelo zag het wegstervende goudkleurige licht ook en begroette het
voor haar vertrouwde schouwspel door het raam van de keuken in het stoffige,
vervallen huis bij het water. Ze raakte niet onder de indruk. Dat was een van de
vele verrassende bijwerkingen van een onverwacht verlies. Ze stond aan zichzelf
te denken, aan haar leven op dit kleine eiland waar ze al bijna een halve eeuw
woonde, uitgezonderd die korte periode op de universiteit in Parijs toen ze, dom
genoeg, even had geloofd dat ze misschien aan Murano en de harde, onverbiddelijke greep van haar familie kon ontsnappen. Maar dat waren dromen geweest,
en de Arcangelo's hechtten nooit veel waarde aan dingen die ze niet konden zien
en aanraken, kopen en verkopen. Hetgeen de reden was dat ze ging doen wat ze
altijd op dit tijdstip van de dag deed: een maaltijd bereiden, bij deze gelegenheid
alleen *penne* met tomatensaus. En wat sla. En fruit. Ze had de tijd en het geld niet
voor iets beters.

Raffaela was een tijdje naar de stad geweest, had een paar antiekzaken bezocht die vlak bij de Fondamente Nove zaten, de hoogst mogelijke prijs bedongen voor haar vaders kristal en het geld gebruikt om een van de begrafenisondernemers, gevestigd bij de *vaporetto*-halte tegenover het eiland, te betalen voor een begrafenis op San Michele, wanneer de politie toestemming gaf. Hij had haar een flinke korting gegeven toen ze aanbood het hele bedrag in één keer af te rekenen. Het was iets wat een Venetiaan niet gauw zou doen, vooruit betalen. Maar nu was Uriels begrafenis tenminste geregeld. Niemand kon aan het geld komen wanneer het eenmaal opgeborgen was in de brandkast van een begrafenisondernemer aan de overkant van het water, zelfs Michele niet.

Daarna had ze een routinebezoekje aan de kleine groentewinkel bij de vuurtoren gebracht, contant betaald voor twee porties minder dan normaal en hun ernstige, ingetogen deelneming aanvaard met een hoofdknikje, meer niet. Zij was van mening dat het eiland lang niet zo'n hekel aan de Arcangelo's had als de familie dacht. Zelfs de inwoners van Murano ontbeerden de ziekelijke geestdrift die nodig was om een vendetta jarenlang vol te houden. Normale mensen zaten domweg zo niet in elkaar.

Toen ging ze, voor ze met het eten begon, zitten met een glas slappe spritz en liet ze de gebeurtenissen van die dag de revue passeren. De overledenen werden tweemaal begraven, dacht ze. Eenmaal in de aarde. En nog een keer, wat belangrijker was: in het geheugen. Geen van beide gebeurtenissen leek zo nabij als de familie verdiende.

Het kaartje zat nog in het vakje van haar tas. Ze haalde het eruit en keek naar de naam die erop stond: inspecteur Leo Falcone. Met het adres van een Questura in Rome en twee telefoonnummers waarvan er een, de vaste lijn, was doorgekrast en door iemand met een duidelijk, krachtig handschrift was vervangen door een nummer in Verona. Ze liep naar het raam en keek naar de wegstervende gloed op de lagune, terwijl ze peinzend met het kaartje tegen haar lippen tikte. De pasta stond op: acht minuten, dan was hij *al dente*. Er moest een beslissing worden genomen. De Arcangelo's hadden zelden met de politie te maken gehad. Ze hadden dezelfde overtuiging als de gemeenschap om hen heen dat het beter was alle contact te vermijden, tenzij het strikt noodzakelijk was. Problemen hoorden te worden opgelost op de oude wijze, door onderhandelen en marchanderen, allianties en afspraken.

'In normale tijden,' fluisterde ze bij zichzelf.

Raffaela Arcangelo draaide het vuur onder de pasta laag en belde met de telefoon in de keuken naar Falcones mobieltje. Ze sprak zacht en hoopte dat niemand haar zou horen.

'*Pronto,*' zei een krachtige stem aan de andere kant van de lijn.

'Inspecteur...'

Ze hoorde het geluid van een *vaporetto*, het gebabbel van mensen. Politieinspecteurs leidden ook een normaal leven, bracht ze zichzelf in herinnering. Het waren ook gewone stervelingen.

'*Signora* Arcangelo?'

Hij was verbaasd. Voelde zich gevleid misschien.

'Ik vroeg me af...' begon ze. Het bleek moeite te kosten zo'n eenvoudige vraag onder woorden te brengen.

'Ja?' vroeg hij.

Er zat een geamuseerd ondertoontje in zijn stem, die bijzonder hartelijk klonk naar haar idee.

'Ik heb de sleutels niet gevonden,' zei hij vriendelijk. 'Ze lagen niet in de oven. Dat wilde u toch vragen, nietwaar?'

'U bent zeer scherp, inspecteur. Weet u het zeker?'

'Absoluut zeker. Het enige metaal dat is gevonden...'

Zijn stem viel weg. Ze vroeg zich af of de verbinding was verbroken.

'Ja?'

'Het enige metaal dat ze hebben gevonden, is goud,' zei hij effen. 'Een kleine hoeveelheid. Gesmolten. Had Bella een trouwring?'

'Ja,' antwoordde ze zacht, maar kalm. Dit waren praktische zaken. Een Arcangelo wist hoe je met dergelijke dingen moest omgaan.

Zijn stem klonk somber. 'Sorry. Het zijn geen prettige details. Misschien hebt u liever dat ik ze met uw broers bespreek.'

'Ik kan het uitstekend zelf af. Dit zijn dingen die mij aangaan. Meer dan u in sommige opzichten.'

Het was opnieuw even stil op de lijn.

'U hebt dus ook niets gevonden?' vroeg hij.

Een intelligente man, dacht ze. Een man die niet veel ontging.

'Ik heb overal gezocht. Niets. Ik had het appartement van Bella en Uriel nog nooit zo opgeruimd gezien, eerlijk gezegd. Ze hield niet zo van huishoudelijk werk.'

Ze hoorde stemmen, een conducteur die de halte omriep. San Zaccaria.

'*Signora* –'

'Zeg maar Raffaela,' onderbrak ze hem opeens gedecideerd. 'Uit de gesprekken van je mensen toen je niet in de buurt was, heb ik opgemaakt dat je Leo heet, wat op zichzelf interessant is. Spreken ze hun meerderen altijd bij de voornaam aan? Hoe dan ook. Wij kunnen dat beter wel doen. Ik wil nu de waarheid weten. Jij gelooft niet dat ze zo eenvoudig is als het lijkt. Ik ook niet. Jij hebt professionele redenen. Ik persoonlijke. Gaan we samenwerken? Of ga je je gedragen als een stijve, opgeblazen politieman die alles volgens het boekje doet?'

Hij moest lachen. Ze kon hem duidelijk boven de mensenmassa uit horen en het geluid gaf haar moed, sterkte haar in haar overtuiging dat dit een man was die ze kon vertrouwen.

'Ik kom niet uit de buurt,' antwoordde hij. 'Ik weet niet wat er in Venetië voor een boekje doorgaat.'

'Laat dat maar aan mij over. Je moet één ding goed begrijpen, Leo. Niemand mag dit weten. Mijn broers niet. Jouw mensen ook niet. Deze stad heeft een heel slechte staat van dienst wat het bewaren van geheimen betreft. Ik wil daar een uitzondering op maken.'

'Uiteraard. Wat moet ik doen?'

Ze aarzelde even. 'Vertel me wat je denkt.'

'Ik moet grenzen kunnen stellen,' waarschuwde hij haar enigszins weifelend.

'Dat begrijp ik.'

'Wanneer?'

'Niet als mijn broers er morgen bij zijn, Leo. Dan doen we alsof dit gesprek nooit heeft plaatsgehad.' Er schoot een aangenaam gevoel van opwinding door haar heen. Raffaela Arcangelo was zich ervan bewust dat ze bloosde, en ze voelde zich zeer schuldig bij de gedachte. 'Daarna...' vervolgde ze.

'Massiter houdt morgen een feest in jullie tentoonstellingshal.'

'O?'

Alweer iets wat voor haar was verzwegen. Michele wist er vast en zeker van.

'Ik dacht dat jullie wel uitgenodigd zouden zijn.'

'We zijn niet zulke feestgangers. Normaal gesproken niet. Een feest?' Het was onvoorstelbaar. Moest ze in het zwart? Wat moest ze aan? 'Dat is niet gepast, Leo. Gezien de omstandigheden.'

'Gepast of niet,' zei hij, 'ik vind dat je moet gaan. Ik wíl dat je gaat. Het is belangrijk. Bovendien...'

Zijn stem klonk streng. Maar niet zoals die van Michele. Er zat geen dwang, geen dreigement in. Leo Falcone had een reden om dit te vragen, meende ze.

Ze wachtte even voor ze antwoord gaf en probeerde zich voor te stellen wat hij nu deed op dat drukke deel van de waterkant vlak bij La Pietà, waar elk uur de snelle boot naar Murano vertrok.

'Nog iets,' ging Falcone verder om het gesprek snel een andere wending te geven. 'Was Bella of iemand anders in de familie in het bezit van een mobiele telefoon?'

'Nee,' antwoordde ze. 'Waarom vraag je dat?'

'Zomaar.'

Een politieman stelde nooit vragen zonder bedoeling.

'Dat geloof ik niet, Leo. We hebben nooit een mobiele telefoon nodig gehad. Niemand van ons. Hoezo?'

'Ik zit maar wat te gokken,' bekende de stem aan de lijn. Hij klonk een beetje vermoeid. 'Heb jij nog suggesties?'

'Nee.' Het was een familiekwestie, vond ze. Niet iets om aan vreemden te vertellen.

Maar de inspecteur zou blijven aandringen. Uiteindelijk...

'Er is één ding dat je moet weten, Leo,' zei ze ten slotte. 'Je zou het ongetwijfeld toch wel te weten zijn gekomen. De politie vergeet nooit iets.'

'Was dat maar waar...'

Ze merkte dat hij gespannen en hoopvol afwachtte.

'Er zijn problemen geweest. Heel lang geleden met Bella en haar broer. Meer zeg ik niet. Ik zou het je nooit hebben verteld, als ik niet dacht dat het toch wel zal uitkomen. Je zult zien dat de Questura Aldo Bracci kent. Ik ben blij dat ik kan zeggen dat ik hem niet ken, niet goed in elk geval.'

'Ik zal eens informeren.'

'Doe dat. Wil je nog iets van me weten?'

'Je kunt me vertellen wat je over Hugo Massiter weet.'

De vraag verbaasde haar. 'Wil je zeggen dat je nog nooit van hem hebt gehoord?' vroeg ze.

'Tot vandaag niet. Nu weet ik dat hij zeer rijk is. Zeer invloedrijk. En dat hij, toch zeker een paar jaar, een bijzonder ongewenste vreemdeling in Italië is geweest.'

'Het heeft in alle kranten gestaan, Leo!' voerde ze aan. 'Dat je dat niet meer weet. Het was een verschrikkelijk schandaal. Een muziekstuk – een prachtig stuk muziek overigens; ik heb het gehoord – werd uitgegeven voor iets wat het niet was. Eerst was Massiter verantwoordelijk. Toen niet meer. Een Engelsman en zijn vriendin hebben hem om de tuin geleid, naar het schijnt.'

'Dat heb ik gehoord, ja,' zei de stem aan de lijn. 'En er zijn mensen gestorven.'

Dat was ze om de een of andere reden vergeten. De muziek was haar bijgebleven. Het was nu het belangrijkste stuk in het repertoire van kleine beroepsorkesten die voor de toeristen speelden, een stuk dat bijna even populair was als *De Vier Jaargetijden*. Even memorabel, en frisser op de een of andere manier.

'Er zijn mensen gestorven. Hugo Massiter had er niets mee te maken. Dat schreven alle kranten uiteindelijk. Waarom zou hij anders weer naar Venetië zijn gegaan? Jij bent van de politie. Jij zou hier toch meer vanaf moeten weten dan ik.'

'Dat is waar,' gaf Falcone toe. 'En morgen?'

Ze keek naar de pan pasta en de damp die opsteeg en door het raam naar buiten dreef naar de ijzeren engel, wier vlam opnieuw flakkerde in de wind en gas verslond dat ze zich slecht konden veroorloven. Raffaela Arcangelo vroeg zich af hoeveel maaltijden ze in de loop der jaren had klaargemaakt, hoeveel uren van haar leven ze in deze keuken had doorgebracht.

'Morgen kunnen ze voor de verandering zelf voor hun eten zorgen,' zei ze.

9   Onwennig arm in arm wandelden Nic Costa en Emily Deacon het korte
    stukje van het kleine appartement in Castello naar de waterkant bij de
    Giardini. Hiervandaan was het maar tien minuten naar Peroni's restau-
rantje in de smalle straatjes achter het Arsenaal. Ze moesten wat tijd voor zichzelf
hebben. Meer dan er zou overschieten na het etentje met Peroni en Teresa, en
Leo Falcone als zelfuitgenodigde gast.

Emily maakte zich los en ging aan een tafeltje voor een cafeetje zitten. Ze
bestelden twee prijzige koppen koffie, die zo duur waren vanwege het onbelem-
merde uitzicht op de lagune. De donkergele kleur van de zon vloeide omlaag
van de bergen die golvend aan de verre horizon van terra firma stonden en alles
– de lagune, de stad, de weerspiegeling van de gebouwen in het gevlekte water
– hulde zich in deze warme, diepe tint. Soms, als hij alleen was en niets beters te
doen had, nam Costa de langzame *vaporetto*, nummer één, stroomopwaarts over
het Canal Grande enkel om getuige te zijn van dit moment en de stille bewondering te zien die het in de ogen van zijn medereizigers opriep, af en toe zelfs bij
Venetianen.

'Vertel eens iets over de zaak, Nic,' stelde ze voor. 'Voor zover dat mag. Het
moet wel belangrijk zijn als ze jullie verlof ervoor intrekken.'

Costa mocht niet vergeten dat Emily een fundamentele verandering in haar
leven doorvoerde: ze probeerde haar verloren carrière als FBI-agent achter zich
te laten na haar ontslag wegens insubordinatie en er een toekomst als architect
in een vreemd land voor in de plaats te stellen. Toch droeg ze haar verleden nog
met zich mee. Ze was altijd nieuwsgierig, altijd in voor een uitdaging. Het was
een van de kanten van haar complexe, veelzijdige persoonlijkheid die hem intrigeerde.

'Het is' – hij zweeg even omdat hij zich afvroeg of hij echt op het juiste spoor
zat – 'het gebruikelijke verhaal. Een familiekwestie. Een man vermoordt zijn
vrouw en pleegt daarna zelfmoord, of komt toevallig om. Dat weten we nog
niet.'

'Simpel dus.'

Maar ze waren in Venetië, dacht hij. Of, beter gezegd, op Murano, een plek
waar de spiedende ogen van rechercheurs nog minder welkom waren.

'Ja, zeker. O, tussen haakjes, we zijn uitgenodigd voor een feest morgenavond. Door Hugo Massiter. De Engelsman met de boot. Komt die naam je
bekend voor?'

Ze keek verbaasd. 'Nee. Moet dat?'

'Vijf jaar geleden. Een of ander schandaal.'

'Vijf jaar geleden zat ik in Washington en probeerde ik iemand anders te zijn,' zei ze snel. 'En wanneer zijn er geen schandalen?'

Waarschijnlijk keek hij terneergeslagen.

'Sorry, Nic. Vind je echt dat ik van hem zou moeten hebben gehoord?'

'Ik heb wel van hem gehoord,' antwoordde hij. 'En ik wil de details weten voor ik hem weer ontmoet. Hij beschouwt zichzelf als een man met invloed in de stad. Hij koopt het eiland van de familie Arcangelo bij Murano, waar die mensen zijn gestorven. We zijn uitgenodigd voor een feest dat hij daar morgenavond houdt. Hij is het blijkbaar aan het renoveren; het wordt een galerie.'

De frons op Emily's voorhoofd werd nog dieper. 'Heb je het nu over het Isola degli Arcangeli?'

'Ken je dat?'

'Iedereen die in Italië bouwkunde studeert, kent het. Het is een van de grote folly's van de twintigste eeuw.' Haar blauwe ogen waren groot van opwinding. 'Naar het schijnt, is het een ongelofelijk gebouw. Het is al jaren gesloten voor het publiek. Ik dacht dat het niet veilig was.'

'Als je ziet wat Hugo Massiter eraan laat doen, zal dat nu wel meevallen.'

'Gaat hij het kopen? Je zou verwachten dat zo'n gebouw uiteindelijk eigendom van de stad werd. Het is een soort stedelijk monument. Merkwaardig, in de vergetelheid geraakt, maar toch...'

Costa dacht aan Massiters bedekte klachten over geldgebrek en zijn duidelijk hechte relatie met lokale bestuurders. 'Misschien is er iets geregeld. Dat weet ik niet. Hij hoopt in elk geval dat hij het nu in handen krijgt. Hij schijnt ook krap bij kas te zitten. Zou dat kunnen?'

'Als hij zo'n mislukt project wil restaureren? Reken maar. Ik heb veel gelezen over het Isola degli Arcangeli. Dat doet iedereen die in Italië bouwkundig ingenieur wil worden. Het is verplicht, een voorbeeld uit de praktijk van wat er gebeurt als je meer oog voor het ontwerp dan voor de constructie hebt. Men vond grote stukken van het gebouw van meet af aan eigenlijk al niet sterk genoeg. De man die het grootste deel van de plannen heeft gemaakt, was niet eens architect van beroep, als ik het me goed herinner. Er zijn zo'n twintig jaar geleden een paar mensen zwaargewond geraakt toen er een dak instortte. Sindsdien is het gesloten geweest voor het publiek. Je hebt het echt over een heel groot project als je het weer enigszins bruikbaar zou willen maken.'

Massiter had een wanhopige indruk gemaakt. Misschien was hij dat in meer opzichten dan hij liet merken. En hij blufte ook niet over de uiterste datum waarop het contract met de Arcangelo's gesloten moest zijn.

'Speeltjes van rijke mannen,' mompelde hij.

'En wat voor speeltje,' zei ze met glinsterende ogen. 'Ik heb er alles voor over om het gebouw vanbinnen te zien. En wij gaan daar naar een feest?'

Het was gewoon een oud gebouw, wilde hij zeggen. In een stad vol oude gebouwen. Nic Costa was geen cultuurbarbaar. Hij wist Venetië naar waarde te schatten. Veel van de bezienswaardigheden vond hij prachtig. Toch had de stad iets wat hem irriteerde. Er zat geen beweging in. In de lethargische melancholie van de lagune veranderde nooit iets. Zelfs de mensen schenen te denken dat hun afgezaagde leventjes eeuwig zo door zouden gaan onder de heldere gewassen hemel die zich boven hen uitspreidde.

'Ik ben zeker in aanzien gestegen,' mompelde hij.

'Wíj zijn zeker in aanzien gestegen,' verbeterde ze hem kalm.

Hij streek het zachte haar van haar wang, kuste haar nogmaals, dit keer langzamer, en voelde blij hoe ze reageerde.

'Wij...' fluisterde hij '...moeten gaan eten.'

'Echt?' mompelde ze.

Ze hadden geen keus. Falcone had niet voor niets een stoel aan tafel gevorderd. Bovendien had Nic Costa het gevoel dat hij waakzaam moest blijven. Misschien voor hen allemaal. Peroni zakte langzaam weg in vakantiestemming. Falcone scheen te denken dat de hele zaak, hoewel hij complexer was dan hij op het eerste gezicht leek, een fluitje van een cent zou zijn. Hij beschouwde Venetië als een binnenwatertje, een plek waar een politieman uit de stad de vloer kon aanvegen met de plaatselijke bewoners. Daar was Costa nog niet zo zeker van.

'Ja,' zei hij. 'Maar we maken het niet te laat.'

10

Het restaurant zat in een steegje tussen het Arsenaal en de hoofdstraat van Castello, de Via Garibaldi, een buurt met kleine arbeiderswoningen niet ver van de appartementen van de politie. Peroni had het nog geen week na hun aankomst in de stad ontdekt. Hij had een buitengewoon goede neus voor bijzondere eetgelegenheden, en zo zijn eigen manier om bij de staf in het gevlij te komen. Het restaurant was van twee zussen; grote, vriendelijke vrouwen. Hun knappe jonge dochters bedienden de gasten aan de tien krap bemeten tafeltjes met elk vier couverts, die in het donkere zaaltje stonden. De meeste avonden hadden Costa en Peroni in de rij moeten staan, maar niet lang, daar had zijn partner met zijn geestige grapjes wel voor gezorgd. Nu was het echter augustus, de maand dat hordes inwoners van Venetië de stad uit trokken naar koelere plaatsen. Er was slechts één ander gezelschap in het restaurant en Peroni trok achter in het zaaltje een paar tafeltjes tegen elkaar aan, zodat ze met zijn vijven ruim en rustig konden zitten, luisterde glimmend van genot naar de korte opsomming van specialiteiten van de dag en leunde toen naar achteren om van de maaltijd te genieten. Hij was in de gastronomische hemel.

Nic Costa wist wel wat goed eten was en dit was goed, werkelijk goed en zeer bijzonder voor Venetië, omdat het allemaal volkomen authentiek was, bijna zoals de mensen thuis aten. Costa hield er inmiddels een iets minder streng vegetarisch dieet op na en at nu vis, voornamelijk omdat die hier zo lekker was. Een bord pasta met piepkleine bruine garnaaltjes met wat knaperige, verse rucola erbij was voor hen allemaal de eerste gang. Peroni had erop gestaan dat de vleeseters *stinchi* zouden nemen, langzaam in olie met knoflook gebraden varkenskluiven. Costa had het op de *sarde in saor* gehouden, verse sardines gemarineerd in azijn, olie, uien, pijnboompitten en rozijnen, een Venetiaanse specialiteit die de twee zussen zelf elke dag klaarmaakten en die nergens in de stad lekkerder was. Zelfs Leo Falcone keek tevreden nadat hij een gemelijk gezicht had getrokken tegen de rode huiswijn, een slobberwijntje uit Veneto dat rechtstreeks uit het vat werd getapt, en hiervoor in de plaats een paar dure flessen Amarone uit de bar had laten komen.

Halverwege de maaltijd schoof Falcone zijn bord weg met die sluwe uitdrukking op zijn gezicht die Costa altijd een onbehaaglijk gevoel gaf, glimlachte naar Teresa Lupo en zei: 'Zelfontbranding. Jij bent de patholoog-anatoom. Ben je wel eens een geval tegengekomen? Is het zeldzaam?'

Ze verslikte zich bijna in haar varkensvlees en keek hem verbijsterd aan. 'Zelfontbranding?'

Falcone trok een vel papier uit zijn zak en legde het op tafel. Teresa pakte het op, begon te lezen, keek naar het officiële briefhoofd en verslikte zich nogmaals.

'Ze hebben hier een bijzonder oude patholoog-anatoom,' zei Falcone. 'Lijkt goed geïnformeerd. Volgens hem is Uriel Arcangelo overleden door zelfontbranding –'

'En wat krijgen we hierna?' onderbrak ze hem. 'Mensen die zijn overleden door hekserij? Hebben jullie daar soms wassen poppetjes met spelden gevonden, Falcone? Hou je in het vervolg het technisch onderzoek voor gezien en ga je met een ouijabord aan de slag? Lieve hemel...' Ze legde haar mes en vork neer, een duidelijk teken dat ze deze kwestie ernstig opvatte. 'Je kunt dit niet als doodsoorzaak laten vastleggen. Dat sta ik niet toe. Iedereen lacht je uit. Je krijgt alle dwaze tijdschriften en tv-programma's uit de hele wereld achter je aan.'

Falcone keek haar opgewekt en kalm aan. 'Die lijkschouwer hier, ene Tosi, zei dat het een gedocumenteerd fenomeen is. Er was zelfs een geval in Dickens. In *Het grauwe huis*, geloof ik...'

Teresa verhief haar stem en snauwde: 'Dickens schreef fictie! Ik ben verdomme patholoog-anatoom. Ik doe aan wetenschap, niet aan abracadabra. Luister nou naar wat ik zeg. De afwijkende mening van een oude Britse schrijver ten spijt bestaat er niet zoiets als zelfontbranding. Het is fysiek onmogelijk. Een mythe. Een verzinsel. Iets wat bij ontvoeringen door buitenaardse wezens, telepathie en stigmata zou moeten worden opgeborgen.'

'Allemaal zaken waar sommige mensen in geloven. Met gedocumenteerde gevallen...' zei hij weer.

'Nee, nee, nee! Moet je horen, dit hoort gewoon bij de hang naar irrationele onzin waar arme zielen zoals ik tegenwoordig heel wat mee te stellen hebben. Mensen hebben een hekel aan een wereld die logisch, rationeel en grotendeels verklaarbaar is. Daarom verzinnen ze van dit soort onzin, want dan voelen ze zich 's nachts om de een of andere reden veilig, als ze denken dat er echt geesten en vliegende schotels bestaan en we niet enkel zijn wat we lijken: een verzameling atomen die door de wereld dwaalt in afwachting van de dag dat we uit elkaar beginnen te vallen. Je kunt geen –'

'Hij is vast van plan het op de overlijdensakte te zetten,' ging Falcone onverstoorbaar door.

'Hou hem tegen! Alsjeblieft! Het kan echt niet. Die man is niet goed bij zijn hoofd.'

Peroni legde zijn bestek neer en wees met een vinger naar Falcone. 'Als Teresa zegt dat het niet kan, Leo...'

'Je hebt Randazzo gehoord!' wierp Falcone tegen. 'We doen wat ons is opgedragen: de stukken ondertekenen en dan naar huis. Bovendien hebben we een getuigenverklaring van die *garzone* die Uriel Arcangelo heeft zien sterven. Hij stond in brand.'

Falcones scherpe, vogelachtige ogen tuurden hen vanuit dat vertrouwde, walnootkleurige gezicht aan. Zijn kale schedel glom onder de gele lampen van het restaurant. Hij ging volledig op in de zaak, zag Costa, en hij zou niet ophouden voor hij de gebeurtenissen op het Isola degli Arcangeli tot op de bodem had uitgezocht.

'Vlammen, heeft de getuige gezegd, die uit zijn binnenste kwamen,' ging de inspecteur verder. 'Dat lijkt volgens mij op zelfontbranding.'

'O, nee!' Teresa zwaaide met een vermanend vingertje naar Falcones effen bruine gezicht. 'Ik weet waar je mee bezig bent. Ik ben hier niet voor mijn werk. Je gaat niet mijn vakantie afpakken zoals je bij hen hebt gedaan, Leo. Als die patholoog-anatoom van jou in sprookjes gelooft, is dat jouw probleem. Doe een cursus aromatherapie en los het op.'

'Hij lijkt mij een rationeel mens,' antwoordde Falcone op milde toon. 'Een tikje traditioneel. Een beetje vastgeroest in zijn denken misschien. Je moet niet vergeten dat hij niet zo ervaren is als jij. Er wordt zelden een moord gepleegd in Venetië. Dat weet hij ook wel. Hij sprak zeer lovend over je toen ik vertelde dat wij met elkaar samenwerkten.'

Hij schonk nog wat wijn in en liet het daarbij, terwijl Teresa zat te snakken naar de rest van het compliment. 'Heeft hij van me gehoord?'

Falcone hield het glas omhoog in het licht en bewonderde de dieprode vlek die het op het witte tafelkleed wierp.

'Het eerste wat hij zei toen ik hem vertelde dat ik uit Rome kwam, was: "Kent u doctor Lupo? Hebt u gelezen wat een prachtig stukje werk ze heeft geleverd met het lijk uit het moeras?" En de rest.'

'Leo...' bromde Peroni.

'Ik wil alleen maar zeggen dat als Teresa dit geval van zelfontbranding zou willen zien...'

'Die term moet je niet gebruiken,' waarschuwde ze dreigend. 'Je moet het woord zelfs niet in de mond nemen.'

'Dat als je een kijkje bij het lijk zou willen nemen,' ging Falcone verder, 'dat volgens mij geen enkel probleem zou zijn.'

Teresa Lupo griste de dure fles uit zijn hand en wilde haar glas bijvullen. De fles was leeg.

'Ik kan helaas geen beslissing nemen als ik niets te drinken heb,' verklaarde ze.

Falcone snoof en staarde naar het etiket op de Amarone. Costa had al gekeken van welk wijnhuis hij was, omdat hij hem zo lekker vond: Dal Forno Romano. Zijn vader had een voorkeur voor die wijn gehad. Het was, zei hij, net als een Barolo, een wijn met pit.

'Voor veertig euro per fles is dat een dure beslissing. Wil je dus gewoon even je blik laten gaan over de spullen die ik hier heb? Voor een second opinion. Alleen voor mij, begrijp je. Ik wil geen geharrewar met Tosi. Ik weet niet zeker of zijn hart dat aankan.'

'Ik geef geen second opinions,' zei ze bits. 'Ik lever feiten.'

'Feiten dan,' stemde Falcone in, terwijl hij de knappe jonge serveerster wenkte voor nog een fles wijn. En toen meesmuilend: 'Dat is alles wat we nodig hebben. Denk eens even na...'

'Dit gaat niemand wat aan, alleen ons drieën,' waarschuwde Costa hem. 'We hebben je niet voor het eten uitgenodigd om over de zaak te praten.'

'Kom, kom, Nic!' Falcone genoot. Hij had de meeste wijn op van allemaal. Hij was ook anders. Vrijer, op nieuw terrein. 'Ik heb mezelf hier uitgenodigd. En waar gaan we in Venetië een beter gezelschap vinden om met een paar ideeën te stoeien? We weten allemaal dat Teresa best een penning in plaats van die leren tas zou willen hebben.'

Hij keek haar met opgetrokken wenkbrauwen aan en wachtte op haar tegenwerpingen.

'Juist,' ging Falcone verder toen er geen kwamen. 'Emily is een voormalige FBI-agente. Eén collega. Eén ex-collega. Discrete dames allebei. Denk eens aan alle expertise die we hier hebben. En waar moeten we het tegen opnemen? Dat hebben jullie vandaag zelf gezien. Een stelletje provincialen.'

'Provincialen die toevallig wel de leiding hebben,' bromde Peroni.

Falcone legde deze opmerking naast zich neer en haalde het plastic zakje met de sleutels van Uriel Arcangelo uit zijn jaszak. 'Laten we hier eens over nadenken.'

'O, nee, hè?' verzuchtte Peroni. 'Nu nemen we ook al bewijzen mee uit de Questura. Daar gaan we weer, heren. Let op! Een nieuwe vrije val in onze rampzalige carrières.'

'Ach, zeur toch niet zo,' zei Falcone kreunend en met een afwerend gebaar van zijn hand. 'Hier denken ze dat een crimineel onderzoek begint en eindigt met een wedstrijdje schreeuwen in een verhoorkamer. Ze merken niet eens dat het weg is. Denk nou eens even na. Een man overlijdt, verbrandt levend in een afgesloten glasblazerij, met het lijk van zijn eigen vrouw – die duidelijk eerder is gestorven dan hij, want de enige getuige die we hebben, wist er om te beginnen al niet van – in de oven in hetzelfde vertrek. Er is maar één deur die toegang geeft tot de ruimte en geen andere gemakkelijke manier om erin of eruit te komen. De sleutel van de man zit in het slot, aan zijn kant van de deur. Wat moeten we hieruit opmaken?'

Costa zag de glinstering in de ogen van de vrouwen. Falcone wist wat hij deed.

'Dat hij zijn vrouw heeft vermoord en daarna zelfmoord heeft gepleegd misschien?' opperde Emily.

Teresa schudde direct al van nee. 'Zelfopoffering is een zeer zeldzame vorm van zelfmoord,' merkte ze op. 'Mannen die hun vrouw vermoorden, zijn zonder uitzondering van het laffe soort, dat is een ervaringsgegeven, geen persoonlijk oordeel. Ze nemen pillen. Ze rijden een auto een ravijn in. Vaak verwonden ze zichzelf met een mes en hebben ze niet de moed om het fatsoenlijk af te maken.'

'Een ongeluk dan?' vroeg Peroni.

Teresa stootte tegen zijn elleboog. Hard.

Falcone keek opgetogen. 'Zie je nou wel?' zei hij tegen Costa en Peroni. 'Een paar kleine feiten en we ontdekken al iets wat we nog niet wisten. Wat zouden we zonder deze twee moeten?'

Teresa Lupo vertrok haar bleke, ronde gezicht. 'Ga me nou niet ophemelen, Leo. Dat geeft me een naar gevoel. Er moet toch een reden zijn waarom die Uriel is overleden. Hoe erg was hij verbrand? Heeft het gerechtelijk lab zijn kleding ergens op getest?'

'Zeg, ik ben rechercheur.' Hij haalde zijn schouders op. 'Daar kan ik je geen zinvol antwoord op geven. De bovenkant van zijn lichaam was tot aan zijn middel zeer ernstig verbrand. Alles zat onder het blusschuim en dat bemoeilijkt het technisch onderzoek, althans dat heb ik me laten vertellen. Maar we hebben het natuurlijk niet over mensen van jouw kaliber. Of...' Het volgende was blijkbaar nog maar net bij hem opgekomen. 'Of mensen die net zo toegewijd zijn als jij, vermoed ik. Je zou zelf moeten gaan kijken.'

'Daar gaan we weer,' kermde Teresa. 'Als je wilt dat ik help, moet je de loftuitingen voor je houden.'

'Zoals je wilt. Wat weten we nog meer?'

Falcones opmerkingen over de sleutel hadden Costa die dag geen moment losgelaten. De inspecteur had hem het gevoel gegeven dat hij stom was toen hij de voor de hand liggende conclusies trok. Nu zag Costa in waarom.

'Dat de sleutel misschien niet betekent wat je op het eerste gezicht zou denken,' merkte Costa op.

Peroni knikte. 'En wat wil je daarmee zeggen?'

'De deur kan aan de buitenkant op slot zijn gedraaid. Uriel kán door iemand anders in het gebouw zijn opgesloten en gewoon zijn eigen sleutel aan de binnenkant in de deur hebben gestoken. Maar...'

Falcone pakte het plastic zakje en schudde het heen en weer. 'Maar... waarom heeft hij de deur dan niet van het slot gehaald, zodat hij naar buiten kon?'

'Ik meen me een korte toespraak te herinneren van een Romeinse inspecteur die hier niet zo heel ver vandaan zit,' zei Teresa. 'Een toespraak die we thuis vaak te horen hebben gekregen. Waarin hij zei: zoek naar de simpele verklaring. Meestal is dat de juiste.'

Falcone nam een slokje wijn en sloot even genietend zijn ogen. 'In Rome meestal wel. Maar dit is een andere stad. Dat moeten we niet vergeten. Ik heb nog iets voor jullie. De overleden vrouw had een mobiele telefoon.'

Ze reageerden geen van vieren. Uiteindelijk vroeg Peroni: 'Is dat zo bijzonder, Leo? De meeste mensen hebben er een.'

'De Arcangelo's niet. Ik heb het nagevraagd bij Raffaela. Voor zover zij wist, hadden ze er geen van allen een. Toch lag hij er. In de hoek van de glasblazerij. Ik heb hem gevonden terwijl er van jullie tweeën werd verwacht dat jullie daar zouden rondkijken. Hij lag onder een draagbare tafel die ze gebruiken om glas te verplaatsen. Iets wat ook heel goed gebruikt kan zijn om een lijk in de oven te gooien. Onze Venetiaanse collega's geloven kennelijk niet in grondig onderzoek. Ik heb navraag gedaan bij de telefoonmaatschappij. De telefoon stond geregistreerd op naam van Bella Bracci. Haar meisjesnaam. Op haar oude adres van haar ouderlijk huis bovendien. Er is al weken niemand mee gebeld, en dat is nuttig om te weten, want het betekent ongetwijfeld dat hij vooral werd gebruikt om gebeld te worden, en we kunnen het nummer van de inkomende gesprekken niet nagaan als het werd geblokkeerd. Maar negentig minuten voor we de melding van de brand kregen, heeft iemand ermee gebeld. Naar de directe lijn in het kantoor van de Arcangelo's achter de glasblazerij. En laat dat, voor zover wij weten, nou net de plek zijn waar Uriel zou zitten voor hij aan het werk ging.'

Teresa maakte een paar aantekeningen op een servetje. 'Ik snap waar je heen wilt. Maar, zoals je zelf al zei, je hebt nog steeds één groot probleem. Uriel had een sleutel. Hij had op elk moment naar buiten kunnen lopen, als hij dat had gewild. Het feit dat hij dat niet heeft gedaan, betekent zonder enige twijfel dat hij op dit punt niet helemaal onschuldig was.'

Falcone schoof het plastic zakje naar haar toe en wees naar de lange schacht van de palsleutel. 'Wat denk je?'

Teresa hief wanhopig haar handen. 'Het is een sleutel! Ik ben patholoog-anatoom. Geen technisch rechercheur. Ik doe geen sleutels!'

Ze kon haar ogen er niet vanaf houden.

'Haal hem er maar uit, als je wilt,' stelde Falcone voor.

'O, nee, hè,' verzuchtte Peroni. 'Daar begint het gedonder weer.'

Tegen de tijd dat zijn treurige ogen opkeken van de tafel, had Teresa Lupo de sleutel al in haar hand. Ze draaide hem rond in haar grote, sterke vingers en bekeek hem met een ernstige frons van dichtbij.

'Er is mee geknoeid,' zei ze. Ze legde de bos weer op tafel met de grote sleutel bovenop en wees naar de binnenrand, die onder het roet en de rookaanslag van de brand vaag glom. 'Ik weet niet veel van sleutels, zoals ik al zei, maar zo te zien heeft iemand er een tand afgevijld.' Ze keek naar Falcone. 'Doet hij het nog?'

'Het ligt er maar aan hoe je "doen" definieert,' antwoordde Falcone. 'Ik heb hem in het slot gestoken. Hij gaat erin. Hij draait. En draait. En draait. Je hebt er niks aan. Je kunt de deur er niet mee op slot draaien. Je kunt de deur er niet mee van het slot halen. Wat ook de bedoeling was.'

'En Bella's sleutels zijn weg,' merkte Costa op.

Ze lieten deze informatie allemaal even bezinken. De jonge serveerster kwam naar hun tafel en vroeg of ze een dessert wilden. Falcone bestelde opgewekt *tiramisu* en verbaasde zich erover dat iedereen zweeg.

'Maak er maar vijf van,' zei hij tegen het meisje. 'Hun eetlust komt wel weer terug.'

Ze hadden nog altijd geen woord gezegd toen het meisje alweer in de keuken was en grapjes maakte met de vrouwen daar.

'Uitstekend eten hier,' zei Falcone. 'Ik wilde dat je me er eerder over had verteld.'

Peroni wierp hem een boze blik toe. 'En ik wilde dat ik het er nooit over had gehad. Waarom kun je deze dingen niet in de Questura laten, Leo?'

De vraag scheen Falcone te verbazen. 'Omdat de Questura waarschijnlijk de laatste plaats is waar we ze zouden moeten bespreken, denk je ook niet, Gianni? Ze werken voor Hugo Massiter en voor niemand anders. Iemand die mensen als Randazzo duidelijk angst inboezemt, en ongetwijfeld nog meer angst zal inboezemen zodra het eiland van hem is. De Questura wil alleen dat wij twee sterfgevallen te boek stellen als iets waarvan we zeker weten dat ze dat niet kunnen zijn. En dat allemaal om die Engelsman tot heiland van Murano te kronen en enkele stadsbestuurders een paar vervelende vragen over de gezonde toestand van hun bankrekening te besparen.'

Daar liet hij het bij.

'Ze gaan ervan uit dat wij gewoon leveren wat ze willen hebben,' merkte Peroni op. 'Als we tegen ze zeggen dat ze de boom in kunnen, zouden ze ons het leven goed zuur kunnen maken. Randazzo is een klootzak. Die Massiter ziet eruit alsof hij overal wel iets in de melk te brokkelen heeft, tot in het Palazzo Quirinale aan toe, als hij wil.'

'Dat is de beste opmerking die je de hele avond hebt gemaakt,' antwoordde Falcone en hij trok opnieuw die treiterige glimlach, dit keer naar Costa. 'Je had gelijk, Nic. Ik had Massiters naam moeten herkennen. Hij is eigenaar van een groot veilinghuis. Met vestigingen in New York en Londen. En er is inderdaad een schandaal geweest. Vijf jaar geleden zou hij ter plekke zijn gearresteerd, als we hem hadden kunnen vinden.'

'Maar nu zijn we van mening dat hij vrijuit gaat?' vroeg Costa.

'Volkomen vrijuit,' zei Falcone vol overtuiging. 'Anders zou hij niet zo stom zijn hier terug te komen, hè? Maar het is een interessant verhaal. Hier...'

Hij boog zich over het koffertje dat hij had meegebracht en haalde er twee mappen uit. 'Ik heb de paar stukken die er zijn gekopieerd. Het is helaas niet veel. Ik vermoed dat het dossier van meneer Massiter in de loop der jaren een beetje is opgeschoond.'

Falcone wierp een onderzoekende blik op Costa en Peroni. 'Waarom zou je de archiefkasten tenslotte volstoppen met informatie over onschuldige mensen?

79

Maar jullie moeten het wel lezen voor we morgen met die nachtwaker gaan praten. Je snapt straks wel waarom.'

Peroni keek naar de map die voor hem lag. 'Een week, hebben ze gezegd. Dat is alles wat we hebben. Daarna wordt het vervelend voor ons. Alweer.'

Falcone rook aan de *grappa* die zojuist was gearriveerd, nam een slokje, likte goedkeurend langs zijn dunne lippen en bedankte de serveerster. Costa sloeg hem bezorgd gade. Falcone dronk vroeger nooit sterkedrank.

'Een week zou meer dan genoeg moeten zijn. Het is volgens mij niet zo ingewikkeld, Gianni. Het is alleen... niet zo simpel als het op het eerste gezicht lijkt. Zij willen uiteindelijk dat de Arcangelo's straks ongehinderd hun kleine eiland kunnen verkopen, waarna Hugo Massiter op een voetstuk kan worden geplaatst en de baas kan spelen over de corrupte pennenlikkers die hem daar hebben neergezet. Beide vooruitzichten laten mij volkomen koud. Er is geen enkele reden waarom wij niet over de brug zouden kunnen komen. We moeten dat idee van zelfontbranding natuurlijk tot op de bodem uitzoeken. We moeten ook nadenken over die kwestie van de sleutels en ik weet niet zeker of ik dat al helemaal begrijp. En we moeten meer over Bella Arcangelo te weten komen.'

'Wat staat er over haar in het autopsieverslag?' vroeg Teresa met opvallend veel beroepsmatige interesse.

'Ongeveer zoveel als je kunt verwachten van een bergje stof. Ze lag in de oven. Als ze er nog langer in had gelegen...'

'Je moet haar medische gegevens opvragen,' raadde Teresa hem aan. 'Bij gebrek aan echt forensisch materiaal, moet je iemand zoeken die actuele gegevens heeft. En dat mobieltje. Ik hoef je niet te vertellen wat dat waarschijnlijk betekent.'

'Een verhouding?' vroeg Emily.

'Iets wat ze stil wilde houden, zeker. We mogen niet te snel conclusies trekken,' waarschuwde Falcone.

Emily keek verbijsterd de tafel rond. 'Is dit nou vakantie?' vroeg ze zich hardop af.

Falcone pakte het rapport over Massiter op, woog het in zijn hand en liet het op tafel vallen. 'Dit is een vrijbrief voor het Isola degli Arcangeli. Geknipt voor jou, Emily. Praat met Hugo Massiter. Ga eens kijken naar het werk dat hij daar laat uitvoeren. Kijk of het echt een charitatieve daad is zoals hij beweert. Ik zou je professionele mening op prijs stellen.'

Ze liet zich niet vermurwen door dat idee. 'Ik ben niet naar Venetië gekomen om mijn professionele mening te geven.'

Falcone hief zijn glas. 'Natuurlijk niet! Je bent hier voor de bezienswaardigheden. En het gezelschap. En dat krijg je ook. Zodra we dit kleine huiselijke drama hebben opgelost en het ons weer vrijstaat terug te keren naar de beschaafde wereld. *Salute!*'

Niemand verroerde zich.

'Leo?' vroeg Teresa. 'Wat waren dat in hemelsnaam voor mensen, die kunstpolitie in Verona? Je bent veranderd.'

'In mijn voordeel, hoop ik.'

'Dat zei ik niet.'

Falcone hief nogmaals zijn glas naar iedereen. 'Het was eigenlijk geen politie. Het waren *carabinieri*. Een paar van de aardigste en interessantste mensen die ik in lange tijd ben tegengekomen.'

Toen was zelfs Teresa Lupo sprakeloos. Leo Falcone, de originele versie, zou zich voor geen goud in het gezelschap van *carabinieri* hebben vertoond.

'*Salute!*' zei deze merkwaardige, half bekende vreemdeling in hun midden nogmaals.

Vijf heldere doorzichtige glaasjes *grappa* klonken met elkaar, niet allemaal even fanatiek.

Costa schonk zijn glas heimelijk leeg in het koffiekopje en ving Emily's blik. Ze was onwillekeurig toch geïntrigeerd. Er zaten ook minder vervelende kanten aan. Dit was Rome niet. Er slopen geen moordzuchtige criminelen of krankzinnigen rond. Het was, zoals Falcone zei, een op zichzelf staande tragedie die op een ontknoping wachtte. De antwoorden lagen ergens op de lagune, in de donkere steegjes van Murano en op het Isola degli Arcangeli.

'Zeg, Nic,' zei Falcone, 'vertel eens. Het is mijn plicht je op te leiden. Op een dag zul je meer willen zijn dan zomaar een *agente*.'

'Wat moet ik vertellen?' vroeg Costa, die er een beetje nerveus van werd dat Falcone op dat moment al zijn aandacht op hem richtte.

'Wat is er na onze discussie van vanavond veranderd?'

Hij dacht even na, dacht aan de sleutels en de deur, Bella Arcangelo en de tragische aanblik die haar stervende echtgenoot op dat merkwaardige eiland aan de overkant moest hebben geboden.

'Wat er is veranderd,' zei Costa, 'is de vraag. We proberen niet langer te begrijpen met welke middelen Uriel Arcangelo zijn vrouw heeft vermoord. Maar waarom, hoe en met wie de overleden Bella de moord op haar man heeft beraamd.'

'Bravo!' verklaarde Falcone lachend en hij hief zijn glas naar hem. 'Een inspecteur in de dop!'

DEEL 3

EEN ALCHEMISTISCH PROBLEEM

1 In het verblindende ochtendlicht op de lagune voer de politieboot met grote snelheid over het glinsterende wateroppervlak dat Venetië van Sant' Erasmo scheidde. Nic Costa zat voorin, waar hij genoot van de wind, wat informatie probeerde los te krijgen uit Goldoni, de Venetiaanse politieman die die dag hun schipper was, en nadacht over Emily die bij het ontbijt zo gretig en enthousiast het rapport over Hugo Massiter had zitten lezen. Hij vroeg zich af of het wel goed was dat zij erbij betrokken raakte. Haar interesse was deels een gevolg van zijn eigen belangstelling voor de Engelsman, die heel goed misplaatst zou kunnen zijn. Hij vond het niet prettig dat hij haar had meegesleept in zijn obsessie.

Maar wijsheid achteraf was zinloos. Bijna even zinloos als zijn pogingen Goldoni aan het praten te krijgen. De man kende de onzichtbare vaargeulen in deze binnenzee blijkbaar uit het hoofd. Hij keek geen enkele keer op een kaart of een kompas, maar richtte de boot met zijn boeg naar de Adriatische Zee, stelde de kruissnelheid in, veranderde van koers als dat nodig was en zat ondertussen aan één stuk door aan een pakje sigaretten te peuteren. Costa begreep niet eens hoe hij wist op welk punt hij zich moest richten in het weidse lage land dat nu voor hen opdoemde. Sant' Erasmo had, ondanks zijn afmetingen, geen vaste politiepost, zei Goldoni. De meeste bewoners – de *matti*, de gekken – maakten zelden gebruik van hun auto om ergens heen te gaan, dus waren er weinig verkeersproblemen. Er was maar één bar, en een paar restaurants. Toeristen werden geduld, maar nooit afgezet. Er was niets te doen voor een politieman op dit uitgestrekte, vlakke groene platteland, ook al besloeg het een groter oppervlakte dan Venetië zelf. Niets dan akkers vol groenten, artisjokken en paprika's, rucola en druiven, en een kleine vloot sjofele schuiten om ze naar de dagmarkt in Rialto te brengen.

Ze waren inmiddels zo dichtbij, dat Costa op de heldere scheidslijn tussen land en lucht een paar trage roestige auto's kon onderscheiden, die duidelijk ongeschikt waren om nog in te rijden. Hij wierp een blik achterom naar de kajuit. Daar zat Falcone met gesloten ogen achterover geleund in zijn stoel. Het leek wel of hij sliep. Zo'n ochtend was het: heet, heiig en benauwd, om loom van te worden. Peroni zat stil het rapport door te nemen dat hij eigenlijk de vorige avond al had moeten lezen. Costa keek toe terwijl Goldoni, een man van zijn leeftijd ongeveer, tegen de zeebries in op een snel opbrandende sigaret zat te kauwen.

'Heb je wel eens van Hugo Massiter gehoord?' vroeg hij. 'Het is een Engelsman.'

Goldoni inhaleerde diep, mikte de peuk van zijn sigaret in het water en wierp Costa een vijandige blik toe.

'Ja, van gehoord,' was alles wat hij zei.

Dit was de strijd die ze voortdurend met de plaatselijke bevolking voerden. Het was een heel gedoe om informatie los te krijgen, zelfs van mensen van wie je mocht aannemen dat ze tot hetzelfde team behoorden.

'Goed of slecht?' vroeg Costa.

Goldoni glimlachte, een snelle, charmante glimlach, met bijzonder weinig oprechtheid erin. Hij deed Costa denken aan de gondeliers in de stad zelf die de jonge meisjes probeerden te versieren in de wetenschap dat ze nooit genoeg geld zouden hebben om het tochtje te betalen, zodat er misschien een ander soort beloning zou zijn als ze maar lang genoeg bleven aandringen. Daar had hij meer van weg dan van een politieman, als Costa eerlijk was.

'Goeie vent,' antwoordde Goldoni. 'Kent de juiste mensen. Wat valt er verder te zeggen?'

Misschien niets, dacht Costa. Dat beweerde het rapport en hij was geneigd het te geloven om twee redenen. Ten eerste had Venetië, als het rapport niet klopte, met meer dan zomaar een soepele toepassing van de regels ingestemd. Dan had de stad moord, harteloos, kil bloedvergieten, waaronder ook de dood van twee politiemensen, onbestraft gelaten. En ten tweede vanwege Emily's bezwaren. Ze had de Amerikaanse gewoonte precisie en zekerheid te eisen en paste die automatisch toe op het samenraapsel van halve feiten en geruchten in het rapport. Er stond niets concreets in, wist hij, niets wat een nader politieonderzoek rechtvaardigde. Enkel schimmen in een oude, stoffige spiegel. Loze praatjes die waarschijnlijk iedere rijke en succesvolle man die in zijn carrière vijanden – en fouten – maakte, achtervolgden.

Het dossier was de samenvatting van een merkwaardige zaak van vijf jaar geleden. Onder de vele liefdadige bemoeienissen van Massiter in de stad was een tweejaarlijkse zomerschool voor musici in La Pietà, de kerk verbonden met Vivaldi op de Riva degli Schiavoni niet ver van het Dogenpaleis. De laatste keer – na dit incident stopte hij er om begrijpelijke redenen mee – had hij de première bekostigd van een werk van een onbekende Engelse componist, ene Daniel Forster, een student uit Oxford. Dit was, zei Massiter later tegen enkele politiemensen, een onverstandig uitstapje op onbekend terrein. Hij was deskundig op het gebied van antiek: beeldhouwkunst, schilderijen, kunstvoorwerpen. Hij wist niets van muziek, maar had zich laten misleiden door de schijnbaar argeloze en getalenteerde Forster. Het werd een drama. Forster was geen componist, maar een bedrieger die een onbekend historisch manuscript had gestolen uit het huis van een gepensioneerd antiquaar bij wie hij logeerde. Om te voorkomen dat zijn leugen uitkwam, had de jonge Engelsman samen met de huishoudster van de oude man, een zekere Laura Conti, het plan opgevat de verzamelaar en zijn

Amerikaanse partner te vermoorden. Toen de politie hen doorkreeg, had het paar twee mensen van het hoofdbureau bij het Piazzale Roma gedood, onder wie de vrouw die de leiding over het onderzoek had.

De zaak werd breed uitgemeten op alle voorpagina's, vooral vanwege Massiters rol in het geheel. Als je het rapport moest geloven, had Daniel Forster iedereen zo slim om de tuin geleid, dat hij erin was geslaagd de indruk te wekken dat Massiter erbij betrokken was. Na de moord op de twee politiemensen werd Forster gearresteerd en wist hij de politie ervan te overtuigen dat hij zich wel schuldig had gemaakt aan misleiding, maar niet aan moord. Hij zat een korte straf uit, maar hervatte na zijn vrijlating onmiddellijk zijn relatie met Laura Conti. Ze gingen samenwonen en leefden van de opbrengst van de muziek die niet van zijn hand was, en een boek dat hij over de zaak schreef.

Massiter ging – 'vluchtte' leek Costa een beter woord – ondertussen naar Amerika en overlegde langdurig met zijn advocaten. Na meer dan twee jaar in ballingschap was hij in actie gekomen en had hij een schat aan bewijsmateriaal overgelegd om de beweringen in Forsters boek, dat hij na een aanklacht wegens smaad uit de verkoop wist te laten halen, te pareren. Er volgde een lange reeks rechtszaken, waarbij de advocaten van Massiter de ene overwinning na de andere behaalden, de weg bereidden voor zijn terugkeer en er ten slotte in slaagden het oorspronkelijke onderzoek naar Forster en zijn geliefde te laten heropenen. Voor dat kon worden afgerond, verdween het stel. Massiter kon van alle blaam gezuiverd naar Venetië terugkeren. De arrestatiebevelen voor de voortvluchtigen bleven van kracht, hoewel er in de Questura niemand te vinden was die zin had er iets mee te doen. Het laatste gedeelte van het rapport bestond uit informatie uit onbekende bron die erop wees dat het paar naar Azië en vervolgens mogelijk naar Zuid-Amerika was gevlucht, plus een aantekening, ondertekend door niemand minder dan *commissario* Randazzo, die destijds kennelijk op het hoofdbureau werkzaam was, waarin stond dat het geldverspilling zou zijn middelen in te zetten om hen op te sporen.

Hugo Massiter was, in de ogen van de Venetiaanse politie, een onschuldig man die door valse aanklachten groot onrecht was aangedaan en zich veel moeite had getroost ze te ontzenuwen. Verklaarde dit waarom de stad hem zo graag ter wille wilde zijn? Schuldgevoel? Dat vond Costa onaannemelijk. Toch was het een interessant verhaal. Hij zou best meer over deze zaak willen lezen. Liever nog zou hij een paar uur in het gezelschap van de vermiste Daniel Forster en Laura Conti doorbrengen. Het paar moest over een bijzonder gave beschikken, meende hij, anders hadden ze nooit zo'n succesvolle alternatieve versie van de misdrijven kunnen uitdenken, een versie die heel wat mensen geloofden voor hij onder het gewicht van Massiters juridische team bezweek. Maar dat zou hem niet gegund worden. Er scheen geen enkele relatie te bestaan tussen de gebeurtenissen van vijf jaar geleden en de problemen van de Arcangelo's. Afgezien van één merkwaardig, ongetwijfeld toevallig feit. De overleden antiquaar, vermoord door Daniel Forster, die vervolgens Massiter de schuld in de schoenen probeerde te schuiven, heette Scacchi. Hij was een neef van de boer op Sant' Erasmo bij wie ze nu op bezoek gingen, de laatste persoon die Uriel Arcangelo in leven had gezien.

Venetië was een kleine stad, bracht Costa zichzelf in herinnering. Families raakten in de loop der tijd op verschillende manieren met elkaar verweven. Het was vast en zeker puur toeval, hoewel het de moeite waard was het aan een kritische blik te onderwerpen voor ze het opzij legden.

Hij klom omlaag de kajuit in en keek naar Peroni, die het laatste deel van het rapport las. Falcone zat nog steeds te sluimeren naar het scheen.

'Wat vind je ervan?' vroeg Costa zacht toen zijn partner de laatste bladzijde omsloeg.

Peroni fronste zijn wenkbrauwen. 'Ik ben grootgebracht met de opvatting dat er nooit rook is zonder vuur. Die Engelsman verkeert in verdachte kringen, Nic. Alhoewel hij op mij best een vriendelijke indruk maakte, dat moet ik toegeven.'

'Het gezelschap dat je erop na houdt, maakt nog geen moordenaar van je,' merkte Falcone op zonder zelfs maar een ooglid te bewegen. 'Het vertelt ons alleen dat hij zeer goede connecties heeft.'

'Er zijn vier mensen gestorven,' wierp Costa tegen. 'Onder wie twee politiemensen.'

Falcone opende zijn ogen en keek hem ijzig aan. 'Het is onze zaak niet. Dat zou het alleen zijn als het iets te maken had met de Arcangelo's, wat ik betwijfel.'

'Waarom moeten we dat rapport dan van je lezen?' vroeg Peroni.

De vraag stelde Falcone kennelijk teleur. 'Omdat ik graag wil dat mijn mensen goed geïnformeerd zijn! En weten met wie ze te maken hebben. Massiter is een vermogend man die met veel succes een reeks zeer ernstige beschuldigingen heeft weerlegd. Wat de autoriteiten betreft – wat óns betreft – is hij brandschoon en is dat ook altijd geweest. Hij zit waarschijnlijk op dit moment ook een beetje krap bij kas omdat hij jarenlang veel geld heeft moeten uitgeven aan advocaten.'

'Dat zei hij toch ook,' merkte Peroni op.

'Precies,' beaamde Falcone. 'En dat is op zich al een reden om te geloven dat hij de waarheid spreekt. Laten we ons, nu we weten wie hij is, alleen op de zaak concentreren die we hébben. Ik heb de naam Piero Scacchi nagetrokken in de archieven van het bureau. Niks, afgezien van een nietszeggend verhoor na de moord op zijn neef. En het enige wat dat je vertelt, is dat de relatie tussen die twee kennelijk niet erg hecht was, aangezien de oude man Piero niets in zijn testament heeft nagelaten. Alles ging naar Forster. Het was waarschijnlijk vervalst. Is er een agent op het eiland die we een beetje kunnen uithoren?'

Costa schudde zijn hoofd. 'Geen mens. Blijkbaar verdient Sant' Erasmo geen politiepost.'

Peroni lachte. 'Dat meen je toch zeker niet? Moet je zien hoe groot het is.'

'Ja,' beaamde Costa. 'Maar er wonen maar een paar honderd mensen. Het is niet nodig, denk ik.'

'Stad naar mijn hart,' zei Peroni.

Falcone keek teleurgesteld. 'Dan zullen we ons zelf een oordeel moeten vormen. Ik heb trouwens nog meer informatie voor jullie die ik vanochtend uit het archief heb gehaald, toen jullie tweeën nog in bed zaten te ontbijten. Bella's broer heeft een strafblad.'

Costa dacht aan Aldo Bracci, die diepellendig in zijn sjofele bedrijfje door armoede en wrok werd verteerd.

'Dat verbaast me niets,' merkte Peroni op.

'En wat denk je?' vroeg Falcone. 'Diefstal? Geweldpleging?'

'Een van de twee,' antwoordde de grote man. 'Of allebei.'

Falcone hees zichzelf overeind. Het was een heel gevecht. Hij zag er onder de felle zon op de lagune om de een of andere reden oud uit en Nic Costa vroeg zich onwillekeurig af of de geslepen inspecteur, een man die hem meer over politiewerk had geleerd dan iedereen die hij kende, wel zichzelf was.

'Allebei,' verklaarde Falcone. 'En nog iets. Lang geleden, zo lang geleden dat het misschien volkomen irrelevant is.'

De twee mannen wachtten af. Peroni was ook verbaasd. Om Falcones hoofd zoemde, als een ongewenst, onopgemerkt insect dat nog niet zeker wist of het zou steken, iets wat op twijfel leek.

'Aldo Bracci is verhoord in verband met de aanranding van zijn zus toen hij negentien was, zij was vier jaar jonger. Er is nooit iets mee gedaan. Dat gebeurde in die tijd vrijwel nooit met dit soort zaken. Maar ik krijg uit het dossier de indruk dat het echt is gebeurd en dat Bella er op zijn minst gedeeltelijk mee instemde. Er werd aangifte gedaan door een buurman, niet door iemand uit de familie.'

'Leuk verhaal,' bromde Peroni.

'Maar zit er ook iets in?' vroeg Costa.

'Dat weten we niet,' gaf Falcone toe. 'Maar moet je horen. Bracci kon zeker aan Bella's sleutels komen. Hij kende dat eiland uiteraard. Zijn enige alibi komt van familie. De gelegenheid is er. Bella kan de moord op Uriel met hem hebben beraamd. En toen heeft Aldo zich tegen haar gekeerd. Maar waarom?'

Hij fronste zijn wenkbrauwen en staarde naar het eiland. De boot voer op een gammele oude steiger af die achter aan een stoffig pad naar een kleine boerderij lag. Ze bevonden zich nog aan de Venetiaanse kant van Sant' Erasmo, maar ver van enig ander teken van menselijk leven. Costa kon net het bekende gele bord van een *vaporetto*-halte onderscheiden vlak bij een lage kerk en wat huizen die minstens een kilometer verder naar het noorden stonden. Toen hoorden ze een hond blaffen, een levendig, amusant geluid, niet de agressieve toon die je had kunnen verwachten in dit afgelegen oord.

Peroni sprong, gegeven zijn omvang, verbazingwekkend behendig als eerste van boord. Costa volgde zijn voorbeeld. Falcone beval Goldoni met de boot te wachten tot ze terugkwamen.

Over het pad kwam kwispelend een zwarte spaniël aangerend. Peroni, die een zwak voor dieren had, bukte zich en krauwde het beest onder zijn kin, terwijl hij breed lachend in zijn zwarte, waterige ogen keek.

'Wat een hond,' verzuchtte hij. Zijn lelijke gezicht drukte een en al bewondering uit. 'Zulke dieren hebben ze bij ons thuis ook. Geen schoothondjes, hoor. Werkende honden. Jachthonden. Ze kunnen alles vinden, overal.'

'Jammer dat hij geen politiewerk doet,' snoof Falcone, die op veilige afstand van het dier bleef.

Er kwam een man over het pad aan gelopen, iemand die net een tikje minder zwaar was dan Peroni en ook een paar jaar jonger. Hij droeg een gescheurd wit overhemd en een groezelige zwarte broek. Hij had dik, zwart, enigszins vet haar en een rond, uitdrukkingsloos gezicht. In zijn linkerhand hield hij een jachtgeweer, geknakt, dat hij losjes vast had alsof hij het vaak bij zich droeg en het even lekker in zijn hand lag als een gewoon stuk gereedschap.

'Piero Scacchi?' vroeg Costa.

Peroni stond nog klokkende geluiden tegen de hond te maken en met een grote, goedaardige hand zijn gladde zwarte kop te aaien.

'Dat ben ik,' zei de man. Hij zag dat ze naar het wapen keken. 'Binnenkort begint het eendenseizoen. Ik was het aan het schoonmaken.'

Verrast door het warme onthaal van de hond, knikte hij naar Peroni. 'Hij mag je.'

Costa liet zijn kaart zien. 'Politie.'

Piero Scacchi trok een boos gezicht tegen het beest. 'En ik dacht nog wel dat ik je goed had getraind.'

2   Het gemeentelijk mortuarium was gevestigd in een lage aanbouw aan het hoofdbureau van politie achter het Piazzale Roma, een grijs, onopvallend gebouw dat Teresa Lupo naar haar eigen laboratorium in het *centro storico* deed verlangen. Alberto Tosi had ook een uitzicht. De dubbele ramen van zijn kamer keken uit op de fabrieken en raffinaderijen van Mestre, die als lelijke, misplaatste stekelvarkens aan de overkant van het water stonden dat Venetië van het vasteland scheidde, en voortdurend rotzooi en rook de atmosfeer in bliezen. Auto's en bussen kropen omhoog over de vlakbij gelegen oprit die naar het eindpunt van het wegennetwerk aan de andere kant van de brug naast de spoorweg leidde. Het was een mistroostig gezicht, zelfs in de felle zomerzon. Alles bij elkaar genomen, concludeerde Teresa Lupo toen ze aan de eenvoudige kale binnenplaats bij haar eigen laboratorium dacht, had zij het beter getroffen.

Tosi had haar ontvangen alsof ze een vooraanstaand wetenschapper was, een geëerde gast in zijn nederige pand. Het was allemaal een beetje – en Teresa schrok ervan toen dit woord opeens bij haar opkwam – eng. Niet omdat het een mortuarium was. Dat waren gebouwen waar ze elke dag zonder erbij na te denken naar binnen kon lopen. Het probleem zat hem in Tosi: een stijf, kaarsrecht rentenierstype met een half brilletje en een spierwitte nylon jas die waarschijnlijk elke dag gewassen werd; en het broodmagere meisje, dat zeker niet ouder was dan eenentwintig, en hetzelfde gekleed ging, maar dan met een John Lennonbrilletje, en dat optrad als zijn assistente. De twee waren ononafscheidelijk. Sterker nog, ze functioneerden bijna alsof ze één waren en vrij en onbeperkt gedachten en ideeën uitwisselden, terwijl ze om beurten vragen beantwoordden, als een eeneiige tweeling die zijn telepathische gaven uitprobeert.

Toen onthulde Tosi, in reactie op haar vragen, het geheim. Anna was zijn kleindochter. Deze kleine onderneming – het meeste werk ging naar een groter laboratorium op terra firma, aldus Tosi – was een familiebedrijf. Zijn grote broer in Mestre stond uiteraard onder leiding van zijn zoon, Anna's vader. Teresa was heel even sprakeloos. De Tosi's hadden kennelijk hun eigen pathologengilde, dat de taak op zich had genomen de overledenen uit de regio te sorteren en categoriseren en deze doorgaven aan hun nakomelingen. Ze moest het de oude man vragen, hoewel ze het antwoord al wist. Zijn vader was ook patholoog-anatoom geweest, en zijn grootvader een chirurg die zich had gespecialiseerd in lijkschouwingen in de tijd dat patholoog-anatoom nog geen officiële functie was.

Venetië, dacht ze, en daarna dwong ze zich te concentreren op de kwestie waarvoor ze hier was.

'Ik wil u niet tot last zijn,' zei ze toen ze op een harde plastic stoel tegenover het tweetal zat, dat naast elkaar aan een groot glimmend bureau was neergestreken.

'U bent ons niet tot last,' antwoordde Tosi met een glimlach.

'Helemaal niet,' voegde de kleindochter eraan toe. 'We vinden het juist fijn dat u er bent.'

'We vinden het een éér,' voegde Tosi eraan toe.

In stilte vervloekte Teresa Falcone omdat hij haar had overgehaald hierheen te gaan.

'Het is alleen dat zelfontbranding' – het was al moeilijk het woord in de mond te nemen – 'zo'n ongebruikelijke bevinding is.'

'Nog nooit voorgekomen,' beaamde de oude Tosi.

'Hier in de buurt,' verbeterde de jonge Tosi hem. 'Er zijn genoeg antecedenten.'

'Anna...?' zei hij vragend. 'Zou je doctor Lupo de "computer" kunnen laten zien?'

Hij sprak het woord met een welhaast religieuze eerbied uit.

Het meisje stond op en liep naar de andere kant van de kamer waar op een piepklein, goedkoop tafeltje een oude en zeer stoffige pc stond.

'Dat is een zeer bijzonder apparaat,' onthulde Tosi. 'Ik neem aan dat u er verscheidene hebt. Hier is dat... niet nodig. Weggegooid geld en we geven nóóit meer uit dan absoluut noodzakelijk is. Maar ik zou niet weten wat we zonder dat ding moesten, hoor. Wist u dat er in 1843 een gedocumenteerd geval van zelfontbranding in een ijzergieterij in Milwaukee is geweest? Net zoiets als dat van ons.'

'Mensen die vlam vatten in gieterijen...' Ze wilde de oude man niet tegen de haren in strijken. Dan zou hij vast en zeker dichtslaan. 'Daar kun je je nog wel iets bij voorstellen, hè?'

'Bij deze gevallen niet,' merkte Anna op, terwijl ze met een korte, dunne vinger langzaam op de toetsen tikte. 'In Arras in Noord-Frankrijk bijvoorbeeld. Oktober 1953. Een particuliere woning, lijk op de vloer, nergens anders een spoor van brand. Hetzelfde in Londen, zes jaar later –'

'Ho, ho, ho,' zei Teresa die moeite had haar kalmte te bewaren. 'Feiten die ik zelf op elk moment kan lezen. Kun je die bestanden zippen en naar me e-mailen?'

Twee zeer jonge, zeer naïeve ogen keken haar door de anachronistische ronde glazen aan.

'Zippen?' vroeg Anna.

'Let op.'

Teresa trok haar stoel naar het tafeltje toe, duwde het meisje opzij, rammelde driftig met haar plompe vingers op de toetsen, stopte de stapel documenten die het meisje had verzameld, in een bijlage en stuurde de hele bups naar haar eigen e-mailadres, zodat ze alles op een later tijdstip kon lezen met behulp van Nics computer, aangezien Peroni net zo allergisch voor die dingen was als de oude Tosi scheen te zijn.

De Tosi's keken elkaar vol ontzag aan, alsof er een wezen uit de toekomst was binnengewandeld.

'Lijken,' merkte Teresa gedecideerd op, terwijl ze wenste dat ze nooit was gestopt met roken. 'Ik kan niet nadenken als ik er geen voor me heb. Kunnen we daar alstublieft beginnen?'

'U mag alles aanschouwen wat we hebben,' verklaarde de oude Tosi en hij stond op nadat hij snel één woord op zijn blocnote had geschreven: zippen!

Ze liepen door de gang naar een heel kleine witte kamer met één glimmende tafel en een verzameling instrumenten die zo oud waren, dat ze eigenlijk in een museum thuishoorden. Teresa vroeg zich af of ze de Tosi's een tijdje zou kunnen lozen. Misschien kon ze hen opgeven voor een televisiequiz met de titel *Raad de eeuw*. Zolang die twee naar haar stonden te kijken, kon ze niet nadenken.

'En forensisch onderzoek?' vroeg ze.

Tosi glimlachte.

'O, ik snap het al,' zei ze met een zucht. 'In Mestre.'

'Ze hebben daar dingen...' zei hij met grote ogen.

'En wat hebben die dingen u verteld?'

Anna liep naar een klein houten bureautje en haalde er twee rapporten uit die, als Teresa's ogen haar niet bedrogen, nota bene getýpt waren.

'Niet veel over Bella Arcangelo,' verklaarde het meisje en ze spreidde drie velletjes papier uit op het bureaublad. 'Er was niet veel om te onderzoeken.'

'Stoffelijke resten,' sprak de oude Tosi somber. Hij liep naar een van de ge-koelde lades, trok hem open en haalde er een doos – een kartonnen doos uiter-aard – met het opschrift 'Arcangelo, Bella' uit. 'Wat kan een mens met stoffelijke resten?'

Meestal heel veel, dacht Teresa bij zichzelf, en ze keek naar de schedel met het taps toelopende stompje wervelkolom. Hij lag op een bedje van hydrofiele katoen te midden van enkele dingen die ze niet kon thuisbrengen. Ze las snel het rapport door. Nogal wat stukjes bot, uit elkaar gespat door de hitte, zodat er niet uit afgeleid kon worden hoe de vrouw was overleden. Een kleine hoeveelheid goud. Geen andere metalen. Helemaal niets verder. Misschien had Tosi gelijk.

'Hoe heet wordt een glasoven?' vroeg ze. Ze kon haar ogen niet van de be-kende vorm af houden die door het vuur wit was uitgebleekt.

'Op dat tijdstip in de ochtend...' zei Tosi peinzend. 'Zo'n 1400, 1500 graden Celsius. Ongeveer even heet als in een modern crematorium. Het is een fascine-rend proces. Ik heb het bestudeerd. U moet zelf eens een glasoven gaan bekijken. Dat kan ik wel voor u regelen. Maar wel een moderne, niet die belachelijke antieke die de Arcangelo's zo nodig willen blijven gebruiken. Gas én hout nota bene...'

'Waarom is alleen de schedel nog over en zijn er geen –' begon ze.

'Hij lag in een koeler deel van de oven,' antwoordde Tosi snel, trots dat hij kon raden wat ze wilde vragen. 'Als de vrouw met haar hoofd naar voren in de oven is geschoven...'

Hij stak zijn handen omhoog en deed alsof hij een object van een steekkar liet glijden, of van de verrijdbare tafel waarover Falcone haar had verteld.

'Dan krijg je dat. In het midden van de oven is het het heetst. Het hoofd zou helemaal aan de rand terecht zijn gekomen, waar de temperatuur in zo'n antieke soort oven lager is. Ik heb contact opgenomen met het crematorium hier ter plaatse. Ze denken dat een vrouw van deze afmetingen bij deze temperatuur in ongeveer een uur, mogelijk minder, deze staat van ontbinding heeft bereikt. Doe ik het goed tot nu toe?'

Ze wierp hem een glimlach toe waarmee ze wilde laten zien dat ze onder de indruk was.

'Precies de conclusie die ik zou trekken,' gaf ze toe en ze meende het. Ze zou zelf ook het crematorium hebben gebeld om wat praktijkkennis te vergaren. 'Maar aangezien ik niet beschik over uw kennis van het maken van glas, zou het mij meer tijd hebben gekost.'

Tosi wuifde glimlachend met een hand in haar richting.

'Romeinen,' zei hij. 'Zie je nou, Anna? Zo veel zelfkritiek. Wat de mensen ook beweren...'

Teresa keek het vertrek rond. Ze zag geen sporen van ander werk. De Tosi's hadden de hele dag de tijd om over hun geweldige ontdekking te babbelen. Waarschijnlijk werd verder alles opgestuurd naar Mestre.

'Erg vriendelijk van u. Nu de man.'

Anna liep naar een ander vak en trok de la open. Teresa Lupo keek eens heel goed naar wat daar lag en vroeg zich af of ze gek werd.

Uriel Arcangelo was voor de helft kadaver en voor de helft houtskool. Van zijn voeten tot aan zijn middel zag de man eruit als iemand die in een gigantisch grote inktpot was gedompeld en daarna was opgedroogd. De stof van zijn kleding – lange broek en iets wat eruitzag als de restanten van een voorschoot – was door de hitte en de vlammen verschroeid. Het meeste vlees, dat de Tosi's bij hun onderzoek hadden blootgelegd, zag er heel normaal uit. Maar boven de broekriem was de man getransformeerd. De hele bovenkant van zijn lichaam was door het vuur verteerd. Het was verbrand tot een zwarte, in elkaar geschrompelde massa en bestond voornamelijk uit botten en een paar stukjes verkoold vlees. Zijn schedel lag naar één kant gedraaid, met de mond open in die bekende uitdrukking van helse pijn die in dit geval ongetwijfeld terecht was geweest. Teresa Lupo was bekend met brandslachtoffers. Beide kanten van Uriels lijk pasten in het plaatje dat ze kende. Mensen werden verteerd, of ze stierven de verstikkingsdood zonder veel zichtbare schade van het vuur zelf. Ze had nog nooit meegemaakt dat een lijk beide kenmerken vertoonde.

'Even voor de goede orde,' zei ze nors. 'U zegt dat de man niet direct met de vlammen in aanraking is gekomen? Alles boven zijn middel is gebeurd zonder dat er van buitenaf vuur bij is gekomen?'

'Dat hebben we van de brandweer gehoord,' bevestigde Tosi. 'Hij lag zeker vijf meter van de oven.'

'Foto's?' vroeg Teresa.

Het meisje liep naar een archiefkast en haalde er een map uit. Er waren er maar vijf, zag Teresa tot haar verbijstering, van nogal slechte kwaliteit bovendien, alsof ze met een polaroidcamera waren gemaakt. Op de foto's werd Uriel Arcangelo's lijk omringd door iets wat eruitzag als een zwarte poel van verkoold materiaal. Teresa keek eens goed. Rond het bovenste deel van het bovenlichaam was de hitte zo sterk geweest, dat er onder de man een gat in de houten vloer was gebrand.

'Hoe zit het met dit gat?' vroeg ze. 'Hoe groot was het? In wat voor toestand was de vloer?'

Tosi was even van zijn stuk gebracht. 'Ik ben niet op de plek zelf geweest. De politie heeft aantekeningen gemaakt en die foto's. Later hebben we er iemand heen gestuurd om het lijk te halen.'

Ze beet op haar tong. De slordigheid, het ontbreken van enige formele procedure, was verbijsterend. Het was, vermoedde ze, een kwestie van vraag en aanbod. Venetië was een kleine gemeenschap, meer een vergaarplaats voor passerende toeristen dan een echte, levende stad. Tosi had duidelijk weinig ervaring met slachtoffers van geweldsmisdrijven. En, hield ze zichzelf voor, ze waren er van meet af aan van uitgegaan dat het een uitgemaakte zaak betrof.

'Er móét meer zijn,' hield Teresa vol. 'Wat staat er in het autopsieverslag?'

Tosi zuchtte. 'Dit is alles wat we hebben.'

'Analyse... ik snap het al. Gebeurt in Mestre. Is er verder niets?'

'Wat dan bijvoorbeeld?' vroeg Anna.

'Hoe een man zo kan overlijden bijvoorbeeld! Zelfs in een glasblazerij, is het niet... mogelijk.'

'Zelfontbranding,' verklaarde Tosi resoluut. 'Dat hebben we al gezegd.'

'Maar hóé?'

Tosi glimlachte en knikte naar zijn kleindochter.

'Er zijn verschillende theorieën,' zei ze. 'De meest veelbelovende lijkt ons dat bij een bepaalde temperatuur, misschien bij langere blootstelling aan hitte van buitenaf, het buikvet in brand kan vliegen. De overledene was iets te zwaar. Niet veel. Maar misschien was het genoeg.'

Teresa schudde haar hoofd. Het kon er bij haar niet in dat zij dit geloofden.

'Genoeg om zijn halve lijf te verteren? En daarna een gat in een houten vloer te branden?'

'Blijkbaar,' merkte Tosi op en hij liet voor het eerst blijken dat haar twijfels hem een beetje irriteerden. 'Hebt u een andere verklaring? Die zou ik uiteraard graag horen.'

'Zijn kleding,' begon ze. 'Wat heeft het lab daar op aangetroffen? Zat er iets brandbaars op? Benzine misschien? Alcohol?'

Tosi keek naar de onderkant van het lijk. 'De brandweer heeft een ongelooflijke hoeveelheid schuim gebruikt. Het zat overal. Het is in die omstandigheden heel moeilijk om stoffen te isoleren. En trouwens...'

De rimpels op zijn oude gezicht werden iets dieper van ongenoegen. 'Ik bemoei me niet graag met het werk van de politie. Dat geldt voor u waarschijnlijk ook, doctor Lupo. Maar een mens zou zichzelf de vraag moeten stellen wat voor soort man een oververhitte glasblazerij binnen zou gaan met benzine op zijn kleding.'

Een idioot. Een zatlap. Iemand met zelfmoordneigingen omdat hij een uur geleden zijn vrouw had vermoord, haar in de oven had geschoven en sentimenteel begon te worden. Er waren genoeg mogelijkheden. Dit stel wilde er alleen niet naar zoeken.

'Het is bijna niet te geloven dat een menselijk lichaam uit zichzelf in brand kan vliegen,' voegde Tosi eraan toe. 'Maar denk eens na over het idee dat we eigenlijk binnenste buiten gedraaide kaarsen zijn. Bij een kaars zit het lont in het midden en trekt de brandstof naar zich toe als hij brandt. Je zou kunnen stellen dat een lichaam zoals dat van Arcangelo genoeg vet heeft om als brandstof te dienen, en kleding als een uitwendig lont. Zodra de kleding vlam vat, wordt het vet ernaartoe getrokken en blijft de vlammen van brandstof voorzien. Dat is geen vreemde wetenschap, vind ik. Zeldzaam, maar niet onaannemelijk.'

Dus op een mooie dag laat je een lucifer op je shirt vallen en brand je van binnenuit op. Het was ook een opvatting, dacht ze. Net als ontvoeringen door buitenaardse wezens en het idee dat sommige arme donders als aardvarken werden herboren.

'Tenzij u andere suggesties hebt,' besloot hij.

'Niet echt,' zei ze. 'Ik heb geen problemen met ontbranding. Ik kan alleen niet uit de voeten met dat "zelf". Maar ik wil er graag over nadenken. O, sorry. Dat had ik even moeten vragen. Vindt u het vervelend?'

Een bescheiden glimlach krulde Tosi's smalle lippen. 'Dat er een beroemde Romeinse patholoog-anatoom met ons meekijkt? Natuurlijk niet. Maar ik sta onder enige druk. De politie wil niet eeuwig met deze zaak bezig blijven. Ik moet alles dinsdag hebben afgerond. Hoe dan ook. Dat heb ik niet zelf verzonnen.' Hij keek even zorgelijk. 'Zeker niet.'

Misschien was Alberto Tosi niet zo achterlijk als hij eruitzag. Hij wist dat het een merkwaardig incident was. Hij had alleen, onder de gegeven omstandigheden, verder niet veel te zeggen. En hij werd ook gedwongen de zaak af te ronden, bedacht ze. Zoals iedereen.

'Medische gegevens?'

De Tosi's keken elkaar met een zorgelijk gezicht aan. 'Ik weet niet of we bevoegd zijn...' mompelde Anna. 'Ze zijn vanochtend pas gekomen. Het is natuurlijk vertrouwelijke informatie.'

'Dat begrijp ik,' zei ze. 'Dus inspecteur Falcone heeft ze ook niet gezien? Misschien moet ik even tegen hem zeggen dat ze er zijn. Ik weet zeker dat hij zou willen weten wat erin staat. Hij heeft natuurlijk het recht ze te zien.'

Het vooruitzicht dat Falcone nog een keer zou langskomen, gaf de doorslag. Een minuut later zat Teresa Lupo twee uitgebreide, met de hand geschreven statussen van de huisarts van Uriel Arcangelo en zijn vrouw door te nemen.

Ze maakte een paar aantekeningen, stopte haar blocnote in haar tas, snoof en wist dat het tijd was om te gaan. Tosi zat met een opvallend sluwe blik in zijn ogen naar haar te kijken.

'Ik zou uw inspecteur uiteraard op de hoogte hebben gebracht,' zei hij ten slotte. 'Maar we hebben de statussen vanochtend pas gekregen, zoals Anna al zei.'

'Natuurlijk.'

Het was niet het soort detail dat een patholoog-anatoom achter kon houden. En het had voor Teresa Lupo ook een persoonlijk tintje, iets wat haar deed denken aan het gesprek dat ze de avond ervoor uiteindelijk toch niet met Gianni Peroni had gehad.

'Het is altijd een hele schok als je zoiets ontdekt,' zei Tosi. 'Je zou toch denken dat de familie...'

Maar de familie wist het ook niet, althans dat vermoedde Teresa. En daarmee had Falcone misschien alsnog zijn motief. Op de leeftijd van vierenveertig jaar was Bella Arcangelo zes weken zwanger. Uit alle uitgebreide onderzoeken die haar echtgenoot in de loop der jaren had ondergaan, bleek zonder meer dat hij de vader niet kon zijn. Uriel vuurde losse flodders af, en zou dat altijd zijn blijven doen. Dat stond vast en Teresa begreep zowel uit medisch als uit persoonlijk oogpunt precies wat dat betekende. Hij had ook nog een andere interessante kwaal, het resultaat van een ongeluk toen hij in de glasblazerij aan het werk was. Uriel had een schedelbreuk opgelopen bij een kleine gasexplosie. Daardoor had hij een slecht gehoor en kon hij minder goed ruiken.

Ze prentte deze feiten in haar hoofd en dacht daarna aan de botten in die gloeiend hete oven. Er was niets van Bella over wat kon worden gebruikt om vast te stellen wie de vader was van het kind dat met haar was gestorven. Door het vuur, het verzengende inferno, was alles wat normaal gesproken gebruikt kon worden, verloren gegaan. Dat was een van de redenen dat een fatsoenlijke oude man als Alberto Tosi met bizarre theorieën over zelfontbranding kwam. Er was in die wrede, alles verterende vlammen zo veel bewijsmateriaal verloren gegaan, dat iedereen – Falcone, Tosi, Teresa zelf – zich vastklampte aan allerlei kleine feitjes en een soort waarheid uit al die losse stukjes probeerde te reconstrueren.

'Wilt u dat ik dit zelf aan inspecteur Falcone doorgeef?' vroeg ze en ze zag, met enig genoegen, dat het gezicht van de oude man ogenblikkelijk opklaarde.

'Dat zou heel vriendelijk zijn. Dit is ons soort werk niet,' zei Alberto Tosi met een duidelijke afkeer in zijn blik. 'Beslist geen zaak die wij normaal gesproken in Venetië zien. En uw inspecteur is zo'n man die... niet van ophouden weet. Eerlijk gezegd, doctor Lupo, zou ik het liefste alles aan u geven en me gewoon weer gaan bezighouden met de overlijdensverklaring van een paar gestorven toeristen. Voor een Romein is dit misschien normaal...'

Eigenlijk, peinsde ze, was het voor een Romein ook behoorlijk vreemd.

'U doet het prima,' antwoordde ze. Ze ritselde met de blaadjes van de medische dossiers die voor haar lagen. 'Familietragedies kunnen soms –'

'Maar beter zo snel mogelijk begraven worden,' onderbrak Tosi haar. 'Dat ben ik volkomen met u eens.'

3   Er lag een picknickplaats bij de boerderij van Piero Scacchi. Ze zaten
    buiten aan een van de drie tafels te luisteren naar de man die zijn verhaal
    langzaam, met overtuiging en veel details vertelde, alsof hij het van te-
voren geoefend had. Er zaten niet veel nieuwe feiten in. Scacchi's herinneringen
kwamen min of meer overeen met alles wat hij volgens de rapporten had verteld
aan de agenten die hem als eersten hadden verhoord. Costa vond alleen dat Scacchi het allemaal een beetje te perfect deed, alsof hij probeerde te raden wat ze
wilden horen in de hoop dat ze zouden knikken en dan met een bedankje zouden
vertrekken, zodat hij terug kon naar zijn akkers en de hond die gedurende het
hele gesprek waakzaam tussen Scacchi en Peroni in zat.

Scacchi was toevallig een kwartier voor de brand uitbrak bij het eiland aange-
komen. Hij was vroeg in de ochtend op pad gegaan om spullen op de markt af te
leveren en op de terugweg langs het eiland gevaren om wat materiaal te brengen
dat de Arcangelo's hadden besteld. Hij had zijn best gedaan Uriel te redden, zonder te weten dat de vrouw van de man ook in de glasblazerij was. Dat zijn poging
was mislukt, scheen de boer, die bijna in tranen was toen hij beschreef hoe hij
met veel moeite in het gebouw was gekomen, bijzonder veel verdriet te doen.
Costa zag de tientallen sneeën en brandwonden op zijn handen en armen. Als
iemand een man levend uit die hel had kunnen halen, dan was het Piero Scacchi
waarschijnlijk.

Toch had hij ook iets ontwijkends. Hij sprak niet graag met de politie, hoewel
hij daar, naar het Nic Costa voorkwam, geen enkele reden toe had. Scacchi leek
zo betrouwbaar als wat: een hardwerkende boer, die moest ploeteren om in zijn
eentje een grote boerderij draaiende te houden en geen hulp kon betalen. Het
was een raadsel waarom hij hen daar zo snel mogelijk weer weg wilde hebben.

Falcone controleerde de feiten over de deur en Scacchi bevestigde dat hij
op slot was gedraaid, blijkbaar aan de binnenkant. Daarna vroeg hij hoe het met
Uriel was toen Scacchi hem voor het eerst zag.

'Dat heb ik u al verteld. En ik heb het de agenten verteld die ik eerder heb
gesproken. Hij stond in brand. Vanaf zijn borst. Net of er een vlam uit zijn binnenste kwam. En toen...'

Scacchi schopte tegen een paar kiezelsteentjes op de zanderige grond.

'Zo zonde,' mompelde hij. 'Ik dacht dat het maar eentje was. Maar het waren
er twee. Waarom?'

'Dat weten we niet,' antwoordde Costa. 'We snappen zelfs niet hoe Uriel is
gestorven.'

Scacchi wierp een blik op zijn akkers. Mooie paarse artisjokken wuifden eendrachtig heen en weer in de wind naast een veldje met felrode *peperoncini*, die als piepkleine bloedrode bloemetjes aan de planten zaten. Deze gewassen waren belangrijke oriëntatiepunten in het leven van de man, dacht Costa, bakens waar hij met zekerheid op kon navigeren.

'Het was geen mens meer,' ging hij verder. 'Hij lag op de grond en er was heel veel vuur. Ik wist toen dat ik hem niet kon redden. Zelfs niet als die stomme brandslang het goed had gedaan. Hij was een en al vlammen, alleen maar vuur, zijn borst...'

Hij keek hen om beurten aan. 'Maar ik heb zijn ogen gezien. Hij zag mij ook. Hij wilde enkel nog sterven. Wat verwacht je anders?'

'Hebt u gas geroken?'

Scacchi schudde zijn hoofd. 'Het ging allemaal zo snel. Rook. Vuur. Ik weet niet wat ik rook. Ja, er was overal gas. Die belachelijke engel van ze ging uit omdat er zo veel uit de glasblazerij lekte. Het is een wonder dat het huis niet...'

Hij viel stil. Peroni klopte de man op zijn knie, een vrijpostig gebaar, een gebaar dat mensen van iemand anders niet zouden pikken.

'Je bent dapper geweest, Piero,' verklaarde Peroni. 'Heel wat dapperder dan de meesten in die situatie zouden zijn geweest.'

Het haalde niet veel uit.

'Maar waarvoor?' vroeg Scacchi. 'Ze zijn allebei gestorven. Ik heb niets kunnen doen.'

'Je hebt gedaan wat je kon,' hield Peroni vol.

'Vijf minuten eerder...' mompelde hij. 'Om zo aan je einde te komen. Dat verdient niemand.'

'Kende u Uriel?' vroeg Falcone.

'Niet goed. Ik zag hem als ik aan het werk was. Ik deed wat hij me opdroeg. Hij leek me best aardig. Een beetje eenzaam. Een beetje droevig. Maar zo zijn ze allemaal. Hij dronk ook. Hij was, naar de maatstaven van andere mensen, bijna elke avond stomdronken. Ik zou het niet moeten vertellen, maar het is waar. Hij ging wel gewoon werken. Ik heb hem nooit een nacht zien overslaan. Zes, zeven dagen per week.'

'En Bella?' vroeg Falcone.

'Ze werkte daar meestal in haar eentje voor Uriel kwam. Ze werkten niet vaak samen. Zoals zij tegen hem praatte, zou je denken dat zij de baas was. Ik bleef bij haar uit de buurt. Nadat Michele me in dienst had genomen, had ik alleen met Uriel en Raffaela te maken. Hij zei wat ik moest doen. Zij betaalde me. Zij is de enige Arcangelo van wie je nog wel eens geld loskrijgt. Een goede vrouw.' Hij boog zich naar voren. 'Een geweldige vrouw. Zonder haar zou die familie al jaren geleden failliet zijn gegaan. De enige reden dat iemand ze nog wel eens een gunst bewijst, is uit respect voor haar.'

Costa dacht aan de lange, gedistingeerde persoon die hij in het merkwaardige glazen boven de lagune uitstekende arendsnest had zien staan. Ze had iets wat haar nog in leven zijnde broers – en Uriel, voor zover hij wist – niet hadden. Misschien had Scacchi, zelf een eenzame man, op dat punt ook ideeën.

'Waarom hebt u het geld nodig?' vroeg Falcone opeens.

Scacchi lachte. 'Hé! Eindelijk een vraag die ik niet verwachtte! Waarom?'

Hij stond op en keek uit over het land van de boerderij. Zij kwamen ook overeind. 'Wat ziet u?' vroeg hij. 'Goud? Wierook? Mirre?'

'Je hebt die paarse artisjokken waarvan ze zeggen dat ze alleen goed smaken als ze van Sant' Erasmo komen,' antwoordde Peroni ogenblikkelijk. 'Je hebt goede prei en uien staan. Ik heb bij mij thuis geen betere gezien. Mooie *peperoncini*. Ik geloof dat ik rucola zie. En ook een rookschuur. Wat rook je daar, Piero?'

'Soms paling,' antwoordde de boer een beetje overdonderd.

'Waar ik vandaan kom in Toscane, roken we ook,' zei Peroni. 'Paling. Wild zwijn. En we schieten eenden. Die stoppen we er ook in. Je hebt een goeie jachthond. Hoe heet hij?'

Het dier hief zijn kop en kwispelde met zijn staart toen er een bepaald woord viel.

Scacchi ontdooide een beetje onder invloed van Peroni's goedmoedigheid.

'Xerxes. Het is een stomme naam. Het betekent zogezegd dat hij heer en meester van het moeras is. Dat is hij ook als hij daar is. Maar verder... zeg alsjeblieft het j-woord niet. Dan raakt hij helemaal door het dolle. Buiten het eendenseizoen verveelt hij zich suf.'

Peroni lachte en aaide de hond over zijn zachte kop.

'En je hebt deze picknicktafels,' ging Peroni verder. 'Dat intrigeert me.'

'Een man heeft geld nodig, hè? Er rusten schulden op deze boerderij. Mijn moeder heeft niet alles betaald. Met de opbrengst van het land alleen red ik het niet. Ik doe klusjes voor de Arcangelo's. Ik breng mensen met de boot weg voor een kwart van wat die schoften met speedboten rekenen. Naar de stad. Naar het vliegveld. Waar ze maar heen willen. En een vriend in de stad brengt soms toeristen hierheen om te fietsen. Ik mag ze te eten geven aan de tafels. En nee' – hij zwaaide een sterke vinger vol littekens voor hun neus heen en weer – 'ik geef er geen cent van op aan de belasting. Dat gaan jullie ze nu zeker vertellen?'

Falcone glimlachte. 'Jullie hebben geen politie op Sant' Erasmo. Waarom zouden jullie dan wel belastingmensen moeten hebben? Dat lijk me een beetje oneerlijk.'

Scacchi werd wat rustiger. 'Jullie lijken me wel oké. Wat doen jullie in godsnaam in Venetië?'

'Lang verhaal,' bromde Peroni. 'Dat kunnen we beter voor een andere keer bewaren. Ik wil wat van die artisjokken, Piero. Een paar kilo. Wat kost me dat?'

De man spuwde op de grond en vloekte zacht.

'Pak maar wat je wilt,' bromde hij. 'Jullie gaan ook nooit met lege handen naar huis, hè?'

Peroni reageerde met een betere, luider uitgesproken vloek en haalde een briefje van twintig uit zijn portemonnee.

'Daar blijkt wel uit dat je ons helemaal niet kent,' zei hij. 'Vul een paar tasjes met het beste wat je hebt, graag. En hou het wisselgeld maar.'

Piero Scacchi keek een tijdje verlekkerd naar het briefje van twintig, pakte het toen aan, knikte, bedankte snel en liep weg. De drie mannen keken hem na.

'We moeten hem nog over Massiter vragen,' merkte Costa op.

'Je moet een beetje rustig aan doen met hem,' waarschuwde Peroni. 'Anders slaat hij dicht.'

Falcone was kennelijk verbaasd. 'Zie jij dan een reden om met hem door te gaan?'

Peroni keek hem giftig aan. 'Ik ben niet achterlijk, Leo. Ik loop inmiddels al zo lang met jou mee, dat bepaalde dingen mij ook opvallen. Piero heeft iets te vertellen. Ik weet alleen niet zeker of hij wel uit kan maken wat het precies is. En hoe het in het plaatje past.'

'In deze uithoek?' Falcone maakte een laatdunkend gebaar naar de wuivende *carciofi*. 'Dat denk ik niet. Allemaal tijdverspilling –'

'Massiter,' viel Costa hem in de rede.

'Massiter is niet relevant. De antwoorden liggen in Murano. In het hier en nu. Niet in een of ander oud sprookje.'

Ze hoorden geblaf. Met de hond op zijn hielen kwam Piero Scacchi terug met twee oude plastic tassen vol. De drie mannen keken toe toen Scacchi de inhoud van de tassen ter inspectie op de tafel legde. Peroni bekeek alles met veel genoegen: artisjokken, paprika's, een zak ingevroren gerookte paling, nieuwe wasachtige gele aardappelen, druiven, een fles wijn die bijna zwart van kleur was. En drie bosjes piepkleine *peperoncini*, net miniatuurboeketjes van exotische bloemen.

De boer knikte naar de paprika's. 'Je kunt ze laten drogen. Ze blijven de hele winter goed. Doe ze in olie. Je weet het wel, denk ik.'

De grote man keek stralend naar alle spullen in de tassen en zag eruit alsof hij ter plaatse wilde gaan koken.

'Maak je ook wijn?'

'Dat heet zelfvoorziening,' zei Scacchi. 'Dat leer je hier wel.'

'Dat zal best,' zei Peroni. 'Neem je wel eens een dag vrij?'

Scacchi keek hem recht in zijn ogen. 'Jij?'

Daar hadden ze het bij kunnen laten, dacht Costa. Ze hadden Leo Falcone zijn zin kunnen geven, weg kunnen gaan zonder al die kleine vraagjes te stellen, de vraagjes die irrelevant leken en dat meestal ook waren. Alleen was dat niet Falcones manier van werken. In Rome niet. Soms had een vriend en collega de taak iemands geheugen op te frissen.

'Wat is er volgens u van Laura Conti en Daniel Forster terechtgekomen?' vroeg Costa. Hij keek of Scacchi's onverstoorbare, bloedeloze gezicht enige emotie verried, maar zag niets. Hij hoorde alleen dat Leo Falcone zacht een hartgrondige vloek slaakte.

Scacchi dacht over de vraag na. 'Waarom vraag je dat aan mij? Ik ben maar een arme boer van de lagune.'

'Ze hebben uw neef vermoord. U moet ze hebben gekend.'

De hond ging op de harde, droge grond liggen en begroef zijn neus tussen zijn poten. Hij was zich ervan bewust dat de toon van het gesprek opeens was bekoeld.

'O, ja?' vroeg Scacchi.

'Wilt u daarmee zeggen dat ze hem niet hebben vermoord?' drong Costa aan.

'Nic...' waarschuwde Falcone hem, terwijl hij nadrukkelijk op zijn horloge keek.

'Wat ik wil zeggen, is dat een arme boer van de lagune geen flauw idee heeft wat zich daar' – Scacchi knikte naar Venetië – 'afspeelt. Net zomin als jullie.'

Het was een antwoord, in zekere zin. Nic Costa wist niet wat hij ervan moest denken, maar hij was toch blij dat hij het had gevraagd, ook al was Falcone het er duidelijk niet mee eens.

Scacchi stond ergens aan te denken. Hij vroeg hen even te wachten en liep terug naar zijn huis, een laag, bouwvallig samenraapsel van oud hout en verroest ijzer, dat een beetje werd opgevrolijkt door een rij hoge zonnebloemen die met hun gele kopjes stonden te knikken in de zachte wind van zee.

'Als ik nog eens nee zeg,' gaf Falcone te kennen, 'luister je naar me. Anders zwaait er wat.'

'Begrepen,' antwoordde Costa en hij berustte in de ijzige kilte die volgde.

Scacchi kwam terug met iets in zijn hand. Hij gooide ze op de tafel: vier ansichtkaarten, allemaal met de afbeelding naar boven. Gebruikelijke toeristische spul. Kaapstad. Bangkok. Sydney. Buenos Aires. De laatste, uit Argentinië, was drie maanden geleden gepost. De andere waren in de loop van het jaar ervoor verstuurd, ongeveer om de vier maanden.

Costa draaide ze om. Op de achterkant stond enkel een naam geschreven, in blokletters, in een keurig, nogal kinderlijk handschrift.

Daniel.

'Ik neem aan dat hij me wil laten weten dat ze nog leven,' zei Scacchi.

'Er staat alleen "Daniel",' merkte Costa op.

'Dat is waar,' beaamde Scacchi. 'Wat moet ik ervan zeggen? Ik weet niet waarom hij ze stuurt. Ik kende die twee nauwelijks. Misschien is het een soort garantie voor het geval dat jullie komen aankloppen. Misschien... Ik weet het echt niet. Het kan me niet schelen ook.'

'Mag ik ze meenemen?' vroeg Costa.

'Als ik je daar een plezier mee doe.'

Hij wilde net de kaarten in zijn zak stoppen toen Leo Falcone zijn hand erbovenop legde.

'Dat is niet nodig,' zei hij kortaf. 'Dit valt niet onder ons onderzoek. Ik ben blij dat u even tijd voor ons had. Kom...'

Piero Scacchi en zijn hond stonden bewegingloos naar de politieboot te kijken toen deze van Sant' Erasmo vertrok; twee donkere, onverzettelijke gedaanten, thuis in het eenzame groene landschap dat hen omsloot.

Ze zaten een tijdje zwijgend in de hut. Toen keek Falcone naar Costa.

'Ik heb geen zin het er uitgebreid over te hebben, maar ik ben niet van plan de boel nodeloos ingewikkeld te maken door ansichtkaarten mee te nemen met de handtekening van mensen die er jaren geleden vandoor zijn gegaan, zelfs niet als ze gezocht worden voor andere misdrijven.'

'Goed,' zei Costa.

Falcone keek hem boos aan. De scherpe klank in Costa's stem was hem niet ontgaan. 'Maar...?' vroeg hij.

'Maar het waren geen ansichtkaarten met een handtekening. De naam was in blokletters geschreven. Lettertje voor lettertje.'

De inspecteur had een verkeerde beslissing genomen. Het was tijd om hem dat duidelijk te maken.

'Daniel Forster was een student uit Oxford. Een goede student ook, volgens de verhalen,' ging Costa verder. 'Zou hij iedereen bij de neus kunnen nemen – Massiter, de media, ons – maar niet zijn eigen handtekening kunnen zetten?'

4 Emily Deacon stond onder de uitgestrekte arm van de ijzeren engel op het bruggetje naar het eiland naar het zuchten van het baken te luisteren met een gevoel van nervositeit en onzekerheid dat voor haar heel bijzonder was. Sinds ze acht maanden geleden haar functie bij de Amerikaanse overheid had neergelegd, had ze van zichzelf geen moment mogen twijfelen. De verhuizing naar Europa was een logische stap geweest. Ze wilde bouwkunde studeren, met name Italiaanse bouwkunst. De universiteit in Rome was uitmuntend en nam haar graag aan. En dan was er Nic. Aardige Nic, verlegen Nic, een man die haar gelukkig wilde maken, haar alles wilde geven. Behalve, meende ze, zichzelf. Iets hield hem tegen, een onzichtbare barrière waar ze niet doorheen kon dringen. Hun werk had hen bij elkaar gebracht. Toen die band verdween – wat ook niet anders kon – was er een vacuüm ontstaan. Nic had bijna de hele tijd in ballingschap in Venetië doorgebracht, waar hij bijna elk weekend bezet was geweest. Zij was in zijn schitterende oude boerderij aan de rand van Rome getrokken en vrijwel onmiddellijk alleen geweest, afhankelijk van onbeholpen telefoontjes in plaats van echt, menselijk contact. Door al het gedoe hadden ze een essentiële stap in het ontwikkelingsproces van hun relatie overgeslagen. Ze moesten op hun schreden terugkeren, uitzoeken wat hen in de eerste plaats tot elkaar had aangetrokken, naar dat moment teruggaan en dan samen weer een weg voorwaarts zien te vinden. Toen ze het rapport over Hugo Massiter had gelezen, begreep ze wat de katalysator, als die al bestond, zou kunnen zijn. Precies hetzelfde element dat hen in het begin bij elkaar had gebracht. Werk.

Nu stond ze te aarzelen op het bruggetje van het Isola degli Arcangeli en ontdekte ze tot haar verbazing dat ze diep vanbinnen nog steeds van het oude spel kon genieten. Architectuur was prima; het stimuleerde haar intellect, het was een uitdaging, een berg die ze wilde bedwingen. Maar ze had vier jaar van haar leven besteed aan de opleiding tot FBI-agent, en een mens vergat al die moeite niet zo gemakkelijk. Ze wilde meedoen aan Falcones zaak. Dat zou haar een snellere, grotere kick geven dan alles wat ze in een atelier kon verwachten.

Hugo Massiter kwam naar het zwarte, ijzeren hek toe lopen dat mensen van het eiland hield. Naast hem liep een oudere man met een gezicht waarvan één kant verlamd was door een beroerte. Hij maakte zonder een woord van welkom het zware mechaniek open, wachtte tot ze binnen was en deed het toen weer op slot. Vervolgens beende hij weg naar de glasblazerij, aan de andere kant van het eiland, voorbij de tentoonstellingshal met zijn steigers en bouwvakkers.

'Meneer Massiter,' zei ze aarzelend, 'toen ik belde dacht ik dat u een secretaresse of zo zou hebben. Ik wilde uw dag niet verstoren.'

'Alleen ik en de metselaars.' Massiter zuchtte. 'Ik heb het niet zo op personeel, afgezien van Michele daar die mensen in en uit laat. Blijkbaar vertrouwt hij mij en de rest nog niet, ook al betaal ik de huur. Tja, Venetië, hè? Kan ik iets voor je doen?'

'Ik hoopte eigenlijk dat ik even zou mogen rondkijken,' bekende ze. 'Sorry. Ik verwachtte niet dat u de gids zou zijn.'

'Ik herinner je me nog. Ik heb je bij het station gezien,' zei Massiter vriendelijk. 'Jij en die jonge politieman zijn...?'

'Vrienden.'

'En nu heb je niets omhanden?'

Alleen overdag, legde ze uit. En die avond zou ze toch op het eiland zijn, voor de receptie.

Door de hoge, openstaande deuren naar de hal achter hem hoorden ze bouwvakkers die luidkeels tegen elkaar vloekten. Massiter huiverde alsof het hem pijn deed.

'Dus...?' vroeg hij. 'Het is nogal druk hier, liever. Niet dat ik bezwaar zou hebben tegen enig aantrekkelijk gezelschap.'

'Sorry. Ik heb me alleen altijd afgevraagd hoe het er vanbinnen uitzag. Ik studeer bouwkunde. Dit is een van de gebouwen waar ik over gelezen heb.'

'Een perfect voorbeeld van hoe het niet moet, hè?' mompelde hij.

'In sommige opzichten wel. Dat wil niet zeggen dat er niets van te maken is.'

Massiter keek sceptisch. 'Je bent niet de eerste die dat zegt.' Zijn waakzame, aandachtige ogen namen haar op en toen zei hij: 'Goed dan. Kom binnen. Ik verveelde me toch al een beetje zo in mijn eentje.'

Verrast door het gemak waarmee ze door het hek was gekomen, liet Emily zich door hem naar de kade leiden, zodat ze voor het gebouw kwam te staan in de schaduw die door het hoge middelste deel werd geworpen. De aanblik benam haar de adem. De tentoonstellingshal van de Arcangelo's was anders dan alles wat ze tot nu toe in haar leven had gezien: een gigantische glazen monoliet, met een dak in de vorm van drie hoge halve cirkels en verticale muren van glas en smeedijzer, die een enorm grote oppervlakte van minstens honderd meter breed besloeg en bijna tot aan de andere kant van het eilandje doorliep. Dat was nog eens een folly. Het gebouw had een theater of een auditorium kunnen zijn, als het glas een goede akoestiek mogelijk had gemaakt. Of een of ander idioot tuincentrum. Maar het was zeker te groot om ooit als tentoonstellingsruimte voor een glasblazerij te dienen. De ruimte was niet geschikt voor iets op bescheiden schaal. Hij vroeg om grote gebaren.

Dichtbij kon ze ook een paar van de problemen zien. Het ijzer boog op sommige plaatsen door, alsof het niet sterk genoeg was om het gewicht van de ruiten te dragen. Een gedeelte van het glas was gebroken, andere stukken waren vuil door de luchtverontreiniging.

'Het is een oude bouwval, hè?' merkte Massiter op, die zijn ogen over het gebouw liet dwalen en uiteindelijk naar een punt vlak bij de top bleef kijken. 'Net als ik.'

Ze volgde zijn blik. Op het hoogste punt van het gebouw zat een terras, en ondoorzichtig glas in de ramen, wat duidde op een zekere behoefte aan privacy.

'Is dat uw appartement?' vroeg ze.

'Binnenkort. Ze laten het me alleen overdag gebruiken, tot we de papieren hebben getekend. De Arcangelo's geven nooit iets weg.' Hij likte langs zijn lippen. 'Ik kan wel een kopje thee voor je zetten,' voegde hij eraan toe. 'Straks.'

'Hoezo straks?'

'Na de rondleiding, lieverd. Daar kwam je toch voor?'

Ze was zowel verrast als geschokt door wat volgde. Dertig minuten lang leidde Massiter haar rond over de begane grond en de eerste verdieping van het paleis, langs roestend ijzer dat haastig werd overgeschilderd, langs opzichtige wandkleden die daar helemaal niet thuishoorden en in allerijl geverfde tijdelijke muren met goedkope opklaptafels voor het feest van die avond. Emily klopte met een vinger op het ijzer bij de deur en wilde dat ze een paar simpele stukken gereedschap bij zich had. Er zaten slechte plekken in, geen twijfel mogelijk.

'Je bent het niet eens met wat er gebeurt, hè?' merkte Massiter op.

Ze glimlachte. 'Wat weet ik er nou van?'

'Heel veel, vermoed ik. Is het zo erg? Dit hele gedoe kost me een aardige bom duiten. Geld dat ik me eigenlijk niet kan veroorloven. Ze moeten onder de indruk zijn vanavond. Venetië is hard in haar oordeel. Binnenkort juichen ze me toe als de grote redder, of vervloeken ze me als een smerige oplichter. Ik heb recht op de waarheid.'

'Ik zou dit niet aanbevelen, meneer Massiter.'

'Hugo. Hoezo niet?'

Ze keek de enorme, luchtige hal rond waar op dat moment twee grote, drukke schilderijen op maat werden gemaakt voor een paar treurige schermen bekleed met vuurrood velours.

'Het zou in dit gebouw om eenvoud moeten gaan. Glas is een merkwaardig materiaal. Ik kan me voorstellen dat uw man niet weet wat hij ermee aan moet. Dit is een uitdaging. Maar naar mijn idee moet je mét het glas werken, niet tegen het glas. Hij wil het verbergen en dat is zonde. Het was niet de bedoeling dat dit gebouw enkel een ruimte zou zijn waar je een tentoonstelling kunt houden; het moet zelf een stukje van de show zijn.'

Ze wees naar een paar panelen in het gewelfde plafond. 'Als ik het me goed herinner, is het gebouw niet door een architect ontworpen, niet in eerste instantie, maar door een glasblazer. Dat kun je ook zien. Hij wil iets duidelijk maken. Sommige stukken glas zijn transparant; sommige ondoorzichtig, of spiegelend. Dat zijn de kleuren van de wereld daarboven: zon, nacht, zee, lucht. Daar moet je je bij aanpassen, niet tegen verzetten. Dit is te veel. Het is net...'

Ze was te beleefd om de zin af te maken.

'Een slecht hotel gemaakt voor een rijke man zonder smaak?'

'Dat zijn jouw woorden.'

'Verdomme!' verklaarde Massiter en hij keek op zijn horloge.

Het was nu bijna twaalf uur. Het was verschrikkelijk warm. Dat was ook een probleem, dacht ze. De ventilatie was slecht en was dat waarschijnlijk altijd geweest.

'In dat geval moet ik een borrel hebben. Doe je mee? Het appartement is niet zo walgelijk. Ik heb zelf besloten wat daar in ging. Maar dít' – hij maakte een driftig gebaar naar de bouwvakkers – 'was de prijs die ik moest betalen om van de gemeente subsidie voor de restauratie te krijgen. Die idioot van een architect is iemands neefje. Je kent Italië, Emily?'

'O, ja,' antwoordde ze en daarna liep ze achter hem aan toen hij snel een ijzeren draaitrap op liep naar het appartement op de tweede verdieping dat uit het zicht achter een zwart geverfde vloer boven in het hoogste deel van het gebouw lag. Ze kwamen bij de zware ijzeren deur. Massiter draaide hem van het slot en leidde haar een volstrekt ander soort ruimte in, een ruimte die zeer spartaans en smaakvol was ingericht in een moderne, minimalistische stijl.

'Als alles meezit,' zei Massiter, 'zal ik dat rotjacht van me binnenkort vaarwel kunnen zeggen en hier kunnen gaan wonen. Nu gebruik ik het alleen overdag en als kantoor.'

Hij liep naar de voorkant van de lange, rechthoekige kamer en gooide twee grote, bijna ondoorzichtige deuren van rookglas naar het smalle balkon open. Daarna kwam hij terug, ging een kleine luchtige moderne keuken in en liep naar de koelkast. Emily drentelde naar de grote openslaande deuren, stapte naar buiten en hield even haar adem in vanwege de hoogte, die nog groter leek door het ijzeren rooster onder haar voeten, zo'n dertig meter recht naar beneden tot de harde kinderhoofdjes van de kade. Het balkon keek uit op het oosten en je had hier een duizelingwekkend uitzicht op Sant' Erasmo en het Lido, met de glinsterende Adriatische Zee erachter.

'Dit is eigenlijk de reden dat ik het wil kopen,' merkte Massiter op, die kwam aanlopen met twee glazen witte wijn en een schaaltje met olijven en wat kaas. 'Het uitzicht en pure eigenwijze arrogantie. De kans wat geld te verdienen ook natuurlijk. Je kunt Torcello zien als je je een beetje uitrekt.'

Ze keek over de rand van het balkon. Het was een heel eind omlaag, recht op harde steen.

'Wacht even,' zei hij en hij stak zijn armen uit. 'Ik hou je wel vast. Ik was ook doodsbang de eerste keer.'

Ze liet Massiter zijn armen om haar middel leggen, boog zich over de rand van de metalen balustrade en keek naar links. Ze voelde hoe hij haar vasthield: stevig, werktuiglijk, puur uit praktische noodzaak, zonder vrijpostig te zijn. Toch was het een vreemde gewaarwording met haar gezicht naar de lagune over de rand te bungelen in de armen van deze merkwaardige Engelsman. Ze vroeg zich heel even af wat Nic ervan zou maken en herinnerde zichzelf er toen aan waarom ze hier was.

De hoge toren van de kerk aan de noordrand van de lagune was net zichtbaar in de verte.

'Bedankt,' zei ze. Ze ging weer rechtop staan en merkte dat hij zijn greep onmiddellijk liet verslappen.

Hugo Massiter ging zitten, een knappe man, nog in de bloei van zijn leven, vond Emily, hoewel hij daar zelf misschien anders over dacht.

'Volgens mij moet je ook over een zekere mate van arrogantie beschikken om eigenaar van zo'n eiland te willen zijn,' merkte ze op. 'En over een heleboel geld.'

'Gezondheid!' Hij hief zijn glas. 'Genoeg van het ene. Weinig van het andere, helaas. Ik was van plan Dame Peggy een beetje concurrentie aan te doen, zodra ik de boel hier op orde had.'

Hij knikte naar de stad, naar het Guggenheim, nam ze aan.

'Wil je een galerie beginnen?' vroeg ze.

'Waarom niet? Ik heb in de loop der jaren genoeg schilderijen en zo verkocht. Het werd tijd er zelf een paar te houden. Alleen vind ik het een afschuwelijk idee dat ze ergens in een doos in een opslag staan, of in een kamer hangen waar niemand ze te zien krijgt behalve ik. Dat is zo zonde. Bovendien lijk ik dan net een soort Howard Hughes, en dat ben ik niet.'

De wijn was heerlijk, zo koud dat haar keel er pijn van ging doen. Massiter wist zichzelf heel goed te verkopen.

'Ik kan me niet voorstellen dat iemand jou voor een kluizenaar zou houden,' merkte Emily op.

Hij zette zijn glas op de tafel en leunde met een frons en een vermoeide blik naar achteren in zijn stoel.

'Je hebt geen idee waar mensen me voor houden,' zei hij schamper, waarna hij haar even scherp opnam. 'Of wel soms?'

Hij keek haar op dat moment duidelijk geïnteresseerd en doordringend aan. Hugo Massiter probeerde erachter te komen hoeveel ze eigenlijk wist.

'Je hebt in het verleden nogal wat publiciteit gehad,' antwoordde ze voorzichtig.

'Ik heb me altijd zeer opvallend gedragen. Dus dat is te begrijpen. Het zijn alleen die verdomde leugens. Ken je het verhaal waar ik op doel? Wees alsjeblieft eerlijk tegen me, Emily. Iedereen hier kent het en denkt dat het beleefd is er niet over te beginnen. Dat is aardig van ze, maar eerlijk gezegd heb ik een hekel aan dat gedraai. Ik wil niet dat je je daar af zit te vragen of je misschien een glas wijn met de duivel drinkt.'

Ze knikte. 'Ik ken het verhaal. Het had met een stuk muziek te maken, toch?'

'Nee,' zei hij zuchtend, 'niet echt. Het had met mij te maken. Mijn ego. Mijn behoefte om het gevoel te hebben dat ik iets waardevols deed.'

Hij zweeg en keek naar het verkeer op het water.

'Ik vertrouwde iemand die me bedroog,' ging hij verder. 'Me bijna kapot heeft gemaakt, als ik eerlijk ben. Als ik niet als de donder uit Italië was vertrokken en een paar heel goede en heel dure advocaten in de arm had genomen, zou ik op dit moment misschien in de gevangenis zitten. En dat allemaal omdat ik even niet op mijn hoede was. Omdat ik...'

Zijn ogen dwaalden weer omlaag naar het water. Toen keek hij haar opnieuw doordringend aan. 'Ik zal je eens iets over Venetië vertellen. Iets wat ik jaren geleden had moeten leren. Je hoeft je hier geen zorgen te maken over de criminelen. Daar gaan er dertien van in een dozijn en je herkent ze van verre. Het zijn de onschuldigen. Die doen je uiteindelijk de das om. En hier zitten we dan. Jaren later. En vraag ik me af of ik op het punt sta weer hetzelfde te doen.'

'Sorry?'

'Denk maar aan Swift,' mompelde Massiter.

'"Op elke vlo zit een kleinere vlo
Die zelf weer door een kleinere wordt gebeten
En ga zo maar door *ad infinitum*."'

'Mijn vlooien zijn zich aan het verzamelen, beste Emily, en ik zal de komende paar dagen een aantal heel slimme trucs moeten uithalen, anders gaat alles, inclusief dit hele eiland, naar de haaien. Snotverdomme. Voor de politie op de vlucht slaan vanwege een of andere verzonnen moordaanklacht is één ding. Maar failliet gaan. Grote hemel... Heb ik nog een glas wijn nodig of niet?'

'Nee,' zei ze streng. 'Dat denk ik niet.'

Hij raakte zijn voorhoofd aan met zijn wijsvinger, een keurige saluut als teken van gehoorzaamheid.

'Het is absoluut noodzakelijk dat die poppenkast vanavond er goed uitziet. Er komen invloedrijke mensen. Zeg eens eerlijk. Wat zullen ze van me denken met al die rómmel die mijn jonge vriend beneden heeft verzonnen?'

Ze haalde haar schouders op. 'Ligt eraan wie het zijn.'

'Mensen met smaak, sommige dan. Mensen met geld. Met macht. Als ze wis-

109

ten hoe mijn bankrekening ervoor stond, zouden ze geen voet over de drempel zetten. Je gaat het ze niet vertellen, hè?'

'Ik zal het zelfs niet aan mijn vriend bij de politie vertellen.'

Massiter glimlachte. 'O, dat maakt niet uit. Dat weet hij al. Maar ik ben blij dat jullie allebei discreet zijn. Dat ben ik niet, zoals je ziet, en daarom ben ik zo afhankelijk van de discretie van anderen.'

Hij kon zijn ogen niet van haar afhouden. 'Ik dacht...'

'Wat?'

'Zat me af te vragen eigenlijk. Als ik dit gebouw nou eens aan jou overdraag? Als project, zeg maar. Je zou er misschien uiteindelijk zelfs iets vòor betaald krijgen. Wat zou je dan doen?'

Emily Deacon lachte en nam een slokje wijn. 'In paniek raken.'

'Dat geloof ik niet,' antwoordde Massiter opeens ernstig. 'Echt niet. Ik meen het. Wat zou je voorstel zijn?'

Ze had daar de hele tijd al over nagedacht, zoals een uiterst opmerkzaam mens als Massiter ongetwijfeld wist. Het gebouw was in zekere zin onaf en wachtte tot iemands fantasie er de laatste hand aan legde. Het antwoord lag zo voor de hand. Het verbaasde haar dat hij het zelf niet had gezien. Emily keek achterom naar het strak ingerichte appartement, een ruimte die overliep van ingetogen smaak.

'Doe wat je hier hebt gedaan. Ga uit van wat je hebt. Maak het bewoonbaar. Maak het echt.'

Massiter gnuifde. 'Het is niet af! Sommige binnenmuren zijn maar half opgetrokken. Er zijn hele stukken die nergens op slaan.'

'Nog erger dan die fluwelen gordijnen en valse Titiaans die ze beneden ophangen? Een onaf meesterwerk is altijd beter dan een af gedrocht. Alsjeblieft...'

Hij legde peinzend zijn hand op zijn mond. 'Hoe is je Italiaans?'

'Beter dan dat van jou. Ik heb hier bijna mijn hele leven gewoond.'

'Ik ook!' protesteerde hij. 'Nou ja, een groot stuk in elk geval.'

'Jij hebt je tijd verdaan met praten. Ik de mijne met luisteren.'

Maar hij was niet gek, dacht ze. Misschien koesterde hij de hoop dat hij crediteuren van zich af kon houden. Misschien – ze had de glinstering in Hugo Massiters ogen gezien; hij was een rokkenjager, dat zag ze direct – speelde er iets anders.

'Nu moet je praten, lieverd,' drong hij aan. 'Nu moet je een stelletje achterbakse Venetiaanse bouwvakkers vertellen wat ze moeten doen, en in de gaten houden of ze me niet bedriegen. Denk je dat je dat kunt?'

Ze dronk haar glas leeg en zette het met een gedecideerd gebaar op de tafel. Beneden hoorden ze het harde gevloek van de bouwvakkers, die naar alle waarschijnlijkheid precies deden waar ze zin in hadden.

'Ik heb niet naar de baan gesolliciteerd.'

Massiter hoorde haar protest niet eens. 'En we moeten een of andere list verzinnen, zodat ik die idioot daar beneden kan ontslaan. Ik kan hem niet zomaar aan de dijk zetten. Hij heeft overal connecties.'

Op dat punt was ze hem één stap voor. 'Heb je echt marmer besteld voor die afschuwelijke tafels bij de deur? Of namaak?'

Massiter steigerde. 'Ik heb helemaal niets besteld. Die tafels waren zijn idee. En ik doe niet aan namaak.'

'Ze zijn gefineerd. Een laagje marmer op hout. Je kunt het heel goed zien als je naar de randen kijkt. Ik denk niet dat het het enige probleem is.'

'Het is genoeg,' zei Massiter. Hij was opeens furieus en vloog overeind. 'Kom mee.'

Hij stormde op hoge snelheid naar beneden en riep om de architect. 'Andrea! Andrea!'

Uiteindelijk vonden ze de man languit op een afgrijselijke paarsfluwelen bank naast de dode palmboom. Hij rookte een sigaret en keek hoe een stel zwetende bouwvakkers die de namaakmarmeren tafelbladen met kit poogden vast te zetten.

'Massiter! Massiter! Wat een lawaai. Ik probeer na te denken. Alsjeblieft, zeg!'

Hij was een broodmager creatuur van in de twintig, gekleed in een zwart pak en een wit overhemd met open boord. Een belachelijk barokke snor probeerde voet aan de grond te krijgen op zijn bovenlip.

'Problemen,' zei Massiter, die een zware voorhamer van de grond opraapte.

De architect spreidde zijn handen. 'Wat voor problemen? Ben je gek geworden?'

Massiter hief het stuk gereedschap met een snelle, krachtige zwaai boven zijn hoofd en liet het hard op het glanzende zwarte oppervlak neerkomen. De twee mannen die eraan bezig waren geweest, deden luid scheldend twee stappen achteruit. Het 'marmer' spleet ogenblikkelijk in tweeën en de kapotte randen van goedkoop bleek multiplex werden zichtbaar.

'Nu ben ik gek,' verklaarde Massiter. 'Gek van boosheid.'

Andrea stond op en sloeg een van de bouwvakkers om zijn oren en schold hem in rap dialect uit.

'Hou daar maar mee op!' brulde Massiter. 'Ik heb mijn buik vol van die spelletjes van je. Je mag nu direct vertrekken en zeg maar tegen die oom van je dat hij zijn rekening in zijn reet kan stoppen.'

'Krijg de pest!' schreeuwde Andrea. 'Je kunt hier niet zomaar doen waar je zin in hebt.'

De Engelsman pakte de grote hamer van de ene hand in de andere en begon ermee te zwaaien. Andrea koos het hazenpad en maakte zich uit de voeten. De twee bouwvakkers volgden hem op de hielen.

'En waar gaan jullie heen?' schreeuwde Massiter hun na.

De mannen bleven een beetje geschrokken staan.

'Emily? Vertel het ze maar.'

Het was belachelijk. Het was ook hoogst amusant. Ze staarden haar aan en daagden haar met een onuitgesproken agressie in hun blik uit haar mond open te doen. Italiaanse bouwvakkers namen geen bevelen van vrouwen aan. Zeker niet van buitenlandse vrouwen.

Ze hield het kort en sprak het soort taal dat zij zouden verstaan.

'Jullie kunnen kiezen. Je kunt nu naar huis gaan en naar je geld fluiten. Of jullie kunnen zorgen dat al die rotzooi hier verdwijnt en me een paar blikken verf bezorgen. Witte verf. Goede witte verf. Alleen matte. En veel kwasten. Plus stof om draperieën te maken. Ook wit. Dit is het eiland van de aartsengelen. Engelen houden van wit.'

Ze keken elkaar aan en zeiden niets.

Massiter lachte discreet en boog zich naar haar toe om haar iets in het oor te fluisteren.

'Een zwijgende Venetiaan is een verslagen Venetiaan, schatje,' murmelde hij. Zijn adem was warm en vertrouwd en rook zoet naar de wijn. 'Goed gedaan.'

5 Costa liep te piekeren over de retorische vraag van zijn partner: waarom werden zij altijd met de rotklussen opgezadeld? Omdat hij tegen Leo Falcone in was gegaan, daarom. Scacchi onder druk zetten om erachter te komen wat hij over de verdwenen Daniel Forster en Laura Conti wist, was regelrechte rebellie. Falcone werd te zeer in beslag genomen door de zaak om er veel woorden aan vuil te maken. Maar Costa en Peroni wisten allebei dat ze ervoor zouden moeten boeten en toen ze bij het Isola degli Arcangeli aankwamen, ontdekten ze hoe. Falcone hield het prettige deel – het huis en Raffaela Arcangelo – voor zichzelf.

Toch had Costa helemaal geen spijt. Ze zouden nalatig zijn geweest als ze van Sant' Erasmo waren vertrokken zonder Scacchi naar het verdwenen paar te vragen. En die ansichtkaarten die Scacchi hun had laten zien, vond hij bijzonder vreemd. Niemand schreef zijn eigen naam in blokletters. Een student uit Oxford zeker niet. Scacchi had gezegd dat hij als illegale veerman werkte voor mensen die de prijs van officiële watertaxi's niet wilden betalen. De kaarten zouden door iedereen gepost kunnen zijn. Door een steward van Alitalia bijvoorbeeld die hij af en toe naar de luchthaven bracht en om een souvenir van zijn reizen vroeg die op een bepaalde manier ondertekend waren. Maar waarom?

Normaal gesproken zou hij hierover met Falcone en Peroni van gedachten hebben gewisseld. Nu leek dat zinloos. Ze waren allebei gefixeerd op de Arcangelo's en wilden de zaak zo snel mogelijk afsluiten, omdat ze dan de lagune achter zich konden laten. Costa wilde dat ook. In principe. Toen Costa Falcone zag weglopen naar het woonhuis met het glinsterende oog dat dreigend boven de lagune uitstak, en zij met de rooklucht van de glasblazerij en de twee chagrijnige broers achterbleven, vond hij het bijna jammer dat hij zijn mond had opengedaan.

Maar niet helemaal.

Hetzelfde gezicht was te zien door het grote glazen raam: kalm, aantrekkelijk, gevoelig.

'Ik ga daar zeker een keertje binnen kijken voor we hier voorgoed weggaan,' zwoer Costa.

Peroni snifte en pufte. 'Dan kun je misschien beter doen wat Leo zegt. Je weet dat hij niet graag in de wielen wordt gereden.'

Maar Falcone vergiste zich. Venetië was niet zomaar een achterlijk oord dat hun grootsteedse talenten niet waard was. Costa vroeg zich af of ze zelf niet het slachtoffer van een smerige truc waren nu ze Randazzo's bevelen moesten uitvoeren. Gedwongen werden de zaken te zien zoals de Venetianen wilden.

Falcone stond inmiddels met Raffaela bij het raam. Hij luisterde en knikte. Hij was geïnteresseerd, dacht Costa, en dat was ook nieuw. De twee broers waren aan het werk in de glasblazerij, in de buurt van de oven. Gabriele stond te lassen en Michele pijpen te snijden, alsof ze niet eens hadden gemerkt dat Peroni en hij er waren.

Costa keek toe terwijl Gabriele de lasbrander doofde en wachtte tot het geluid van het gas wegstierf. Hij liep naar de man toe, pakte de lange metalen toorts uit zijn hand en legde hem op de grond.

'Ophouden,' zei hij met opzet kortaf. 'En u.' Hij draaide zich om naar Michele die met een verbindingsstuk stond te worstelen en een kluwen metaal zijn wil probeerde op te leggen. 'Leg dat ding neer. We moeten praten. Als we nu geen medewerking van u krijgen, arresteer ik u allebei, dat zweer ik, en dan kunnen we dit op de Questura voortzetten.'

Michele bleef gewoon aan het ijzer staan rukken en keek hem alleen even vuil aan met de verwoeste kant van zijn gezicht.

'Eén telefoontje, *garzone*,' beet de oude man hem toe. 'Meer is niet nodig om jullie hier weg te krijgen.'

Costa ging vlak voor hem staan.

'Ik ben uw jongen niet. En u moet één ding goed begrijpen. Als wij deze zaak uit handen geven en iemand anders moet het overnemen, verliest u tijd. Dat betekent geen overeenkomst met die Engelsman die uw hachje probeert te redden. U kunt ons dwarszitten zoveel u wilt, maar denk maar niet dat u dat ongestraft kunt doen.'

Toen wilden ze allebei wel luisteren.

'Wat weten jullie verdomme van onze privézaken?' vroeg Michele bars.

Peroni barstte in lachen uit. 'Privé? Wat is de definitie van het woord privé hier in de buurt? We zijn gisteren door Murano gelopen en hebben met mensen gepraat die niets liever doen dan over u en uw problemen roddelen. Uw vuile was wordt voortdurend buiten gehangen. Weet u dat echt niet?'

Costa kreeg de indruk dat ze het niet wisten en dat was op zichzelf interessant. De Arcangelo's waren zelfs na al die jaren echt nog buitenstaanders.

'U kunt hier praten. Of u kunt in de Questura praten,' zei hij weer.

'We hebben geen tijd voor dit gedoe,' snauwde de oudste broer.

'U krijgt nog minder tijd als we u naar Castello moeten brengen,' merkte Peroni op.

Michele bromde. Toen liep hij naar buiten de zon in, stak een sigaret op, ging op een bolder op de kade zitten en keek naar het water dat zich tussen het eiland en San Michele uitstrekte.

'Tien minuten,' zei hij met de onvriendelijke irritante stem die op Costa's zenuwen begon te werken. 'Dan mogen jullie iemand anders gaan vervelen.'

6 Leo Falcone stond met Raffaela Arcangelo bij het raam. Allebei keken ze toe hoe de situatie beneden zich ontwikkelde: twee broers, twee politiemensen, die onder de sputterende toorts van de ijzeren engel op de brug, niet zo ver van de twee timmermannen die nog steeds bezig waren de deuren van de glasblazerij te repareren, gingen praten.

'Ik zei toch dat het uiteindelijk wel goed zou komen,' zei ze. 'Ze zijn niet onbehulpzaam. Hebben het alleen druk. En ze hebben niets nieuws te vertellen. Dat begrijp je toch wel, Leo?'

Ze droeg vandaag betere kleren, vond hij. Een keurig gestreken witte blouse van zijde en een zwarte broek. Een beetje make-up en kleine, mooie oorbellen, kristal uiteraard.

Falcone had het telefoontje van Teresa Lupo gekregen toen hij net bij Costa en Peroni was weggelopen en zij morrend op weg gingen naar de mannen beneden nadat hij hen de oren had gewassen over de manier waarop de jonge rechercheur bij Piero Scacchi zijn boekje te buiten was gegaan. Het deed hem goed de interesse en vastberadenheid in Teresa's stem te horen. Daardoor zou er uiteindelijk wel iets worden opgehelderd, dacht hij. Toch bleef de dood van Uriel raadselachtig. Hij kon ook niet uitmaken of het nieuws over Bella's toestand de zaken er duidelijker of juist onbegrijpelijker op maakte. De antwoorden op deze problemen lagen in kleine details, flarden van gesprekken, aarzelende, persoonlijke relaties. Falcone had liever met criminelen te maken. Hij wist dat hij in deze wateren niet zo goed thuis was, hoewel hij zich vast had voorgenomen dat de Venetianen, en met name Randazzo, daar niets van zouden merken.

'Je hebt me beloofd dat je me zou vertellen wat je wist,' bracht Raffaela hem in herinnering.

Hij nam een slokje van de slappe Earl Grey-thee die ze voor hem had ingeschonken. Het was een vorm van aanstellerij, maar wel sympathiek. Er was meer aanstellerij in dit veel te grote, enigszins pretentieuze huis waar de Arcangelo's nog geen kwart van bewoonden.

'Ik heb gezegd dat er grenzen zouden zijn.'

'Dat begrijp ik, Leo. Vertel me dan iets wat binnen die grenzen valt.'

'Binnen die grenzen is er bijzonder weinig te vertellen. Welk motief kan Uriel hebben gehad? Wat is er met Bella's sleutels gebeurd? Heb je ze nog steeds niet gevonden?'

Ze aarzelde en er verscheen even een gereserveerde blik op haar gezicht. 'Nee. Ik heb nog een keer gezocht. Overal.'

Was dit een andere zaak geweest, een zaak waarvoor hij genoeg middelen had en de steun van zijn meerderen, dan zou hij zelf op zoek gaan, wist Falcone. Door de merkwaardige beperkingen die Randazzo hun had opgelegd, was dit lastig, zo niet onmogelijk. Bovendien vertrouwde hij Raffaela Arcangelo. Ze kende dit onoverzichtelijke woonhuis beter dan zij. Als er iets op te sporen viel, dan zou zij het zeker vinden. Toch...

'Ik moet zelf een kijkje nemen.'

'Natuurlijk.'

Ze bracht hem naar het appartement van Uriel en Bella op de verdieping erboven. Er was niets te zien. Niets om mee te nemen behalve de ambiance, die een beetje smakeloos was: oude meubels, een muffe, vochtige lucht.

'Het ziet er nu beter uit dan anders,' zei Raffaela, die de uitdrukking op zijn gezicht zag. 'Ik vertikte het voor hen schoon te maken. Ik heb ook mijn grenzen.'

'Waar woont de rest van jullie?'

Het antwoord verbaasde hem niet. Zo ver mogelijk bij elkaar vandaan. Micheles appartement was op de benedenverdieping. Gabriele bewoonde een groot rommelig hok achter de eetkamer. Raffaela's eigen kamer, ongeveer van dezelfde afmetingen maar smetteloos, hoewel er ook ouderwetse meubels stonden en een paar moderne gemakken, was een klein stukje voorbij die van Uriel en Bella, bijna binnen gehoorsafstand. De rest van het huis was leeg: stoffige, kale ruimten, ontdaan van alle waardevolle dingen die er vroeger wellicht hadden gestaan. De korte rondleiding deprimeerde hem. Hij was blij toen ze terug waren in de eetkamer, de enige plek in het huis die naar zijn gevoel nog enigszins deed denken aan wat de Arcangelo's ooit waren geweest.

'Waarom had Bella die telefoon, Leo?' vroeg Raffaela. 'Dat snap ik niet.'

Hij fronste zijn wenkbrauwen. 'Er is maar één voor de hand liggende reden als ze het voor jullie allemaal verborgen hield. Hoeveel mogelijkheden zijn er?'

Ze leek niet overtuigd.

'Buitenechtelijke relaties... komen voor,' merkte hij op. 'Zelfs in Murano. Er moeten anderen geweest zijn. Vóór Uriel zeker.'

'Ik was Bella's hoedster niet,' antwoordde ze zacht, de vraag ontwijkend.

'Maar wel die van Uriel, nietwaar?'

De gestorven man was twee jaar ouder dan zij, maar Falcone maakte uit Raffaela's houding op dat de relatie in zekere zin omgedraaid was. Dat Uriel, als de zwakste van de broers, op de een of andere manier onder haar hoede stond. Misschien was dat de reden dat ze zo dicht bij het stel woonde, terwijl er zo veel andere kamers waren die ze had kunnen nemen.

'Wat bedoel je?' vroeg ze, niet beledigd door de vraag, eerder verbaasd.

'Sorry, dat was arrogant van me,' antwoordde Falcone met een schouderophalen. 'Door dit werk ga je denken dat je inzicht in mensen hebt. Soms heb ik dat ook. Soms...'

Ze nam hem belangstellend op. 'En hoe ben ik dan volgens jou?'

'Ik denk dat je meer om Uriel gaf dan om de andere twee. Misschien omdat hij de jongste was. De minst gelukkige...'

'Hij was niet óngelukkig! Niet zoals jij bedoelt.'

'Hoe dan?'

'Hij was... onaf,' zei ze nadenkend. 'Zelfs ik ben hier een tijdje weg geweest. Om te studeren, in Parijs, toen we nog geld hadden. Uriel niet. Hij heeft nooit geweten hoe het buiten Murano was. En het kan hier zo akelig zijn, zo benauwd. Dat kun je je niet voorstellen. De meeste mensen valt het niet eens op. Michele, Gabriele, die merken dat niet. Uriel wist dat het leven meer te bieden had, maar hij kreeg de kans niet. En nu...'

Ze zweeg en kreeg opeens een wazige blik.

'Je hebt een goed inzicht in mensen, Leo. Ik weet niet zeker of dat een compliment is. Het lijkt me lastig, dat talent. Weet je wanneer je het uit moet schakelen?'

Zijn ex-vrouw had ooit iets vergelijkbaars gezegd, niet lang voordat ze bij hem wegging. Hij had de beschuldiging destijds van de hand gewezen. Het vermogen dat ze beschreef, was een noodzakelijk onderdeel van zijn werk. Nu, na verscheidene eenzame jaren als vrijgezel, vroeg hij zich af of hij er in werkelijkheid geen hoge tol voor betaalde.

'Ik probeer het te leren,' zei hij met een glimlach. 'Je wilt me vanavond toch nog wel vergezellen, hè?'

Er verscheen een lichte blos op Raffaela's wangen. 'Natuurlijk. Dat heb ik beloofd.'

'Mooi. Ik begrijp dat je dit tot op de bodem wilt uitzoeken. Ik hoop dat je er iets aan hebt.'

'Ik zou toch wel zijn gegaan,' antwoordde ze zonder hem recht aan te kijken. 'Massiter had ons blijkbaar uitgenodigd, alleen wist ik dat niet. Michele was zo attent de uitnodiging af te slaan zonder het me te vertellen. Nu ik ga, gaat hij ook. Apart...'

Falcone vroeg zich af waarom Michele een uitnodiging van een man met wie hij een belangrijke overeenkomst wilde sluiten, voor een evenement bij hem op de stoep, op een stuk grond dat technisch gezien nog steeds van hen was, had afgeslagen. Toen riep hij zichzelf tot de orde. Een overmaat aan achterdocht kon gevaarlijk zijn. De Arcangelo's streefden uit financiële noodzaak een overeenkomst met Massiter na. Het was wellicht niet meer dan begrijpelijk dat ze bepaalde onderdelen onprettig vonden.

'Ik moet je iets vragen,' zei hij bruusk. 'Het is een privékwestie, waarvoor mijn excuses, maar ik kan er niet omheen. Ik moet weten hoe het zit met Uriels huwelijk. Is het waar dat het eigenlijk een besluit van de familie was en niet zozeer van hem alleen?'

Er verscheen opeens een onverwachte boze blik op het gezicht van Raffaela Arcangelo, waardoor ze er bijzonder mooi uitzag. 'Wie zegt dat? Wat een onzin.'

'Dat heeft Aldo Bracci aan mijn mensen verteld. Hij zei dat het meer was dan een puur persoonlijke verbintenis. Dat het bedoeld was als een soort verbond, dat Bella over kennis beschikte die ze meebracht, als onderdeel van de bruidsschat misschien. Kennis die nuttig was voor het bedrijf.'

Ze lachte. De boosheid was op slag verdwenen. Falcone keek naar haar snelle, brede glimlach en vroeg zich af waarom een knappe vrouw als Raffaela haar hele leven ongetrouwd was gebleven.

'O, dus we worden er nu van beschuldigd dat we huwelijken arrangeren, hè? En nog wel door hem? Ik zal je eens iets vertellen. Murano geeft misschien niet veel om ons. Maar het heeft nog minder op met de Bracci's. Ze hebben een reputatie die een paar eeuwen op ons voorloopt. Oplichters en slechteriken. Moet je maar eens her en der vragen. Wat zei hij nog meer?'

'Dat aanvankelijk Michele in Bella was geïnteresseerd. Uriel helemaal niet.'

Ze zeeg neer op de bank bij het raam en staarde naar buiten naar het heldere water.

'Lieve god, wat een dorp,' mompelde Raffaela Arcangelo. 'Gefluister in het donker. Al die flauwekul die ze verzinnen.'

Falcone ging naast haar zitten. 'Ik vraag het niet uit nieuwsgierigheid. Je begrijpt toch wel waarom ik het moet vragen?'

'Natuurlijk.' Ze knikte en wendde zich af van de lagune om hem aan te kijken. 'Je houdt niet van dit soort werk, hè?'

'Het is werk,' antwoordde hij een beetje beledigd. 'Ik verkeer niet in de luxe positie dat ik kan kiezen. Wat bedoel je eigenlijk?'

'In Rome, stel ik me zo voor, heb je met andere mensen te maken, mensen van wie je weet dat ze schuldig zijn. Je hoeft alleen een manier te vinden om het te bewijzen.'

'Dat is soms zo,' beaamde hij. 'Niet altijd.'

'Wij zijn geen criminelen,' ging ze verder. 'Dat moet je niet vergeten. Ik weet niet wat er mis is gegaan, maar het is een persoonlijke kwestie, Leo. Je kunt hier niet met behulp van de normale regels het fijne van te weten komen. Normale regels zijn hier niet van toepassing. Niet' – voegde ze er glimlachend aan toe – 'dat ik in staat ben jou van advies te dienen.'

'Dus het was Michele? In eerste instantie?'

Ze sloot heel even haar ogen. 'Het gebeurde nadat zijn huwelijk op de klippen was gelopen. Hij had een oogje op Bella. Dat hadden alle mannen. Ze was heel knap. Heel... welwillend ook. Ik heb je verteld dat de Bracci's een zekere naam hadden. Dat trekt mannen soms aan, zoals je waarschijnlijk wel weet. Zijn er anderen geweest? Ja. De helft van de mannen uit Murano, getrouwde mannen soms, althans dat zeggen ze. Bij Michele was het gewoon een domme verliefdheid. Meer niet. Hij werd verliefd en daarna, toen hij zich realiseerde wat een belachelijk idee het was, ging het over. Een paar jaar later heeft Uriel haar ten huwelijk gevraagd. Ze was toen inmiddels in de dertig. Ik neem aan dat ze door haar mogelijkheden heen begon te raken. Het is op mij nooit overgekomen als liefde, zelfs in het begin niet. Een praktische regeling voor hen allebei, meer niet. Hebben we het als familie besproken? Uiteraard. Uriel wilde vanzelfsprekend zeker weten dat Michele geen gevoelens meer voor Bella koesterde. Niet dat we dat hoefden te vragen. Tegen die tijd ging het slecht met het bedrijf en was Michele alleen nog daarmee bezig. Er is in zijn leven geen plaats voor een echte relatie.'

Haar donkere ogen schoten opnieuw naar de lagune. 'Dat zou je van ons allemaal kunnen zeggen,' ging Raffaela verder. 'En dan... om een dergelijke beschuldiging uit de mond van een man als Aldo Bracci te horen. Ik heb je gezegd dat je het moest nakijken, Leo. Heb je dat gedaan?'

Falcone dacht aan die oude dossiers en vroeg zich af hoe betrouwbaar ze waren. De verliefdheid van Michele Arcangelo was veel recenter, veel reëler.

'Nog meer gefluister in het donker wellicht. Hij heeft alleen een waarschuwing gekregen, is nooit aangeklaagd. Als er echte bewijzen waren geweest –'

'Die waren er,' onderbrak ze hem. 'Heel Murano sprak erover. Het was een schandaal. Iedereen was verbijsterd. Die twee probeerden nauwelijks te verbergen waar ze mee bezig waren, hoewel Bella natuurlijk nog een kind was. Ze wist niet wat ze deed. Althans dat dénk ik.'

'Erg lang geleden.'

'Hier? Het lijkt wel gisteren. De mensen hebben een goed geheugen. Voor goede en slechte zaken. Ze hebben niet zomaar wraakgevoelens. Ze koesteren ze. Toen Bella hoorde dat een van de buren tegen de politie had gepraat, is ze direct zelf naar de Questura gegaan om ze alles te vertellen. Alles wat ze kwijt wilde tenminste. Hij had geluk dat hij niet de gevangenis in ging voor wat hij had gedaan.'

Hij stelde de vraag die zij verwachtte. 'En daarna? Hebben ze het goedgemaakt?'

'Het zijn de Bracci's. Een familie. Natuurlijk heeft die ruzie niet lang geduurd.'

'En denk jij dat de affaire daarna werd voortgezet? Ook toen ze al getrouwd was?'

Ze was opeens op haar hoede. 'Dat weet ik niet. Hij kwam haar hier van tijd tot tijd opzoeken. Zogenaamd om met Michele over zaken te praten. Bracci was altijd op zoek naar werk, niet dat wij veel hadden. Ik heb wel eens... iets gehoord. Of dat Aldo was...'

Falcone zei niets.

'Grote god, Leo,' protesteerde Raffaela. 'Ik had niet de gewoonte mijn schoonzus af te luisteren als ze aan het vrijen was. Waar zie je me voor aan? Soms hoorde ik iets. Daar kon ik niets aan doen. Het kan haar broer geweest zijn. Het kan iemand anders geweest zijn. Je verwacht toch niet van me dat ik iedere bezoeker bij de deur welkom heet?'

'Had Aldo...?'

'Een sleutel?' Ze wist ogenblikkelijk wat hij bedoelde. 'Natuurlijk niet. Voor zover ik weet althans. Michele zou laaiend zijn geweest als dat zo was. Maar als Bella hem er toch een heeft gegeven, wie zal het zeggen?'

Raffaela Arcangelo keek naar haar handen die op haar knieën lagen en fronste haar wenkbrauwen. 'Ik denk niet dat Aldo het huwelijk ooit echt heeft geaccepteerd. Gek genoeg vond hij, ondanks zijn eigen verleden, volgens mij dat Uriel niet goed genoeg was voor Bella. Als het Michele was geweest, had dat misschien anders gelegen. Maar hij had een hekel aan ons. Wij hadden ooit geld gehad. Dat heeft hij nooit gekend. En misschien...'

Ze keek even naar zijn gezicht en dat drukte twijfel uit, een duidelijke, nieuwe interesse. 'Misschien is die hekel uitgegroeid tot haat. Dat heb ik me wel eens afgevraagd. Als hij hier was. Na een paar borrels. Met Bella. Ik hoorde wel eens geschreeuw en dan vroeg ik me af of ik moest ingrijpen. Hij is een verbitterde, boze man. Ik zou bang van hem worden als hij zo tegen me tekeerging.'

Falcone stond op en staarde uit het raam naar de kleine ijzeren brug. Het was niet moeilijk stiekem op het eiland te komen. Iemand had om het hek heen kunnen klimmen, of met een boot naar de steiger kunnen varen, een uur of twee voor Piero Scacchi arriveerde misschien. Maar de kwestie van de sleutels bleef staan. Iemand had Uriel Arcangelo opgesloten en hem achtergelaten met een sleutel die niet werkte, gedoemd te sterven.

'Vertel me eens iets wat je eigenlijk voor je zou moeten houden, Leo,' smeekte ze. 'Ik ben zo eerlijk mogelijk tegen jou geweest. Misschien kan ik nog meer voor je doen. Dat wil ik best, als je me de kans geeft.'

Falcone dacht na over de mogelijkheden. Hij had niets te verliezen. 'Bella was in verwachting,' zei hij zonder enige emotie. 'Ze wist het iets meer dan een week. Uriel was niet de vader. We hebben medische dossiers gezien. Het is onmogelijk. We kunnen ook niet vaststellen wie de vader was. Niet in de huidige omstandigheden.'

Raffaela Arcangelo kneep haar ogen stijf dicht, kreunde zacht en begroef haar hoofd in haar handen. Het lange donkere haar viel naar voren over haar gezicht.

Onwillekeurig legde Leo Falcone een hand op haar schouder.

'Sorry,' mompelde hij en hij besefte dat ze gelijk had: deze zaak had iets heel intiems, heel persoonlijks. Hij moest erover nadenken hoe hij dit soort informatie ter sprake bracht. 'Ik dacht dat ze misschien...'

Ze hief haar hoofd. Raffaela's met tranen gevulde ogen keken hem fel aan.

'Dacht je dat ik het wist? Dit is waanzinnig, Leo. Drie doden nu al. En waarvoor?'

Falcone knipperde met zijn ogen. Hij was duizelig. De warmte in Venetië was anders: vochtig, doortrokken van de stank van de lagune. Het zoog alle energie uit hem, maakte het moeilijk na te denken. Hij miste Verona waar hij collega's van zijn eigen leeftijd en met vrijwel dezelfde ervaring had. Er liep een lijn door dit onderzoek. Dat wist hij, en hij wist dat hij dat niet uit het oog mocht verliezen en ernaar moest blijven zoeken. Iemand had zowel Bella als Uriel Arcangelo vermoord. Op de een of andere manier was Bella bovendien betrokken bij haar eigen dood; althans daar schenen de bewijzen op te duiden.

'Een kind,' mompelde hij. 'Dat zal ze toch wel aan iemand hebben verteld?'

'Aan de vader, neem ik aan,' zei Raffaela. Haar stem klonk boos, beslist. 'En...'

Haar ogen schoten naar het raam en de mannen beneden. Michele was het hoofd van de familie. Falcone vroeg zich af wat dat werkelijk inhield. Moest hij van alles op de hoogte zijn?

'Ik moet met mijn broers praten.'

Falcone liep achter haar aan door het oude, in verval geraakte woonhuis en luisterde naar het galmen van haar haastige voetstappen door het doolhof van donkere gangen met de flauwe verlichting van stoffige kroonluchters vol met kapotte lampen.

7 De Tosi's hadden in één ding gelijk: er was heel wat informatie over zelfontbranding te vinden. Talloze dwazen, sceptici en pseudowetenschappers sloegen elkaar met het onderwerp om de oren. Teresa Lupo was twee uur op de computer in Costa's appartement bezig geweest de berg informatie door te nemen. Het weinige wat ze nuttig vond, had ze opgeslagen en ze had de documenten bestudeerd die Anna Tosi haar via het wondermedium e-mail had gestuurd. Daarna was ze met een hoofd vol mogelijkheden even naar buiten gewipt om in de winkel om de hoek een stuk pizza en een fles water te kopen. Bij terugkomst was ze direct weer aan de computer gaan zitten en had ze tijdens het werken het hele toetsenbord onder de kruimels bedolven, à la Peroni. Toch was ze geen steek wijzer geworden, vond ze. Nee. Ze was wel iets wijzer geworden, maar wilde dat niet toegeven, omdat er iets was wat haar zeer verontrustte: de mogelijkheid dat de Tosi's gelijk hadden. Dit was geen zelfontbranding op een verzonnen stripboekachtige manier: vlammen ontstoken door een passerende manestraal die onder Uriel Arcangelo's voorschoot uit lekten. Maar af en toe overleden er wel mensen door een gebeurtenis die, op het eerste gezicht, onverklaarbaar was, door een plotseling, inwendig vuur dat hen met een schokkende snelheid scheen te verteren.

'Dat betekent niet dat er geen verklaring is,' hield Teresa zichzelf voor. 'Je moet hem alleen vinden, meisje.'

Hier. Opgesloten in een piepklein appartementje in Venetië, met een laptop als enige gezelschap. Ze dacht eraan wat ze zou hebben gedaan als dit in Rome op haar bureau was beland. Heel internet uitkammen voor aanwijzingen? Zeker. Maar ze zou vooral over het probleem hebben gepraat. En ze wist met wie.

Teresa Lupo haalde haar mobiele telefoon tevoorschijn, waarschuwde zichzelf een paar korte milliseconden streng dat haar afwezigheid ook vakantie betekende voor haar medewerkers en belde toen het privénummer van Silvio Di Capua.

'Pronto,' zei een vervelede stem aan de andere kant, een stem die ogenblikkelijk waakzaam en achterdochtig werd toen Silvio zich realiseerde wie er aan de lijn was.

'Nee,' zei hij onmiddellijk. 'Ik doe het niet. Ik breek dit gesprek nu af. Jij hoort op vakantie te zijn, verdomme. Ga bruin worden of zo. Maar laat mij met rust.'

'Ik heb je nog niets gevraagd, Silvio! Ik bel alleen om te horen hoe het met je is.'

'Dus ik kan het werk niet aan, hè? Kom op, zeg. Denk je nou echt dat ik dat vleierige toontje in je stem niet herken? Ik doe niet mee. Je kunt me niet dwingen.'

'Natuurlijk kun je het werk aan! Ik zou niet zijn weggegaan en alles aan jou hebben overgelaten als ik dacht dat je het niet kon.'

'Wat dan? Ik doe niet mee, hoor. Het is al erg genoeg dat je me elke keer in de narigheid brengt als je hier bent. Ik pas ervoor als je zogenaamd op vakantie bent. Hoor je me, Teresa? Het antwoord is nee. Nee, nee, en nog eens nee.'

Er stond een foto van een verkoold lijk op het beeldscherm: Buffalo, New York, 1973. Geen duidelijke verklaring. De man rookte. De man dronk. Dat gold voor miljoenen andere mensen, die allemaal hun weg naar het graf wisten te vinden zonder in levensgrote afgebrande lucifers te veranderen.

Ze glimlachte. Silvio was aan het toegeven. 'Dus je hebt het niet zo druk?'

'Wie zegt dat? Ik ben de administratie aan het bijwerken. Dat had jij al maanden geleden mocten doen. Ik heb een paar interdepartementale samenwerkings-bijeenkomsten op stapel staan.'

'Jeetje,' koerde ze. 'Wat leuk. Zijn er whiteboards en zo? Hebben ze je zo'n laserpen gegeven? Mag je grote woorden en acroniemen gebruiken?'

'Jij zult nooit iets van management begrijpen –'

'Ik bén het management,' onderbrak ze hem. 'Dus laat ik – wat is het managementwoord ervoor? – laat ik eens een suggéstie in jouw richting doen, beste man. Als je nee wilt zeggen, zeg je dat je het te druk hebt. Niet: Krijg de pest, ik doe het niet. Begrepen?'

Er volgde een korte stilte op de lijn. Het oorverdovende lawaai van een nederlaag. 'Dat ik niet veel in de zin van lijken heb, wil nog niet zeggen dat ik niet bezig ben.'

'Geen lijken betekent geen plezier, Silvio. Geef het maar toe. Ik weet het als mijn mannetje zich verveelt. Je klonk verveeld toen je de telefoon opnam. Ik heb een lijk. Ik heb een remedie tegen die verveling, als je even wilt luisteren.'

'Nee!' hield hij vol.

'Prima. Dan hang ik op.'

'Doe dat! Ga vakantie vieren!'

'Je zegt het maar, hoor. Ik ga nu de telefoon neerleggen. Of, beter gezegd, mijn vinger sluipt in de richting van de uit-knop. Wil je echt dat ik hem indruk?'

'Ja!'

'Prima. Dan doe ik dat. Ik zeg slechts één woord voor ik het doe.'

Een korte stilte was vereist. Silvio viel altijd voor theatraal gedoe.

'Zelfontbranding.'

Teresa verbrak de verbinding, legde haar mobiele telefoon op het bureau en begon tot tien te tellen. Bij drie ging hij over. Ze liet hem vijf keer gaan voor ze hem opnam en zei toen liefjes: 'Met Teresa.'

'Ik verafschuw je vanuit de grond van mijn hart. Je bent slecht. Dit is zó gemeen. Zo mag je iemand niet behandelen.'

'Zelfontbranding, Silvio. Ik heb hier een lijk, nou ja, een stuk van een lijk, en een Venetiaanse patholoog-anatoom, zij het eentje die zelf een paar honderd jaar oud is, die vast van plan is die conclusie op de overlijdensakte te zetten. Wat denk je?'

'Ik denk dat het een beetje vroeg is om al te beginnen met drinken. Zorg dat je nuchter wordt, mens. Ga de bezienswaardigheden bekijken. Neem een boot ergens naartoe.'

'Geen grapje. Het is er allemaal. Ik heb foto's. Ik heb rapporten. Ik heb allerlei informatie die ik je kan sturen als je wilt. Als het tenminste je gestoei met de whiteboards niet verstoort. Ik verwacht tenslotte wel van mijn mensen dat ze prioriteiten stellen.'

Hij aarzelde. 'Twee dingen,' antwoordde hij. 'Ik ga in zelfontbranding geloven op de dag dat ik accepteer dat er weerwolven bestaan. Ten tweede zit je in Venetië en daar ben je gewoon een van de vele domme toeristen, Teresa, niet iemand die gemachtigd is merkwaardige sterfgevallen te onderzoeken, wat die idiote Venetianen ook denken. De meeste mensen trappen per ongeluk in de stront. Jij steekt de straat over om het te doen. Dat is een gewoonte die me treurig stemt.'

'Er is me verzocht te gaan kijken! Oké?'

'Door wie?' wilde hij weten.

'Falcone.'

'O, shit. Je gaat me toch niet vertellen dat je weer met de drie musketiers op avontuur bent, hè?'

'Ik ben met een van hen heel veel op avontuur, voor het geval je het nog niet had gemerkt.'

Peroni's aanwezigheid zat Silvio nog steeds niet helemaal lekker. Haar assistent was nog altijd een beetje verkikkerd op haar.

'Ik bedoelde het niet letterlijk. Ik vraag me alleen af of je gek geworden bent.'

Misschien wel, dacht ze. Als ze serieus nadacht over de rare informatie die de Tosi's haar kant op schoven.

'Wat is je bezwaar tegen zelfontbranding?'

'Hetzelfde bezwaar als ik tegen reïncarnatie heb. En tegen alchemie. Het is onzin.'

Ze kreeg opeens een ingeving. Er waren momenten dat ze Silvio wel kon zoenen. Zijn onbenullige inzichten waren soms precies wat ze nodig had om haar eigen fantasie op gang te brengen.

'Zonder alchemie zou er geen scheikunde zijn,' merkte ze op. 'Je bent zelf chemicus, naast al die andere talenten van je. Dat zou je toch moeten weten.'

Silvio slaakte een zachte vloek. Ze had volkomen gelijk. De alchemie mocht dan begonnen zijn bij kwakzalvers, het werd algauw wetenschap onder een andere naam. Glasmakers zoals de Arcangelo's waren beslist ook een soort alchemisten, deelgenoot van de geheimen van stoffen, die de vorm van de natuurlijke wereld veranderden, onderwierpen aan hun wil.

'Wat ik bedoel,' ging ze verder, 'is dat ik ga geloven dat deze man echt is gestorven op een manier die als zelfontbranding kan worden opgevat. De vraag is: Wat betekent dat eigenlijk? Hoe kon het gebeuren?'

'Haal hun technische mensen erbij!' wierp hij tegen. 'Die zijn ervoor.'

Ze dacht aan de sluwe manier waarop Falcone haar had overgehaald. Het was een goede truc. 'Maar die zijn niet zo goed als jij, Silvio. Jij hebt forensisch en pathologisch werk gedaan. Ze zijn langzaam. Ze hebben geen fantasie. Ik zit in Venetië, hoor. Wat echte misdaad betreft, zijn ze nog nat achter de oren. Je hebt hier alleen de toeristenpolitie,' dwong ze zichzelf te zeggen, hoewel ze wist dat het een grote leugen was. 'Echt.'

'Ik weet al waar jij op uit bent. Je bent op zoek naar middelen. Maar we zitten vast aan ons budget, hoor. Was je dat soms vergeten? We moeten werkzaamheden aan zaken koppelen. Hoe moet ik dat in godsnaam allemaal voor de managers hier verbergen?'

Ze rammelde op het toetsenbord, zocht de documenten en foto's van de Tosi's op, deed er een paar van haarzelf bij en stuurde het hele zootje naar Silvio's privéadres.

'Ik stuur je iets om te lezen,' zei ze. 'Neem het door. En kom dan bij me terug met een plan hoe we dit moeten aanpakken. Je hebt tot morgen.'

'Mórgen! Wel godve...'

Hij stond nog te schelden, met een bloemrijke vindingrijkheid, toen ze de verbinding verbrak.

Alchemie. Chemie. Analyse. Er zat een groot, zwart gat in de bevindingen van de Tosi's, een gat dat niet grondig genoeg was onderzocht omdat alles snel afgehandeld moest worden, en door een andere tak van de familie Tosi die waarschijnlijk ook de moeite niet nam zich al te zeer in de kwestie te verdiepen. Maar zonder enige nauwgezette arbeid zou Uriel Arcangelo's dood een mysterie blijven en haar met zijn onbewezen mogelijkheden en duistere feiten blijven sarren. Mensen vlogen niet zomaar van binnenuit in brand. Niet zover zij wist. Het was belangrijk dat duidelijk te maken.

Het was ook belangrijk de medische details niet te vergeten. Bella's zwangerschap was ongetwijfeld het nieuws dat bij Falcone een reactie zou uitlokken. Maar zij was geïnteresseerd in Uriel. Uriel met zijn waardeloze reukvermogen. Als iemand zijn voorschoot in aanstekervloeistof had gedompeld, zou hij dat dan hebben gemerkt?

Er moest iets gebeuren en het was veel om te vragen. Als een andere patholoog-anatoom haar dit verzoek had gedaan, zou ze hem met een flinke draai om zijn oren hebben weggestuurd. Maar Alberto Tosi was een heer.

Het kostte haar tien minuten om hem op zijn mobiel aan de lijn te krijgen. De man zat, tot haar verbijstering, rustig in een café aan de koffie met taart en niet in zijn lab te studeren op het beetje bewijs dat hij had om er een paar antwoorden uit te peuteren.

'Professor!' zei Tosi opgewekt.

'Zeg toch Teresa,' antwoordde ze. 'Als ik je Alberto mag noemen.'

'Natuurlijk.'

Ze kon het beter rechtstreeks vragen en doen alsof het een normaal verzoek was, dat hij nauwelijks kon weigeren.

'Ik heb een stukje van Uriels kleding en voorschoot nodig. En een stukje hout van de vloer waar hij lag. Het verbrande gedeelte. Niet groot. Ze moeten vanavond nog per koerier naar mijn lab in Rome worden gestuurd.'

Ze herinnerde zich zijn ontzag voor techniek. 'Ze hebben daar een nieuw apparaat,' loog ze. 'Soort spectroscoop voor steroïden. We hebben het ding geleend van de FBI om te zien of het de moeite waard is er eentje aan te schaffen. Ik denk niet dat we iets zullen vinden wat je zelf nog niet had ontdekt, maar het zou uiterst nuttig zijn wat materiaal uit de brand te testen.'

Het was even stil op de lijn. 'Hebben jullie geen geschikte zaak in Rome? Dit is hoogst ongebruikelijk. Er is toch zeker...'

'Helaas niet. We hebben dat apparaat maar tot woensdag, Alberto. Je weet hoe die Amerikanen zijn. Ik overtreed waarschijnlijk nu al de wet omdat ik het aan je vertel. Het is uiteraard niet mijn bedoeling me met jouw werk te bemoeien. Het is alleen een heel goede gelegenheid voor mij om dit speeltje te evalueren.'

Het spande erom. 'Als ik het ding koop, mag je er in de toekomst mee komen spelen,' beloofde ze hem.

Teresa hoorde het gerinkel van een koffiekopje en zag de opgewonden schittering in zijn ogen bijna voor zich.

'Dat apparaat. Wat doet dat precies?' vroeg Alberto Tosi ademloos.

'Het is een soort...'

Shit, dacht ze. Waarom moest hij nu zo'n vraag stellen op een moment dat zij er helemaal niet op bedacht was?

'...magie,' stamelde ze. 'Wacht maar af.'

8 Het was om gek van te worden. Elke vraag die Peroni en hij op de gebroeders Arcangelo afvuurden, werd met een kort, bondig onweerlegbaar antwoord teruggekaatst. Ze waren niet eens bokkig genoeg hun vragen te ontwijken. Misschien hadden de broers werkelijk niets nieuws te vertellen. Uiteindelijk werd Costa misselijk van Micheles sigarettenrook. Hij verontschuldigde zich en ging nog een keer in de glasblazerij rondkijken. De broers en hun werklui hadden hard gewerkt. Hij kon zien dat ze inderdaad binnenkort alweer in bedrijf zouden zijn. Rond de opgelapte oven glommen allerlei nieuwe pijpen.

Hij wandelde doelloos door de glasblazerij en deed wat Falcone zou hebben aangeraden: hij probeerde zich in de situatie te verplaatsen. Uriel Arcangelo, alleen met het vuur en de pot met gesmolten glas naast zijn vrouw, die in de vlammen tot stof verging.

Praktische zaken.

Die waren belangrijk, zei Falcone.

Hij probeerde te bepalen wat ze de vorige dag nog over het hoofd konden hebben gezien. Het viel niet te zeggen. De vloer was schoon geweest. Elk snippertje onopgemerkt bewijs dat daar mogelijk had gelegen, was nu vast en zeker weg. Het plaatje dat het eiland – of misschien wel de hele stad – hun wilde voorschotelen, van Uriel die in de val zat en stierf aan de zijde van zijn slachtoffer, stond nog.

Costa slenterde naar de timmermannen en keek naar de nieuwe deuren. Ze zagen er niet stevig genoeg uit om langer dan een paar koude winters aan de lagune mee te gaan. De werklui van de Arcangelo's waren van een ander slag dan de mensen die Massiter in het paleis verderop aan de kade aan het werk had; het waren klusjesmannen die met een snelle oplossing aan kwamen zetten. Te oordelen naar wat hij van de vorige deuren had gezien, waren deze gewoon volgens hetzelfde ontwerp gemaakt: een paar dikke platen hout van bijna vier meter hoog met een zwaar insteekslot om ze af te sluiten, opgehangen aan de oorspronkelijke scharnieren die zo stevig waren dat ze waren blijven zitten toen de brandweermannen met hun bijlen een gat hadden gemaakt en naar binnen waren gegaan.

De nieuwe deuren stonden op een kier. Op de kade erachter kon Costa Michele en Gabriele Arcangelo met elkaar horen praten over de vraag wanneer ze de oven weer zouden gaan stoken, over glas, chemicaliën, tijden en temperaturen, net twee koks die het eens probeerden te worden over een geheimzinnig recept.

Peroni kwam mopperend aangelopen en glimlachte tegen de timmerlui. Ze zagen eruit als vader en zoon, allebei gedrongen mannen, de oudste met een baard. Murano scheen te drijven op families.

'Lekker weertje,' zei Peroni. 'Zijn jullie hier klaar?'

'Klaar met wat ons opgedragen is,' zei de vader.

'Dus ze kunnen weer aan het werk?' vroeg Costa.

'Hadden ze werk dan?' antwoordde de zoon en zijn vader moest daar even om grinniken.

Ze bleven rustig rokend staan kijken toen Costa naar de deuren toe liep en er voorzichtig tegenaan duwde. Ze draaiden allebei soepel op hun scharnieren naar buiten en bleven openstaan.

'Je zou verwachten dat er een dranger op zat,' merkte Peroni op. 'Om er zeker van te zijn dat ze dicht bleven zitten. Als het mijn bedrijf was, zou ik er een dranger op zetten. Te veel luie lummels in deze wereld die de deur altijd wagenwijd open laten staan. En dan al die geheimen binnen.'

'Ja, dat zou je verwachten,' beaamde de vader kortaf. 'Wij vervangen alleen wat er was, zoals de verzekering wil.'

'Is het echt een geheim?' vroeg Peroni. 'Glas maken, bedoel ik.'

'Wij maken geen glas.'

Costa gaf een zacht duwtje tegen de deuren. De linker viel keurig dicht, zoals het hoorde. De rechter bleef een heel klein beetje openstaan. Het was zo'n klein stukje, zo miniem, dat het de meeste mensen niet zou zijn opgevallen. Toch was het niet zo geweest toen Piero Scacchi bij de glasblazerij kwam. Iemand moest de rechterdeur opzettelijk hebben dichtgedaan. Hij kon niet uit zichzelf zijn dichtgevallen. Alleen...

Hij kreeg opeens een helder idee. Uriel had de deur niet van het slot kunnen halen. Zijn sleutel werkte niet. De deur moest een klein beetje open hebben gestaan, zoals nu, of iemand had hem binnengelaten.

Hij trok de deur dicht. Er zat een automatisch slot op en dat betekende dat Uriel, als hij door de openstaande deur was binnengekomen en hem achter zich had dichtgetrokken, in wezen opgesloten zat in de glasblazerij. Het was een slimme list. Uriel zou 's nachts vast en zeker bij de oven gaan kijken. Als hij eenmaal binnen was, kon 'hij er niet zo snel meer uit. Costa prentte zichzelf in dat hij dit aan Falcone moest doorgeven. Het zou nuttige informatie kunnen zijn en hij wilde iets duidelijk maken: dat de deur en het slot hem ook bezighielden.

De oude man stond met onverholen, stille agressie naar hem te kijken.

'Waar maak je je trouwens druk om?' vroeg hij nors. 'Een man vermoordt zijn vrouw. Komt hier niet vaak voor. Of is het volgens jullie anders?'

'Wij komen uit Rome,' zei Peroni vriendelijk. Hij draaide de sleutel om in het slot en duwde de deur open om een oogje op de gebroeders Arcangelo te kunnen houden, die nog steeds diep in gesprek waren op de kade. 'Wij zijn zo achterlijk als wat, voor het geval het je nog niet was opgevallen. Zal ik je eens iets zeggen? We snappen echt geen barst van wat er hier allemaal gebeurt. Ik weet niet eens waarom Uriel zijn vrouw zou willen vermoorden. Jullie wel?'

De twee mannen schuifelden opgelaten met hun voeten en zeiden niets.

'Jullie zijn van hier,' voegde Costa er beschuldigend aan toe. 'Twee mensen, jullie eigen mensen, zijn dood. En jullie zijn niet eens geïnteresseerd?'

'Hij hoorde niet bij ons,' bromde de oudste. 'Dat heeft niemand ooit gezegd. Iedereen bemoeit zich hier met zijn eigen zaken. Zou jij ook eens moeten doen.'

'Is hij daarom minder waard als mens?' vroeg Costa.

'Je hebt hem niet gekend. Je kent ze geen van allen. Je snapt het toch niet.'

'Bella hoorde wel bij jullie. De Bracci's wonen hier al jaren.'

De zoon spuwde op de droge, stoffige grond en zei enkel: 'Bracci's.'

Peroni keek Costa veelbetekenend aan. Het was duidelijk dat zij ook niet geliefd waren. En Nic Costa wist dat hij geen poging hoefde te doen erachter te komen waarom. Met deze twee praten was al even zinloos als vragen op de Arcangelo's afvuren.

De mannen keken naar iets achter hem.

'Maar zij,' zei een van hen op respectvolle toon. 'Dat is een ander verhaal.'

Hij draaide zich om en zag Raffaela Arcangelo naar haar broers toe stappen. Ze beende met vastberaden tred en boosheid in haar ogen over de smalle kade en Falcone liep achter haar aan.

'Michele!' riep de vrouw. 'Michele!'

Het was een van die publieke incidenten die je liever niet zag. De timmermannen waren een en al oog en namen alles in zich op.

'Jullie moeten kijken of die deuren klaar zijn. Ze lijken mij een beetje slap,' beval Costa.

'Bemoei je met je eigen werk, knul,' beet de oude man hem toe. 'We hebben pauze.'

Het stel drentelde in de richting van de groep bij het water tot ze zo dichtbij waren, dat ze elk woord konden verstaan van de furieuze familieruzie die zich onder de brandende zon ontspon. Een luidruchtige ruzie ook, niet oninteressant, maar naar Costa's oordeel had hij beter binnenskamers uitgevochten kunnen worden.

Hij liep naar Falcone toe en fluisterde de inspecteur in het oor. 'Chef, dit kan zo niet. Niet hier. Iedereen kan ze horen.'

'Even wachten,' mompelde Falcone.

Costa knikte naar de twee timmermannen die mee stonden te luisteren. 'We hebben gezelschap.'

'Laat maar.'

Costa keek even naar Peroni en wist dat zijn partner hetzelfde dacht. Dit was het oude spelletje van Falcone, een spelletje dat ze niet meer hadden meegemaakt sinds ze uit Rome waren vertrokken. Het foefje dat de inspecteur van tijd tot tijd toepaste, waarbij hij een situatie uit de hand liet lopen, de emoties vrij spel liet om te zien waar dat toe leidde. Soms leverde het hem iets op, hoewel Costa zich afvroeg of het niet net zoiets was als een paar auto's op elkaar laten botsen om te zien wie de slechtste chauffeur was.

Hier was het anders. Falcone had belangstelling voor deze vrouw, een belangstelling die niet alleen professioneel was. Uit de hongerige manier waarop hij haar gadesloeg, was duidelijk dat ze Leo Falcone intrigeerde.

Wat volgde, was een bittere, heftige huiselijke ruzie tussen de Arcangelo's onder de flakkerende vlam van hun ijzeren naamgenoot, een gebeurtenis die in zekere zin deze merkwaardige familie tot in het hart raakte. Het was alsof Raffaela er jaren op had gewacht om zo boos uit te vallen tegen haar oudste broer en hem alle beschuldigingen die ze nooit had geuit, naar het hoofd te slingeren: van liegen, van bedrog, van het niet kunnen beschermen van de belangen van de familie. De dijken waren doorgebroken en Costa vroeg zich af of zij beiden, Raffaela en Michele, wel begrepen hoe moeilijk het zou zijn naar hun vroegere staat van wederzijdse acceptatie terug te keren wanneer de storm eenmaal was geluwd.

Michele zei niets en stond met de armen over elkaar geslagen naar haar te kijken met de bevroren kant van zijn gezicht naar haar boosheid toe gedraaid, alsof het een soort schild was dat hem moest beschermen tegen de onstuimige woordenstroom die uit Raffaela's mond gutste.

'Je wist het,' zei ze. 'Je wist dat Bella in verwachting was. Ze heeft het Uriel niet verteld. Ze heeft het mij niet verteld. Maar ze is naar jou toe gekomen en jij hebt níéts gedaan.'

Het dode oog glinsterde naar haar als glas waar een onzuiverheid doorheen liep.

'Zeg iets,' beet ze hem toe. 'Doe je mond open, Michele! Je zit anders ook nooit om woorden verlegen.'

De dode kant van zijn gezicht keerde zich van haar af. Hij staarde naar de heiige waterlijn, het kleine eiland San Michele en de stad in de verte. Toen draaide hij zijn hoofd terug om haar weer aan te kijken en zagen ze de goede kant, die een onverwachts groot verdriet uitdrukte.

'Natuurlijk wist ik het!' schreeuwde hij. 'Ik hoor dat soort dingen toch te weten? Dat is mijn taak hier. Al jullie problemen op me nemen en oplossen. Want, bij God, zelf kunnen jullie dat niet. Jij niet. Hij niet.' Michele knikte naar Gabriele, die stil naar het water stond te kijken. 'En die arme overleden Uriel al helemaal niet. Wat zou hij volgens jou hebben gedaan als ik het hem had verteld? Nou? Als ik had gezegd dat zijn vrouw zichzelf met jong had laten schoppen? En door wie? Door haar eigen smerige broer. Hoe had hij dan gereageerd, denk je?'

Raffaela stond hem verbijsterd aan te kijken en kon geen woord uitbrengen.

'Weet u dat zeker?' vroeg Falcone hem. 'Dat van die broer? Heeft ze u dat verteld?'

'Dat hoefde ze me niet te vertellen,' antwoordde Michele treurig. 'We wisten allemaal wat die twee uitspookten.'

'Dat was jaren geleden,' zei Costa. 'Niets wijst erop dat het recentelijk nog is voorgekomen.'

'Vraag maar aan haar!' blafte Michele. Hij wees naar zijn zus. 'Ze heeft hem gehoord. Ze wist het. Zij heeft het ook nooit aan Uriel durven vertellen.' Raffaela schudde haar hoofd. De tranen stroomden over haar wangen.

'Ik heb alleen gezegd dat het een mogelijkheid was,' mompelde ze. 'Ik kan me net zo goed hebben vergist. Misschien was het Aldo niet.'

'Van wie was dat kind dan?' wilde Michele weten. 'Niet van Uriel, dat staat vast. Het had ook niet uitgemaakt. Ze zou toch naar me toe zijn gekomen om de boel op te lossen. En dat zou ik ook hebben gedaan. Ik had voor haar geregeld dat ze het weg kon laten halen. Vandaag, mocht het je interesseren. Vooruit betaald. Ik neem niet aan dat ik dat van de kliniek terug zal krijgen.'

'We hadden het recht het te weten,' hield ze vol.

'Daar dacht zij anders over,' verklaarde Michele geërgerd.

Costa keek naar zijn gezicht. Het was heel goed mogelijk dat er in dat ene, levende oog een traan stond.

'Ik heb dit niet gewild, Raffaela. Ik heb dit allemaal niet gewild, maar het is wat God me heeft gegeven en ik kan er niet voor weglopen. Ik vind het afschuwelijk. Ik vind het werkelijk...'

Hij stopte zijn oude grauwe gezicht in zijn handen. Costa zag dat Micheles schouders schokten en hoorde de gesmoorde snik, één snik slechts, uit zijn verborgen mond komen.

'Michele, Michele,' mompelde Raffaela. Ze liep naar haar broer toe, pakte hem stevig vast en fluisterde een paar onverstaanbare woorden in zijn oor.

Ze stonden dicht tegen elkaar aan met zijn tweeën bij de waterkant, aandachtig gadegeslagen door drie politiemannen en een paar timmerlieden uit Murano die een blik op hun zelfvoldane gezicht hadden die Costa helemaal niet aanstond, en door Gabriele, die eenzaam als een verdwaald kind op de hardstenen rand van de kade ging zitten en zijn ogen op het water richtte.

'Ik zei toch dat dit een kwestie was die binnenskamers moest worden afgehandeld,' merkte Costa met onverholen bitterheid op tegen Falcone.

Tot zijn verrassing knikte Falcone met een berouwvol gezicht. Hij kon zijn ogen niet van de radeloze Raffaela af houden die haar broer tegen zich aan drukte.

'Dat weet ik, Nic. Sorry. Ik blijf maar proberen de regels toe te passen die ik in Rome gebruik. Maar dat werkt hier gewoon niet, hè? Jezus...'

De timmermannen slopen voorzichtig in de richting van de brug, terug naar de stad. Vader en zoon, ongetwijfeld. De verwantschap stond op hun gezicht geschreven, zoals op zo veel gezichten in Murano, een hechte, samenzweerderige verbondenheid die een bolwerk tegen de buitenwereld vormde.

'Maakt niet uit,' bromde Falcone. 'Nu is het al gezegd. Ik wil die Bracci spreken. Ik wil weten hoe hij eruitziet.'

Peroni knikte naar het vertrekkende stel. 'We zullen ons moeten haasten, als we er als eersten willen zijn,' merkte hij op.

Falcone snoof. Hij zag er moe uit. Ontdaan. De warmte begon hun parten te spelen, dacht Costa. En dit zou zo gemakkelijk moeten zijn.

'Misschien gaan we wat later,' zei de inspecteur, die zag hoe Raffaela Arcangelo zich met haar wangen nat van de tranen losmaakte van haar broer. 'Ik moet eerst iemand mijn excuses aanbieden.'

Daar verbaasde Costa zich over. Falcone zei zelden sorry. Het lag niet in zijn aard. Toen trilde de telefoon in zijn jasje. Hij haalde hem eruit en hoorde Emily's opgewonden stem aan de lijn. Hij liep weg omdat hij dit gesprek in elk geval wél privé wilde houden.

'Nic?'

'Hoi. Hoe is het?'

'Prima. Wat klink je somber. Gaat het goed?'

'Niet zo erg, eerlijk gezegd.'

'Wat vervelend. Ik moet je een gunst vragen. Kunnen we elkaar vanavond op het feest zien? En wil jij dan mijn kleren meenemen? De avondjurk en zo. Alles ligt al op bed klaar. Niet kreuken, graag.'

Het drong niet goed tot hem door wat ze zei. 'Waar heb je het over?'

'Ik moest van jou dicht bij hem in de buurt zien te komen,' antwoordde ze met een licht verwijt in haar stem. 'Ik ben al bijna de hele dag aan het werk in het *palazzo*. Ik ben niet op tijd klaar om nog terug te gaan naar het appartement. Het is hier zo wonderlijk. Waar ben jij?'

Onwillekeurig ging zijn blik omhoog naar het immense glazen paleis naast de glasblazerij. De zon scheen zo fel, dat hij alleen de vlammende weerkaatsing ervan zag. Hij was maar een minuutje lopen bij haar vandaan, toen hij zag hoe de Arcangelo's de brokstukken van een bittere ruzie bij elkaar probeerden te rapen en hij zich afvroeg wat er met de Bracci's zou gebeuren nu Bella's geheim bekend zou worden.

'Bij de glasblazerij, maar ik denk niet dat we hier nog lang zullen zijn. Heb je nog andere dingen nodig?'

'Alleen jou,' zei ze lief. 'En wat tijd. Ik heb nieuws.'

Costa luisterde enigszins bezorgd naar de geheimzinnige toon waarop ze sprak. Ze had alleen met Massiter moeten praten, meer niet. Maar het lag niet in haar aard zich in te houden, niet als ze haar kans rook.

'Goed of slecht?'

'Misschien geen van beide. Maar het is hoe dan ook leerzaam. Ik moet nu ophangen, hoor.'

De verbinding werd verbroken. Nic Costa keek nogmaals naar het fonkelende *palazzo* verderop aan de kade. Emily was ergens daarbinnen, buiten bereik.

9 Emily legde de telefoon neer en keek de kleine opslagruimte rond die achter in het appartement van Hugo Massiter zat tegen de blinde baksteden muur die de hele achterkant van het paleis vormde, een steunbeer van lelijke klei die bezoekers nooit te zien mochten krijgen. Ook mocht niemand getuige te zijn van wat nu voor haar lag: bundeltjes brieven met een touwtje eromheen, stapels fotoalbums en archiefdozen die allemaal voorzien waren van het etiket van hetzelfde particuliere detectivebureau gevestigd in New York, een naam die ze kende, een gedegen, dure firma die alleen voor zeer oordeelkundige cliënten werkte. Hugo had zich verontschuldigd zodra ze de opdrachten voor het nieuwe werk had gegeven. Lunch, zei hij, en een bespreking, om een uur of vier terug. Emily had een overall geleend om samen met de timmerlieden, stukadoors en schilders de kale tentoonstellingsruimte om te toveren tot de locatie voor een Venetiaans bal, had zich ervan vergewist dat ze begrepen waar ze mee bezig waren en was tot de conclusie gekomen dat ze met een paar aanwijzingen goed in staat waren het werk uit te voeren. Toen ze ervan overtuigd was dat Hugo niet zomaar opeens zou terugkomen, was ze naar boven naar het appartement gegaan en had ze geprobeerd zich te herinneren wat ze, een eeuwigheid geleden, op de FBI-academie had geleerd. Huizen doorzoeken zonder een spoor achter te laten was een kunst die ze zich bijna eigen had gemaakt omdat ze over de eigenschappen beschikte die ervoor nodig waren: nauwgezetheid, een goed geheugen en feeling voor de persoonlijkheid van de verdachte in wiens leven ze binnendrong. Hugo Massiter was een voorzichtige, eenzame, geïsoleerde man, een man die zonder veel wroeging harde beslissingen kon nemen, maar getekend was door een gebeurtenis in het verleden.

De kamer achter de grote, elegante keuken zat op slot. Ze had uiteindelijk de sleutel gevonden in een kleine aardewerk schaal naast het glimmende nieuwe fornuis. In particuliere huizen was er altijd een sleutel, hadden de instructeurs haar geleerd. Meestal op een voor de hand liggende plaats.

Achter de deur lag een schat aan informatie over één enkele gebeurtenis in het leven van Hugo Massiter: de weerlegde beschuldigingen van moord waar ze die ochtend in Nics appartement over had gelezen. En over twee mensen: Daniel Forster en Laura Conti, in wie hij zijn vertrouwen had gesteld.

Haar hand ging automatisch naar de rapporten van het detectivebureau. Deze beschreven plaatsen waar de voortvluchtigen waren gezien nadat ze uit Venetië waren vertrokken. Emily had vaak genoeg dit soort rapporten onder ogen gehad om tussen de regels door te kunnen lezen. In de meeste zat een grijs gebied tussen gerucht en feit. Hugo scheen veel van het eerste en weinig van het laatste te hebben gekregen voor zijn geld. De rapporten vermeldden dat het paar in verschillende delen van de wereld was gezien – Afrika, Azië, Zuid-Amerika – maar gaven daar geen enkel hard bewijs voor. Foto's, met de hand geschreven briefjes, telefoongesprekken... alle artefacten die vage vermoedens meer vastigheid gaven, waren opvallend afwezig. De laatste brief van het bureau was kort, op het onbeleefde af. De correspondentie van Hugo lag er niet, maar het was duidelijk dat hij vraagtekens had gezet bij zowel de kosten als de effectiviteit van de onderneming. Hij had het bureau opdracht gegeven Daniel Forster en Laura Conti op te sporen. Het was hun niet eens gelukt te bewijzen dat het paar nog bestond. Het contract was zo'n zes maanden geleden beëindigd, met de belofte dat er geprocedeerd zou worden over niet betaalde honoraria.

Emily sloeg het dossier dicht en vroeg zich af wat ze er wijzer van was geworden. Hugo wilde uit alle macht twee mensen opsporen die hem bijna in de gevangenis hadden doen belanden. Waarom? Hij had hen niet nodig voor zijn eigen veiligheid. De autoriteiten geloofden inmiddels dat hij ten onrechte was beschuldigd. Welk motief kon hij hebben, behalve wraak? Alhoewel... Emily had zich al een duidelijke mening over Hugo Massiter gevormd: hij was ijdel, ambitieus, ongetwijfeld meedogenloos in zaken. Maar hij had veel zelfkennis. Hij was zich ervan bewust wat voor man hij was. Wraak zou hij vast en zeker verachtelijk vinden, een overbodige herinnering aan een wond die nog wachtte op genezing.

Deze indruk werd alleen maar bevestigd door wat ze in de fotoalbums zag. Ze zaten vol met formele foto's van de muziekcursussen in La Pietà, die Hugo in de loop der jaren had gefinancierd. Rijen tieners, allemaal in keurige zwarte avondkleding, sommigen met een viool of altviool, glimlachend achter Hugo, die trots op de voorste rij stond. En in het laatste jaar nog een andere persoon. Iemand die alleen de jonge, schijnbaar onschuldige Daniel Forster kon zijn, naast zijn patroon, met een manuscript, waarvan hij beweerde dat het van zijn hand was.

Hugo had zijn arm om Forster heen. Het was een vaderlijk, liefdevol gebaar, hoewel er ook een zekere bezitsdrang uit sprak. Ik heb je gemaakt, scheen hij te zeggen. Wat de uiteindelijke vernedering – in verband gebracht worden met de vergrijpen van de jongeman – dubbel zo zwaar te verdragen maakte.

Ze bladerde door de geposeerde foto's van de verschillende jaren: tientallen jonge mensen op de drempel van de volwassenheid, lachend, gelukkig, samengebracht door Hugo's vrijgevigheid. De zomerschool was kennelijk een vreugdevol gebeuren. De stad was erop achteruitgegaan toen er een einde aan kwam.

Opeens voelde ze dat er een los vel tussen een van de plastic flappen zat. Ze hield het album omhoog en schudde de bladzijden heen en weer om het eruit te krijgen.

Een foto van een vrouw van achter in de twintig – donker, nerveus, verbazingwekkend mooi – gleed eruit. Ze stond erop van haar bovenlichaam tot aan haar middel, de foto was van een afstand genomen en toen sterk uitvergroot te oordelen naar de korreligheid. Ze droeg iets wat eruitzag als een nylon huisjurk, zo'n soort jasje dat een bediende zou dragen. De foto was buiten genomen, in een tuin ergens, niet in de stad, met de zee zo te zien schemerend op de achtergrond.

Er zat een zuiver angstige trek in haar ogen. Ze wilde niet gezien worden. Ze wilde niet herkend worden.

'Laura Conti,' mompelde Emily bij zichzelf en ze vervloekte haar eigen domheid.

Maak geen geluid, hadden de instructeurs gezegd. Nooit.

Laura Conti was prachtig. Ze had het soort gezicht waar mannen hun ogen niet vanaf konden houden, met gekwelde, volmaakt symmetrische trekken die moeilijk te verbergen zouden zijn. En dat wist ze ook. Op deze clandestiene opname zag ze eruit als een wild dier dat ergens voor op de vlucht was. Voor de waarheid? Voor justitie?

Emily dacht eraan wat Hugo die dag tegen haar had gezegd. In Venetië waren het de onschuldigen die je de das omdeden. Op deze ene foto straalden Laura Conti's trekken een en al onschuld uit. Emily probeerde zich de details van de zaak te herinneren. Forster was de moordenaar, niet Laura. Was het mogelijk dat ze er tegen haar wil in verstrikt was geraakt? Het rapport van Nic suggereerde dat ze zich op het Lido had verstopt in de tijd dat Forster in de gevangenis zat, hem nooit had bezocht en zich nooit in het openbaar had vertoond. Toch had hij haar na zijn vrijlating op de een of andere manier gevonden en de relatie hersteld. Misschien had Laura zich helemaal niet voor de politie en de toorn van Hugo Massiter proberen te verbergen, maar voor Daniel Forster, de man die haar als de zijne beschouwde.

Ze stopte de foto terug waar hij hoorde, want ze wilde het niet meer zien. Het was niet verstandig zo veel af te leiden uit een enkel plaatje.

Vervolgens pakte ze de stapel brieven en nam ze langzaam en nauwgezet door. Ze waren, in het begin althans, kort, intelligent en helder. Ze waren allemaal afkomstig van Daniel Forster en geschreven in een vloeiend, goed leesbaar handschrift, het soort handschrift dat een student zou gebruiken als hij een goed cijfer voor een essay wilde halen. Er was er geen een langer dan twee bladzijden. De meeste waren beperkt tot één kantje. Ze besloegen bijna twee jaar en de data kwamen, voor zover zij zich herinnerde, overeen met de periode waarin Hugo zijn juridische campagne op touw had gezet om zijn naam te zuiveren, de campagne die tot resultaat had gehad dat Forster en zijn geliefde heimelijk uit Venetië waren gevlucht.

'Beste Hugo,' schreef Forster in de eerste brief. 'Laura zei al dat je weer zou opduiken en ze had, zoals altijd, gelijk. Het zal je misschien verbazen, maar ik ben blij dat je nog leeft. Dat gezegd zijnde, is het belangrijk dat je begrijpt in welke positie we ons bevinden. Je kunt onmogelijk terugkeren naar Italië. Je weet uiteraard wat de consequenties zullen zijn, als je dat doet. Ik heb verklaringen afgelegd bij de autoriteiten. Ik zal getuigen in de rechtszaal, mocht dat nodig zijn. Deze zaak is, wat de Venetianen betreft, afgehandeld. Ga hem alsjeblieft niet heropenen. Geniet van New York. Venetië ligt achter je. Daniel.'

Een vriendelijke, maar geduchte waarschuwing dus. Forster schilderde zichzelf af als een redelijke man, die echter niet zou schuwen zo nodig een beroep te doen op het Italiaanse rechtssysteem. En – wat haar belangrijk leek – geen enkele opmerking over hoe Laura tegenover dit alles stond.

'Ik heb verklaringen afgelegd,' mompelde Emily. Maar om overtuigend te zijn, zou Forster toch niet buiten haar steun hebben gekund.

Zo'n acht maanden later veranderde de toon.

'Amerikaanse advocaten? Stel je daar vertrouwen in, Hugo? Vast niet. Ik had verwacht dat dat beneden je waardigheid zou zijn. Bovendien hebben wij tegenwoordig ook advocaten. Geld om de beste te huren ook, dankzij het boek. Je hebt het boek toch wel gezien? Ik wil je anders best een exemplaar sturen. Met een opdracht. Mijn versie staat daar nu in. Zwart op wit en voor iedereen te lezen. Bekijk het eens en stel jezelf de vraag: wil ik echt dat dit doorgaat?'

Emily nam nog vijf korte berichtjes door en het viel haar op dat de toon steeds bitterder werd, banger misschien. Toen bladerde ze door naar de laatste, begon te lezen en schaamde zich ervoor dat ze geboeid raakte door wat ze te weten kwam.

Forster was nu wanhopig. Het handschrift was onregelmatig. Sommige woorden waren in hoofdletters geschreven, zoals een kind doet wanneer hij ontzettend graag iets duidelijk wil maken.

'Is dit een OVERWINNING? Mijn boek verbranden? Onze bankrekeningen blokkeren? Waaraan hebben we dit verdiend, Hugo? Hebben we je ijdelheid gekrenkt? Iets meer dan dat? Ik zal het nogmaals zeggen. Ik zal het UIT SCHREEUWEN tot je het begrijpt. ZE IS NIET VAN JOU. Dat is ze nooit geweest. Dat zal ze nooit zijn. Ik sterf nog liever dan dat ik dat laat gebeuren. Als je even nadenkt – als je je überhaupt kunt herinneren wie ik ben, hoe ik ben – dan weet je dat dat waar is.

Je kunt niet winnen. Zelfs niet als je alle rechters in heel Italië omkoopt. Ik zweer je, als je ondanks alles terugkomt, zal ik doen wat ik al die jaren geleden al had moeten doen. Voor eens en altijd een einde maken aan jouw miserabele bestaan. BLIJF BIJ ONS UIT DE BUURT. D.'

Emily Deacon haalde eens diep adem, legde het vel papier op haar schoot en walgde van zichzelf, verafschuwde dit gesnuffel in dingen die haar niet aangingen.

Ze is niet van jou. Dat is ze nooit geweest. Dat zal ze nooit zijn.

Was dat echt de werkelijke oorzaak van Hugo Massiters verdriet? Dat Laura Conti, die zich als een angstig hert voor het daglicht verschool, de vrouw was van wie hij hield? Had Daniel Forster Hugo niet alleen zijn goede naam afgenomen? Had de jonge Engelsman iets veel kostbaarders weggehaald, iets wat Hugo niet terug zou kunnen krijgen, met al het geld ter wereld niet?

Emily legde het album en de papieren terug en lette erop dat alles weer op de juiste plek kwam te liggen. Daarna ging ze met een naar gevoel op het krukje zitten dat ze had meegenomen uit het appartement en vroeg ze zich af wat ze tegen Falcone zou zeggen, en ook wat haar het recht gaf zich met Massiters zaken te bemoeien.

Twee mensen waren vermoord in Murano. Ze hadden slechts in de verte, alleen financieel, met Hugo Massiter te maken. Hun dood bezorgde hem aanzienlijk veel overlast.

'Arme...' wilde ze net zeggen, toen ze voelde dat er voorzichtig een hand op haar schouder werd gelegd.

Emily smoorde een gil, dacht eraan dat ze de hele tijd zachtjes in zichzelf had zitten praten en wist op dat moment wat die waardeloze lul van een instructeur in Langley gezegd zou hebben. Toen draaide ze zich om en keek recht in het gezicht van Hugo Massiter.

Hij was niet eens boos. 'Het *palazzo* ziet er geweldig uit, maar ik kan me niet herinneren dat ik je heb gevraagd iets aan deze kamer te doen,' zei hij zacht. 'Hoe aardig het ook van je is om het aan te bieden.'

Ze sloeg haar armen om zich heen en drukte de met verf bespatte mouwen van de overall beschaamd tegen haar borst. 'Sorry. Ik kon het niet laten om rond te kijken. Ik wilde... het proberen te begrijpen.'

'Je had het gewoon kunnen vragen. Dat is makkelijker.'

'Ik zou niet geweten hebben welke vragen ik moest stellen.'

'Dat is waar.'

Hij haalde zijn hand weg en liet zijn blik door de kamer gaan. 'Was dit Falcones idee?'

'Nee,' loog ze, hoewel ze wilde dat ze de moed had eerlijk te zijn. 'Ik was gewoon nieuwsgierig. Echt. Er is iets met jou wat ik niet begrijp en ik wil altijd graag alles weten.'

'En wat heb je gevonden?'

'Een foto van Laura Conti,' antwoordde ze onmiddellijk. 'Ze is erg mooi.'

'Ze wás erg mooi,' verbeterde hij haar. 'Ik heb geen idee hoe ze nu is. Ik heb haar al heel lang niet gezien. Ik weet niet eens of ze nog leeft. Met' – zijn gezicht werd oud toen hij de naam enkel zei – 'Daniel in de buurt, wie zal het zeggen?'

'Ik wil hier niet zijn,' mompelde ze. Ze schoof langs hem heen naar de lichte, luchtige woonkamer en beende met grote stappen naar het balkon dat in de felle zon lag. Ze had behoefte aan frisse lucht.

Van beneden steeg de geur van verf en nieuw pleisterwerk op. De grote deuren stonden open. De tijdelijke stands, met een paar echte stukken uit Massiters collectie, zouden zijn opgesteld. Dadelijk zouden de musici komen en op zoek gaan naar hun podium, dat waarschijnlijk nog in onderdelen op de grond lag. Om zeven uur zouden de gasten arriveren. Tegen die tijd zou het *palazzo* voor hen klaar zijn. Toch wilde ze het niet zien.

Emily voelde dat hij achter haar stond en haalde diep adem. 'Ik kan alleen maar mijn verontschuldigingen aanbieden. Ik weet niet wat me bezielde.'

En dat allemaal voor Nics baas, dacht ze, hoewel je net zo goed kon zeggen dat het voor Nic zelf was, zo hecht als die drie mannen tegenwoordig waren.

'Nou ja, nu weet je het. Gedeelde smart, zeggen ze. Ik...' Hij probeerde zichzelf ervan te overtuigen dat dit de juiste woorden waren. 'Ik mis haar niet meer. Het was een rare relatie. Ze was anders. Niet alleen mooi, maar ook volstrekt argeloos en wereldvreemd, zoals ik nog nooit bij iemand heb gezien. Daarom kon Daniel haar ook van alles wijsmaken, neem ik aan. Ik wilde alleen zeker weten dat ze veilig was. Dat is alles. Ik koesterde... ik koester niet de illusie dat er oude vuren zullen opvlammen.'

'Denk je dat ze schuldig was?' vroeg Emily. 'Aan de dood van die mensen?'

'Nee,' antwoordde hij met een schouderophalen, alsof de vraag inmiddels irrelevant was. 'Geen seconde. Maar ze is met Daniel meegegaan en dat telt, in de ogen van de meeste mensen in elk geval. Het is niet wat je doet, het is de schijn die je wekt. Dat was bij mij ook het geval. Als ik hier was gebleven en mezelf had verdedigd in plaats van ervandoor te gaan...'

'Had je misschien alles verloren.'

Massiter lachte. 'Maar dat heb ik toch in zekere zin! Snap je dat dan niet? O, laten we erover ophouden. Ik heb een afschuwelijke hekel aan gejeremieer. Schieten de bouwvakkers al een beetje op? Je ziet eruit alsof je zelf ook de handen uit de mouwen hebt gestoken.'

'Ik denk dat het gebouw er straks piekfijn uit zal zien. Je moet een goede architect in de arm nemen, Hugo. Ik weet niet zeker of de constructie wel zo stevig is als je denkt. Dit is geen conventioneel gebouw. Er is meer hout dan ik had verwacht. Sommige stukken ijzer...'

Het was bijna een bonk roest. In sommige steden zou het *palazzo* waarschijnlijk niet eens worden goedgekeurd voor openbaar gebruik. Maar Massiter had invloed op de autoriteiten. Anders zou hij nooit zover gekomen zijn.

'Dat geloof ik graag,' zei hij met een snelle grimas. 'Maar wacht eens even. Ik dacht dat ik al een architect gevonden had.'

Hugo Massiter was op dat moment heel dicht bij haar, maar ze had geen bezwaar tegen zijn aanwezigheid. Hij beschouwde zichzelf als beschadigde waar. Om de een of andere reden raakte hij daardoor echter niet ontmoedigd. Hij was een doorzetter ondanks alles.

139

'Dat dacht ik niet.'

'Emily...'

Het ging zo snel. Ze kon zich op het krappe balkon hoog boven de kinderhoofdjes van het eiland niet bewegen. Hugo hield haar onderarmen vast. Zijn vingers lagen licht, warm en liefdevol op haar huid.

'Ga nou niet weg,' fluisterde hij. 'Ik weet wel dat ik een oude dwaas ben, maar ik zou het fijn vinden als je nog iets langer bleef. Werk hier, zo veel als je wilt. Dat' – hij wierp een blik op de deur van de opslag – 'betekent helemaal niets. Het is geschiedenis en geschiedenis is echt onzin.'

'Misschien kun je haar vinden. Ik zou je kunnen helpen. Ik ken genoeg mensen.'

'Dat zal best,' zei hij met een glimlach. 'Maar het is niet belangrijk. Niet meer. Laura hoeft van mij niet gevonden te worden. Waar ze ook is... Wat er ook allemaal is gebeurd, het is verleden tijd. Ik moet hoognodig weer mijn eigen leven gaan leiden.'

Zijn hoofd kwam naar voren. Ze trok zich automatisch terug, hoewel ze zich toch afvroeg wat ze zou doen als hij haar probeerde te kussen.

In plaats daarvan leunde Hugo Massiter over haar schouder en tuurde naar het woelige grijze water, langs San Michele, langs de drukke *vaporetto*-haltes bij Fondamente Nove, naar Venetië zelf. Een paar wedstrijdboten trokken over de lagune. In elk zaten twee rijen gebogen mannen die zich inspanden om een voorsprong te nemen. Ze werden genaderd door drie grote open boten die met een vracht personen in het zwart kalm in de richting van het eiland kwamen.

'Ik zie de musici,' zei hij. 'Ze zijn vroeg. Hou je van muziek?'

'Ja, maar niet van alles.'

'Mooi zo. Je moet iemand die geen liefde voor muziek heeft nooit vertrouwen, weet je. Het wijst op een ernstige onverschilligheid ten opzichte van het leven. Die vriend van je. Houdt hij...?'

Heel even raakte hij kuis, met de vlugge, ongedwongen zwier van een familielid, met zijn lippen haar wang aan. Toen draaide hij zich om naar het appartement en begon een klassiek melodietje te fluiten.

'Vivaldi,' zei ze.

Hij bleef staan en keek glimlachend met een gelukzalig gezicht naar haar om.

'Perfect,' verklaarde Hugo Massiter. 'Jij bent perfect. Ik zweer het. Afgezien van die uitmonstering.'

De overall was vies. Ze vroeg zich af wanneer Nic de schone kleren zou brengen.

'Maakt niet uit,' zei hij. 'Ik heb een idee.'

10

De Bracci's woonden in een rijtjeshuis van rode baksteen op slechts een paar honderd meter van hun armoedige bedrijfje. Het zonloze straatje stonk naar katten, bedorven afval en gas uit de nabij gelegen werkplaatsen. Er stond een kleine, onrustige menigte op de stoep toen de drie politiemannen arriveerden. De twee timmermannen stonden er met een kwaadaardige grijns op hun gezicht bij. De grimmige, gespannen sfeer onder de mensen deed Costa denken aan zijn begintijd bij de politie toen hij soms de pech had dat hij met de uniformdienst orde moest houden bij de voetbalwedstrijden tussen Roma en Lazio.

'Gaan jullie hem arresteren?' schreeuwde iemand toen ze met Costa voorop naar de deur liepen.

Peroni bleef staan en keek hen aan met de bekende blik. Het werd even stil. 'Waarom zouden we?' vroeg hij nors.

'Omdat hij met zijn zus heeft liggen rotzooien,' antwoordde de onruststoker. 'En de rest.'

'Je weet niet waar je het over hebt,' blafte Peroni terug. 'Waarom gaan jullie niet gewoon naar huis? Laat ons ons werk doen.'

De oudste timmerman begon zich ermee te bemoeien. 'Als jullie je werk hadden gedaan, zou dit helemaal niet gebeurd zijn. We willen van die smerige schoften als Bracci hier niet hebben. Neem die klootzak maar gauw mee. Anders lossen we het zelf wel even op.'

Falcone reageerde ogenblikkelijk. 'Als iemand een voet in dat huis durft te zetten, worden jullie allemaal in de gevangenis wakker. Begrepen?'

'Roep de uniformdienst op,' blafte de inspecteur tegen Costa. 'Ik wil bewa king bij dit huis en zeg maar dat ze iedereen die nog één keer zijn mond durft open te trekken, een nachtje in de cel mogen gooien.'

Costa glimlachte naar de timmerman die nu de volle laag van Falcone kreeg, iets wat niemand binnen gehoorsafstand snel zou vergeten. Toen liep hij bij de drukte vandaan om rustig te kunnen bellen. De wachtcommandant in Castello klonk slaperig en verbaasde zich over het verzoek om assistentie.

'Wát wil je?' vroeg de vervelde stem aan de andere kant van de lijn nors.

'Uniformen. De hele nacht als het moet.'

'Aan welke aantallen denk je? Tien? Twintig? Nog een bepaalde maat en kleur?'

'Stuur nou maar een paar mensen hierheen,' antwoordde Costa vinnig. 'We willen geen rel hebben.'

Het was even stil op de lijn. 'Je bent in Venetië, hoor, vriend. Rellen komen hier niet voor. Wat hebben jullie in godsnaam uitgespookt?'

De juiste vragen gesteld, dacht Costa. Wat in deze omgeving misschien geen traditie was.

'Minstens drie man,' zei hij bits. 'Direct. Als dit uit de hand loopt, is het jouw verantwoordelijkheid.'

Daarop liep hij naar de deur en drukte met zijn vinger op de bel tot Enzo Bracci chagrijnig opendeed in een spijkerbroek en een strak smoezelig T-shirt. Hij rookte een joint; zijn ogen stonden glazig en dat bekende luchtje hing om hem heen. Hij zag er agressief uit.

'Maak dat je wegkomt,' mompelde Enzo. 'Jullie hebben al genoeg aangericht, vind je ook niet?'

Costa knikte achterom naar de boze menigte. 'Moeten we jullie hiermee alleen laten? Wil je dat?'

Enzo spuwde op de grond, niet ver van Costa's voeten, en keek boos naar de grote gedaante van Gianni Peroni die naderbij kwam met Falcone achter zich aan.

'Het was niet de bedoeling dat dat zou gebeuren, Enzo,' zei Peroni verontschuldigend. 'En ik zou je willen adviseren dat ding dat je aan het roken bent, uit het zicht te leggen. Je moet me niet uitdagen. We kunnen de klok niet terugdraaien. We moeten praten. Inspecteur Falcone hier zegt dat en je zou tegen hem toch geen nee willen zeggen, hè?'

Enzo nam Falcone van top tot teen op, schoot het stickie vinger in de goot en deed toen al scheldend de deur open.

Aldo Bracci zat in de piepkleine, benauwde voorkamer, een donker hol dat maar door één lamp werd verlicht. Hij had een fles *grappa* in zijn hand en zat heen en weer te schommelen op een goedkope rieten stoel. Fredo was bij hem. Zijn ogen stonden vol boosheid en verdriet.

Falcone stak zijn hand uit. 'Ik ben inspecteur Falcone. We moeten praten.'

'Je meent het,' brabbelde Bracci met dikke tong.

Peroni trok drie stoelen bij. De politiemannen namen naast Bracci plaats. Daarna trok Peroni voorzichtig de fles uit zijn handen. 'Geen goed idee, Aldo. Een man moet op dit soort momenten het hoofd helder houden.'

Enzo Bracci raakte buiten zinnen en stond wild met zijn hoofd heen en weer te zwaaien. 'Jezus christus,' vloekte hij. 'Hoe hebben jullie hem dit aan kunnen doen?'

'We hebben niets gedaan,' zei Costa. 'Het is gebeurd. Er komen een paar mensen van ons om die hufters buiten aan te pakken.'

'Die kan ik wel aan!' schreeuwde Enzo. 'Weet je waar ik pisnijdig van word? De reden dat ze hier zijn. We hebben het jullie toch verteld? Hij is hier de hele tijd bij ons geweest. We hebben de hele nacht gewerkt. Jullie hebben verdomme het recht niet al die onzin rond te bazuinen.'

'Ik kan wel voor mezelf praten, hoor,' mompelde Aldo. 'Je hoeft me niet als invalide te behandelen.'

Falcone pakte de fles op en keek ernaar. 'Goedkoop spul,' zei hij.

'We zijn goedkope mensen,' antwoordde Aldo. 'Was je daar nog niet achter?'

'En daarom kwam het goed uit?' ging Falcone verder. 'Dat Bella met een van de Arcangelo's trouwde? Boven jullie stand.'

'Zeg!' brulde Enzo. 'Ze zijn helemaal niet anders dan wij. Wij nemen alleen niet de moeite het te verbergen.'

'Kop dicht!' schreeuwde zijn vader. 'Ze zijn hier om met mij te praten. Dus dat gaan ze doen ook.'

'Wat vond je er nou van, Aldo?' vroeg Peroni. 'Vond je het goed? Slecht? Of liet het je koud?'

Aldo's ogen waren waterig van het drinken. Hij had zich al een tijdje niet geschoren. 'Ik vond helemaal niets! Bella... snakte naar een echtgenoot. Ze wilde iemand hebben die ze onder de duim kon houden. Altijd de baas spelen, dat mens.'

Zijn doodse, dronken gezicht keerde zich opeens naar hen toe. 'Altijd. Maar dat geloofde niemand als zij haar charme in de strijd wierp.'

Falcone begreep de hint onmiddellijk. 'Wilt u zeggen dat zij begonnen is met wat er is gebeurd? Terwijl u wat, vier, vijf jaar ouder was?'

Aldo's gezicht was in het zwakke licht niet te doorgronden. 'Daar heb ik het helemaal niet over.'

'Wanneer is het opgehouden?' vroeg Costa.

'Misschien is het wel nooit begonnen.'

Peroni zuchtte en sloeg met zijn grote handen op zijn knieën. 'We willen je helpen, hoor, Aldo. Dat wordt heel moeilijk als je ons kletspraatjes blijft verkopen. We hebben de rapporten gezien. We weten dat er iets is gebeurd.'

'Het enige wat jullie weten, is de onzin die idioten zoals zij' – hij knikte naar de voordeur, en de menigte buiten – 'rondbazuinen omdat ze niets beters te doen hebben met hun leven.'

Costa verbaasde zich over deze verdrietige, verbitterde man. Geen geld. Geen vrouw. Geen sociaal bestaan. De Bracci's waren verschoppelingen in hun eigen gemeenschap. Net als de Arcangelo's. Waarom? Omdat het oordeel luidde dat ze uitschot waren. Bijna dertig jaar geleden hadden Aldo en Bella het bewezen door de verboden grens over te gaan.

'Was het haar idee het iedereen te laten weten?' vroeg Costa. 'We hoeven geen bijzonderheden. We willen het alleen maar begrijpen.'

Aldo smoorde een bitter lachje. Hij pakte de fles terug van Falcone en nam een grote slok.

'Bella was Bella,' mompelde hij. 'Ze deed precies waar ze zin in had. Ze vond het gewoon heerlijk als er naar haar werd gekeken. Maakte niet uit door wie. Ik? Ik was gewoon een van de vele dwazen op de lijst. Het had iedereen kunnen zijn. Ze was' – hij kneep zijn ogen stijf dicht om de woorden eruit te persen – 'ouder dan de rest van ons. Van het begin af aan. Dat klinkt vast als het gelul dat je van de meeste mannen zou horen omdat het ze goed uitkomt, maar het is waar. Ik was gewoon een stomme puber. Geen vriendinnetje. Was nooit zo goed met meisjes. Het was een spelletje. We hebben het maar een keer of drie gedaan. Daar ging het ook niet om. Ze wilde de opwinding. De aandacht. Ze kreeg er een kick van dat de mensen ons nakeken.'

'Pa,' onderbrak Enzo hem met een sombere geschokte blik op zijn gezicht. Dit gesprek hadden de Bracci's nog nooit gevoerd. 'Je hoeft dit niet te doen.'

'Nee?' Aldo staarde naar zijn zonen. Aan zijn gezicht te zien was het bijna een opluchting dat hij eindelijk zijn hart kon uitstorten. 'Luister naar me. Jullie komen toch alles wel te weten. Kunnen jullie maar beter de juiste versie horen. Míjn versie. Bella was gek. Dat hebben jullie nooit gemerkt omdat ze tegen de tijd dat jullie geboren werden, zo slim was het te verbergen. Maar ze verstond de kunst jou ook gek te maken, je zo stevig op te sluiten in dat kleine wereldje van haar, dat je dacht dat die echt was, in plaats van wat er buiten was, achter de deur. Alle dagelijkse shit. Werk zien te krijgen. In leven zien te blijven.'

'Wanneer is het opgehouden?' vroeg Costa.

'Jaren geleden,' fluisterde Aldo met een angstige en bittere klank in zijn stem. 'Het is opgehouden toen de politie langskwam en tegen mijn vader zei dat het geen grapje was, geen stom praatje. Ze had er goed op gelet dat hij niets merkte. Als iemand wel eens iets zei, noemde ze hem gewoon een leugenaar, een ruzie-zoeker. Het kon niet goed blijven gaan. Toen de politie langskwam, hield ze zich opeens van de domme. Gaf mij overal de schuld van. Wat misschien waar was, in zekere zin. Dat weet ik niet. Niet meer. Ik weet helemaal niets. Alleen dat die ouwe me mee naar buiten nam.' Hij knikte naar de achterdeur. Achter de smerige ruit lag een kleine betegelde binnenplaats vol oude rommel. 'En me een uur lang lens heeft geslagen.'

De twee zonen zaten inmiddels glazig en radeloos voor zich uit te staren. Hoe vaak had Aldo hen geslagen? vroeg Costa zich af. Hoe vaak ging zo'n gewoonte in dit soort buurten over van generatie op generatie zonder dat iemand er ooit vraagtekens bij zette?

'Op het moment van overlijden was ze zwanger,' merkte Falcone op zonder er doekjes om te winden. 'Enig idee wie de vader zou kunnen zijn?'

Dit nieuws scheen Bracci werkelijk te verbazen. 'Weet je dat zeker?'

'We hebben de medische gegevens,' ging Falcone verder. 'Zes weken zwanger. Van jou?'

'Nee!' Bracci keek verbijsterd, beledigd ook. 'Ik zit het je net te vertellen.

Bella en ik zijn daar jaren geleden mee opgehouden. Het is trouwens niet vaak gebeurd ook.'

'Van wie dan?' vroeg Costa.

'Wat dacht je van haar echtgenoot?' beet de man hem toe.

Falcone schudde zijn hoofd. 'Fysiek onmogelijk. We hebben de medische gegevens. Uriel kon geen kinderen verwekken.'

'Dan weet ik het echt niet. Dat zweer ik.'

'Maar u wist dat ze avontuurtjes had?' vervolgde de inspecteur, die de druk bleef opvoeren.

'Ik had zo'n vermoeden,' antwoordde hij met een schouderophalen. 'Bella was dol op mannen. Dat is altijd zo geweest. Uriel was een prima vent. Voor een Arcangelo. Maar hij was...' Aldo maakte een gebaar, een omlaag gekrulde vinger, niet mis te verstaan. 'Tenminste,' voegde hij eraan toe, 'dat zei ze.'

Hij keek boos naar de vettige vloerbedekking. 'Dan vraag je je af wat ze over mij zei.'

'Weet u zeker dat ze u niet heeft verteld dat ze zwanger was?' vroeg Costa.

Hij lachte. Een kort, droog geluid. 'Ben je gek? Bella heeft echt geen woord gezegd. Als het niet van Uriel geweest kan zijn...' Hij haalde zijn schouders op. 'Wat had je dan verwacht? Ze zal wel van plan zijn geweest het weg te laten halen.'

Zonder blikken of blozen, dacht Costa. Bella was een Bracci. En een Arcangelo ook. Allebei even praktisch. Doe iets aan het kind. Doe iets aan de echtgenoot.

'Het zou echt goed zijn,' ging Costa verder, 'als iemand anders kon bevestigen waar u woensdagochtend was. Familieleden...'

'Hoe vaak moeten we het je verdomme nog zeggen?' Het was Enzo, die alweer woest was. 'Hij was bij ons. De hele tijd. Ga iemand zoeken die een reden had om het te doen.'

Dat was een uitstekend voorstel, dacht Costa, en hij wilde dat net zeggen toen er een daverende, harde knal klonk. De zes mannen deinsden allemaal achteruit van de schrik. Na de steen die dwars door het raam was gegaan, kwam een fles met een prop brandende stof in de hals waar sputterende vlammen uit schoten.

'Laat maar,' zei Peroni ogenblikkelijk. Hij stond in een tel op zijn benen, griste het primitieve lont met zijn handen uit de fles, slaakte een vloek en trapte de lap stof met zijn grote voeten uit.

'Leuke buren heb je,' merkte hij kalm op, terwijl hij de fles bij de hals pakte en hem rechtop op tafel zette. 'Ik dacht dat er mensen van ons waren die zouden zorgen dat de boel niet uit de hand loopt.'

Costa liep naar de deur en trok hem open. De menigte was gegroeid. Allemaal mannen, allemaal aan het lachen en dollen, allemaal met een blik in hun ogen alsof ze zin hadden straks, als er nog iets meer gedronken was, een lynchpartijtje te organiseren.

Drie agenten in uniform stonden met de armen over elkaar verveeld en onbewogen toe te kijken.

Witheet richtte Costa zich tot de langste, een man die hij vaag herkende van de Questura in Castello. 'Jullie staan hier om dit soort dingen te voorkomen! Doe je werk, verdomme.'

'Was al gebeurd voor we er erg in hadden,' mompelde de agent met een flauwe glimlach op zijn gezicht.

'Zorg dat het niet nog een keer gebeurt.'

'Natuurlijk,' zei de agent. Hij trok een stompzinnige, sarcastische glimlach en stak een vermanend vingertje op naar de menigte. 'Horen jullie dat! De Romeinen hebben jullie iets mee te delen. Geen flessen meer naar de viespeuk gooien. Oké?'

Iedereen gniffelde.

'Niet als ik kijk,' voegde de agent eraan toe.

Nic Costa mompelde zacht een paar goed gekozen scheldwoorden en ging het huis in. Aldo Bracci zat weer te drinken, nog steeds even ellendig en een beetje bang nu ook.

'Hebt u familie?' vroeg Costa. 'Dit is misschien een goed moment om de stad uit te gaan. Als u maar zorgt dat wij weten waar we u kunnen bereiken.'

'Dit is mijn huis!' riep Bracci uit. 'Je denkt toch niet dat ik wegga? Na al die jaren. Alleen maar vanwege die debielen buiten?'

Costa keek even naar Falcone. 'We zouden hem in bewaring kunnen stellen. De situatie hier bevalt me niets.'

'Nee,' antwoordde Falcone. 'Niet als hij dat niet wil. Als u van gedachten verandert, meneer Bracci...'

De inspecteur hees zichzelf overeind, beende naar buiten en gaf de drie agenten de Falcone-uitbrander eersteklas die Costa en Peroni maar al te goed kenden.

'Ze zullen je niet lastigvallen, Aldo,' zei Peroni toen het volume achter de deur enigszins was afgenomen. 'Nu niet meer.'

Costa keek naar het droevige, dronken hoopje mens op wiens gezicht de schaamte en zelfhaat duidelijk te lezen stonden. Het gepeupel buiten was nog het minste probleem van Aldo Bracci.

11 Gianfranco Randazzo had meestal plezier in zijn werk. Castello was een gemakkelijk bureau om leiding aan te geven. Het werk behelsde niet veel meer dan het legioen immigranten in de gaten houden dat door de bars en restaurants trok, het handjevol radeloze bestolen toeristen helpen en de plaatselijke drugshandel binnen de perken houden. Het was een bureau waar alle dagen op elkaar leken. In het onoverzichtelijke doolhof van smalle steegjes die van de waterkant naar het doodse industriegebied rondom de haven bij het Arsenaal liepen, woonde een wisselende, onstuimige bevolking die af en toe op haar plaats gezet moest worden. Randazzo was een Venetiaan van de derde generatie en had al op jonge leeftijd begrepen dat een beetje stelen ingebakken zat in de plaatselijke aard. De stad nam al eeuwen lang de binnengehaalde bezoekers onder handen. Het was zinloos te pretenderen dat dat ooit zou veranderen. Wat hij in zijn twintigjarige, succesvolle loopbaan bij de politie was gaan waarderen, was de noodzaak van evenwicht. De bevolking was er om onder de duim, in de hand gehouden te worden, binnen algemeen aanvaarde grenzen van gedrag, en om bij haar lurven te pakken wanneer een of andere idioot van zins was over de schreef te gaan. Hij kon elke maand een mooie reeks cijfers indienen: weinig misdrijven, een oplossingspercentage dat keurig voldeed aan de normen, een laag personeelsverloop. Cijfers waren belangrijk. Ze waren het eerste waar de hoge heren naar keken als ze wilden weten of een *commissario* zijn werk goed deed. Op papier liep alles voortreffelijk in de Questura van Castello, tot de Romeinen kwamen met hun arrogantie, hun vragen en hun eeuwige air. Randazzo had als stelregel dat je dingen niet nodeloos ingewikkeld moest maken tenzij daar een heel goede reden voor was. De Romeinen snapten dat gewoon niet. Vanaf het moment dat ze waren gearriveerd, hadden ze aan elke zaak die hun kant op kwam, zitten peuteren tot alles tot en met het laatste onverkwikkelijke en overbodige detail duidelijk was. Falcone naar Verona sturen had verschil gemaakt. Toen was de situatie veranderd. Hij had erover getwijfeld of hij hun de zaak-Arcangelo moest geven en waarschijnlijk zou hij voor het idee zijn teruggeschrokken, als er van bovenaf niet zo veel druk was uitgeoefend om met een mooi afgerond resultaat te komen. De redenering leek logisch. Niemand zou de bevindingen van een team van politiemensen van buiten, die veel ervaring hadden met moordzaken, kunnen aanvechten.

Maar als er vuiligheid te ontdekken viel op dat geïsoleerde, stoffige eiland aan de overkant van de lagune, zouden de Romeinen het zeker vinden. Het waren idioten, hun eigen grootste vijand, blind voor het effect van hun bemoeienissen.

Wat een eenvoudig, voorspelbaar onderzoek had moeten zijn, werd nu dan ook met de minuut ingewikkelder en onaangenamer en dreigde wegen in te slaan die Gianfranco Randazzo een hoogst onbehaaglijk gevoel bezorgde. Hij had pisnijdig naar het verslag geluisterd dat Falcone hem telefonisch had gegeven toen hij het verzoek om bewaking bij het huis van Aldo Bracci toelichtte. Randazzo had op dat moment niets gezegd. Nu stond hij zich op het terras van Hugo Massiters appartement in het Palazzo degli Arcangeli af te vragen wanneer de boten van de feestgangers bij de privésteiger zouden arriveren en wat hij over een uurtje, als de receptie begon, tegen Falcone zou zeggen. Hij vroeg zich ook af of de Romeinen hier de enige idioten waren. Gianfranco Randazzo volgde bevelen op. Zijn relatie met de sluwe, rijke Engelsman was niet zijn eigen keuze. Toch was de *commissario* zich ervan bewust dat hij zich in een netelige positie bevond. Mocht de zaak-Arcangelo niet op tijd worden afgesloten, zoals zijn meerderen wilden, en het voorspelde schandaal volgde, dan zouden er koppen rollen. Zijn kop, naar alle waarschijnlijkheid, alleen omdat hij had gedaan wat hem was opgedragen. Het was soms moeilijk het juiste evenwicht tussen plicht en zelfrespect te vinden.

De Amerikaanse vriendin van de jonge Romein kwam bij hem staan. Ze had een glas spritz bij zich, goed gemaakt, met naast het schijfje citroen een olijf, zoals een ware Venetiaan zou hebben geëist.

'Hugo zei dat u dit wel lekker zou vinden,' zei ze. 'Kennelijk ben ik hier naast architect ook barman. Maar u zult me moeten verontschuldigen. Ik moest even tegen de bouwvakkers beneden gaan schreeuwen. De gastheer komt er zo aan. Daarna moet ik me omkleden.'

'Zijn jullie op tijd klaar?' vroeg Randazzo, die haar gezelschap op prijs stelde. De stille kleine Romein, die naar Randazzo vermoedde wel eens de lastigste van het drietal zou kunnen zijn als hij de kans kreeg, was een bofkont. 'Massiter heeft nogal een gastenlijst vanavond. Ze willen uiteraard iets moois te zien krijgen. Niemand is hier de laatste jaren echt geweest.'

'Ze zullen verbaasd staan,' zei ze met een glimlach. 'Wacht maar af.'

Hij volgde haar met zijn blik toen ze de kamer weer in liep naar de deur. Zelfs in een met verf besmeurde overall was ze een genot voor het oog. Massiter passeerde haar toen ze vertrok, mompelde iets wat Randazzo niet kon verstaan en klopte haar met een licht, intiem gebaar op de schouder.

Daarna kwam hij bij hem op het terras staan. Hij zag er tevreden, zelfvoldaan uit. Massiter had er geen idee van dat zich elders donkere wolken samenpakten.

'Ik kan me niet voorstellen dat zo'n vrouw geïnteresseerd is in een simpele Romeinse politieman,' merkte de *commissario* op. 'Jij wel?'

'Over smaak valt niet te twisten,' antwoordde Massiter. Hij hief zijn eigen glas en nam een slokje. 'Ze maakt nog een goede spritz ook.'

'Ga je haar van hem afpakken?' vroeg Randazzo.

De koele blauwe ogen glansden als gepolijst natuursteen. 'De vrije wil, Gianfranco. Daar kan niets tegenop. Ik pak nooit iets van iemand af. Ik hou van presentjes, niet van plunderen. Wat is iets waard, tenzij het vrijwillig wordt aangeboden? Een beetje aandringen daarentegen...'

Randazzo smoorde een lachje. De hele stad wist wat Hugo Massiter was. Een man die vrouwen niet kon weerstaan. Een man die nam wat hij hebben wilde, ongeacht de prijs, in geld en in termen van mensen. Zijn banksaldo had hij mee, maar het was meer dan geld en macht alleen. Hij had een zekere charme. Massiter begreep wat iemand werkelijk wilde en was in staat op het juiste moment met het juiste geschenk te zwaaien. De *commissario* had een deel van zijn vrije tijd in het gezelschap van de man doorgebracht. Hij had deze vaardigheid in actie gezien, zich verbaasd over de stille, sluwe gave die de Engelsman had om te begrijpen wat er nodig was om zijn zin te krijgen. Hugo Massiter verstond de kunst anderen over te halen te doen wat hij wilde, terwijl hij hen er tegelijkertijd van overtuigde dat hij zich enkel naar hun wensen voegde, hun niet een of andere beloning opdrong. Randazzo wist dit ook vanwege een andere reden. Hoog in de Dolomieten, in een klein, afgelegen dorp dicht bij een paar goede skihellingen, stond een compact, goed ingericht chalet dat nu, middels een in Zwitserland gevestigde dekmantelfirma, van Randazzo was – een piepkleine, voor Massiter onbeduidende, beloning voor enkele diensten die de *commissario* hem ooit eens had bewezen.

'Neem haar, alsjeblieft, als deze zaak is afgehandeld, Hugo. Het is al gecompliceerd genoeg. Laat de Romeinen eerst op het stippellijntje tekenen, wat ze zeker zullen doen. Sluit dat contract met de Arcangelo's. En laat dan je *cazzo* zich amuseren.'

Massiter lachte. 'Ik zal de Venetiaanse voorliefde voor grofheid nooit begrijpen, weet je. Emily is een heerlijk ding. Je zou mijn voorpret niet moeten bederven met dat soort praatjes. Bovendien...'

De man kon van het ene op het andere moment ernstig worden. Randazzo vroeg zich af of hij eigenlijk wel een andere gemoedsgesteldheid kende.

'Ze gaan toch wel op het stippellijntje tekenen, hè? Ik loop geen onzin te verkopen, hoor. Ik moet die overeenkomst binnenkort sluiten, anders zitten we allemaal diep in de problemen. Dat weet je toch, hè?'

O, ja, dacht Randazzo. Dat was hem door allerlei handlangers in de stad die hun goede naam graag wilden behouden, zeer duidelijk gemaakt

'Ze gaan tekenen. Al moet ik de pen zelf voor ze vasthouden. Het is kennelijk alleen iets gecompliceerder dan we aanvankelijk dachten. Het is belangrijk dat ze met iets komen wat standhoudt. Het moet wel geloofwaardig zijn. Het schijnt...'

Randazzo wist dat hij het onderwerp niet kon vermijden, hoe vervelend het ook was.

'...dat er een kans is dat er een derde partij bij betrokken was. Een grote kans.'

Massiter trok een verbijsterde grimas. 'De dichte deur. Het bewijs, man. Verklaar dat dan eens.'

'Dat kan Falcone niet,' antwoordde Randazzo met een schouderophalen. 'Nog niet. Maar het is een koppige klootzak. Binnenkort kan hij het wel. Op de een of andere manier. Er is een probleem met de sleutels van de vrouw. Ze kunnen ze nergens vinden. Ik neem niet aan...?'

Massiter keek hem vernietigend aan. 'Ik ben geen inbreker, hoor,' gromde hij.

'Dat weet ik wel,' beaamde Randazzo nerveus.

'Doe waar je voor betaald wordt, Randazzo. Zorg ervoor dat dit wordt opgelost. En snel graag.'

'Natuurlijk. Ze komen wel met de gewenste resultaten. Op tijd om je hachje te redden, Hugo.'

'Óns hachje.'

'Als je het zo wilt stellen. Ik weet alleen nog niet precies wat die resultaten zullen zijn.' Hij aarzelde. Massiter was een man met machtige vrienden. Toch moest de vraag worden gesteld. 'Het houdt me wel bezig. Heb jij enig idee?'

Massiters minzame gezicht vertrok van woede. Hij smeet het halfvolle glas over de balustrade heen. Het tuimelde door de ijle, hete lucht, zodat de inhoud alle kanten op vloog, en viel in het kanaal, nog geen meter voor een boot van een arbeider die naar de steiger manoeuvreerde. De man aan het roer keek woedend omhoog, zag Massiters paars aangelopen gezicht op het balkon en stapte bedeesd terug naar het roer.

'Krijg toch de pest,' zei Massiter kwaad. 'Jullie hebben me de afgelopen jaren helemaal leeg gemolken. Nu vraag ik eens iets terug en...'

Hij ging niet verder. Randazzo was beledigd. Hij deed zijn best. Hij zette ook veel op het spel. 'Dat vind ik bijzonder oneerlijk,' merkte hij op. 'We hebben bepaalde activiteiten van je door de vingers gezien.'

'Niet zonder reden,' zei Massiter. 'En voordeel.'

'Dat is waar. Ik... ik weet dat ik dit eigenlijk niet zou moeten zeggen,' stamelde Randazzo. 'Maar het wordt tijd dat we eens openhartig met elkaar praten. Ik wil net zo goed dat deze zaak wordt afgehandeld. Een kleine beetje meer openheid van jouw kant zou niet verkeerd zijn. Als ik dingen in de doofpot stop, wil ik graag dat ze daar blijven. Geen nieuwe lijken, niet als dat vermeden kan worden. Dat is beter voor iedereen.'

'Wordt dat chaletje van je een beetje te klein voor je?' vroeg Massiter, die nu ijzig kalm was. 'Wat wil je dit keer? Een appartement aan de kust? Kom op. Je bent een Venetiaan. Je bent niet bang de prijs te noemen.'

'Het gaat niet altijd om de prijs,' zei Randazzo stijfjes. Hij voelde dat hij langzaam geïrriteerd begon te raken. 'Ik moet de waarheid weten. Over alles. Met name over je relatie met de leden van de familie Arcangelo.'

'Die is eenvoudig,' beet Massiter hem toe. 'Ik geef. Zij nemen. Zo'n relatie als ik met de meeste mensen in deze godvergeten stad heb.'

Het was jaren geleden dat Randazzo voor het laatst als politieman had gedacht. De taak van *commissario* beperkte zich tot administratie en management. Hij had rechercheurs om de fijne details van misdrijven uit te zoeken, hoe ze waren gepleegd, hoe ze moesten worden opgelost. Toch was hij er ooit zelf een geweest. Geen slechte ook. Niet bang om er zo nu en dan een harde, onverwachte vraag tussendoor te gooien, want daarvoor werd hij destijds betaald.

'En Bella?' vroeg Randazzo bars, een gokje wagend zonder zich er druk om te maken of zijn bazen dit te horen zouden krijgen, omdat hij wilde wat zij wilden: de zaak afsluiten. Ergens had hij ook een hekel aan Hugo Massiter, verafschuwde hij zijn kalme arrogantie. 'Ze was een knappe vrouw. Dat zegt iedereen. Je houdt van vrouwen. Hoorde ze misschien bij de overeenkomst?'

Massiter werd opeens vijandig en glimlachte met een geamuseerde, afstandelijke blik op zijn gezicht, zodat Randazzo spijt kreeg dat hij deze weg in was geslagen.

'Lieve hemel! Je bent echt ongewoon nieuwsgierig vandaag. Waar komt dit allemaal vandaan? Ben je bang dat die Romeinen met de eer gaan strijken? Ben je uit je hum omdat er voor de verandering eindelijk eens een paar echte politiemensen in Venetië zijn?'

'Die opmerking was nergens voor nodig. Ik zou graag de waarheid weten,' herhaalde de *commissario*, die Massiter niet recht aan durfde kijken. 'Het zou ons allemaal helpen.'

'De waarheid?' De blauwe ogen fonkelden en hielden zijn aandacht vast. 'Het probleem met de waarheid is dat hij zo verdomd lastig in te schatten is. De waarheid van de een zijn de leugens van een ander. Ik dacht eigenlijk dat iemand als jij dat beter zou weten dan wie ook.'

Gianfranco Randazzo streek de revers van zijn fijn geweven zwart katoenen pak glad. Eronder droeg hij een glad wit overhemd en de rode zijden das die hij de afgelopen lente tijdens zijn vakantie in Osaka had gekocht, de das met een patroon van zijn naam in katakana. Hij beschouwde zichzelf als een plichtsgetrouw man. Niet perfect, maar iemand die zijn werk probeerde te doen in moeilijke omstandigheden.

'Bella had een minnaar,' zei hij streng. 'Het zou kunnen dat ze de relatie met haar broer nieuw leven had ingeblazen.'

Massiters wenkbrauwen gingen omhoog. 'Vreemde gewoonten houden ze er hier op na.'

'Inderdaad,' antwoordde Randazzo. 'Ik zei alleen dat het zou kunnen. Ze was zwanger. Haar echtgenoot was niet de vader. Dus wie was Bella's minnaar?'

Massiter staarde zwijgend naar het woelige water.

'Vaderschap,' zei hij toen, met een somber gezicht. 'Dat is nog eens interessant.'

'Ik kan je niet overal tegen beschermen,' zei Randazzo stuurs. 'Er zijn grenzen en dan...'

De Engelsman stond te lachen. Zijn schouders gingen op en neer. Een aanzwellend gegrinnik kwam tussen een stel glanzende witte tanden vandaan. Hij deed een stap dichterbij en raakte de das aan.

'Japans?' vroeg hij. 'Hoe is het trouwens met je vrouw?'

'Mijn vrouw heeft hier niets mee te maken.'

Randazzo had gezien hoe Massiter naar Chieko keek wanneer ze elkaar bij openbare gelegenheden tegenkwamen. Het was niet de nieuwsgierige blik die haar normaal gesproken ten deel viel wanneer iemand uit de plaatselijke bevolking ontdekte dat een vrouw uit Tokyo met een Venetiaanse politieman was getrouwd. Bovendien was Venetië dezer dagen een internationale stad. Trouwen met een buitenlandse, een mooie buitenlandse, was niets bijzonders.

'Dit is niet grappig,' zei de *commissario* en hij hoorde zelf hoe klaaglijk zijn stem klonk. 'Helemaal niet grappig.'

Snel en lenig als een roofdier schoot Massiter naar Randazzo toe.

'Integendeel,' murmelde de Engelsman in zijn oor. 'Het is kostelijk. Laten we direct ter zake komen. Ik moet zo weg. Dadelijk zijn daar beneden allemaal mensen hier uit de buurt en ik verdom het ze met de kostbare spullen alleen te laten. Dus...'

Massiter deed een stap achteruit en haalde een keer diep adem. Hij was volkomen zeker van zichzelf. 'De laatste keer dat ik Bella Arcangelo heb gezien, was twee weken geleden. Ik ga nooit langer dan een maand met een Venetiaanse vrouw naar bed. Dat is een principekwestie. Ze klampen zich aan je vast, ze kunnen je niet loslaten, ze worden vermoeiend. Je kunt die wijven het beste lozen voor de lol eraf raakt. Ik betwijfel het dat ik haar met jong heb geschopt, maar je kunt nooit weten. Niemand zal het ooit weten. Ik verwacht van je dat je daarvoor zorgt.'

Randazzo vloekte en vroeg toen zacht: 'Je bent er niet geweest in de nacht dat ze is overleden? Kun je dat bewijzen?'

'O... die nacht. Waar was jij trouwens?'

'Ik was aan het werk,' snauwde Randazzo.

'Werk. Spel. Die twee zijn voor mij vrijwel hetzelfde eigenlijk.'

Hij wist iets. Hij stond te popelen om het zeggen ook.

Massiter stak zijn hand uit en sloeg een stofje van de das van de *commissario*. De Engelsman keek Randazzo aan met zijn ouder wordende filmsterrengezicht gespeend van alle gevoel, een man die helemaal niets voelde, niet voor zichzelf, noch voor iemand anders. *Commissario* Gianfranco Randazzo wist dat het stom van hem was geweest Massiter zo aan te pakken. Het was bijzonder onverstandig, een domme fout die rechtgezet zou moeten worden met een duidelijk bewijs van loyaliteit.

'Ik was tot één uur 's nachts bezig. In gezelschap. Daarna heb ik alleen geslapen.'

'Hier?'

Massiter fronste zijn wenkbrauwen. 'Je bent erg nieuwsgierig, Randazzo. Is dat wel verstandig? Je weet trouwens dat dat niet kan. Ze laten me hier 's avonds niet toe. Ik heb moeten smeken vanavond dit feestje te mogen houden, ook al is het evenzeer in hun belang als het mijne. Nee. Ik was in mijn appartement. Eerst met een vrouw. Daarna alleen.'

Het was niet zo ver van Massiters boot aan de kade in de buurt van het Arsenaal. Hij had toch nog op tijd op het eiland kunnen zijn. Bella zou hem de sleutel kunnen hebben gegeven.

'Moet je luisteren. Je was tot twee uur bezig, Hugo. Nee. Maak daar halfdrie van. Die vrouw moet dat bevestigen.'

Massiter haalde zijn schouders op alsof het een volstrekt onbelangrijke kwestie was.

'Dit is belangrijk,' voerde Randazzo aan.

'Goed dan,' gaf hij toe.

'Hou je aan dat verhaal. Laat de rest maar aan mij over.'

'Ik heb de rest van het begin af aan aan jou overgelaten,' mompelde hij. 'Moet je zien wat ervan gekomen is.'

'Ik zorg dat het wordt opgelost,' hield de *commissario* staande. 'Dat verzeker ik je. Die vrouw... We moeten misschien haar naam weten. Ze zal toch wel voor je willen getuigen, hè? Dat weet je zeker?'

Massiter keek hem glunderend, geamuseerd aan. 'Gegeven het feit dat je alleen maar een van mijn bezittingen bent, een stukje bezit waarvan de waarde nogal wat lager blijkt te zijn dan de prijs die ik oorspronkelijk heb betaald, ben je opvallend brutaal dit keer, laat ik dat wel zeggen. Ik vertrouw erop dat het feit dat ik deze onbeschaamdheid tolereer, beloond zal worden En...'

Hij zweeg even voor hij verder sprak en er straalde een felle, heldere zekerheid uit zijn ogen die Gianfranco Randazzo het bloed in de aderen deed stollen.

'...gauw. Geduld is niet een van mijn sterkste kanten.'

'Ik kan je niet voor jezelf behoeden!' antwoordde Randazzo, die inmiddels spijt had van zijn eigen onbezonnenheid en besefte dat hij geen idee had of hij wel kon leveren wat Massiter, en zijn eigen superieuren, wilde. 'Zal deze vrouw zeggen wat we willen?'

Massiter stond weer te grinniken. De abrupte, angstaanjagende kilheid was verdwenen. 'Dat denk ik wel. Misschien moet je het haar zelf even vragen. Als je straks thuis bent.'

12

Het was bijna zeven uur. Het drietal zou te laat zijn voor Massiters feest, maar het kon niet anders. Falcone stond erop dat de mannen alles in de Questura opschreven voor ze vertrokken. Het was belangrijk alle feiten, voor zover ze deze wisten, op te tekenen, zei hij. Hij wilde vergissingen uitsluiten, voorkomen dat er problemen aan hun aandacht ontsnapten. Teresa was ook bezig geweest, maar ze was niet erg tevreden met wat ze had bereikt, als hij de gespannen uitdrukking op haar gezicht juist interpreteerde.

Het was een heerlijke avond. Zelfs op de *vaporetto* was er nauwelijks wind te voelen. De stad lag bladstil gevangen in haar eigen archaïsche pracht.

'Had Leo gelijk?' vroeg Costa. 'Ben je nog iets te weten gekomen in het mortuarium?'

Er verscheen een ontevreden trek op haar gezicht. 'Min of meer. Ze zijn niet bepaald modern. Het is hier, eerlijk gezegd, een beetje een amateuristisch zootje. Alle moeilijke zaken worden naar het vasteland opgestuurd.'

De twee mannen keken elkaar aan. Costa wist dat ze hetzelfde dachten.

'En dit is niet moeilijk?' vroeg hij. 'Twee doden? In zeer merkwaardige omstandigheden?'

Teresa staarde naar het naderbij komende eiland naast de steiger van de *vaporetto*, met de drie gebouwen nevelig in de hittewaas. Costa volgde haar blik. Hij vond het Isola degli Arcangeli nog steeds bijzonder merkwaardig. Het hing met die ene metalen brug, met zijn iconische engel, wankel aan de rand van het eigenlijke Murano alsof het niet zeker wist of het erbij wilde horen, of dat het zich in de ondiepe wateren van de lagune zou laten afdrijven.

'Je zou denken...' mompelde ze. 'Ik weet het gewoon niet. Ik heb Silvio overgehaald een paar dingen uit te zoeken. We zullen zien.'

'O, prachtig,' kreunde Peroni. 'Hoe krijgt Leo dat toch voor elkaar? Iedereen met zich meeslepen de stront in?'

Teresa keek hem scherp aan. 'Ik dacht eigenlijk dat we waren gevraagd omdat we goed zijn in ons werk.'

'Ja, ja, ja.' Peroni wuifde met zijn grote hand. 'Dat krijg ik telkens te horen. Maar vergeet niet dat wij hier niet thuishoren. Deze stad is van de Venetianen en van mij mogen ze hem houden. We hebben een opdracht van de *commissario* gekregen. Een keurig net onderzoek. Afwikkelen. En dan naar huis.'

Hij sloeg zijn enorme arm om Teresa Lupo's stevige schouders. 'Naar huis,' benadrukte Peroni. 'Door eens één keer te doen wat we moeten doen. Is dat nu zo moeilijk?'

Ja, dacht Costa, maar hij zei het niet. De zaak-Arcangelo rammelde aan alle kanten en dat wisten ze allemaal. Zelfontbranding. Beschadigde sleutels. Aldo Bracci, opgesloten in zijn eigen huis op Murano, met een boze menigte voor de deur die hem weg wilde hebben. Costa kon het beeld van Bracci niet uit zijn hoofd krijgen. Die man was er niet alleen ellendig aan toe. Hij wist ook iets, iets waarvan hij zich misschien afvroeg of hij het moest vertellen.

Teresa pakte de draad van het gesprek weer op. 'Silvio heeft een paar ideeën over dat gedoe van zelfontbranding. Hij weet meer van chemie dan ik. Ik heb hem wat materiaal gestuurd om naar te kijken. Misschien weten we morgen, of overmorgen, meer.'

'Wat voor materiaal?' vroeg Costa.

'Vezels. Van Uriels kleren. Mensen vliegen niet zomaar in brand, Nic. Niet in deze wereld. Het was daar heel heet. Zeer vreemde condities. Uriel hoorde slecht en was ook zijn reukzin kwijt. Iemand die dat wist, had zijn voorschoot kunnen bewerken. Er is een verklaring. Er zijn natuurwetten van toepassing. We moeten ze alleen nog zien te begrijpen. Misschien...'

Ze zweeg. De twee mannen keken haar aan. Het was niets voor Teresa Lupo om om woorden verlegen te zitten.

'Wat misschien?' drong Peroni aan.

'Misschien heb ik me vergist. Het is een soort tovenarij. Of beter gezegd, een soort alchemie. Ik heb zitten lezen hoe ze glas maken. Dat ís alchemie in zekere zin. Ze maken gebruik van chemicaliën en processen die al honderden jaren worden toegepast. Als je nu ergens anders zo'n oven in gebruik zou willen nemen, zou de arbodienst je waarschijnlijk de stad uit schoppen als ze zagen met welke spullen je wilde gaan werken. Glas is mooi, maar wat erin gaat om al die kleuren, al die eigenschappen te maken... Ik zou het niet de hele dag om me heen willen hebben. Misschien is er per ongeluk iets op het pak of de voorschoot gekomen. Of...'

Ze keek hen sluw aan met een blik die zei: Dit hadden jullie moeten bedenken, jongens.

'Als er iemand een manier kon verzinnen om een geval van zelfontbranding in scène te zetten, zou dat dan niet iemand zijn die een glasblazerij vanbinnen kent?'

Costa dacht aan de kapotte oven. Teresa had, zoals gewoonlijk, de spijker op zijn kop geslagen. Ze hadden veel meer moeten doen.

'En Bella was zwanger,' merkte Peroni op. 'Dat weten we dankzij jou. Hoewel ik niet aanneem dat haar broer erg dankbaar is.'

'O, ja,' mompelde ze. 'De broer.'

Peroni had haar kennelijk verteld wat er die middag was gebeurd. Het gesprek klonk een beetje gemaakt.

'Zo op het eerste gezicht,' zei Costa, 'is de broer de beste verdachte die we hebben. De enige verdachte. We weten dat hij vroeger met Bella heeft gerotzooid. Dat heeft hij zelf toegegeven. Zijn enige alibi komt van zijn zonen, die ik voor geen cent vertrouw. Als Bella hem had verteld dat ze zwanger was en dat het kind niet van Uriel kon zijn, had hij ook een motief: haar het zwijgen opleggen. De Bracci's hebben een jaren oude reputatie. Ze hebben een strafblad.'

Ze keek niet overtuigd. 'Als ik Leo Falcone was,' zei ze stijfjes, 'zou ik zeggen dat je je verdenkingen probeert te laten kloppen met je feiten. Bracci en Bella speelden die spelletjes toch zo'n dertig jaar geleden?'

'Zoiets,' bevestigde Costa.

'Ik ben geen deskundige op het gebied van incest en seksueel misbruik. Maar ik ben een vrouw. En ik kan je één ding zeggen: het klopt niet. Waarom zouden ze de klok terugdraaien? De meeste mensen in zo'n situatie willen het verleden achter zich laten, geen moment meer aan al die domme dingen denken die ze als kind hebben uitgehaald. Ze willen die herinneringen niet uit de vergetelheid halen en nieuw leven inblazen. Wat zeggen de statistieken over incest onder mensen van in de veertig, buiten de rimboe?'

'Dit ís de rimboe,' bromde Peroni.

'O, ja?' vroeg Costa. 'Het is een gesloten gemeenschap. Volgens mij is dat niet hetzelfde.'

'Daar ben ik het mee eens,' zei Teresa vol overtuiging. 'Het is hier te stads. Als het weer was begonnen, zou iemand ervan geweten hebben. Zou er vast iets zijn gebeurd.'

Peroni rekte zich uit om om de zijkant van de boot te kijken. Het bekende gele bord van de drijvende pier bij Faro deinde voor hen op het water op en neer. En iets nieuws: twee helderblauwe neonreclames waren op het eilandje ernaast opgehangen. De ene, op de werkplaats, brandde boven het nieuwe glas en hout en vermeldde in stralende letters: GLASBLAZERIJ. De andere was vijf keer zo groot en strekte zich in een wijde halve cirkel uit boven de ingangspartij van het *palazzo*.

'Palazzo degli Arcangeli,' las Peroni hardop, die met samengeknepen ogen naar de neonletters in de verte keek. 'Er is ook iets gebeurd, of niet soms?'

'Ja, maar...'

Ze wilde geen discussie beginnen, maar Costa begreep wel wat ze bedoelde.

De *vaporetto* kwam met een onverwachte slingerbeweging tot stilstand. Er werd getoeterd. Luide, boze stemmen kwamen uit de stuurhut. Het was een van die zeldzame geschillen op de lagune. Twee boten die elkaar afsneden, elkaar te snel af wilden zijn op de drukke golven.

Nic Costa stak zijn hoofd naar buiten om te zien wat er aan de hand was. Piero Scacchi's armoedige motorboot voer net weg van de steiger bij de glasblazerij. De zwarte, gespannen gedaante van Xerxes zat midscheeps, vóór die van zijn meester die aan de helmstok zat. Er lag geen lading in de boot. Het zou kunnen dat hij iets had afgeleverd, misschien iets om de oven weer op gang te krijgen.

Scacchi manoeuvreerde langs de tot stilstand gekomen *vaporetto*, negeerde het gevloek dat uit de stuurhut kwam, zette de zwakke motor harder en voerde, naar Costa vermoedde, de snelheid van de boot zo hoog mogelijk op. Hij keek alsof hij blij was dat hij weg kon uit Murano en richtte de boeg van zijn scheepje direct op Sant' Erasmo.

'Hé!' schreeuwde Peroni. 'Piero.'

Zijn stem ging verloren in het gebrul van de motor van de *vaporetto*. Waarschijnlijk maar beter ook, dacht Costa. Piero Scacchi speelde ook een rol in de gebeurtenissen. Hij woonde op een eiland waar de plattelandsgewoonten die Teresa in Murano uitsloot, misschien niet geheel onbekend waren. En hij was ongetwijfeld op de hoogte van informatie over Hugo Massiter. Costa kon het verhaal over Massiters aanvaring met de wet van vijf jaar geleden en over Daniel Forster en Laura Conti, de twee verdwenen personages uit die episode, niet uit zijn hoofd zetten. Hij vroeg zich af wat zij te zeggen zouden hebben in reactie op Massiters versie van die gebeurtenissen. Vooral nu, aangezien Emily naar alle waarschijnlijkheid enige tijd in het gezelschap van de Engelsman zou moeten doorbrengen.

Een zacht, zalig geluid kwam door de stille avondlucht aan gezweefd. Van slechts een kleine afstand, uit de openstaande deuren van het paleis, kwamen de zangerige klanken van een klein orkest, de violen prominent, muziek die Costa in de grotendeels ongeoefende oren klonk als Vivaldi. Hij rekte zich uit om voorbij de halte van de boot naar het privé-eiland te kunnen kijken. Witte banieren sierden de ijzeren brug en de armen van de skeletachtige engel. Daarachter, bij de smalle steiger voor het paleis, die tijdens eerdere bezoeken van Costa aan het eiland nooit was gebruikt, lag nu een lange rij watertaxi's te wachten tot ze hun menselijke vracht aan wal konden zetten. Iedereen was in carnavalkostuum: renaissance, barok, elizabethaans. De vrouwen stonden in felgekleurde, glanzende lange jurken van zijde, damast en fluweel met een mantel om hun schouders geslagen en hoeden met lange veren te wachten om van boord te gaan. De mannen gingen al even bont gekleed, sommigen als edelen, piraten en soldaten; anderen als personages uit de commedia dell'arte: Harlekijn in lapjespak met zijn traditionele stok; de pestdokter met zijn lange, gemene snavel; Pulcinella met zijn puntmuts en witte slobberpak.

'Nee, hè,' murmelde Teresa. 'Daar staat Leo.'

Ze zagen Falcones onmiskenbare magere rechte gedaante op de kade. Hij droeg een sober donker uniform, als een ouderwetse legerofficier. Op zijn schouders zaten gouden tressen. Kleurrijke medailles sierden zijn borst.

'De rotzak,' jammerde Teresa. 'Hij wíst het.'

Raffaela Arcangelo stond naast hem. Ze was nog in de rouw. Haar enkellange jurk in middeleeuwse stijl was helemaal dofzwart. Langs de hooggesloten hals zat een barokke kanten kraag met de kleur van de nacht waardoor slechts een glimp van het bleke vlees eronder te zien was. Haar lange haar was in het midden gescheiden en met een lint bezet met parels van achteren bij elkaar gebonden.

'Dát ziet er nou uit als een stelletje,' voegde Teresa eraan toe.

Peroni keek treurig naar de opgedofte menigte, trok zijn oude, nogal glimmende das strak om zijn nek in de hoop, misschien, dat de scheve knoop zou verbergen dat het boordenknoopje aan zijn overhemd ontbrak.

'Dank je wel, Leo,' kreunde de grote man. 'Heel fijn.'

Teresa keek hem met een uitgestreken gezicht aan. 'Waar maak jij je druk om? Je hebt een stropdas om. Je bent voor jouw doen gekostumeerd.'

'Maar...'

'Maar als je het geweten had,' ging ze verder, 'was je nooit meegegaan. Of wel soms?'

Er was nog iemand op de kade. Ze liep net de kale kinderkopjes op in een lang, helwit gewaad met een paar vleugels van zwanenveren op haar rug, de volmaakte, goudharige engel, zwevend voor het glanzende glazen paleis, haar silhouet trillend in de licht riekende hitte als een figuur uit een droom.

Emily Deacon zag er immens gelukkig, voldaan en volkomen op haar gemak uit op het terras van dit *palazzo*, een plek waar Costa zich nooit thuis zou kunnen voelen. Ze werd vergezeld door Hugo Massiter, die het kostuum van een van de sleutelfiguren uit de commedia dell'arte droeg. *Il Capitano*, de snoevende, gewelddadige militair, één brok arrogantie verstopt in het blauwe uniform van een marineofficier, met een namaakzwaard aan zijn zijde, in het bezit van een geschilderd masker met een lange fallische neus dat op Massiters schouder lag en waarvan de uitdrukking het midden hield tussen inhaligheid en lafheid.

Er lichtte iets op in Nic Costa's hoofd: een herinnering aan school. Aan al die oude theaterverhalen, eentje in het bijzonder. Over de Kapitein: hoe hij de lieflijke Isabella schaakte, de *innamorata*, de onschuldige en mooie verliefde vrouw die zich nooit achter een masker hoefde te verstoppen, noch, als Costa het zich goed herinnerde, veel achter dat van anderen zag.

13

Het oogverblindende Palazzo degli Arcangeli zag er vanbinnen adembenemend uit. Orchideeën en rozen stonden in geurige rijen langs de gevels van de hal. Brede witte linten hingen als slingers aan de houten en metalen bovenbouw van het gebouw en kwamen in een kroon bij elkaar om de stam van de versteende palm in het midden. In de drie hoge halve cirkels van glas glinsterden de twinkelende oogjes van honderden piepkleine spotjes die naast elkaar waren opgehangen, een veld van anonieme acteurs die zulke oude rollen speelden dat Costa diep in zijn jeugd moest duiken om zich de namen te herinneren. Achterin, op een laag podium, zat het kleine orkest net hoorbaar boven het geroezemoes uit te spelen dat het een lieve lust was. Er waren minstens driehonderd mensen, genoeg om een paar commedia-dell'artegezelschappen te vormen.

Nic Costa meende dat hij hier en daar Emily's rappe en praktische hand bespeurde: vazen met lange witte lelies; strengen fijn goudkleurig draad waarvan vloeiende, gedraaide vormen waren gemaakt zo'n vijf meter boven de mensen, als een bijna onzichtbare huid tussen hen en het breekbare glas hoog boven hun hoofd. Alles was ingehouden, maar ook krachtig, en slaagde er bijna in te verbergen met hoeveel haast het was gedaan. Toch hing er een sfeer alsof er een feest werd gehouden in een pas herboren gebouw dat zijn bestemming nog niet had gevonden, een plek die bij het ontwaken uit een lange sluimering door vandalen bleek te zijn ingenomen.

Ze spraken kort met Leo Falcone en Raffaela, die kennelijk enigszins overdonderd door de glamour van de avond aan de arm van de inspecteur hing. Daarna ploegden ze verder. Costa ging in de bonte samengepakte menigte weer op zoek naar Emily, en Peroni en Teresa volgden hem op de voet. Ze voelden zich allemaal opgelaten in dit gezelschap.

Het werd algauw duidelijk dat de hele familie Arcangelo er was. De meeste mannen droegen de *bauta*, het strakke poederwitte traditionele masker dat over de neus en wangen paste, maar de mond vrijliet zodat de drager kon eten en drinken. Maar de tijden waren veranderd. In de snikhete, benauwde ruimte werden de onhandige accessoires na verloop van tijd waarschijnlijk irritant. De gebroeders Arcangelo hadden hun masker allebei al na een paar minuten afgezet. Michele stond te praten met een vrouw die Costa niet kende. Hij zag er geanimeerd, bijna opgewekt uit. Een heel ander mens dan de chagrijnige kerel die ze hadden willen ondervragen. Gabriele was minder veranderd. Hij wilde of kon geen gesprek met iemand aanknopen en stond treurig verkleed als pestdokter in zijn eentje dicht bij de tafel met drank met zijn langneuzige masker op zijn schouder aan een glas spritz te nippen.

Costa verontschuldigde zich toen hij langs een paar drong dat hun masker nog op had en verkleed was als fel gekleurde pauwen, in een stijl die beter paste bij een carnaval in Brazilië dan een feest in Venetië. Daarna liep hij om een tafel met hapjes heen, zuchtte toen Peroni er een handvol van pakte en in zijn mond stak, draaide zich om en keek opeens recht in het dorre, doodse gezicht van Gianfranco Randazzo.

'Nog iemand in burgerkleding,' zei Randazzo, terwijl hij ook een blik op Peroni wierp. 'Wat een opluchting. Jullie vragen je zeker wel af wat jullie in godsnaam bij deze poppenkast doen?'

'Eten,' verklaarde Peroni en hij hield een paar flinterdunne toastjes met *bresaola*, aan de lucht gedroogd rundvlees, en gebakken *porcini* omhoog. De grote man trok een grimas tegen zijn glas *prosecco*. 'Ze hebben hier zeker geen bier, hè?'

'Politiemensen horen onder diensttijd niet te drinken,' zei Randazzo kortaf.

'Dat weten we, commissaris,' antwoordde Costa en hij hief even zijn glas naar Randazzo. Ook al was Peroni er niet tevreden mee, het was goed spul, beter dan de slappe mousserende wijn die in de Veneto vaak geschonken werd. 'Op dit moment hebben we geen dienst. Op dit moment kunnen we doen wat we willen.'

Randazzo trok een lelijk gezicht. De man maakte een gespannen indruk en keek nog ongelukkiger dan normaal.

'En dat doen jullie anders niet? Waarschijnlijk zou ik blij moeten zijn. Nu ben ik tenminste even verlost van de klachten. We hoeven bijna nooit iemand naar Murano te sturen. Zo'n plaats is het. Nu zitten drie van mijn mensen daar. Niets anders te doen dan de menigte op afstand houden. Waarom hebben jullie Bracci niet gewoon in hechtenis genomen?'

'Op grond van wat?' vroeg Peroni.

'Dat moeten jullie verzinnen,' beet Randazzo hem toe. 'Moet ik jullie soms alles voorkauwen?'

De *commissario* wierp een blik op Teresa Lupo. Haar aanwezigheid maakte hem om de een of andere reden zenuwachtig, een feit dat haar naar alle waarschijnlijkheid niet zou ontgaan.

'Ik neem aan dat jij ook een goede dag hebt gehad,' mompelde hij. 'Je neus in onze zaken steken. Ik had op de hoogte moeten worden gebracht van dat bezoekje aan Tosi. Van tevoren.'

'Heeft Tosi u gebeld?' vroeg ze verrast.

'Natuurlijk! Hij werkt voor mij.'

'Mazzelaar,' zei Teresa Lupo vriendelijk. Daarna draaide ze hem de rug toe en ging bij Peroni staan.

Randazzo porde Costa in de borst. 'Er zijn grenzen aan wat ik van jullie drieën accepteer.'

Nic Costa had geen zin dit gesprek voort te zetten. Randazzo was een onbetekenend mannetje. Massiters mannetje, als Costa de situatie goed had ingeschat. Hij was hier omdat hij opdracht had gekregen hier te zijn. De humeurige, zuur kijkende *commissario* mocht zichzelf gaan vermaken. Bovendien zag hij Emily. Ze stond, zonder Massiter, als een onwezenlijke gedaante in het wit aan de andere kant van de hal in gezelschap van een als achttiende-eeuwse Franse aristocraat verklede idioot die haar met veel aplomb probeerde te versieren.

Nic Costa knikte naar Randazzo. 'Ik ga er zonder meer van uit dat dat zo is, commissaris. Als u me nu wilt excuseren.'

Daarop drong Costa met een zachte schouderstoot, een afgezwakte versie van de spelwijze uit zijn rugbytijd, door de gekostumeerde menigte heen en duwde de mensen onder het mompelen van een stroom excuses resoluut opzij.

Hij pakte twee glazen *prosecco* van het blad van een bepruikte ober in blauwe zijde en zocht zijn weg door het gedrang heen naar haar toe.

Emily lachte, een licht, warm, betoverend geluid, en pakte haar glas aan.

Zijn ogen dwaalden over het spierwitte engelenkostuum, de prachtige veren vleugels. 'Ik heb je kleren bij me. Dat had je me gevraagd. En dit...'

Hij haalde het piepkleine boeketje bloedrode *peperoncini* van Piero Scacchi's boerderij uit zijn zak. 'Het stelt in deze omgeving niet veel voor.'

Emily stopte de wasachtige pepertjes zorgvuldig tussen de veren van haar rechtervleugel waar ze afstaken als een vreemde, symmetrische wond.

'Het is het mooiste wat ik vandaag heb gezien,' zei ze.

Er zat een ondeugende schittering in haar ogen. Het was allemaal maar een spelletje. Plagerij, misschien. Ze draaide één keer om haar as, als een etherisch model, alleen voor hem.

'Vind je het niet mooi?'

'Nee.'

'Nic!'

Hij fronste zijn wenkbrauwen. 'Ik vind het prachtig. Waar heb je het vandaan?'

'Hugo heeft het laten halen bij een costumier in de stad. Het was zijn plan.'

'Dat zal best. Had hij nog meer plannen?'

Ze knipperde met haar ogen. 'Ik vermoed van wel,' antwoordde ze eerlijk. 'Ik ben heel veel te weten gekomen over Hugo Massiter.'

'Hebben we er iets aan?'

'Dat weet ik niet.'

Ze dook achter een van de slanke ijzeren kolommen die op een rij vlak langs de zijgevel van de hal stonden en het balkon erboven droegen. Er liepen mensen boven hun hoofd, tientallen mensen. Hun schoenen rammelden op het ijzer. Het gebouw leek te broos om echt te zijn. Haar heldere, scherpe ogen speurden de menigte af om te zien of er niemand meeluisterde. Het opgewekte geluid van het orkest, dat zich door het lentedeel van *De vier jaargetijden* heen werkte, klonk achter hen.

'Waarschijnlijk niet,' zei ze zacht. 'Ik ben te weten gekomen dat hij geobsedeerd is door Laura Conti. De vrouw die hem bijna te gronde heeft gericht, weet je nog wel?'

Costa knikte. Het verhaal van Laura Conti en Daniel Forster bleef terugkomen. 'Hij lijkt mij niet het romantische type. Hij is rijk. Het soort man dat vrijwel iedere vrouw kan krijgen die hij hebben wil.'

'Wat zeg je nou toch?' protesteerde ze. 'Denk je dat het alleen om geld gaat?'

'Nee! Ik bedoelde alleen, hij is niet getrouwd. Hij lijkt me een eenzelvig type, niet iemand om een langdurige relatie aan te gaan. Ik dacht eigenlijk dat dat soort mannen een bepaald soort vrouwen aantrok.'

'We zullen maar zeggen dat je daarmee die rare opmerking hebt teruggenomen, hè? Wat dacht je van deze verklaring? De reden dat hij geobsedeerd is met Laura Conti is juist dat zij niet zo'n soort vrouw is. Ze is iemand die zowaar "nee" tegen hem heeft gezegd. Of in eerste instantie wellicht "misschien" heeft gezegd en daarna "nee", wat nog erger zou zijn.'

'Zou hij dat niet kunnen hebben?' vroeg hij.

'Dat kunnen de meeste mannen niet hebben, of wel soms?'

Hier zat iets wat hij nog steeds niet begreep. Het hinderde hem.

'Zoals Falcone me telkens voorhoudt,' ging Costa verder, 'horen Daniel Forster en Laura Conti niet bij deze zaak. Hoe zit het met de Arcangelo's? Wat voor relatie heeft hij met hen?'

Ze haalde haar schouders op. 'Ik weet net zoveel als jij. Hij is een rokkenjager. Misschien was hij Bella's geheime minnaar. Dat zou me niets verbazen. Je moet één ding goed voor ogen houden: vrouwen zijn belangrijk voor hem.'

'Dat had ik al begrepen.'

'Nee,' zei ze met een zucht. 'Het gaat niet om mij. Het is... universeel. Hugo is het soort individu dat vrouwen als een uitdaging ziet. Trofeeën om mee te pronken. Het heeft niets met liefde te maken. Zelfs niet met seks. Of zoiets gezonds. Het gaat om het bezitten. Hij is charmanter dan de meesten, maar zo zit hij in elkaar en hij is er ook heel goed in.'

'Wil hij jou als trofee?'

'Waarschijnlijk wel,' antwoordde ze zonder aarzelen. 'Maar ik voel me niet gevleid. Mannen als Hugo zijn uit op vrouwen zoals andere mannen op auto's uit zijn. Het is een kwestie van eigendom. Als hij eenmaal op de bestuurdersstoel zit, om het zo maar even uit te drukken, is de bekoring er snel van af, denk ik zo. Dat gebeurde bij Laura Conti om de een of andere reden niet. Dat zit hem nog steeds dwars. Hij snapt het niet. Het past niet in zijn keurige, goed geordende wereld, wat een plek is waar hij de touwtjes stevig in handen heeft.' Ze nam een slokje van de *prosecco* en glimlachte uit waardering voor de smaak. 'En het wil maar niet overgaan. Bella daarentegen wel. Dat is alles wat ik weet.'

'Dat kun je opvatten als een soort definitie van liefde,' merkte hij op. 'Dat van het niet overgaan.'

'Misschien wel.'

Haar blauwe ogen wilden hem niet loslaten. Toen hij haar zo zag, zo lieftallig in de dwaze, stralende jurk, met de gekleurde vlek van de *peperoncini* bij haar schouder, vroeg hij zich af waarom hij ooit aan de band tussen hen twijfelde.

'Ik heb genoeg van deze maskerade, Nic. Zullen we gaan?'

Costa liet zijn ogen door de hal dwalen, over de zijde en het satijn, de pruiken en de bleke, gepoederde gezichten.

'Wil je het gezelschap van deze mensen verruilen voor een klein appartementje van de politie in Castello?'

'Nee,' zei ze met een spottend glimlachje. 'Maar wel voor jou, idioot.'

Nic Costa lachte. Dat was een van haar vele gaven. Toen keek hij nog één keer om zich heen. Leo Falcone stond ernstig met *commissario* Randazzo te praten, zonder de in het zwart geklede, schuchtere gedaante van Raffaela Arcangelo aan zijn zijde wier oudste broer, naast Falcone, nog steeds de onbekende vrouw aan de praat hield met een hebzuchtige blik op zijn gezicht. Iets verderop waren Peroni en Teresa verwikkeld in een geanimeerd gesprek. Ze stonden vlak bij een bediende met een blad met eten dat ze tussen de bedrijven door plunderden.

Zijn ogen dwaalden naar het dansende water, de afgemeerde boten, de hardstenen aanlegsteiger. Daar liep iemand. De laatste persoon die Nic Costa verwachtte te zien, was op dat moment op weg naar het Palazzo degli Arcangeli.

14

Gianni Peroni bezat een heel arsenaal aan talenten om iemand wit-heet te maken. Op dat moment, omringd door verklede fratsenma-kers, enigszins draaierig van drie snel leeggedronken glazen goede *prosecco* vergezeld van talloze hapjes met krab en *bresaola*, meende Teresa Lupo werkelijk dat hij toch nog een nieuwe manier had gevonden om haar buiten zinnen te drijven.

'Maak je niet druk,' zei Peroni nogmaals. 'Het komt wel goed. We gaan naar een andere dokter. Ik weet een medicijnvrouw vlak bij Siena. Ik zeg nu wel me-dicijnvrouw, maar het is meer zoiets als volksremedies en zo –'

'Gianni!' blafte ze, zo luid, dat de harlekijn naast haar er snel vandoor ging om een rustiger plekje te zoeken. 'Luister je wel naar wat ik zeg? Dit is geen kwestie van de juiste arts vinden. Of een of andere provinciale kwakzalver uit een van je achterlijke dorpjes. Het is een kwestie van menselijke anatomie. Natuurweten-schap. Niet een of andere vorm van magie.'

'Dat zei je ook over zelfontbranding,' bracht Peroni haar in herinnering. 'Tot je ging zoeken.'

Haar hoofd tolde. Ze had zin met beide vuisten op zijn brede borst te roffelen. 'Nee. Het lijkt er niet op. Wat ik zei, was waar. Zelfontbranding, zoals mensen het opvatten, bestaat níét. Maar iets wat we als zodanig uitleggen, misschien wel. Dat is iets heel anders dan waar ik het nu over heb.'

'Ernstige tubaire occlusie.'

Alweer een ergerlijke hebbelijkheid die haar boos maakte. Peroni's uitspraak was perfect, ook al had hij geen flauw idee wat de aandoening inhield.

'En dat betekent?' vroeg ze bars.

'Dat betekent dat we op zoek gaan naar een andere oplossing. Als je dat wilt.'

'Jezus! Nu zal ik het je nog één keer heel simpel uitleggen. De bedrading is doorgebrand. De afvoer is kapot. Ik ben een wangedrocht...'

'Als je een wangedrocht was, zouden ze er geen naam voor hebben.'

'Hou je mond en luister, ja?'

Hij glimlachte niet. Of liever gezegd, hij glimlachte wel, maar zo flets, alsof hij wilde zeggen: vertel me dan wat ik moet doen, en daar werd ze altijd zo ra-deloos van.

'Zeg het maar.'

Ze wilde dat ze ergens waren waar minder lawaai was. Minder mensen waren. Ze had het onderwerp niet ter sprake moeten brengen. Maar de *prosecco* had haar ertoe bewogen door de zure appel heen te bijten. Ze moest het nieuws op de een of andere manier kwijt. Het werd er niet beter op als ze het vanbinnen oppotte.

'Ik kan geen kinderen krijgen,' zei ze langzaam. 'Dat zal nooit veranderen. Je kunt jezelf iets anders wijsmaken als je wilt, maar daar pas ik voor, Gianni. Dat kan ik niet. Dat maakt het alleen maar... erger.'

Teresa Lupo was zich ervan bewust dat de tranen in haar ogen stonden. Ze veegde ze weg met de rug van haar hand, maar Peroni's sterke armen gleden al om haar heen en hij omhelsde haar stevig.

'Is het erg?' fluisterde ze tegen de zijkant van zijn hoofd, terwijl ze zich afwezig afvroeg wat al die mensen om hen heen wel niet van deze vertoning zouden denken.

'Natuurlijk is het erg,' mompelde hij.

Ze snotterde tegen zijn borst en keek toen op naar zijn gehavende gezicht. 'Ik wil zo graag kinderen, Gianni.'

'En ik wil wat jij wilt. En we krijgen het samen niet, samen.'

Samen.

Precies zoals Emily had gezegd, aan de waterkant, de vorige dag, toen ze allebei hondsmoe naar het geschitter op het water keken en een ijsje aten.

Samen was het enige wat belangrijk was. Samen was wat ook voor Nic en haar op een dag belangrijk zou zijn. Teresa Lupo was daar heilig van overtuigd. Het was een feit, een concreet, onmiskenbaar stukje van de toekomst dat langzaam in het heden naar voren kwam en vorm probeerde te krijgen.

Ze keek de hal door. Emily was alleen, een eenzame witte gedaante die afstak tegen het lichte oude metselwerk van de hal, door Nic in de steek gelaten om de een of andere reden, een reden die Teresa graag wilde weten zodat ze hem ermee om zijn oren kon slaan en kon zeggen: Kijk dan toch, lummel! Dit soort mensen komen niet elke dag jouw leven – het leven van wie ook – binnenwandelen.

Smerissen en liefde, dacht ze. Wat een combinatie. Wat een

De hal dreunde van een oorverdovend, dodelijk geluid, een gebulder dat van de breekbare glazen muren af kaatste en met een merkwaardig, vol timbre spottend nagalmde, hen allemaal deed beven.

Dit was een geluid dat ze inmiddels herkende. Een geluid dat mensen als Nic Costa en Gianni Peroni in haar leven hadden gebracht. Eén enkele metalen gil, zo hard, dat ze haar trommelvliezen onder het krachtige volume in elkaar voelde krimpen.

'Gianni,' murmelde ze.

Maar de grote man was al weg, drong met geweld tussen de opzichtig geklede mensen door naar een ruimte die bij de deur ontstond, een ruimte die met de seconde groter werd, omdat alle gekostumeerde idioten, de harlekijnen en de pestdokters, de middeleeuwse hoeren en de hofdames, opeens bij hun volle verstand kwamen, zich herinnerden in welke eeuw ze leefden en het dreigende gebrul van een vuurwapen herkenden.

'Ga uit de weg, verdomme,' snauwde Teresa zwaaiend met haar armen tegen een debiel in zwart en wit, terwijl ze er niet aan wilde denken wat ze te zien zou krijgen.

Een man met een wapen. Er was altijd een man met een wapen.

Nic en Leo Falcone hadden zich al voor hem opgesteld, weigerden zich af te laten schrikken en stonden fier rechtop om het hoofd te bieden aan de gek die zich verschool achter zijn gijzelaar, een vrouw die ze herkende, de doodsbange Raffaela Arcangelo, die stond te trillen in haar zwarte rouwgewaad.

15

'Nic...'

Hij luisterde goed naar de waarschuwing in de stem van de inspecteur zonder zijn ogen een moment van Aldo Bracci af te halen. De man was stomdronken en kon nauwelijks op zijn benen staan. Een dwaas, ongewenst foefje van het geheugen had tot gevolg dat Costa het wapen in zijn hand herkende. Het was een oude Luigi Franchi RF-83 revolver, een .38 special met zes cilinders, bijna een kilo zwaar, ouderwets, onbetrouwbaar, het soort rotzooi dat ze van kleine straatboeven in Rome afpakten, mensen die nog niet raak konden schieten als hun leven ervan afhing. Niet dat het uitmaakte. Het was een vuurwapen, dat was het enige wat telde, een kleine voorbode de dood in een behuizing van lelijk zwart metaal.

'Dit moet ik doen, Nic,' mompelde Falcone. 'Ga achteruit. Dat is een bevel.'

Ze stonden op slechts een paar meter van Bracci en Raffaela in de nog felgele zon van de wegstervende avond, onder de kapotte schittering van een gigantisch grote kroonluchter van Murano-glas die aan het ijzeren balkon boven hun hoofd hing.

'Hij is dronken. Hij kent u alleen van vanmiddag en dat ging helemaal niet goed,' zei Costa zacht. 'Bracci ziet u enkel als deel van het probleem. Ik was er al een keer eerder. Geef me een kans.'

'Nic...' Er zat een strenge, vertwijfelde klank in Falcones stem.

'Nee, chef,' verklaarde Costa. Hij ging voor de inspecteur staan en spreidde zijn armen, met de handen open, om te laten zien dat hij niets had wat een gevaar kon vormen voor de woest kijkende Aldo Bracci, die zich klein maakte achter de van angst en woede trillende Raffaela.

'Leg dat wapen neer, Aldo,' zei Costa met ferme, rustige stem. 'Leg het neer, laat de vrouw gaan. Dan kunnen we praten. Niemand raakt gewond. Het gaat niet verder dan dit. Het komt allemaal in orde. Dat beloof ik.'

Bracci's linkerarm lag strak om haar keel. Raffaela Arcangelo's handen hingen slap langs haar zij.

'Te laat, klootzak!' krijste Bracci met gepijnigde stem. Deze man was niet voor rede vatbaar. Costa probeerde zich de trucjes te herinneren die een politieman in dit soort situaties kon toepassen. En de gulden regel: houd iedereen rustig.

'Praat tegen me, Aldo,' zei hij. 'Vertel me wat je wilt.'

'Ik wil dat jullie me met rust laten. Ik wil...'

De man was bijna in tranen, wanhopig, en Costa begreep waarom. Wat er die middag op Murano was voorgevallen, was onomkeerbaar.

'Ik wil mijn leven terug,' wauwelde Bracci, zo beroerd als wat.

Costa knikte overdreven om er zeker van te zijn dat Bracci hem begreep. 'Ik vind het vervelend wat er is gebeurd. We wilden alleen met je praten omdat dat moest. Het is ons werk. We praten met iedereen.'

Bracci's wilde, dronken ogen rolden in zijn hoofd. 'Verpesten jullie het voor iedereen? Met die verhalen? Lopen jullie overal smerige oude koeien uit de sloot te halen en vuile praatjes te verkondigen?'

'Nee. Dat had niet mogen gebeuren. Het spijt me.'

'Nou, daar heb ik wat aan! Waar moet ik nu heen, hè, wijsneus? Naar huis?'

Aldo Bracci's leven in dat smalle onwelriekende straatje, met een boos gezicht spiedend door elk raam, was voorbij. Costa begreep dat net zo goed als hij. Dat maakte Bracci zo gevaarlijk.

'Zeg me wat je wilt.'

Bracci lachte. Speeksel vloog uit zijn mond, viel op Raffaela's in zwarte stof gehulde schouder. Het lachen ging over in een lange benauwde hoestbui. Zijn schouders schokten. Hij zag eruit als een man die nergens om gaf, om zichzelf nog het minst.

Rustig, geduldig bleef Costa aandringen. 'Je bent hier ergens voor gekomen. Als ik wist waarvoor...'

De glazige dronken ogen keken hem boos aan. 'Als je wist waarvoor...'

Het wapen kwam weer omhoog. Hij keek om zich heen, speurde de menigte af, zocht iemand, vond die persoon niet.

Bracci trok zijn arm naar achteren, vuurde nogmaals, recht in de kroonluchter boven zijn hoofd, zodat er een regen van minuscule glasscherfjes in de hal neerdaalde. De mensen gilden weer en gingen nog verder achteruit, botsten tegen de tafels op, zodat de borden met exquise hapjes en de glazen mousserende wijn met veel gekletter op de harde stenen vloer vielen.

Costa verroerde zich niet. Hij keek Bracci onverschrokken aan, vastbesloten dit tot een goed einde te brengen. Twee patronen. Zes kamers. Als ze vol waren geweest toen de man de hal binnenkwam, dan waren er nu nog vier over. Niet dat er eentje van gebruikt hoefde te worden.

'Leg het wapen neer, Aldo,' zei Costa weer. 'Laat Raffaela los. Dan gaan we naar buiten om erover te praten. Ik breng je overal waar je heen wilt – naar het vasteland – je zegt het maar.'

De doodse ogen knipperden. 'Overal?'

'Overal waar je –'

Costa viel stil. Er holde iemand snel tussen de mensen door met iets in zijn hand.

'Nee!' brulde Costa.

Het was Gianfranco Randazzo. Hij beende met een zwart pistool in zijn hand de open ruimte in die door Bracci's toedoen was ontstaan en vuurde in zijn razernij als een bezetene, bijna in het wilde weg recht op het paar.

Costa sprong naar voren, rukte aan Raffaela's jurk en trok haar uit Bracci's greep naar de grond. De wankele gedaante boven hen wist niet welke kant hij op moest draaien, naar zijn vallende gijzelaar, of naar de vurige regen die lukraak uit Randazzo's wapen op hem af kwam gespat.

Bracci's schouder scheurde open. Een straal bloed kwam warm op Costa's gezicht. Bracci krijste. De oude Franchi schokte in zijn hand, twee keer, en schoot op niets in het bijzonder.

Er klonk gegil van alle kanten; hese, doodsbange kreten geuit door een cast van namaakacteurs die opeens een koude en gevaarlijke realiteit in waren gesleurd. Randazzo wandelde nonchalant in zijn mooie zwarte pak naar de ontredderde half vallende gedaante van Bracci, richtte als een illegale beul op het hoofd en vuurde een schot af in de schedel van de man.

Bracci's bovenlichaam vloog door de kracht van de kogel met een ruk naar achteren. De Franchi viel uit zijn slappe hand en kletterde op de harde marmeren vloer. Die was niet meer nodig; hij had zijn schade aangericht.

Costa deinsde terug voor de scherpe, bittere geur van geweervuur en zag toen vol afschuw hoe Randazzo het schokkende lijk in de rug trapte zodat het op zijn zij rolde. Het goedkope katoenen stofjasje van Bracci, dat hij ook in zijn smakeloze kleine glasblazerij aan had gehad, viel open, zodat de bebloede borst van de man zichtbaar werd.

Kalm, niet gehinderd door het aanhoudende pandemonium om hem heen keek Randazzo naar zijn slachtoffer. Hij zag iets, hurkte neer bij het lijk en sloeg het jasje dicht.

De *commissario* stak zijn hand in de zijzak en haalde er koeltjes een stel sleutels uit die aan een ring zaten waaraan een geel lintje hing.

Hij keek de hal rond.

'Was je hiernaar op zoek?' blafte Randazzo. 'Nou? Falcone? Falcone?'

Costa hielp de huilende Raffaela Arcangelo overeind. Zijn armen trilden. Hij probeerde de dingen die hij had gezien te begrijpen.

'Zijn dit haar sleutels?' schreeuwde Randazzo, die in de zakken van de doodgeschoten man bleef graaien, terwijl de consternatie achter hen toenam.

Woedend deed Costa twee stappen naar hem toe, keek naar de emotieloze man in het zwarte pak, dat nu besmeurd was met Aldo Bracci's bloed, en rukte het wapen uit zijn hand.

'U staat onder arrest. *Commissario*. Ik zal er persoonlijk op toezien dat u hiervoor de gevangenis in draait.'

Randazzo lachte hem in zijn gezicht uit. 'Wat? Ben je gek geworden? Jullie snappen er helemaal niets van. Dat is de hele tijd al zo geweest.'

Een enkele lange jammerkreet, luider dan rest en op een bepaalde manier bekend, zodat hij Costa het bloed in de aderen deed stollen, bracht hem tot zwijgen. Randazzo richtte zijn aandacht op het achterste deel van de ruimte en werd opeens stil. Alle kleur trok uit zijn wangen en er verscheen een starre uitdrukking van afgrijzen op zijn gezicht.

Nic Costa stond met zijn rug naar het lawaai. Toch herkende hij die stem, die lage, woeste wanhopige brul. Het was Teresa Lupo en ergens in de stroom woordeloze razernij die uit haar keel kwam, hoorde hij zijn naam.

Twee verdwaalde kogels, die fluitend een zaal vol mensen in vlogen, Aldo Bracci's laatste geschenken aan een wereld die hem naar zijn idee in de steek had gelaten.

Nic Costa wist wat dat betekende. Wist op de een of andere manier ook wat hij zou zien wanneer hij genoeg moed had verzameld om zich om te draaien en zelf te kijken.

Het had een schilderij kunnen zijn. Iets van Caravaggio, de ene kant diepe schaduwen en de andere kant in de botergele stralen van het wegstervende zonlicht gedompeld. Peroni zat op de grond geknield over de roerloze gedaante gebogen en schommelde stil heen en weer met een verdwaasde radeloze blik op zijn gepijnigde gezicht. Teresa zat naast hem op haar knieën en probeerde vertwijfeld iets te doen met de lappen in haar handen, probeerde uit alle macht de rode stortvloed te stelpen die uit de gedaante op de harde, koude vloer gutste.

Leo Falcone lag bewegingloos met zijn hoofd op Emily Deacons schoot. Zijn taankleurige gezicht staarde hen aan, de ogen wezenloos, de mond wijdopen, vol bloed, dat zachtjes van zijn lippen stroomde en op haar spierwitte vleugels viel.

DEEL 4

DE ONSCHULDIGEN

1 Het was 1961, een kille zomer in de Valle d'Aosta. Waterkoude bergnevels hingen om het familiechalet bij Pré-Saint-Didier in de Kleine Sint-Bernardpas. Er was een week voorbijgegaan zonder dat de hoge massa van de Mont Blanc, een afstandelijke rotsige reus met een kroon van sneeuw die dit laatste wilde stukje Noord-Italië van Frankrijk en Zwitserland scheidde, te zien was geweest. Het kind, dat net zeven was geworden, had zich zonder het vertrouwde uitzicht verloren gevoeld. De berg was zijn troost tijdens deze lange, eenzame zomerperioden, een soort gezelschap. En dat was het jaar – precies het jaar, bracht een vreemde externe stem hem in herinnering – dat hij meer dan ooit gezelschap nodig had. De jongen, Leo, was zich van zichzelf bewust, gezeten aan de lange, oude houten tafel, die zo ruw van makelij was, dat het leek alsof hij met een bijl was vormgegeven. Alleen in de vertrouwde woonkamer. En toch niet alleen.

'Je hebt nooit gekeken,' zei de stem. Een oude stem, ook vertrouwd.

'Dat wilde ik niet.'

Hij was het zelf, besefte hij op de een of andere manier, de persoon die sprak. Jaren ouder. Wijzer ook misschien. En bedroefd. Het kind geloofde niet in geesten. Zijn vader, een praktische accountant zonder emoties die de geldzaken van veel van de grote noordelijke bedrijven verzorgde, zou voor dergelijke onzin geen geduld hebben. Hij had een paar van de boeken die Leo van de kostschool mee naar huis had genomen, weggegooid. Ze waren te fantasievol, zei hij, en zouden een kind alleen maar op verkeerde gedachten brengen. Arturo Falcone was, zoals hij zijn zoon nooit vergat voor te houden, een selfmade man. Hij was uit de ellende en chaos van de Tweede Wereldoorlog opgekrabbeld en had zijn eigen studie bekostigd door 's avonds als ober en barman te werken. Alles in het leven van de kleine Leo Falcone kwam van deze zonderlinge, gevoelloze man, een vader op papier slechts, een afstandelijke figuur die alleen in de vakanties aanwezig was, wanneer hij zich meestal met een krant en een glas terugtrok in een stoel en zich diep in zijn eigen gedachten begroef. Leo was enig kind en daardoor was de dankbaarheid die hij naar zijn idee zijn vader verschuldigd was voor enige vorm van aandacht, zowel meer verdiend als moeilijker op te brengen.

Het was ijskoud in de kamer. Zijn ouders hadden hem daar achtergelaten met deze merkwaardige stem, een eenzamere echo van die van hemzelf, als enig gezelschap.

Hij keek naar de klok, een oude koekoeksklok uit het Zwarte Woud. De slinger hing, als iets uit een droom, onnatuurlijk stil aan de rechterkant van de kast, die een kopie was van een houten bergchalet en sterk leek op het huis waar hij nu stijf rechtop op een harde oncomfortabele stoel zat, terwijl hij zich ervan bewust was dat een geluid dat ergens anders vandaan was binnengedrongen, door de kamer weergalmde, een bulderend, dreunend, klingelend lawaai, de metalen klank van klokken gevolgd door het waanzinnige getjilp van de balg van de koekoek.

Er kwamen hier lawines voor, in de winter. De bergen waren gevaarlijke, eenzame plaatsen. Er waren nog beren, zeiden sommigen, en wilde bergbewoners die een kind zomaar meenamen om het tot slaaf te maken, om de gestolen jongen op het land te laten werken, voorgoed gevangen in een leven van dienstbaarheid, want er moest iemand werken, altijd.

Zijn vader vertelde hem dat laatste verhaal. Op een avond toen hij stout was geweest. Of ten minste nalatig, omdat hij de sleutel aan de binnenkant in de glazen voordeur had laten zitten, waar een dief hem zo kon pakken als hij het ruitje insloeg, een hand naar binnen kon steken en het huis in komen. Een vreemde, een indringer, een man die het tere weefsel van een gezin met zijn handen kapot kon scheuren.

Sleutels staan tussen fatsoenlijke mensen en chaos, zei Arturo Falcone, voor hij de jongen Leo een pak slaag gaf, niet hard, maar meedogenloos en kil met overleg, wat in zekere zin pijnlijker was omdat het veel geestelijk leed veroorzaakte. Vergeet de sleutels en je wereldje gaat verloren, met jou erbij. Ouders verdwijnen. Het eenzame jongetje uit een liefdeloos gezin uit de hogere middenklasse wordt een vuile geitenhoeder in de bergen, overgeleverd aan een leven vol ellende en schaamte.

Dan kun je beter dood zijn, zei zijn vader.

Dood.

Hij haatte dat woord als kind al, nog voor hij ten volle begreep wat het betekende. Op jonge leeftijd had Leo Falcone gemerkt dat hij gezichten van mensen kon doorgronden, achter hun maskers kon kijken en raden wat ze werkelijk dachten. Het was een soort magie, precies het soort magie dat zijn vader uit hem zou hebben geslagen als hij had geweten dat het bestond. Maar het bestond, en Leo wist wat er door de hoofden van mannen en vrouwen ging, van alle volwassenen, allemaal wijzer dan hij, als ze het dood-woord zeiden.

Angst.

Een langdurig, traag beheersbaar gevoel van vrees, dat pas wegging als iets – een andere dringendere kwestie of, in het geval van zijn vader, een fles cognac uit de bergen – het uit hun gedachten verdreef.

Dood.

De jongen Leo kwam tot de ontdekking dat hij in staat was zelf het woord te zeggen aan deze ijskoude, verlaten tafel en voor het eerst niets van het beklemmende, akelige voorgevoel te ondervinden dat hij had verwacht.

Hij ademde de ijzige lucht in zijn longen, twee volle, pijnlijke teugen, en trok verbeten een woedend gezicht dat hij nooit zou hebben durven tonen als zijn vader er was geweest. Daarna schreeuwde hij: 'Dood, dood, dood, DOOD!'

Er kwam een geluid van hoog aan de muur. De bevroren slinger van de klok bewoog en maakte één zwaai van rechts naar links voor hij weer stil hing en de zwaartekracht tartte, alles tartte wat naar Leo's overtuiging betrouwbaar, veilig en normaal was in de wereld. Toen liet hij het opnieuw horen, dat tweelingkoor, half metalen klok, half donderend koekoeksgeraas, precies het geluid dat hem in dit huis had laten ontwaken.

Het was niet zomaar een koekoeksklok. Dat had hij zich moeten bedenken.

De kleine houten deurtjes gingen open. Uit de klok kwamen twee bolle houten figuurtjes, die rond en rond draaiden. Man en vrouw; hij in bergkleding: leren broek, een kleurrijk overhemd met bretels en een klein groen hoedje met een minuscuul veertje. Zij...

Leo knipperde met zijn ogen. Hij herinnerde zich nu allebei de poppetjes. De vrouw was dik, druk en grappig, in een witte jurk met blauwe stippen, een vriendelijk, rozig gezicht voor eeuwig vertrokken in een houten glimlach.

Deze vrouw was weg. Haar plaats was ingenomen door een naakt figuurtje, niet groter dan een vinger, maar van vlees en bloed, echt vlees, roze, wit en slap, zoals hij bij zijn moeder had gezien toen ze bloot de badkamer uit kwam omdat ze niet wist dat hij er was.

Echt vlees met striemen en wonden en bloed, echt bloed, bloed dat door de gemene, aanhoudende klappen van het mannetje dat met zwiepende armen en flitsend lemmet ronddraaide, uit haar spatte en spoot.

Kleine Leo knipperde weer met zijn ogen. De klok veranderde terwijl hij keek.

Nu droeg het kleine mannetje een mondkapje en een nauwsluitende operatiemuts. Zijn arm werkte koortsachtig, sneed en sneed.

'We gaan onder het mes het mes het mes...' zei iemand, de oudere Leo, half treurig lachend in zijn achterhoofd.

Er werd ook gegild. Gegild door de kleine poppetjes in de klok. Gegild buiten deze ijskoude kamer.

De blik van de kleine Leo viel op de deur, de massieve houten barrière die naar de slaapkamer van zijn ouders leidde, een plek die hij vreesde, een plek waar hij niet hoorde. Er zat een groot uitgesneden houten hart op de dwarsbalk, een teken van liefde, nam hij aan, hoewel het om de een of andere reden misplaatst leek. En nu was dit hart, dit oude glanzende eiken hart, langzaam, zwakjes aan het kloppen, aan het pompen met een krachteloze lijdzaamheid die hoorbaar was, in de maat met zijn eigen bevreesde polsslag, de twee samen in koor diep in zijn oren.

Achter dit pulserende houten hart lag het heiligdom van zijn ouders, hun geheime plaats waar een kind nooit werd toegelaten, hoe hard hij hen ook nodig had, hoe bang hij ook was. Er zat geen glazen paneel in de deur, geen raam, niets waardoor iemand kon zien wat er achter dat massieve, ondoordringbare hout gebeurde. Er was ook geen stom, zwak middel om te ontwijken wat was voorbestemd – veiligheid, geborgenheid, zekerheid – als je een sleutel in de deur stak en het slot opendraaide.

Hij lag daar, op de tafel, en daagde hem uit. Oud zwart ijzer, rijk bewerkt zodat hij raar in de hand lag, te groot aanvoelde voor de vingers van een kind dat de scherpe hoeken van de bovenkant vastpakte en geen houvast vond. Zelfs als hij durfde, was hun slaapkamer verboden terrein. Dat wist hij zijn hele korte leven al. Wat daar gebeurde was voor hen alleen, had niets met zijn leven te maken.

Het geluid van de klok en het geraas van de koekoek galmden weer door de kamer. Leo zag de slinger een enkele overspeek maken, van links naar rechts, en daarna bevriezen in de tijd, bespat met bloed van het kleine vrouwenfiguurtje dat tekeerging en zich gillend verzette in haar piepkleine, scherp omlijnde levenscirkel op de veranda van de chaletklok.

Niets houdt de ranselende man tegen, dacht hij. De slinger niet. De spookachtige stem in zijn hoofd niet. God zelf niet. Want de ranselende man is ook een stukje van God, het stukje dat altijd als laatste komt.

Maar hij kon de woorden dit keer niet zeggen. De slinger bewoog helemaal niet. Een diepe oerangst stak zijn kop op het hoofd van de kleine Leo Falcone en veranderde zijn ingewanden in water, zodat hij het daar op die oude stoel bijna in zijn broek deed van ellende.

'Het verleden is voorbij,' zei de oudere stem. 'Geloof me.'

'Maar wat moet ik dan doen?' vroeg hij verbitterd, niet van zins in tranen uit te barsten omdat dat de volwassenen altijd voldoening gaf, zelfs wanneer die toekijkende, oudere ogen van hemzelf waren.

'Wat je altijd doet. De godganse dag. Zo veel dat het al het andere in de weg zit. Nadenken!'

Leo wachtte en luisterde en probeerde te doen wat de stem zei. Hij wilde hier niet zijn. Hij wilde niet achter de afgesloten houten deur met het ruw gesneden, stervende hart kijken, of de grote ijzeren sleutel op de tafel pakken. De kleine Leo wilde het liefste slapen. Zijn hoofd op tafel leggen, zijn ogen sluiten, nergens aan denken, niets dan het donker in glijden dat, vergeleken bij dit waanzinnige, onveilige oord, een warm en behaaglijk respijt leek van de kwellingen die zich om hem heen verzamelden.

'Alsjeblieft,' zei de oude stem en hij klonk bang.

2   Maggiore Luca Zecchini was een gelukkig mens. Hij was na een saaie driedaagse conferentie in Milaan terug in zijn geliefde Verona. Er zou die avond in de Arena een première van *Il Trovatore* zijn, een gebeurtenis die hij zou bijwonen met een charmante en mooie toeriste uit San Diego, die hij de avond ervoor op weg naar huis in de trein had ontmoet. En er was *pranzo* in Sergio, het restaurantje bij zijn werk om de hoek, een plek waar een man zijn gedachten kon ordenen. De lunch was voor Zecchini een vast onderdeel van de dag, een moment waarop je kon terugkijken op een goed bestede ochtend en vooruitkijken naar een jachtige drukke middag voor je het donkere, onberispelijke uniform van majoor bij de *carabinieri* uittrok en het burgerleven weer in stapte. Weinig mensen beleefden deze kleine aangename plechtigheid op dezelfde manier: niet als een snelle gelegenheid om je vol te proppen, maar als een ascetische oefening in het losraken van jezelf. Slechts één nieuwkomer was de laatste tijd toegetreden tot de kleine kring van gelijkgestemde vrienden die af en toe werden uitgenodigd om met hem bij Sergio te eten.

Nu hij over dat onwaarschijnlijke individu nadacht, werd Zecchini's stemming somber. Politiewerk was nooit zonder gevaar. Hij had bij de Comando Carabinieri Tutela Patrimonio Culturale gewerkt sinds deze in 1992 was opgericht. De wereld van kunstroof en -smokkel waar hij zich dagelijks in bevond, was niet gevrijwaard van geweld. In de afgelopen zes maanden hadden twee collega-officieren uit het zuiden het leven gelaten toen ze zich onder criminelen mengden die enkele historische kunstwerken uit Irak via Italië naar Zwitserland wilden smokkelen. Maar toch... sommige incidenten waren raar. Onnodig. Onverklaarbaar. En tragisch, nog steeds, een week nadat het vreselijke verhaal in de krant had gestaan.

Zecchini staarde naar zijn bord met varkensribbetjes en groente en vroeg zich af of ze hem nu wel zo goed zouden smaken. Hij had Gina uit San Diego moeten vragen of ze met hem wilde lunchen. Vrouwen waren dol op het uniform. Hij had met Falcone vaak grapjes gemaakt over hun verschil in kleding. De man van de staatspolitie droeg altijd burgerkleding, omdat hij wist dat het lelijke blauw hem niet zou staan. Falcone was geen man die zich altijd even gemakkelijk aanpaste.

Toen dwaalden zijn ogen de straat in en bleven rusten op een schouwspel dat hij zowel merkwaardig als bijzonder interessant vond. Twee mannen kwamen op hem af gelopen. De ene, lang en stevig in een slecht zittend grijs pak, had een zeer lelijk, gehavend gezicht en de bouw van een verlopen bokser. De andere vormde een ongewoon contrast: tenger, jong, klein, in een shirt en een spijkerbroek, een beetje argeloos, behalve, zag Zecchini toen ze dichterbij waren, in de ogen, die vastbesloten stonden en een tikje zwaarmoedig.

Dit waren geen mannen om ruzie mee te krijgen, dacht hij. En ze kwamen hem bekend voor, maar hij wist niet waarvan.

De jongste kwam naar zijn tafel toe en vroeg met een beleefde Romeinse tongval: 'Maggiore Zecchini?'

'Ja?'

Ze keken elkaar aan, omdat ze niet wisten hoe ze verder moesten waarschijnlijk. Zecchini dacht na over hun verschijning, en wat ze voor hun brood zouden kunnen doen. Toen viel het kwartje.

'Jullie zien er precies zo uit als hij beschreven heeft,' zei hij. 'Ga zitten. Ik kan wel wat gezelschap gebruiken.'

De grootste zat binnen de kortste keren aan tafel en gluurde naar Zecchini's ribbetjes. De jongste trok een stoel bij en nam dicht naast Zecchini plaats. Er zat verder niemand buiten. Hij wilde er zeker van zijn dat ze ongestoord konden praten.

'Heeft hij het over ons gehad?' vroeg de oudste – Peroni, de naam schoot hem opeens weer te binnen – verbaasd.

'Er waren momenten dat hij bijna nergens anders over sprak. Ik heb Leo maar een paar maanden gekend. We hebben veel gepraat. We zijn vrienden geworden, geloof ik. Ondanks de verschillende uniformen. Dat kan tegenwoordig toch?'

Zecchini schoof zijn bord weg.

'Hoe is het met hem?' vroeg hij, hoewel hij het antwoord eigenlijk niet wilde horen. 'Ik heb erover gedacht om langs te komen. Maar het was daar naar mijn idee zo'n rotzooitje. Zo lastig voor iedereen. Bovendien denk ik niet dat een officier van de *carabinieri* bijzonder welkom zou zijn...'

Peroni haalde zijn schouders op. 'Hij zou het niet eens weten. Hij is nog niet bij bewustzijn geweest, al een week niet. De artsen zeggen dat de toestand kritiek is. Ik denk niet dat Leo ooit weer aan het werk gaat, wat er ook gebeurt.'

Het was al goed nieuws dat ze hem nog een kans gaven. Zecchini had gehoord dat Falcone op een bepaald moment volgens de artsen niet veel meer dan een ademend lijk was.

'Dat kun je je bijna niet voorstellen,' zei hij.

'Dat ben ik met u eens.'

Het was de jongste die sprak. 'Nic Costa. Gianni Peroni.'

Zecchini stak zijn hand uit. 'Zeg maar Luca. Dat deed Leo ook. We zijn kennissen. Geen collega's. Dat maakt sommige dingen gemakkelijker. En eet wat. Het is alweer een tijdje geleden dat ik iemand van de staatspolitie op een maaltijd heb getrakteerd. Te lang geleden.'

Hij riep de ober en luisterde naar hun bestellingen: vlees voor de grote man;

gegrilde groenten voor Costa. Zecchini merkte tot zijn verbijstering dat hij door zijn vriendschap met Leo Falcone het gevoel had dat hij deze mannen al kende.

'Zoeken jullie werk?' vroeg hij, nadat de ober was weggelopen.

De gevolgen van het incident in Venetië waren breed uitgemeten in de kranten. Er was een *commissario* geschorst in afwachting van een mogelijke aanklacht wegens doodslag. Costa en Peroni waren met gedwongen verlof gestuurd, wat meestal de voorloper van disciplinaire maatregelen was.

'We hebben werk zat,' antwoordde Costa.

Precies wat hij had verwacht, dacht Zecchini.

'Dat is niet zo best. Ik dacht dat jullie geacht werden thuis te zitten duimendraaien.'

Peroni lachte. 'Ja, maar weet je, als je eenmaal een tijdje onder die sluwe oude schoft hebt gewerkt, wordt het verdomde moeilijk te doen wat je geacht wordt te doen soms. Is dat je nooit opgevallen, Luca?'

Zecchini nam een hap van de varkensribben. Het eten was koud. De maaltijd was verpest en hij ging er al min of meer van uit dat het alleen maar erger kon worden.

'We hebben een geschenk voor je,' zei Costa. 'Of liever gezegd een prijs.'

'Gaat me dat wat kosten?' vroeg Zecchini.

Costa zag de ober aankomen met hun eten en wachtte tot hij was vertrokken.

'Voor niets gaat de zon op,' zei hij. 'Maar als we gelijk hebben, als we geluk hebben... met jouw hulp. Het is een prijs die je heel graag wilt hebben volgens mij.'

Luca Zecchini luisterde naar de twee mannen. Een minuut later wist hij al dat hij die avond *Il Trovatore* niet zou zien, ook niet in gezelschap van de heerlijke Gina.

3   Het was meer dan tien jaar geleden dat Teresa Lupo de geneeskunde had ingeruild voor het werk in de wereld van het gerechtelijk mortuarium, dat zij als een grotere uitdaging beschouwde. Nu voelde ze zich verloren in een ziekenhuis, in het Ospedale Civile van Venetië nog meer dan elders. Het leek wel een hele wijk van de stad in plaats van een medisch instituut. Het was ondergebracht in een doolhof van historische gebouwen, moderne aanwassen en hoge blokken die net woonflats leken en op de kale oever van de lagune tussen Fondamente Nove en Celestia oprezen. Het viel haar op dat het instituut recht tegenover een andere halte op de levensreis lag, het eiland met de begraafplaats, San Michele, dat – tot haar opluchting – het uitzicht op het Isola degli Arcangeli bij Murano belemmerde. De Venetianen hadden ook nooit zin meer moeite te doen dan absoluut noodzakelijk was.

Drie dingen gebeurden er de avond dat Leo Falcone in de snel invallende duisternis in een waterambulance met gillende sirene en zwaailicht met spoed naar het ziekenhuis werd vervoerd.

Ten eerste herinnerde ze zich hoe je moest schreeuwen tegen ambulance-verpleegkundigen, goede verpleegkundigen, mensen die duidelijk competent waren, maar domweg geen benul hadden van prioriteiten. Een man met een hoofdwond die zo erg was als die van Falcone, die hoefde niet uitgebreid onderzocht te worden. Het was een lijk in wording, dat stilletjes gilde om iemand die de klok stilzette en hem in leven hield tot er een specialist bij was gehaald die kon uitzoeken of er nog wat kon worden gedaan.

Ten tweede ontdekte ze dat ze er alles voor over had om te voorkomen dat Leo Falcone doodging. In theorie hoefde er van haar nooit iemand te overlijden, zelfs niet als zij daardoor zonder werk kwam te zitten. Maar dit had niets met theorie te maken. Wat er in het verleden ook tussen haar en Falcone was voorgevallen, ze had nu een onverwachte band met deze vreemde, afstandelijke, vaak arrogante man die nu geveld op hoge snelheid op een brancard door de gangen van het Ospedale Civile was gereden en het spinnenweb van gangen had doorkruist op een reis die naar haar idee nergens heen leidde.

En ten derde merkte ze dat ze, met haar identiteitsbewijs van Romeinse politiepatholoog-anatoom, nog enig prestige had. Toen ze Falcone wilden gaan voorbereiden op een operatie en tot de ontdekking kwamen dat de enige neurochirurg in Venetië met vakantie was op de Malediven, had Teresa domweg tegen hen gekrijst dat ze er alles aan moesten doen om het bloeden te stoppen en dan op nadere orders moesten wachten.

Er was nog enig geluk in de wereld. Misschien zelfs een god. Pino Ferrante had met haar op de universiteit gezeten al die jaren geleden. Onderweg, toen de ambulance zich over de lagune haastte, had ze aan zijn handen zitten denken, de mooiste handen die ze ooit bij een man had gezien: lang, fijn en elegant, net iets van een tekening van Dürer. Helende handen, dat was wel duidelijk tegen de tijd dat hij zijn opleiding had afgerond en de grote wereld van de medische praktijk in trok. Pino was nu een welvarend neuroloog in zijn geboorteplaats Bologna, iets meer dan zestig minuten met de auto van Venetië, als hij nog reed zoals vroeger. En hij was thuis toen ze buiten adem, smekend belde.

Nog geen drie uur later lag Falcone op de operatiekamer en probeerden Pino's zachte, zekere vingers wonderen te verrichten waar zij alleen maar naar kon raden, terwijl zij met zijn vieren – twee collega's annex vrienden, twee vrouwen die ongewild bij het leven van deze gewonde man betrokken waren geraakt – op het terras aan de waterkant afwachtten, muggen doodsloegen in de plakkerige nachtlucht, aan één stuk door plastic bekertjes smerige koffie dronken en zichzelf allerlei vragen stelden over de vreemde uitbarsting van geweld die zich die avond in het *palazzo* van de Arcangelo's op het feest van Hugo Massiter had voorgedaan.

En ten slotte tot een besluit kwamen, een besluit dat werd genomen in boosheid en een stil, gezamenlijk verlangen naar iets wat op gerechtigheid leek. Een besluit dat niet veel moeite kostte, als ze eerlijk waren. Of veel discussie vereiste, omdat een discussie de dingen die moest gebeuren alleen maar in de weg stond.

Ze hadden te maken met feiten, zei Nic. Ze lagen recht voor hun neus en daagden hen uit. Gianfranco Randazzo werkte voor Hugo Massiter. Dat was van het begin af aan duidelijk geweest. Randazzo had Bracci vermoord om de zaak en Massiters overeenkomst rond te maken en daarbij Leo Falcone mogelijk fataal verwond.

Het had een keurig, net pakketje moeten worden, een pakketje dat niemand zou willen openen om te zien wat erin zat. Venetië, voorspelde Nic correct, zou het verhaal slikken dat Randazzo hun die avond had bezorgd, ook al waren er heel veel onbeantwoorde vragen. Waarom was de dronken Bracci om te beginnen naar het *palazzo* gegaan? Wat had hij gehoopt te bereiken toen hij Raffaela gijzelde en tussen de maskers en de kostuums uit de commedia dell'arte de man zocht die hij hebben wilde, ongetwijfeld Massiter, volgens Nic? En waarom zou hij in hemelsnaam een handig stukje bewijs meenemen, de sleutels met hun veelzeggende lintje, om het verhaal compleet te maken?

Geen van deze kwesties zou nu worden uitgezocht. De tragedie van de sterfgevallen op het Isola degli Arcangeli was, wat de stad betrof, ten einde toen Randazzo's kogel de schedel van Aldo Bracci doorboorde. Leo Falcone was 'bijkomende schade', zoals een bepaald soort militair zou zeggen, en dat allemaal om Hugo Massiter tot koning van de stad te kronen.

Ze hadden elkaar die avond aangekeken, goed naar Nic geluisterd toen hij de bekende feiten oplepelde, en vanbinnen een overtuiging voelden groeien, een overtuiging die niet onder woorden hoefde te worden gebracht om voor iedereen duidelijk te zijn. In de ogen van de Venetianen waren ze allemaal vreemdelingen. Men zou de zaak nu snel afhandelen en hen daarbuiten houden. Als Nic gelijk had – en het bleek al snel dat hij dat had – zouden ze bovendien uit de Questura worden gewerkt, bij alle rondzwervende lastige feiten vandaan worden gehouden.

Wat het stomste was wat de stad kon doen, maar dat hadden de Venetianen niet door. Ze kenden Costa en Peroni niet. Ze begrepen niet wat voor soort mensen ze waren. Dat zij tweeën dagen, weken lang pogingen zouden blijven ondernemen onder de fraaie buitenkant van die keurig aan de wereld gepresenteerde, volkomen gefingeerde zaak te kijken en aan de naadjes zouden blijven pulken tot alles uit elkaar viel.

Wat waren de feiten? vroeg Nic toen, die een fraaie imitatie van Falcone ten beste gaf.

Wie had voordeel bij wat er die avond was gebeurd?

Hugo Massiter en zijn maten in de gemeenteraad. En de Arcangelo's ook, omdat ze eindelijk het geld kregen dat ze zo hard nodig hadden, ook al zaten er voorwaarden aan vast.

Wie had een motief om Bella en Uriel te vermoorden?

Daar zat de witte plek. Uriel was, voor zover zij wisten, erg gebrand op de overeenkomst met Massiter. Zijn dood had moeilijke en kostbare juridische problemen tot gevolg. Maar er was een motief. Het moest gevonden worden en om dat te doen, zei Nic, zouden ze zich aan Leo's regels houden. Je gooide alles een beetje door elkaar. Je voerde de druk op. Je werd nieuwsgierig en lastig, en bleef achter de leugens aan jagen.

En je gebruikte je fantasie.

Bella was in verwachting van Massiters kind en wilde hem dwingen haar te onderhouden. De Engelsman kon hieraan niet toegeven, ook al compliceerde haar dood zijn zakelijke aangelegenheden. Dus vermoordde Massiter, of een van zijn vazallen, haar, bewerkte Uriels voorschoot met iets wat een man zonder reukvermogen nooit zou opvallen, stuurde hem de kokend hete glasblazerij in met een sleutel die het niet deed en waarmee hij niet weg kon van een plaats delict die, in de ogen van gemakzuchtige mensen, volkomen duidelijk was. En deed er toen alles aan om de schuld op Aldo Bracci te schuiven, een man die in het openbaar werd gedood, op een manier die leek te bevestigen dat hij schuldig was.

Teresa Lupo koesterde een sterk, inuïtief wantrouwen tegen de fantasie. Ze was wetenschapper en wist hoe gevaarlijk het was eerst een theorie te verzinnen en dan op zoek te gaan naar de feiten om hem te onderbouwen. Maar toen ze

Nic die avond gadesloeg, de woede en vastberadenheid op zijn gezicht zag, en voor het eerst begreep hoe sterk zijn band met Falcone sinds het overlijden van zijn eigen vader was geworden, wist Teresa dat ze alles zou doen wat binnen haar macht lag om hem te helpen. Dit was niet de Nic die ze had leren kennen en was gaan bewonderen toen hij een beginnend rechercheur in de Questura in Rome was, een beetje verloren in het *centro storico*, zo'n randfiguur die eruitzag alsof hij het nog geen jaar zou volhouden. Hij was veranderd door allerlei gebeurtenissen. Hij was veranderd door de omgang met Leo Falcone en Gianni Peroni, die op hun beurt ook veranderd waren. En een deel van die verandering was zichtbaar in ieder van deze drie zeer verschillende, nu zeer aan elkaar gehechte mannen. Het was onvoorstelbaar dat Nic en Gianni deze gebeurtenis zomaar zouden laten passeren. Onvoorstelbaar dat zij zich niet achter hen zou scharen.

En Emily...

Na vier dagen op de Questura allerlei informatie te hebben verzameld, voor ze met betaald verlof werden gestuurd, vertrokken Nic en Peroni uit Venetië om een paar hoognodige bondgenoten op te trommelen. Emily was begonnen aan een ander soort missie, een missie die Teresa met bange voorgevoelens vervulde omdat ze begreep hoe goed een voormalige FBI-agente was opgeleid voor dat soort werk en met welke niets ontziende, onzelfzuchtige vastberadenheid ze het zou uitvoeren.

Teresa Lupo bleef alleen achter met een helder idee over haar eigen rol: bewijzen verzamelen en feiten vaststellen die Hugo Massiter in verband brachten met Bella en Uriel Arcangelo, misschien konden aantonen dat Massiter die vreselijke nacht in de glasblazerij was geweest en bovenal een antwoord konden geven op de vraag waarom hij zijn eigen zakelijke plannen überhaupt in gevaar zou willen brengen door het stel te vermoorden.

Ze keek naar de vrouw die rechtop en alert naast Falcones bed zat alsof ze werkelijk dacht dat Leo elk moment wakker kon worden en glimlachend om een kop koffie en een paar *biscotti* zou vragen. Teresa Lupo voelde zich heel even schuldig. Ze was helemaal niet alleen. Raffaela Arcangelo had altijd even geduldig minstens achttien uur per dag aan Falcones bed gezeten. En op de derde dag had Teresa, zonder het aan Peroni of iemand anders te vragen, de moed opgevat haar over hun plannen te vertellen, een beetje maar, net genoeg, zodat het moeilijk werd een gunst te weigeren. Ze was een goede, eerlijke vrouw. Ze bewonderde Leo Falcone en zag duidelijk iets in hem wat Teresa alleen vaag in de mistige verte kon onderscheiden. Ze was ook een Arcangelo, nauw betrokken bij wat er was gebeurd. Ze had toegang tot het huis en alle dingen die ze nodig hadden om een wonder te kunnen verrichten.

Teresa keek naar de tas met spullen, allemaal veilig opgeborgen in plastic zakken, die zij tweeën die ochtend in het huis en de glasblazerij hadden verzameld toen Michele en Gabriele naar de advocaat waren om over Massiters op handen zijnde aankoop te praten. Het allerbelangrijkste: een paar dingetjes uit de badkamer van Bella en Uriel die DNA zouden opleveren.

Een van de apparaten die op de bewusteloze Leo Falcone waren aangesloten, maakte een piepend geluid en viel weer stil; draden en metertjes, monitoren en infusen; machines om een mens in leven te houden.

'Je hoeft niet te blijven, hoor,' zei Raffaela Arcangelo met haar kalme, heldere stem.

Teresa schrok op uit haar gemijmer.

'Ik dacht dat je nog van alles te doen had,' vervolgde Raffaela.

'N-n-nee...' stotterde Teresa een beetje ontdaan omdat ze zo onverwachts weer met beide benen op de grond was gezet.

De vrouw zat in de houding die ze in de loop der dagen bij het bed had aangenomen: stijf rechtop op de harde ziekenhuisstoel naast Falcone met een boek in haar hand. Een vrouwenboek, zag Teresa. Een intelligent romantisch verhaal waar de kranten de laatste tijd veel over hadden geschreven. Ze had het idee dat Raffaela Arcangelo voortijdig een beetje een oude vrijster was geworden.

'Jij ook niet,' merkte ze zacht op.

'Dat weet ik. Maar ik kan mezelf troosten met de gedachte dat ik gewoon egoïstisch ben. Er is voor mij niets meer te doen op het eiland vandaag. Michele heeft zich weer in een kamer opgesloten met de advocaten. Gabriele ook. Als dat eenmaal achter de rug is...'

Ze was tot een besluit gekomen, meende Teresa. Een besluit dat mogelijk een last die al lang op haar schouders rustte, lichter had gemaakt.

'Als dat eenmaal achter de rug is, ga ik weg. Dat heeft niets te maken met' – ze keek naar de op zijn rug liggende Falcone – 'wat er is gebeurd. Het is gewoon een beslissing die ik jaren geleden al had moeten nemen. Straks is er geld. Misschien ga ik wel terug naar Parijs. Daar had ik het naar mijn zin. Ik heb er een tijdje gestudeerd. Tenzij ik Leo ergens mee kan helpen.'

Teresa Lupo keek nooit achterom. Er lag te veel persoonlijk wrakhout in het verleden. En bij Raffaela? Alleen een paar schimmige herinneringen. Verbleekt, als oude aquarellen. Het leek Teresa een heel slecht moment om ze na te gaan jagen.

'Ik zou het normaal gesproken nooit zeggen,' merkte Teresa op, 'maar ik raad je aan geen overhaaste beslissingen te nemen.'

Raffaela schudde haar hoofd. 'Het is geen overhaaste beslissing. Ik wil al jaren weg. Ik voelde me alleen gebonden aan dat stomme eiland, aan Micheles belachelijke dromen. Hij beschouwt zichzelf als een soort held. Vasthouden aan de oude gebruiken. Een oud ambacht in ere houden terwijl de rest rommel voor de toeristen maakt. Het is een waanidee. Ik heb hier mijn hele leven gewoond en ik zie wat Venetië aan het worden is. Een kerkhof, een mooi kerkhof, dat geef ik toe, maar toch. Uiteindelijk zuigt het alle leven uit je. Dat is bij Michele al gebeurd en hij zal hier blijven en dat feit negeren tot hij helemaal is weggeteerd. Ik niet.'

Haar heldere ogen fonkelden uitdagend. 'Ik niet! Zodra Leo weer op de been is...'

Er zat een vraag in die woorden, een vraag die Teresa op dat moment niet zou durven beantwoorden.

'Als mijn geweten eenmaal van die last bevrijd is,' ging Raffaela verder, 'ga ik weg.'

Teresa kreunde, trok een stoel naar het bed toe en pakte Raffaela's handen. 'Nu moet je even goed naar me luisteren. Wat er is gebeurd, is niet jouw schuld. Wat...'

'Ik werd bedreigd door Bracci! Als ik niet zo stom was geweest me door hem te laten pakken...'

'Dan had hij iemand anders gepakt. En zouden Leo, Nic en Gianni precies hetzelfde hebben gedaan. Maak jezelf maar niets wijs. Ze zouden het voor iedereen hebben gedaan.'

Raffaela keek naar de stille gedaante onder het witte laken. 'Hij wordt toch wel beter, hè? Die vriend van je leek nogal optimistisch.'

Ze kon niet liegen. 'Misschien wel. Misschien niet. De hersenen zijn een merkwaardig orgaan. Pino weet er meer van dan iedereen die ik ken. Maar toch...'

Raffaela Arcangelo boog zich ernstig naar voren. Ze was opeens emotioneel en had zichzelf minder goed in de hand dan Teresa tot nu toe had meegemaakt.

'Hij wórdt beter. Dat weet ik zeker. En als er enige gerechtigheid in deze wereld is, zal iemand voor al dit bloedvergieten boeten ook.'

Teresa Lupo knipperde met haar ogen, terwijl ze deze opmerking tot zich door liet dringen. Ze had aangenomen dat Raffaela, net als de hele wereld, dacht dat Aldo Bracci, een man die was aangetroffen met Bella's sleutels in zijn zak, een man die er ooit van was beschuldigd dat hij met zijn eigen zus naar bed was geweest, verantwoordelijk was voor de twee doden in de *fornace*, en zijn verdiende loon had gekregen. Er was zelfs een brief in de plaatselijke krant, *La Nuova*, verschenen waarin werd gesuggereerd dat *commissario* Randazzo een promotie verdiende en zeker niet geschorst had mogen worden voor het feit dat hij Bracci die avond als een beest had omgelegd.

Raffaela haalde voorzichtig Teresa's hand van de hare.

'Ik ben niet gek,' zei ze. 'Ik weet waarom je om die dingen uit het huis hebt gevraagd. Leo heeft me in vertrouwen genomen. Als hij nu kon praten, zou hij dat bevestigen. Ik weet waarom je naar de spullen van Bella kijkt. Je bent niet betrokken bij een officieel politieonderzoek; jij wilt de man die Leo dit echt heeft aangedaan. Ik wil de man die hiervoor verantwoordelijk is én voor de dood van mijn broer. En die arme Bella.'

De donkere, ernstige ogen keken haar smekend aan.

'Ik heb geprobeerd Leo te helpen,' ging ze verder, 'en ik heb gefaald. Ik zal niet opnieuw falen. Dat beloof ik. Dat ben ik hem verschuldigd.'

'We zouden...' Teresa's gedachten waren bij Silvio Di Capua, die zich bij het mortuarium in Rome ziek had gemeld, de vorige avond naar Venetië was gevlogen en nu een handjevol gespecialiseerde bedrijven aan het benaderen was, firma's die konden omgaan met het materiaal dat ze hun wilden toespelen, om afspraken te maken. '...dit gesprek niet moeten voeren, Raffaela. Er zitten risico's aan vast.'

'Wat voor risico's? Ze kunnen jou en je vrienden bij de politie ontslaan. Wat kunnen ze mij doen?'

Teresa dacht aan bepaalde stukjes van de achtergrondinformatie die Nic en Gianni uit de computers van de Questura hadden weten te halen voor ze eruit werden gegooid. Er stond meer op het spel dan louter carrières. Hugo Massiter had alle eigenschappen van een echt politiek dier in zich. Als hij een Italiaan was geweest, had hij een zetel in het parlement kunnen bemachtigen, waar hij heel goed op zijn plaats zou zijn geweest. Massiter had connecties, criminele connecties. Maar niet met de oude Italiaanse garde. Hij gaf de voorkeur aan de nieuwe maffia, mannen uit de Balkan, die zich zelden gebonden voelden aan ouderwetse erecodes.

'Zeg me wat je nodig hebt,' drong Raffaela aan. 'Ik hoef de details niet te weten.'

Het was een poging waard, meende Teresa. Het zou Raffaela uit deze stille, lichte kamer krijgen, waar de scherpe, zilte geur van de lagune en het lawaai van de claxons van het passerende verkeer ondanks de airconditioning toch in doordrongen. Dat zou op zichzelf al een resultaat zijn. De vrouw moest zichzelf eraan herinneren dat er een levende wereld buiten deze vier witte muren was.

'Er is die avond nog iemand op het eiland geweest,' zei Teresa. 'Niet Aldo Bracci. Iemand die een reden had om met Bella te willen praten, denken we. Iemand...'

Het was moeilijk te bepalen hoe ver ze moest gaan. Ze vertrouwde deze vrouw. Ze wilde haar er alleen niet te veel bij betrekken. Het zou verkeerd zijn haar een bepaalde richting uit te sturen, hoewel ze dat bij zichzelf wel hadden gedaan. Misschien waren haar bezwaren belachelijk.

'Meer kan ik niet zeggen,' bekende ze verontschuldigend. 'Als je nog eens zou willen kijken, zou dat fijn zijn. Wat je maar opvalt. Maakt niet uit wat.'

Raffaela knikte. 'Natuurlijk.'

Teresa keek even naar de gedaante in het bed en wilde dat hij iets deed. Hoesten. Snurken. Wat dan ook.

'Hij wordt beter,' verklaarde Raffaela. 'Dat weet ik zeker.'

'Vast.'

Er kwam een gedachte bij haar op. 'Heeft Bracci die avond iets gezegd? Toen hij je beet had?'

'Alleen maar dronken gebazel. Ik begreep er niets van.'

Gebazel kreeg een bijzondere betekenis als het van een man met een vuurwapen kwam.

'Wat dan?'

De donkere ogen keken haar verdrietig, vastberaden aan.

'Ik weet het niet zeker, maar ik dacht dat ik hem, één keer maar, hoor "Waar is de Engelsman?" hoorde zeggen. Er waren verschillende Engelsen aanwezig die avond. Massiter, een paar van zijn advocaten, enkele mensen uit de kunstwereld. Het betekent waarschijnlijk niets.'

'Waarschijnlijk niet.'

Hoeveel Engelsen kende Aldo Bracci? vroeg Teresa zich af. Hij bewoog zich niet in kunst- en advocatenkringen. Het moest Massiter zijn, alhoewel een half opgevangen opmerking niet bepaald een sterk bewijs was naar haar idee.

Ze pakte opnieuw Raffaela's handen en vroeg: 'Het is maar een gok, maar zou het kunnen dat Hugo Massiter en Bella een verhouding hebben gehad?'

'Nee!' Er brak opeens een glimlach door op Raffaela's gezicht. 'Dat is belachelijk!'

'Waarom? Volgens mij is hij dol op vrouwen.'

'Bella! Bella?' Ze vond het kennelijk een verbijsterende gedachte. 'Ik bedoel het niet oneerbiedig, hoor, maar ik denk dat een man als hij zijn pijlen wel iets hoger zou richten. Als de geruchten waar zijn, gaat hij niet naar bed met armoedzaaiers. Dat hoeft hij waarschijnlijk ook niet te doen, hè?'

'Heb je er nooit iets van gemerkt? Hij had een appartement naast jullie.'

Ze wuifde het idee met een resoluut gebaar weg. 'Alleen overdag. Daar stond Michele op. En Bella kwam er nooit in de buurt. Er waren voortdurend bouwvakkers bezig. Een man als Massiter zou toch wel enige discretie betrachten.'

Het was nog niet goed genoeg. 'Ergens anders dan? Hij heeft toch een boot?'

'Dat zeggen ze, ja. Maar ik... het kan gewoon niet.'

Teresa keek even naar de bewusteloze Falcone. 'Hij heeft altijd een slimme opmerking voor dit soort situaties. Waardoor je de dingen in een ander licht ziet. Het werkt zelden. Maar het hoeft ook niet zo vaak te werken.'

Raffaela deed haar best iets te verzinnen. Dit was, vertelde Teresa's intuïtie haar, een slechte manier om informatie uit mensen los te krijgen.

'Ze ging overdag vaak van het eiland af,' merkte Raffaela op. 'Ik nam aan dat ze bij vrienden op bezoek ging. Of ging winkelen. Bella zat de laatste tijd eigenlijk nooit krap bij kas.'

'Dus ze had naar zijn boot toe kunnen gaan?'

Ze keek weifelend. 'Waarschijnlijk wel. Sorry, hoor. Ik weet helemaal niks van dit soort dingen. Misschien heb je gelijk. Is dat wat een verhouding inhoudt? Af en toe 's middags een moment vinden om een paar minuten in bed door te brengen? Wat armzalig. Wat triest. Maar goed, ik ben geen expert. Relaties...'

'Je bent niet de enige,' beaamde Teresa. 'De liefde is voor mij ook een mysterie.'

'Maar ik dacht dat jij haar gevonden had?'

Ze had Teresa en Peroni verschillende keren in het ziekenhuis gezien. Misschien viel het op.

'Dat geloof ik wel. Ik weet alleen niet hoe ik er gekomen ben.'

Raffaela Arcangelo knikte. Ze vond deze vrouw aardig. Heel aardig. Reden temeer om haar weg te krijgen bij Leo's bed.

'L'amore è cieco,' zei Raffaela zacht, mooi.

4 Het idee dat Leo Falcone ernstig gewond was geraakt door iets anders dan domme pech, krenkte Luca Zecchini's gevoel van rechtvaardigheid. Wat de boel ingewikkelder en tegelijk interessanter maakte, was dat de twee ondergeschikten van de politie-inspecteur een naam hadden laten vallen die zo veel slechte herinneringen uit het niet zo verre verleden opriep, dat zijn eetlust direct volkomen was bedorven.

'Jullie zijn er opvallend zeker van wie de schuldige partij is, als ik het zeggen mag,' merkte hij op toen ze uitgesproken waren. 'Ik had gehoord dat Leo het slachtoffer van een vervelend ongeluk was. Dit soort dingen kun je soms maar beter laten rusten.'

'Tot het volgende ongeluk? En ja, we zijn er zeker van.'

Costa leek harder, vastberadener dan Zecchini uit Falcones beschrijving had opgemaakt.

'Ik heb het verhaal in de kranten gevolgd, Nic. Ze zeggen dat de gek die door de *commissario* is doodgeschoten, verantwoordelijk was voor die moorden. Dat deel van de zaak is afgesloten. Ze hoeven nu alleen nog hun eigen man aan te pakken. Wil je zeggen dat er nog meer is? Dat Leo om de een of andere reden opzettelijk is neergeschoten?'

'Nee,' gaf Peroni toe, en Zecchini ontdekte tot zijn schaamte dat hij het in zekere zin betreurde dat hij hen niet zomaar met hun fantasieën het bos in kon sturen. 'Het was een ongeluk,' ging de grote Romeinse politieman verder. 'Maar het doden van Aldo Bracci was dat niet. Dat was improviseren van Randazzo. Een poging zijn betaalheer een gunst te bewijzen.'

Ze keken Zecchini afwachtend aan.

'Zelfs als jullie het bij het rechte eind hebben,' zei Zecchini, 'wat kan ik dan doen? Dit is een zaak voor de politie. Niet voor ons. We bemoeien ons niet met elkaars zaken. Dat zou ongehoord zijn. Het zou niet bij me opkomen.'

'We vragen je niet buiten je boekje te gaan,' zei Costa vlug. 'Dit valt volkomen binnen je bestaande verantwoordelijkheden. Kunstroof. Smokkel.'

Zecchini betwijfelde dat ten zeerste 'Weet je,' zei hij, 'jullie zouden je misschien moeten afvragen wat Leo in deze omstandigheden zou doen. Hij is een praktisch mens. Hij zou weten wanneer hij verslagen was. Jullie zijn met verlof gestuurd. Jullie hebben het recht niet mensen te ondervragen, een onderzoek naar iemand in te stellen, naar iemand van Massiters kaliber al helemaal niet. Daarnaast vond ik Leo altijd zeer consciëntieus, iemand die zich er niet toe liet verleiden tot harde conclusies te komen voor er harde bewijzen waren.'

Costa schoof zijn bord opzij. Hij had zijn eten nauwelijks aangeraakt.

'We hebben onszelf die vraag gesteld. We krijgen de harde bewijzen wel. Ik wil je niet misleiden, Luca. Er zijn nog meer manieren waarop we het kunnen aanpakken. De zaak Arcangelo is nog lang niet rond. En de beschuldigingen waar Massiter hem vijf jaar geleden voor is gesmeerd.' Hij keek even naar Peroni. 'Bovendien hebben we misschien ook bewijsmateriaal.'

Peroni scheen niet zo blij te zijn met die laatste opmerking. Misschien begreep de oudere man hoe gevaarlijk het kon zijn dit soort spelletjes te spelen. Het werd tijd, besefte Zecchini, om ter zake te komen.

'Ik zal duidelijk zijn. Hugo Massiter is een man van grote betekenis met zeer veel invloed, en als ik de kranten mag geloven, wordt dat elke dag meer. Als hij eenmaal eigenaar van dat eiland is, is hij vrijwel ongrijpbaar. Ik woon hier. Iedereen in de Veneto volgt de gebeurtenissen in Venetië omdat dat de plek is waar het geld heen gaat. Zeer grote sommen geld die de gever en de ontvanger aan elkaar verplichten op allerlei manieren waar jullie je in Rome geen voorstelling van kunnen maken. Als die overeenkomst is gesloten, wordt Hugo Massiter iets anders: lid van de gevestigde orde. Dan heb je voortaan al schriftelijk toestemming van het Quirinaal nodig als je met hem over een parkeerboete wilt praten. Maar nu...'

'Ja?' vroeg Peroni.

'Nu is hij gewoon een zeer machtige schurk met een paar vrienden die beter zouden moeten weten. Als je hem aanpakt, zal hij op zoek gaan naar een manier om wraak te nemen. Ik zeg dit uit ervaring. Ik zeg niet zomaar iets. Ik heb carrières kapot zien gaan van mensen die die man onderuit probeerden te halen. Ik heb er niet veel zin in dat lot over mezelf af te roepen.'

Costa's heldere, alerte, onderzoekende blik ving die van hem. 'Ken je hem persoonlijk?' vroeg hij.

'Geen details. Ik geef jullie alleen het grote plaatje. Massiter is een man die al heel vaak aan onze vingers is ontglipt en dan glimlachend weer opdook zonder een etto schuld op zijn schouders. Je zou een motief moeten hebben.'

'Hebben we,' bracht Peroni naar voren. 'Die overeenkomst tussen hem en de Arcangelo's. Die moest voor hem snel worden gesloten.'

'Waarom heeft hij dan de broer en zijn vrouw vermoord?' wilde Zecchini weten. 'Wat was de reden daarvoor?'

'Het is iets persoonlijks,' zei Costa. 'Hij had Bella zwanger gemaakt. Ze zette hem onder druk. Hij doodde haar en schoof Uriel de schuld in de schoenen.'

Zecchini was onder de indruk. 'Kunnen jullie dat bewijzen?'

'Dat komt wel,' bleef Costa volhouden.

'Daar red je het niet mee! Die man weet zich onder elke verdenking uit te draaien. We hebben Massiter in het verleden al zo vaak voor kunstsmokkel proberen te pakken. De Venetiaanse politie dacht dat ze hem voor moord hadden vijf jaar geleden. Maar...'

Het ging niet alleen om schuld. Het ging om bewijzen, en het vermogen de gerechtelijke procedure tot een goed einde te brengen. Dat wisten ze allemaal: de politie, de *carabinieri* en het leger van juristen dat in de loop de jaren aan beide kanten was opgebouwd.

Costa vertrok geen spier. Luca Zecchini deed zijn uiterste best zich meer te herinneren van wat Falcone over deze twee mannen had gezegd: over hun eerlijkheid, hoe ze hun eigen persoon vergaten als het om een zaak ging die belangrijk was. Hij besefte dat ze zich waarschijnlijk niet veel van zijn mening zouden aantrekken, maar hij wilde toch uiting geven aan zijn zorgen.

'Leo is ook mijn vriend,' ging hij verder. 'Ik denk niet dat hij zou willen dat je voor hem je nek uitsteekt. Niet louter vanwege een vermoeden. Niet op deze manier.'

Costa nam hem op. Hij was kennelijk teleurgesteld.

'Denk je dat dat het is? Een vermoeden? Een persoonlijke vendetta uit naam van Leo?'

'Het lijkt —'

'Nee! We hebben onze dossiers doorgenomen, Maggiore. God weet wat jij in jouw archieven hebt. Hugo Massiter is een gezwel in Venetië. Hij zit overal: in de overheid, in de gemeente, bij alle georganiseerde misdaad die van over de Adriatische Zee komt.'

Ze zagen de uitdrukking op zijn gezicht.

'Je zou verbaasd staan van de informatie die we hebben weten op te diepen voor ze ons de Questura uit gooiden. We hebben ook een vriend bij de DIA gebeld,' zei Peroni. 'We weten van de Serviërs en de Kroaten; hoe hij de een tegen de ander uitspeelt. En dat is nog maar het topje van de ijsberg.'

Zecchini kreunde. Niemand praatte met de antimaffiabrigade, tenzij hij hopeloos was.

'Dit is jullie terrein niet,' waarschuwde Zecchini. 'Laat het rusten.'

Costa keek hem zuur aan. 'Dus jullie willen hem niet pakken?'

De honende klank in zijn stem ontging Zecchini niet. 'Ik heb er alles voor over om die klootzak veroordeeld te krijgen. Maar we hebben het al vaker geprobeerd en het is ons niet gelukt. Daardoor is het alleen maar moeilijker voor ons de juristen opnieuw zover te krijgen, dat ze toestemming geven de zaak door te laten gaan, tenzij hij nog waterdichter is dan alles wat we eerder hebben gehad. En let wel, de bewijzen die we in het verleden tegen hem hadden, waren goed. Hij had al tien keer in de gevangenis moeten zitten. Zou hij hebben gezeten ook, als hij die vrienden niet had gehad.'

'Als de zaak goed genoeg is,' wierp Costa tegen, 'zullen zelfs zijn vrienden hem in de steek laten.'

'Denk je?' Hij kon niet geloven dat ze zo naïef waren. 'Nou, dan zal ik je nog eens iets vertellen wat ik heb ontdekt. Elke keer dat wij verliezen, wordt hij sterker. Ik zou nu al met iets heel bijzonders moeten komen, wil ik mijn baas zo gek krijgen, dat hij een dossier over Hugo Massiter leest. Als hij eenmaal dat contract heeft getekend, en hij heeft al die miljoenen gemeenschapsgeld achter zich en al die dankbare politici staan bij hem in het krijt...'

Hij keek naar het verspilde eten. Zecchini had meer van hen verwacht. Misschien zou hij die avond toch nog met Gina op stap gaan. Hij was niet van plan zijn nek uit te steken voor een amateuristisch, clandestien onderzoek naar iemand die altijd aan hun greep had weten te ontsnappen.

'En het spijt me dat ik het zeggen moet, maar ik heb nog geen snippertje bewijsmateriaal om jullie mee te helpen,' zei hij met een frons. 'Had ik dat maar. Het is allemaal al gebruikt. Waardeloos. Er is bij mijn weten niets nieuws voorhanden. Als het er was, zou ik die man morgen pakken. Leo of geen Leo.'

Ze hadden iets op hun lever en dat maakte hen nerveus. Luca Zecchini begon spijt te krijgen dat hij niet in Milaan was gebleven.

Costa nam een slokje van zijn mineraalwater.

'Je vroeg ons wat Leo in deze omstandigheden zou doen. Dat zal ik je vertellen. Hij zou de druk opvoeren. Hij zou stappen ondernemen die Massiter in een lastige positie brachten. Een positie waarin hij algauw vergissingen zou gaan maken waarvan wij zouden kunnen profiteren.'

Zecchini had genoeg van de methodes van de politie-inspecteur gezien om te weten dat dit waarschijnlijk een juiste constatering was. Hij begreep alleen niet wat ze ermee opschoten.

'Twee eenzame politiemannen met gedwongen verlof kunnen niemand onder druk zetten,' merkte hij op.

Peroni glimlachte. 'Nee, Luca. Maar jij zou dat wel kunnen doen. Jij kan de telefoon pakken, de Questura in Venetië bellen en vragen of ze er bezwaar tegen hebben als je eens een praatje met *commissario* Randazzo maakt. Enkel om te zien of hij iets van kunstroof afwist.'

Zecchini snoof. Het was belachelijk.

'Ik meen het,' zei Peroni en hij wierp hem een ijzige blik toe die Zecchini helemaal niet prettig vond. 'We hebben een kijkje genomen in Randazzo's huis op het Lido. Het staat leeg. Hij is vertrokken. Zijn vrouw is vertrokken. Een kostbaar optrekje voor iemand met zijn salaris. En allerlei dure spullen. Schilderijen. Keramiek. Zilverwerk. De deur stond min of meer open toen we kwamen –'

'Nee!' Zecchini zwaaide met zijn rechterhand voor het gezicht van de grote man hen en weer om hem de mond te snoeren. 'Ik wil dit niet horen. Inbreken in huizen. Lieve hemel... Zijn jullie gek geworden?'

'Je zou gewoon kunnen bellen,' zei Costa weer. 'Om een onderhoud vragen. Zien hoe ze reageren. Je zou ook een huiszoekingsbevel voor zijn woning kunnen regelen. Je zult er zeker iets vinden. Kijk maar.'

Costa pakte zijn schoudertas en haalde er een map met foto's uit. Niet meer dan tien. Het waren foto's van antieke voorwerpen en schilderijen in een luchtig, elegant huis vol kamerplanten en kleine palmen, niet het soort woning waar de doorsnee-politieman de voorkeur aan gaf.

'Er hangen een paar Servische iconen,' merkte Costa op. 'Goede. Echte, denk ik. Waarschijnlijk vijftiende eeuw.'

'En die Randazzo zou zo stom zijn illegale spullen in zijn eigen huis te bewaren?' vroeg Zecchini.

Peroni begon zacht en brommend te lachen. 'Wil je een eerlijk antwoord, Luca? Ja. Wat hem betreft, zijn het gewoon geschenken. Trofeeën. Van een welvarende en zeer invloedrijke Engelsman. Misschien wist hij niet eens hoe diep hij erin zat tot het te laat was. Hij beschouwde het neerschieten van Bracci als een uitweg. Het afbetalen van een schuld. Massiter buiten schot wat de moorden betreft en vrij baan voor hem om het eiland te kopen. Twee vliegen in één klap. Uitgekookt, vind je niet?'

Daar kon Zecchini niets tegenin brengen. Het was uitgekookt, als het waar was.

'En misschien,' voegde Costa eraan toe, 'gaf Massiter hem graag gestolen voorwerpen om de band tussen hen te versterken. Zodat hij, als Randazzo vervelend dreigde te worden, iets extra's had om hem mee in het gareel te houden.'

Deze twee waren slim. Zecchini herinnerde zich een zaak waarbij de *carabinieri* Massiter ervan hadden verdacht een zeer vergelijkbare truc te hebben uitgehaald met een politierechter wiens hulp was ingeroepen bij het onderzoek naar een van zijn pionnen die was betrapt toen hij via Triëst smokkelwaar het land binnen bracht.

'Ik zou het kunnen doen,' gaf hij toe. 'Maar waarom zou ik? Wat krijg ik ervoor terug?'

'Massiter,' zei Costa kalm. 'We bezorgen je details van transacties, misschien. Of opslagplaatsen. Routes. Boten. Een inventaris van objecten. Het kan ons niet schelen wie deze man achter de tralies krijgt. Jullie. Wij. De DIA als ze willen. Hij moet gewoon weg.'

'Net als een gezwel,' zei Peroni.

Zecchini lachte. Ze waren jarenlang bezig geweest die informatie te krijgen. Niemand praatte over Hugo Massiter. Niemand had het lef.

'Nu nemen jullie me in de maling,' zei hij en hij keek naar zijn koude eten en vroeg zich af wanneer hij weer zin zou hebben bij Sergio aan een tafeltje op het terras te zitten. 'Zullen we maar gewoon een biertje gaan drinken? En dan even voor Leo bidden. Ik denk niet dat er veel zijn die dat doen.'

Ze gaven geen krimp. Luca Zecchini keek naar dit merkwaardige, koppige tweetal en dacht opnieuw aan enkele verhalen die Leo Falcone hem had verteld. Verhalen die hij toen niet echt had geloofd. Niemand kon zo halsstarrig zijn, zo vastbesloten tot het bittere einde met een kwestie bezig te blijven.

Opeens begon het hem te dagen. 'Jullie hebben iemand in zijn omgeving?' mompelde Zecchini verbijsterd en tamelijk gealarmeerd.

Costa en Peroni keken elkaar even aan en zeiden geen woord.

Luca Zecchini probeerde te bedenken wat dat betekende. Er kroop een rilling langs zijn rug van de poging alleen al. Als de karige informatie van de *carabinieri* klopte, vertrouwde Massiter nu voor het vuile werk alleen nog op de Balkanbendes, mannen die altijd loyaal bleven, deden wat hun werd opgedragen zolang het geld bleef stromen en de code van loyaliteit en geheimhouding, bij zijn weten, nooit overtraden. Het was ondenkbaar dat een van hen hun *capo* zou verraden. Er stond te veel op het spel. De straf, als ze betrapt werden, zou onvoorstelbaar zijn. Hij had de gevolgen van een executie van een bendelid in Florence gezien. De maag van de hardste Italiaanse crimineel zou ervan omdraaien.

'Hebben jullie iemand bij hem neergezet?' vroeg hij ongelovig en het deed hem geen enkel genoegen de ontzetting op hun gezicht te zien.

'Jezus,' mompelde hij en toen bestelde hij drie biertjes, een grote voor zichzelf. 'Ik hoop bij god dat jullie weten wat jullie doen.'

Costa stak zijn hand in zijn broekzak, haalde er een mobiele telefoon uit en zei: 'Dat hopen wij ook. Wil je nu dat telefoontje plegen?'

5 Het weer was bijgedraaid. Het was een warme, heldere avond en er waaide een zachte, zilte bries vanaf de Adriatische Zee. In Verona probeerden Costa en Peroni langzaam het vertrouwen te winnen van een klein, gespecialiseerd team van de *carabinieri* en ze baden in stilte dat ze met de informatie waarover ze beschikten, Luca Zecchini en zijn collega's konden overhalen eerst opdracht te geven voor een huiszoeking in de woning van Randazzo en vervolgens de man zelf op te pakken voor verhoor. In een klein appartement in Castello verdiepten Teresa Lupo en haar assistent Silvio Di Capua zich in de resultaten van de tests die ze hadden gedaan met het weinige materiaal dat ze hadden. Ze bestudeerden mysterieuze rapporten en grafieken op Costa's computer en verbaasden zich over de resultaten die binnenkwamen uit de particuliere laboratoria, zowel in Mestre als in Rome, waar ze gebruik van maakten om informatie te ontfutselen aan de kleine hoeveelheden puin en kleding die ze hadden. En in het Ospedale Civile, met Raffaela Arcangelo aan zijn bed, droomde de bewusteloze Leo Falcone, gevangen in een eigen wereld, deels fantasie, deels herinneringen, een plek waar hij niet weg durfde omdat hij niet wist wat ervoor in de plaats zou komen.

'Leo,' zei een stem buiten zijn wereld, een warme, aantrekkelijke vrouwenstem, een stem die een naam had, hoewel die hem op dat moment was ontschoten, omdat hij het kind Leo was, niet zijn oudere ik. 'Alsjeblieft.'

Het mechaniek aan de muur snorde. De kunstmatige balg van de koekoek weergalmde, de oude klok sloeg.

'Je mag niet doodgaan,' smeekte ze. 'Leo...'

Alsof hij het voor het zeggen had. Zij beiden – het kind en de man – wisten dat er niets werkelijk zo eenvoudig was. Om te blijven leven moest hij kijken en dat was wel het laatste wat hij wilde doen.

6   Terwijl Leo Falcone droomde en een onbewust deel van hem naar zijn
    innerlijke stemmen luisterde en naar de liefdevolle klanken van Raffaela
    Arcangelo, die uit de buitenwereld doordrongen, stak een gestroomlijnde
witte speedboot het brede water tussen het ziekenhuis en San Michele over met
zijn gelakte houten boeg op het wijde noordelijke deel van de lagune gericht. De
heldere dag liep ten einde; de ondergaande zon toverde het water om in een plas
van gebrand goud. Hugo Massiter zat achter in de boot met achteloos gemak een
fles heel goede champagne open te maken. Emily Deacon zat tegenover hem op
de zachte kalfsleren bank. Ze was moe na een nutteloze dag op het privéjacht dat
aan de Riva degli Schiavoni lag afgemeerd en probeerde zich meer bijzonderheden te herinneren van haar vroegere opleiding in Langley.

Een vliegtuig van Alitalia gierde boven hun hoofd toen het afdaalde naar het
vliegveld dat onzichtbaar in de verte aan de waterkant lag, waar het elk jaar iets
meer van het wilde moerasland wegvrat. Ze wachtte tot het gebulder van de
motoren afzwakte, pakte de flûte aan, nam een slokje van de koele Dom Perig-
non, zei tegen zichzelf dat ze één en beslist niet meer dan één glas zou drinken
en leunde naar achteren, zodat haar blonde haar opwaaide in de slipstream die
ontstond door de hoge snelheid van de boot. Ze wist dat Hugo zijn ogen niet
van haar af kon houden.

'Waar gaan we eigenlijk heen? Meestal wordt me dat verteld.'

'Het is allemaal geregeld. We gaan naar het Locanda Cipriani. Op Torcello.
Ben je daar wel eens geweest?'

Ze had ervan gehoord. Hemingway had er een groot deel van *Over de rivier en
onder de bomen* geschreven, tussen de eendenjacht en drankgelagen door. Ze had
het boek als tiener gelezen, toen ze door de Hemingway-fase ging. Het was het
onaannemelijke verhaal van een romance tussen een stervende, door de oorlog
getekende Amerikaanse kolonel van middelbare leeftijd en een jonge, mooie
Italiaanse *contessa*. Een liefde die werd beantwoord. Ze had niet in een biografie
hoeven duiken om te begrijpen dat Hemingway zijn eigen verhaal had verteld,
over de toenemende angsten en teleurstellingen van de ouderdom, en geprobeerd had zichzelf ervan te overtuigen dat ze gecompenseerd, zo niet volledig
tenietgedaan konden worden door de aanwezigheid van een tiener die bereid
was 's nachts in een gondola seks met hem te hebben. Het was de fantasie van een
wellustige oude man, en het tragische was dat Hemingway tevergeefs hoopte dat
voor iedereen, en vooral voor zichzelf, te kunnen verbergen.

'Vertel eens iets over Laura Conti,' zei ze.

Massiter had de middag niet op het jacht doorgebracht, maar had allerlei klaarblijkelijk eindeloze besprekingen met advocaten, adviseurs en de gebroeders Arcangelo gevoerd. Dit was de eerste echte gelegenheid die ze had om een paar vragen op hem af te vuren.

'Ik ben nu eenmaal nogal nieuwsgierig.'

Hugo hief zijn glas. 'En ik ben nogal indiscreet, zoals ik al zei. Alleen...' Hij keek naar het vlakke eiland in de verte en daarna op zijn horloge. 'Dineren in het Locanda. Dat is heel lang geleden. En nu is er zo veel te vieren.'

'Alleen wat?'

Zijn glimlach verdween heel even. Hij keer haar opeens met een nietsontziende, openhartige blik in haar ogen aan.

'Intimiteiten vragen om intimiteit. Ik ben niet gek, Emily.'

Ze zette het glas, nog voor twee derde vol, op de glanzende walnoothouten tafel die tussen hen in stond. Massiters tijdelijke onderkomen was voor haar redelijk interessant geweest. De bemanning bestond voornamelijk uit Kroaten, terwijl de vrouwen die bedienden en schoonmaakten van de Filippijnen kwamen. Er was een klein, afgesloten kantoor op het onderste dek, aan de voet van een smalle trap, onder de acht hutten, waarvan de grootste, die van Massiter, de voorsteven in beslag nam. Het schip, zei hij, was gehuurd, een noodzakelijk kwaad tussen de verkoop van zijn laatste appartement aan het Canal Grande om aan geld te komen voor het Isola degli Arcangeli en de verhuizing naar zijn nieuwe huis aldaar. Hij was niet gelukkig op het jacht, hoewel het ondoorzichtige rookglas in de ramen de nieuwsgierige blikken van de toeristen op de brede en drukke kade van het Dogenpaleis naar het Arsenaal buiten hield. Er moest een reden voor zijn dat hij zo'n soort onderkomen had gekozen en dat was vast en zeker het kleine kantoor. Ze dacht terug aan de afgesloten kamer in het appartement dat hij voor zichzelf in het paleis op het eiland had laten bouwen. Hij had een voorliefde voor kleine, donkere ruimten om dingen in te verbergen. Je moest er domweg in zien binnen te dringen.

'Dat heb ik ook nooit gedacht. Ik heb het je gisteravond al verteld. Nic en ik hadden ruzie. Ik had een plek nodig om te slapen, Hugo. Meer moet je er niet achter zoeken.'

Ze dacht aan Nic, die inmiddels wel uit zijn kleine appartement zou zijn vertrokken. Peroni en hij hadden een duur tijdelijk onderkomen gevonden, twee slaapkamers, een klein keukentje, niet ver weg in een van de smalle straten van de arbeiderswijk Castello, die tussen de Via Garibaldi en het park van de Biënnale lag geklemd. Er zouden geen gratis appartementen van de politie meer zijn. Geen vertrouwelijke momenten in het piepkleine bed dat net tussen de deur en het raam paste dat uitzag op een roze gestuukte straat vol kriskras hangende waslijnen. En in plaats daarvan? Ze had de uitdrukking op zijn gezicht gezien toen hij wegging. Het had grimmig en vastberaden gestaan. Nic moest Massiter voor het gerecht brengen, omwille van Leo. Het had iets te maken met een schuld die afgelost moest worden. Hoe, vroeg ze zich af, zou hij anders ooit met zichzelf in het reine kunnen komen?

'Mensen die ergens moeten slapen vereren meestal een hotel met hun klandizie. Jij bent naar mij toe gekomen. Waarom?'

Ze wist niet precies hoe ze hem moest aanpakken. Hugo Massiter was een vat vol tegenstrijdigheden: geslepen in wereldse zaken, maar bijna naïef als het ging om iets wat zijn ego raakte.

'Ik dacht dat je dat wilde. Ik was benieuwd of ik gelijk had.'

Hij zat begerig, kritisch en bovendien hebzuchtig naar haar te kijken. 'Weet hij dat je bij mij bent?'

'Nee.'

Ze pakte het glas en dronk het in twee grote slokken leeg. Ze deed zelfs geen moeite de verleiding te weerstaan. Hij schonk het weer vol zodra het haar lippen had verlaten. Het was allemaal een kwestie van vertrouwen. Dat zeiden de mensen in Langley. Een kwestie van vertrouwen wekken, van leugens en vakkundig bedrog.

'Is dat belangrijk?' vroeg ze. 'Ik wist dat de deur niet voor mijn neus dichtgegooid zou worden. Of dacht je echt dat ik je architect kon zijn?'

Dit amuseerde hem.

'Waarom niet? Als het niet werkt, zoek ik iemand anders. Ik heb er nu het geld voor en geld lost alles op. Nou ja, binnenkort heb ik het geld, als ik eenmaal het contract met de Arcangelo's heb getekend. Daarna... het eiland is perfect, precies wat ik nodig had om er weer bovenop te komen.'

Ze vroeg zich af hoe de details van de overeenkomst luidden. Ze zouden belangrijk kunnen zijn. 'Stond je er echt zo slecht voor?'

'Nou en of,' kreunde hij. 'Slechter dan iedereen denkt. En de situatie blijft penibel tot ik de handtekening van de Arcangelo's op het contract heb. Hoewel ik niet verwacht dat dat nog problemen zal geven. Morgenavond. Zes uur. Dan is het gebeurd. Een kleine plechtigheid in die mooie eetkamer van ze. Die daarna mijn eetkamer zal zijn.'

Dit verbaasde haar. 'Ik dacht dat de Arcangelo's een deel van het huis zouden houden en dat jij in het appartement ging wonen.'

Hij snoof. 'Dat dacht je toch niet echt, hè? Woont de heer des huizes in de bediendeverblijven? Ik denk het niet. Er zitten een paar veranderingen in het contract die Michele nog niet helemaal begrijpt. Maar dat komt wel. Als ik dat eiland koop, is het helemaal van mij. Geen verplichtingen. Geen voorbehouden. Ik kan doen wat ik wil. Een hotel. Een paar appartementen. Wat detailhandel.'

'En de Arcangelo's?'

Hij keek haar teleurgesteld aan. 'Die hebben dan geld. Dit contract is voor hen pure noodzaak. Hun schulden zijn niet meer te negeren.'

Nic had haar precies verteld wat naar zijn idee het echte belang van de Arcangelo's was. Ze wilden een nieuwe kans om glas te blijven maken, een manier om hun kunst in leven te houden.

'Maar hun middel van bestaan dan? Een goed lopende glasblazerij, waar ze naar hun idee thuishoren. Ik dacht dat dat belangrijk voor hen was.'

'Dat is belangrijk voor Michele. Het heeft Uriel nooit iets kunnen schelen. Gabriele doet wat hem gezegd wordt. Die zus maakt me niet uit. Ze kunnen het geld aannemen. Een bar openen. Hun dromen dromen. Doen waar ze zin in hebben. Mits...'

Hij likte langs zijn lippen. Er waren kennelijk nog een paar dingen onzeker.

'Mits wat?'

'Niets waar jij je druk over hoeft te maken,' antwoordde hij kortaf. 'Er moet nog wat worden... opgeruimd voor morgenavond. Maar ik ben een nette man. Dat los ik wel op. Geen enkele jurist kan een spaak in het wiel steken. Het was lastiger dan ik had verwacht, maar goed.'

'En dan?'

Hij trok een brede grijns, een grof, ordinair gebaar. Door deze nieuwe uitdrukking veranderde zijn gezicht; het accentueerde zijn trekken en maakte hem lelijk.

'Dan word ik rijk! Rijker dan ooit. De veilingwereld ligt volkomen op zijn gat, maar onroerend goed... Dat eiland is tien keer meer waard dan wat ik ervoor geef. Ik hoef de telefoon maar te pakken en ik kan alle financiële steun krijgen die ik wil om het te renoveren. Dat hadden de Arcangelo's ook kunnen doen als ze niet zo arrogant waren geweest. Er is in Venetië nog maar één industrie en dat is zo veel mogelijk onnozele toeristen in de straten proppen en ze helemaal kaalplukken. Niemand wil nog glas. Niemand wil kunst, geen echte kunst tenminste. De Arcangelo's hebben die les nooit geleerd. Ze hebben zichzelf wijsgemaakt dat het voor hen anders lag. Maar dat is niet zo.'

'Ze wilden een beetje trots op zichzelf blijven,' wierp ze tegen.

'Dat is het eerste wat overboord gaat,' was zijn reactie. 'In de vrijetijdsindustrie' – Massiter trok een gepijnigd gezicht en sprak het woord op een overdreven manier uit – 'is geen plaats voor eigenwaarde. Het gaat om geld en nergens anders om. Haal ze naar binnen, stuur ze armer naar huis en haal weer een paar andere sufferds.'

Hij zwaaide met zijn hand naar de stad, schonk zichzelf nog een glas wijn in en leunde, genietend van de zangerige sonoriteit van zijn eigen stem, ontspannen naar achteren in de leren bank.

'Dat is alles wat Venetië tegenwoordig nog heeft. Dit is geen echte stad meer. Het is een stad geworden waar de mensen leven van de kruimels die anderen laten vallen. De jongeren weten dat; daarom vluchten ze naar het vasteland. Kun je het ze kwalijk nemen? Wie wil er nou in een museum wonen? Over twintig jaar zal er vrijwel geen echte Venetiaan meer zijn. De slimmeriken zijn vertrokken om ergens anders goed geld te verdienen. Het gepeupel werkt in een stofzuiger-fabriek in Mestre en is blij dat ze een auto hebben en de boodschappen daarmee thuis kunnen brengen in plaats van dat ze ermee door de straten moeten zeulen. Venetië is gewoon een oude dode hoer die nog geld weet los te krijgen op grond van wat er van haar schoonheid over is. Iedereen die dat vergeet, is een dwaze romanticus. En romantici verliezen uiteindelijk de verhoudingen uit het oog. Dat kan ze duur komen te staan.'

Hij riep naar de man in het witte uniform die in de open stuurhut voor in de boot aan het roer stond.

'Niet te hard, Dimitri. Ik denk dat we er maar eens een rustig tripje over de lagune van maken.'

Het gebrul van de motor zwakte af tot een gelijkmatig geronk. Hugo zette een schakelaar naast het drankkastje om. Een smetteloos canvas scherm kwam onder het bovendek uit, vouwde zich over de glijstangen van de hoofdcabine uit en verborg hen voor de roodgouden hemel. Na een paar seconden zag Emily alleen nog de grijze streep van de lagune die gestaag langs de kleine zijramen voortbewoog, een enkele dobberende zeemeeuw en de netten van de paar vissers die in deze wateren nog hun brood verdienden.

Hij kwam naast haar zitten en kuste met een snel, vurig gebaar de naakte huid van haar schouder. Ze dacht aan Hemingways geest, die ervan droomde in een gondola deinend op de vettige golven van de lagune in de armen van een jong meisje aan het onverbiddelijke voortschrijden der jaren te ontsnappen.

'De kwestie van intimiteit gaat niet zomaar weg,' mompelde Hugo in haar oor, terwijl zijn hand voorzichtig over haar linkerborst speelde.

De zachte, leren bank, het kabbelen van de lagune tegen de romp... Ze deed haar best de beelden van wat zou kunnen zijn uit haar hoofd te verdrijven.

Emily schoof een stukje bij hem vandaan, liet haar hoofd hangen en pro-beerde de juiste toon te vinden, want Hugo Massiter was niet gek.

'Nog niet,' murmelde ze. 'Ik ben nog niet zover, Hugo. Sorry.'

'Wanneer dan?' vroeg hij met ruwe, vlakke stem.

'Wat krijgen we nou?' beet ze hem toe. 'Gaan we afspraken maken?'

'Jij bent naar mij toe gekomen,' zei hij opnieuw.

'Misschien moet je de boot maar keren. Ik heb tijd nodig.'

'Tijd.'

Hij ging terug naar de andere kant van de cabine, zette de schakelaar om, wachtte tot de het canvas scherm weer in de romp was gegelden en blafte iets in rap, onverstaanbaar Venetiaans dialect tegen de stuurman.

De boot maakte snelheid, de boeg schoot weer hemelwaarts.

'Natuurlijk,' mompelde hij.

Ze was opeens op haar hoede. Er was iets niet in orde. Misschien kon ze slecht toneelspelen. Misschien...

Zijn telefoon ging. Massiter liep weg en ging buiten gehoor voor in de boot in de open stuurhut staan.

Emily probeerde zich voor te stellen dat ze in het leslokaal in Langley was. Ze hadden dat uiterst belangrijke gesprek maar een paar keer gevoerd, het onderwerp kort, zakelijk besproken zonder elkaar recht in de ogen te kijken. Met de hoop, begreep ze, dat de vraag nooit aan de orde zou komen. Hoe ver zou je gaan om iets essentieels te krijgen, iets wat jij, of iemand dicht bij je, vreselijk hard nodig had? Zou je een mens folteren om te voorkomen dat een bom in een school ontplofte? Zou je iemand vermoorden om te voorkomen dat een gijzelaar stierf?

Er waren geen simpele antwoorden, behalve wanneer het om persoonlijke aangelegenheden ging. Als het iets zou kunnen opleveren, zou je dan iets weggeven wat geen schade kon aanrichten, geen lichamelijke schade, iets wat de meesten van ons toch al voor niets weggaven, soms aan mensen van wie we helemaal niet hielden, aan vreemden zelfs?

Daar zeiden ze allemaal ja op. Het leek om de een of andere reden egoïstisch akkoord te gaan met een andere uitslag.

Ze dacht aan Falcone, aan Nic, Peroni en Teresa en aan het gesprek dat ze met zijn vieren hadden gehad die avond op het terras van het ziekenhuis, toen al hun twijfels zich begonnen om te vormen tot iets wat harde feiten beloofde te worden. Toen was het gemakkelijk elkaar recht in de ogen te kijken en te zweren dat ze de Venetianen deze zaak niet zouden laten begraven. Niet nu Leo Falcone ergens tussen leven en dood zweefde in een heldere witte kamer die uitkeek op de lagune, in een gebouw dat ze, rijzend en dalend met de deining van de golven, in de verte kon zien.

Massiters zachte stem was onverstaanbaar. In een ander leven zou ze de apparatuur hebben gehad die tot het elektronische hart van de telefoon kon doordringen, al zijn zacht uitgesproken woorden kon vastleggen. Nu beschikte ze alleen over haar eigen talenten. Alleen dat wat ze in haar vingers had.

Hij beëindigde het gesprek, kwam terug naar de cabine en nam weer tegenover haar plaats. Ze had er geen woord van kunnen verstaan.

'Jij bent altijd bezig, hè?' merkte ze op.

'Luiheid is des duivels oorkussen. Als je niets doet, roest je vast.'

Hij zag er op dat moment grauw en doodernstig uit.

'Ik was bezig,' ging hij verder, 'met wat onze bouwvriendjes "in orde maken" noemen.'

Zijn koude blik gleed over haar heen. 'Netheid is een deugd, Emily. En ik beschouw mezelf als een deugdzaam mens.'

7 Ze gingen de volgende ochtend om negen uur Randazzo's huis binnen. Het stond in een rustige, schaduwrijke dure woonwijk achter Gran Viale, de grootste winkelstraat van het Lido, die van de *vaporetto*-halte in een lange rechte lijn naar de andere kant van het smalle eiland liep, waar voor de witte walvisachtige kolos van het Grand Hotel des Bains het strand lag. Het was een doordeweekse dag. Alleen enkele jongeren waren bepakt met handdoeken en zwemgoed op weg naar zee. Boven hun hoofd gonsde zo nu en dan een vliegtuigje op de aanvliegroute naar de kleine burgerluchthaven die op de noordpunt van het Lido lag.

Luca Zecchini, een man die verstand had van onroerend goed, schatte dat het huis, een klein herenhuis in een stijl die op het Lido bekendstond als 'art nouveau', een en al tierelantijnen, bordessen en bewerkte raamkozijnen, zeker een miljoen euro waard was. Nic Costa voelde zich niet geroepen hem tegen te spreken. Ze hadden een meevaller nodig. Het was nu halfnegen in de ochtend. Hij had niets van belang van Teresa Lupo gehoord, helemaal niets van Emily, en uitsluitend zeer summiere berichten uit het ziekenhuis ontvangen waarin alleen werd gemeld dat Falcones toestand onveranderd was. Het enige echte nieuws dat hij had gekregen, kwam van Raffaela Arcangelo, via Teresa. De juridische complicaties in het contract voor de verkoop aan Massiter waren opgelost. Het zou die avond tijdens een korte plechtigheid om zes uur worden ondertekend. Dat hoopte Hugo Massiter althans.

De vorige middag hadden Zecchini en zijn mensen hard gewerkt om een huiszoekingsbevel los te krijgen van een politierechter in Verona, een rechter die was uitgekozen vanwege zijn discretie, omdat niemand wilde dat de plannen voor de inval zouden uitlekken. Als ze geluk hadden, waren de objecten in Randazzo's huis zo interessant, dat Zecchini een onderhoud kon eisen met de *commissario*, die door de Questura in Venetië discreet uit de schijnwerpers werd gehouden. Daarna konden ze de druk op Massiter gaan opvoeren, hoopte hij. Als Teresa met iets kwam, des te beter. Costa's theorie was dat het gemakkelijker zou zijn een hele reeks onderzoeken tegen Massiter te starten – naar de sterfgevallen bij de Arcangelo's en, als hij de juiste opening zou kunnen vinden, ook aangaande het gestaakte onderzoek met betrekking tot Daniel Forster en Laura Conti – als hij eenmaal op grond van één beschuldiging in hechtenis was genomen. Misschien zouden ze niet persoonlijk het genot smaken de man achter de tralies te zetten, maar als de vaart er eenmaal in zat, zou het Massiter vast niet lukken de dans te ontspringen.

Als... ze genoeg materiaal konden verzamelen om een arrestatie te rechtvaardigen voor Massiter het eiland in eigendom had. Zodra de namen van de Arcangelo's op dat stuk papier stonden, zouden ze niet enkel op één man jacht maken, maar het tegen de hele hiërarchie van de stad moeten opnemen, mensen die hun goede naam op het spel hadden gezet om een contract te beklinken om de toekomst van het Isola degli Arcangeli veilig te stellen... en het recente kwalijke financiële verleden onder het tapijt te vegen. Dan zou het veel lastiger zijn, misschien te lastig voor een man als Luca Zecchini, die zijn nek al verder uitgestoken had dan Costa had verwacht. Macht was belangrijk in Venetië. Dat begreep Costa en Zecchini wist dat net zo goed. Het was zoals de majoor zei: na elke mislukte poging Massiter onderuit te halen, leek de Engelsman vaster in het zadel te zitten dan daarvoor. Ze hadden niet veel tijd om de bal aan het rollen te brengen en weinig duidelijke ideeën over de vraag waar Massiters zwakke punt naar voren zou kunnen komen.

Er zaten nu acht *carabinieri* in het grijze, onopvallende busje, allemaal gewapend, allemaal goede mensen, meende Costa. Zecchini had alleen mensen meegenomen die hij vertrouwde. Ze hadden zichzelf de hele dag vrijgemaakt voor Venetië en waren niet van plan met lege handen naar huis terug te keren.

In elkaar gedoken op de zitplaats tegenover Costa en Peroni zat Zecchini hen te bekijken.

'Tijd om te beslissen, heren,' zei hij. 'We kunnen nu nog terug en de boel de boel laten.'

'Geef ons dat huiszoekingsbevel dan maar,' antwoordde Costa ogenblikkelijk. 'Wat er ook gebeurt, wij gaan naar binnen.'

Zecchini haalde zijn schouders op. 'Ik hoop dat Leo hier op een dag dankbaar voor zal zijn.' Hij tikte de man naast hem op zijn schouder. *'Avanti!'*

Het was een snelle, professionele actie. In een tijdsbestek van vier minuten stelden ze vast dat het huis verlaten was, haalden ze de voordeur van zijn plaats en waren ze binnen. Ze dwaalden vol bewondering door de grote luchtige kamers van een woning die voor de meeste hooggeplaatste politiefunctionarissen beslist onbereikbaar was. Randazzo hield van schilderijen. Dat verbaasde Nic Costa, hoewel hij zich wel afvroeg of ze in de keuze van doeken uit de negentiende en het begin van de twintigste eeuw, een handjevol oude religieuze iconen en talloze antieke Japanse prenten in feite niet de smaak van zijn vrouw weerspiegeld zagen.

Zecchini wandelde rond en bestudeerde alles met een professionele blik, nam foto's en raadpleegde van tijd tot tijd een visuele database op een kleine palmtop die hij in de zak van zijn colbert bewaarde. Hij zei geen woord. Hij keek niet blij. Peroni wierp Costa af en toe een bezorgde blik toe. Dit was niet hun enige opening, maar het was, naar ze hadden aangenomen, hun beste.

'Luca,' zei Costa toen ze alle kamers op de benedenverdieping waren doorgelopen en de man van de *carabinieri* in elke kamer alleen maar zijn hoofd had geschud. 'Hebben we iets?'

'Dat weet ik niet,' mompelde hij. 'Misschien wel. Misschien niet. Wil ik die vent vandaag oppakken, dan zal ik harde bewijzen moeten hebben. Ik kan het niet op grond van een vermoeden doen. Zelfs als dit illegaal is, dan is het klein spul, het soort dingen dat je op een antiekmarkt kunt kopen. Niets met heel veel waarde. Als we de klootzak alleen hierop willen pakken, zal hij gewoon doen alsof zijn neus bloedt. Zeggen dat hij het op een veiling heeft gekocht. Het zal moeilijk te bewijzen zijn dat dat niet zo is.'

Costa ging in gedachten na wat Peroni en hij hadden gedaan toen ze twee dagen geleden het huis waren binnengedrongen. Ze hadden vooral naar de schilderijen gekeken; daar wist Costa iets van af.

'En de iconen?' vroeg hij. 'Denk je ook niet dat ze uit Servië komen?'

'Zeker. Maar wat zegt dat? Zonder positieve identificatie, zonder bewijs van herkomst, hebben we alleen maar vermoedens. Ik herken hier niets van. Als ik terug ben in Verona misschien. Maar dat gaat tijd kosten. Begrijp me goed. Ik kan met die schilderijen aan de slag. Alleen...'

Hij probeerde de klap te verzachten. 'Ik kan je niet direct iets geven. Sorry.'

Peroni stond op zijn hoofd te krabben. 'Er waren niet alleen schilderijen,' wierp hij tegen. 'Dat is misschien het enige wat jij hebt gezien. Nic. Maar er was meer. Raar spul.'

Heel veel raar spul, dacht Costa, toen hij naar de boekenplanken keek: oosters keramiek, cloisonné vazen, kamerschermen. Randazzo's huis was een mengelmoes van stijlen, streken en tijdperken, die duidde op een paar met een onbestemde smaak.

'Het vreemdste,' zei Peroni, 'stond daarin.'

Hij wees naar een klein glazen kastje verstopt in een hoekje bij de open haard, dat Costa niet eens was opgevallen.

Peroni liep erheen, trok de deurtjes open en kwam terug met een klein, heel oud beeldje. Een gedrongen, grijnzend figuurtje van afgesleten steen, in kleermakerszit met een ketting van kralen en een gelaatsuitdrukking die het midden hield tussen die van een boeddha en een sater.

'Het is me gewoon bijgebleven,' verklaarde Peroni. Hij wees naar de enorme erectie die tussen de benen van het mannetje oprees.

Luca Zecchini nam het beeldje van hem over en draaide het rond in zijn handen. Hij gaf het terug aan Peroni, haalde de palmtop uit zijn zak en drukte op wat knopjes. Na een paar seconden hield hij hiermee op, keek hen grinnikend aan en draaide het schermpje naar hen toe om iets te laten zien. Het was een foto van een ding dat heel veel op Randazzo's beeldhouwwerkje leek.

'Babylonisch,' zei hij op een toon die geen tegenspraak duldde. 'Al een paar van gezien na de val van Irak.'

'Is het dezelfde als op de foto?' vroeg Peroni.

'Nee. Maar wel net zoiets.'

'Is het waardevol?'

Zecchini knikte. 'Via een omweg. Deze dingen worden in de drugshandel gebruikt als harde valuta. Het internationaal witwassen van geld wordt hard aangepakt. Het valt tegenwoordig niet mee om grote sommen geld van het ene naar het andere land te verplaatsen. Ze doen lastig als je het op de bank wilt zetten.'

Costa had erover gelezen. 'Dus dan verscheep je in plaats daarvan waardevolle antiquiteiten,' zei hij. 'Ze zijn gemakkelijker over de grens te smokkelen. En als ze aan de andere kant komen, zet iemand ze om in geld en betaalt de schuld af.'

'Precies,' beaamde Zecchini, onder de indruk van Costa's kennis. 'Dit waren huisgoden. Elk waardevol exemplaar zat in een privécollectie, of stond in een Iraaks museum. Er verdwijnen nog steeds zo veel spullen uit Bagdad, allemaal via criminele kanalen, dat we opdracht hebben elk stuk dat we tegenkomen te rapporteren.'

Een klein vliegtuigje dat met veel lawaai laag overkwam, verstoorde het gesprek. Ze moesten wachten tot het weg was, voor iemand iets kon zeggen.

'Dus is het goed?' vroeg Peroni uiteindelijk.

Zecchini haalde zijn mobiele telefoon tevoorschijn. 'Het is alvast iets. *Commissario* Randazzo en ik moeten eens met elkaar praten. Gaan jullie mee?'

Costa schudde zijn hoofd en keek even naar zijn partner. 'Kun jij meegaan, Gianni? Ik heb iets anders te doen.'

Peroni keek niet al te blij. 'Iemand die ik ken? Ik hou er niet van als er dingen voor me worden verzwegen.'

'Alleen maar een paar geesten,' zei Costa en hij knikte naar het raam en de blauwe lucht daarachter. 'En misschien dat niet eens.'

8 Terwijl de *carabinieri* de persoonlijke eigendommen van *commissario* Randazzo doorzochten in een huis dat te groot was voor een politieman, zat Emily Deacon aan de overkant van het water op het dek van Hugo Massiters jacht, door dik rookglas beschermd tegen de blikken van de toeristen op de kade, in de restanten van een laat ontbijt te prikken. Massiter was van boord gegaan voor een afspraak met zijn bankier op het San Marco. Daarvandaan zou hij 's middags rechtstreeks naar zijn advocaten in Dorsoduro gaan voor een bespreking met de Arcangelo's. Hij had, heel opvallend, laten doorschemeren dat ze welkom was bij die beslissende confrontatie. Misschien moest er over bouwkundige zaken worden onderhandeld. Misschien hunkerde hij gewoon naar publiek. Het was een uitnodiging die ze had opengelaten. Er was werk aan de winkel. De Kroatische bemanning scheen ook en masse vertrokken te zijn. Nu was ze alleen met de drie Filippijnse vrouwen die schoonmaakten, kookten en bedienden en daarna naar hun verblijf gingen tot ze weer een taak kregen opgedragen.

Bewijzen.

Die had Nic nodig, heel hard nodig. In elke vorm die ze kon vinden.

Ze stond op, veegde de kruimels van de *cornetto* van haar T-shirt, streek haar spijkerbroek glad en liet een van de Filippijnse vrouwen komen om af te ruimen.

De jongste kwam uit de kombuis, gekleed in het wit, met haar donkere haar in een knot. Een meisje dat niet ouder leek dan achttien. Emily sloeg haar gade met de onverschillige minachting die naar haar idee in deze omstandigheden was vereist.

'Hoe heet je?' vroeg ze in het Italiaans.

De ogen van het meisje knipperden zenuwachtig. Emily herhaalde de vraag in het Engels.

'Flora,' antwoordde ze, nog altijd nerveus.

'Is het niet erg dat je geen Italiaans spreekt?'

'Moet wel.'

Ze hield niet van praten. Massiter vond het prettiger als zijn vrouwelijke bedienden hun mond hielden.

'Wie zegt dat?'

Ze keek achterom naar de plek waar de mannen normaal gesproken waren. 'Zij.'

Emily vroeg zich af hoe de Kroaten zich gedroegen als ze alleen met deze vrouwen waren. Dat liet zich raden. 'Ik zou je een paar woorden kunnen leren. Als je wilt.'

'Niet goed.'

Ze kende haar plaats. En dit was, besefte Emily, de verkeerde aanpak, hoewel ze het enige alternatief niet prettig vond.

'Meneer Massiter is niet tevreden over hoe zijn werkkamer erbij ligt,' zei ze streng.

Het meisje keek geschrokken. 'Ik heb schoongemaakt! Gisteravond!'

'Dat kan me niet schelen. Hij is niet tevreden. Als hij je ontslaat...'

Flora zette de borden neer. Ze beefde zo hard, dat ze ze bijna had laten vallen.

'Dan kun je niet naar huis, hè?' ging Emily verder. 'Je zou hier gewoon vastzitten. Zonder geld. Zonder vrienden. Wat denk je dat er met dat soort meisjes gebeurt, Flora? Kun je je dat voorstellen?'

'Ik... doe mijn best.'

Ze was bijna in tranen. Emily vond het vreselijk. 'Kom mee,' beval ze. 'Misschien kunnen we je nog een kans geven.'

Ze gingen naar beneden, drie kleine trappen af, tot ze bij de afgesloten metalen deur van Massiters hol kwamen.

'Nou?' vroeg ze op boze toon.

Flora rommelde met de bos sleutels aan haar riem, vond na enige tijd de goede en draaide het slot open. Emily beende naar binnen, rechtstreeks naar het bureau bij de kleine patrijspoort, waar een grote laptop op stond, veegde met een vinger over de tafel, die smetteloos schoon was, zwaaide haar hand voor Flora's neus heen en weer en schreeuwde: 'Zie je dat?'

'Ik zie niet...'

'Niet goed genoeg. Het is allemaal niet goed genoeg. Jij bent niet goed genoeg. Ik blijf hier vijftien minuten. Ik ga het hier vuil maken op een manier die je niet voor mogelijk houdt. Als ik wegga, kom jij terug. Je maakt het hier schoon. Je doet het goed. Als ik er tevreden over ben, zeg ik niets tegen meneer Massiter. Niets tegen de Kroaten. Dan vergeten we het. Zo niet...'

Flora was in tranen. Emily vond het verschrikkelijk, maar wist dat ze nu moest doorzetten. Het moest nu eenmaal gebeuren.

'Eruit!' blafte ze en ze sloeg de metalen deur achter het meisje dicht toen ze wegvluchtte.

De computer was een duur apparaat met een groot beeldscherm. Hij stond uit en zat met een veiligheidskabel aan het bureau vast. Ze kon zich niet voorstellen dat Massiter er iemand bij in de buurt zou laten.

Ze pakte de kleine USB-stick die ze had overgehouden aan haar tijd bij de FBI, stak hem in de poort, zette de laptop aan en hoopte dat ze geluk zou hebben. Slimme mensen beveiligden hun hele pc met een code. Slimme mensen waren in de minderheid. De USB-stick van de FBI was iets wat iedere computerkraker zelf in elkaar kon flansen met een paar dollar geheugen en enkele bestanden van internet. Op een machine die niet specifiek was geprogrammeerd om dit te voorkomen, overtuigde het ding de computer ervan dat hij niet met het normale, maar met zijn besturingssysteem moest opstarten. Daarna nam het alle directories op de harde schijf door en presenteerde ze aan de binnendringer.

Dit was het techneutenwerk waarvoor ze haar hadden opgeleid. Er kwam niets elegants bij kijken, enkel opdrachtregels en duistere commando's, computerjargon dat ze uit haar hoofd had geleerd.

Massiters laptop was precies zoals ze had verwacht: veilig zolang hij de touwtjes zelf in handen had; weerloos zodra het haar lukte hem vanaf haar kleine apparaatje op te starten. Emily zag hoe de bekende procedure werd afgewerkt, precies zoals het moest, en hoe haar kleine USB-stick de besturing overnam. Toen bekeek ze de directories tot ze die met Massiters persoonlijke account had gevonden, kopieerde de inhoud van de map met documenten, speurde daarna op de harde schijf naar zijn bestanden met e-mails en kopieerde die ook. Ten slotte zocht ze het cachegeheugen van zijn browser op, lokaliseerde alle tijdelijke bestanden en legde die ook vast. In nog geen twee minuten had ze naar haar idee elk stukje informatie met betrekking tot Massiters documenten, berichten en de sites die hij had bezocht, opgeduikeld. In de Verenigde Staten zou ze al verschillende strafbare feiten hebben gepleegd, hoewel de FBI daar gezien de omstandigheden niet zo zwaar aan zou hebben getild. In Italië... Ze wilde niet eens aan de juridische implicaties denken. Daar was geen tijd voor. Nic had hulp nodig.

Dat feit liet haar geen moment los en ze haalde snel de USB-stick uit de laptop, stak hem in haar zak, zette de computer uit en verspreidde een paar losliggende vellen papier door de kamer.

Het was de perfecte computerkraak. Onzichtbaar en allesomvattend, een voorbeeldig stukje werk.

Toen ging ze terug naar boven, zocht Flora op en zei: 'Schoonmaken.'

Ze liep achter het trillende meisje aan toen ze naar het kantoortje snelde, keek toe terwijl ze koortsachtig de rommel opruimde die Emily door de kamer had verspreid, alles aan kant maakte in een kamer die al zo schoon was als een mens redelijkerwijs kon verwachten.

'Genoeg,' verklaarde Emily toen Flora klaar was en ze wilde dat ze kon ophouden met zichzelf zo te haten vanwege deze poppenkast. 'Doe de deur op slot en laat het me nooit meer zo aantreffen. Dan zeggen we er niets meer over. Tegen niemand. Begrepen?'

Flora knikte uitzinnig van angst met glazige, vochtige ogen. 'Is het goed?'

'Ja. Het is goed. Alles is goed. Ik zal tegen hem zeggen dat je vanochtend extra je best hebt gedaan. Maak je geen zorgen. Maar...' Je mocht niet uit je rol vallen.

Dat prentten ze je in bij elke gelegenheid. 'Maar zorg ervoor dat dit een geheim van ons tweeën blijft. Tenzij je op straat wilt komen te staan.'

Toen ze weer naar boven gingen, waren de Kroaten nog nergens te zien. Opruimen, had Massiter gezegd. Ze kon alleen maar raden waar hij op doelde.

Bewijsmateriaal.

Je verzamelde wat je kon. Je maakte er een heel grote stapel van. En je hoopte dat je door een of ander klein dingetje kreeg wat je wilde hebben.

Ze belde Teresa en sprak met haar af voor een kop koffie in het barretje dat ze kenden in de Ramo Pescaria, een steegje dat van deze schijnschone kunstmatige toeristenwereld naar een zweem van het echte Italië in de achterafstraatjes van Castello leidde. Daarna ging ze naar Massiters hut: een lange kamer, met een eettafel en stoelen, een tv, een dure stereo-installatie en een drankkast. Zijn slaapkamer lag ernaast en besloeg zeker een lengte van tien meter aan de stuurboordkant van het schip. Ze ging naar binnen. Flora was hier al geweest. Verse orchideeën stonden in vazen aan weerszijden van het extreem grote bed, dat nu was opgemaakt met keurig gestreken, schone witte lakens die strak om het matras zaten.

Emily deed de deur achter zich dicht, draaide hem op slot, trok de lakens van het bed en gooide ze op de grond in een poging zo snel mogelijk bij het matras te komen.

Daar waren ze, onder het hoeslaken, zoals ze had verwacht. Ze had in haar opleiding geleerd er in elk onderzoek van persoonlijke aard naar op zoek te gaan. Donkere, opgedroogde plekken, talloze cirkelvormige vlekken, halverwege het matras, altijd een beetje uit het midden omdat mensen nu eenmaal zo paarden dat ze daar ontstonden.

Ze haalde een klein zakmesje tevoorschijn, ging op haar knieën op het matras zitten en wrikte het lemmet uiterst zorgvuldig om elk opgedroogd poeltje menselijke afscheiding heen. Het was niet alleen zaad. Dat leerden ze hun in Langley. In de meeste gevallen was er ook vaginaal vocht en met de magie van DNA kon dat je precies de benodigde meevallers opleveren, een hard, onloochenbaar spoor dat terugleidde naar de vrouwen die hier waren geweest. Bij alle verkrachtingszaken waaraan ze had gewerkt, was deze mogelijkheid onderzocht. Er was alle reden om aan te nemen dat ze er nu ook wat aan zou hebben.

Het waren er zestien in totaal, allemaal kleine rondjes stof die ze in een plastic tasje van een supermarkt stopte. De lichtere liet ze met rust. Ze kon zich niet voorstellen dat er nog genoeg materiaal in de onduidelijke vlekken zat, zodat ze er iets aan zouden hebben. Ten slotte wierp ze nog een blik op het matras en draaide het om, zodat de andere kant, die schoon en vrij van vlekken was, boven lag, deed het hoeslaken er weer omheen en maakte loom het bed op. Dit kon ze ook aan Flora opdragen voor ze wegging. Tegen de tijd dat Massiter de schade ontdekte – als dat al gebeurde – deed het er toch al niet meer toe.

Tien minuten later zat ze aan een sterke dubbele *macchiato* en gaf ze het tasje aan Teresa Lupo, die haar bezorgd en enigszins sprakeloos aankeek. Emily kon zich geen moment herinneren dat zij met zijn tweeën zo waren geweest, niet op hun gemak in elkaars gezelschap, zelfs niet in staat over koetjes en kalfjes te praten.

Ze overhandigde de USB-stick. 'Zeg tegen de *carabinieri* dat ik geen tijd heb gehad ze te bekijken, maar ik geloof niet dat Massiter zo slim is geweest ze te beveiligen. Hij is niet zo handig als het om computers gaat. Bovendien heeft hij naar mijn idee het gevoel dat hij onschendbaar is in dat kamertje van hem. Ik ga er nog wel een keer kijken.'

Ze riep zichzelf tot de orde. Zelfoverschatting was een gebruikelijke fout in het vak dat ze zichzelf opnieuw probeerde eigen te maken. Hugo Massiter had eigenlijk bijna voortdurend het gevoel dat hij onschendbaar was.

'Doe ik.' Teresa knikte. 'Alles goed met je?'

'Ja, prima. En met jou? Nog iets van Nic gehoord?'

'Ze schijnen vooruitgang te boeken. Hij klonk positief. Hij laat het even aan de *carabinieri* over. Moest ergens anders achteraan.'

'Dat is fijn.' Ze wierp een blik op het plastic tasje. 'Er zit oud spul tussen. Denk je dat Bella erbij zou kunnen zitten?'

'We hebben goede laboratoriumfaciliteiten. Die heeft Silvio gevonden. Kosten een vermogen, maar ja, het is de particuliere sector. Ik kan hier sneller uitslagen krijgen dan thuis. Wonderbaarlijk, wat geld allemaal niet vermag.'

'Nou.'

De gedachte zat haar de hele tijd al dwars. 'En heb je DNA van Bella?'

Teresa knikte heftig. 'Uit het huis. Ongetwijfeld van haar.'

'En nog meer? Als er andere vrouwen waren?'

Ze haalde haar schouders op. 'Het zou natuurlijk handig zijn als we een database hadden van alle vrouwen in de naaibare leeftijd in Venetië. Dat zou de boel een stuk overzichtelijker maken. Maar nu zullen we ze gewoon moeten zien te elimineren. Het zegt natuurlijk alleen iets over zijn gewoonten. Bella is het enige andere monster dat we hebben.'

Emily Deacon dacht even na. Daden hadden consequenties. Ze wisten op dat moment geen van allen welke. Ze hadden haar geleerd vooruit te denken, tekens achter te laten die konden worden teruggevonden, konden worden gebruikt om te bewijzen wie je was, wat je had gedaan.

Ze haalde een schoon papieren zakdoekje uit haar zak, hield het voor haar mond en deponeerde er een flinke druppel speeksel in. Toen hield ze het zakdoekje met gestrekte arm voor zich.

'Geef me maar een monsterzak. Dan kun je dit elimineren.'

9 De toeristen stuitten zelden op de San Francisco della Vigna. De kerk stond op een kleine campo dicht bij de *vaporetto*-halte Celestia, op slechts enkele minuten van het ziekenhuis. Maar zelfs Gianfranco Randazzo, die nooit eerder een voet in het gebouw had gezet en dit achterafbuurtje van Castello als een *quartiere* ver beneden zijn stand beschouwde, was verrast door wat er achter de strenge witte voorgevel van Palladio zat. Dit was nog altijd een franciscaner klooster, meer dan vijfhonderd jaar nadat het was gesticht. Achter het sombere kerkinterieur, met een beeldencyclus van Lombardo en doeken van Veronese en Bellini, lagen een paar met elkaar in verbinding staande stille binnenhoven gevormd door twee verdiepingen met kloostercellen en andere ruimten. Het was een gemeenschap die uit een andere wereld leek te komen, niet aangetast door de stress van het moderne leven. Duiven fladderden door de langwerpige schaduwen die de haaks op elkaar staande rijen zuilen wierpen. Er groeiden bloemen rondom het standbeeld van Sint-Franciscus dat in de zon midden in van het voorste binnenhof stond, tegenover de cel die ze hem hadden toegewezen. Hier, tijdens de korte momenten dat hij alleen was in het piepkleine kale kamertje of zittend in de schaduw van de zuilengang, was een zekere rust, een gegarandeerde anonimiteit. De Questura had hem trouwens geen keus gelaten. Iemand had zijn invloed aangewend om hem overal bij uit de buurt te houden. Hij zou in de San Francisco della Vigna blijven tot het interne onderzoek, dat, zo had men hem beloofd, niets meer dan een berisping zou opleveren, was afgesloten.

Het ergste was het gezelschap. Twee prutsers uit de Questura, Lavazzi en Malipiero, kerels die hij in de loop der jaren was gaan minachten vanwege hun luiheid en onverschillige lompheid, hadden de taak gekregen bijna de hele dag dicht bij hem in de buurt te blijven. Ze werden elke avond afgelost door een wisselende reeks even slome luilakken. Nu hij niet op zijn strepen kon gaan staan, sloegen hun pogingen tot insubordinatie andere richtingen in. Randazzo was hun gemene persoonlijke grapjes na een paar uur al zat. Hij zou het niet lang uithouden in het klooster met deze twee. Binnenkort zou hij naar hun meerderen gaan om een paar andere metgezellen te eisen. Maar nu nog niet, want Gianfranco Randazzo had in zijn dagen in het klooster nog geen bevredigend antwoord kunnen vinden op een vraag die hem geen moment had losgelaten sinds hij onvrijwillig tijdelijk in ballingschap was gegaan. Was dit duo er om hem te beschermen tegen de buitenwereld? Of zag dat stelletje ellendelingen zichzelf eigenlijk als gevangenbewaarders, die opdracht hadden dicht bij hem in de buurt te blijven voor het geval dat Randazzo het plan opvatte te vluchten?

Dat laatste was belachelijk. Randazzo was zich ervan bewust hoeveel belangrijke mensen hij die avond in het *palazzo* een dienst had bewezen, Massiter vooral. Hij kon zich niet voorstellen dat ze hem geen wederdienst zouden bewijzen. In Venetië golden regels; geheime, ongeschreven, maar niettemin strenge regels, omdat het anders een chaos zou worden in de stad. En één regel was onschendbaar. Schulden werden uiteindelijk altijd afbetaald.

Malipiero had net een uur zitten klagen over het feit dat de franciscanen geen enkele tv in het gebouw hadden.

Randazzo keek hem aan en vroeg: 'Waarom ga je geen boek lezen?'

'Hmm!'

Hij zei het alsof het een afschuwelijk idee was. Randazzo had in zijn tijd in de cel wel een paar boeken gelezen, droge werken over enkele mysterieuze aspecten van de Italiaanse wet. Toen ze hem vertelden wat er stond te gebeuren, had hij zich direct voorgenomen ze te lezen. Hij knapte op van die boeken. Ze bevatten een paar pijnlijke waarheden waar hij enkele mensen mee om de oren kon slaan als ze eraan herinnerd moesten worden wat men hem schuldig was. Deze hele episode was een noodzakelijke ommezwaai in zijn carrière. Dat begreep hij wel. Het betekende niet dat hij geen lering kon trekken uit de ervaring.

'Boeken kunnen je vooruit helpen,' voegde hij eraan toe.

'Zoals bij u, zeker,' zei Lavazzi spottend.

De twee mannen leken opvallend veel op elkaar; het hadden broers kunnen zijn. Ze waren allebei een jaar of vijfendertig, een beetje aan de kleine kant en te zwaar, en hadden hun gezette gestalte in een goedkoop blauw pak geperst. Het waren mannen die de cijfers van een fatsoenlijke *commissario* verpestten, tot hij hen de oren waste en de straat weer op schopte met de opdracht eindelijk eens aan de slag te gaan. Dan bleven de kleine criminelen de deur binnenkomen, of ze nu schuldig waren of niet, tot Lavazzi en Malipiero er genoeg van kregen, weer van bar naar bar gingen zwerven en overal biertjes en *panini* gingen bietsen.

'Waarom gaan jullie niet een straatje om?' stelde Randazzo voor. 'Het is belachelijk dat jullie hier de hele tijd zitten.'

'Die zonen van Bracci zijn behoorlijk kwaad,' antwoordde Lavazzi. 'U hebt voor het oog van al die mensen hun vader overhoop geschoten. Kun je het ze kwalijk nemen?'

Randazzo voelde de boosheid oplaaien. 'Ik heb een klootzak omgelegd die een vrouw had gegijzeld en met een wapen stond te zwaaien. Het was een verstandige zet. Wie weet wat er zou zijn gebeurd als ik niets had gedaan?'

Malipiero hief een zweterige hand. 'Dat wil ik allemaal niet horen. Dat wil ik niet weten. Het is niet aan ons om te oordelen. Wij hebben gewoon opdracht gekregen bij u in de buurt te blijven en dat doen we. Ik vind het ongelooflijk dat iemand met uw rang voorstelt een bevel te negeren.'

'Ongelooflijk,' zei Lavazzi hoofdschuddend. 'Je vraagt je af waar het heen gaat met de wereld. Geen discipline. Dat is het punt.'

'Dit is saai...' begon Randazzo.

'Vertel mij wat!' schreeuwde Lavazzi.

Een monnik met een kaal, gebruind, vriendelijk hoofd, met de monnikskap om zijn nek, verscheen voor het open raam. De man legde een vinger tegen zijn lippen en deed: 'Ssstt...'

Lavazzi wachtte tot hij was verdwenen en vloekte toen zacht, keek naar Randazzo en zei: 'We vervelen ons allemaal kapot. Goed? Het wordt er niet beter op als je erover praat. Bovendien...'

Hij keek op zijn horloge. Het was bijna twaalf uur. Lunchtijd. Deze twee grepen elke gelegenheid aan om zich vol te proppen, meestal zonder te betalen, vermoedde Randazzo. Hun plicht had hen er niet van weerhouden elke dag rond dit tijdstip een uur weg te gaan en terug te komen met een rozige gloed en pastasaus op hun kin. Het enige wat Gianfranco Randazzo te eten had, was de simpele, saaie kost van de monniken.

'We zouden kunnen gaan lunchen,' stelde de *commissario* voor.

'Op uw kosten?' vroeg Malipiero onmiddellijk.

'Als je dat wilt,' antwoordde Randazzo. Het zou het waard zijn. En als hij de rekening betaalde, zou hij ook kunnen zeggen dat ze aan een ander tafeltje moesten gaan zitten, zodat hij enige privacy had.

De twee mannen keken elkaar aan. Randazzo fleurde op. Een lekkere maaltijd, een paar glazen wijn... Hij kende een restaurantje in de Campo Arsenale, goed eten in de schaduw van de grote gouden poort, dicht bij de vier leeuwen die, zoals iedere Venetiaan wist, lang geleden tijdens een van de strooptochten van de republiek uit Athene waren geroofd. Je kon bijna nergens in Venetië wandelen zonder iets te zien wat in de loop der eeuwen was gestolen. De stad pakte wat ze pakken kon, wanneer ze maar wilde. Randazzo had die les al geleerd toen hij klein was.

Hij zag het gezicht van de mannen glimmen van hebzucht. Hij wenste dat hij het stel ook kon overhalen een bezoek van Chieko door de vingers te zien, hoewel hij zich afvroeg hoe de regels van het klooster over het toelaten van vrouwen in deze kleine verscholen oase in de buurt van de gasfabriek in Castello zouden luiden. Dat zou... verrukkelijk kunnen zijn als het lukte.

Toen herinnerde hij zich hoe Massiter in dat stomme appartement van hem in dat glazen paleis over haar had staan opscheppen en dat hij haar sinds die tijd had genegeerd.

'Nou?' gromde hij. 'Ik heb niet de hele dag.'

'O, nee?' Lavazzi lachte. 'Wacht. Ik zal even bellen om het te vragen. Misschien' – hij wierp zijn partner een blik toe die Randazzo niet begreep – 'is het helemaal niet zo'n slecht idee.'

Malipiero was stil toen zijn partner weg was. Hij was, meende Randazzo, de mindere van het stel.

'Wie bellen jullie toch de hele tijd?' vroeg Randazzo. Hij was kwaad zonder goede reden en hoopte dat hij nu eens een keer zijn kalmte zou kunnen bewaren. 'Vriendinnetjes? Vriendjes? Dat zijn telefoons van de Questura. Ik krijg de rekeningen te zien als ze binnenkomen. Als jullie op mijn kosten privézaakjes regelen, zwaait er wat.'

Malipiero stond naar zijn dikke, smoezelige handen te kijken en een stom popliedje te fluiten dat de hele dag op de radio werd gedraaid. Dat was, dacht Randazzo, het enige vermaak dat hij kende.

Hij hield op met fluiten, keek Randazzo boos aan en zei: 'Weet je, ik wilde dat je eens een keuze maakte. Ben je hier nou de hoogstaande eerlijke vent, of gewoon zoals wij allemaal? Het is nogal verwarrend voor eenvoudige mensen zoals ik.'

'Wees niet zo godvergeten brutaal!' krijste Randazzo.

Het hoofd verscheen weer voor het raam, ontstemd dit keer, zo boos als een monnik maar kon worden.

'Heren,' zei de man, 'als u zich hier niet correct gedraagt, zal ik u moeten verzoeken weg te gaan. We zijn dienstwillig. We zijn echter ook maar mensen.'

'Ja, ja, ja,' bromde Malipiero en hij gebaarde dat hij moest ophouden. 'Ga ergens bidden of zo. We stoppen wel wat kleingeld in de collectebus bij de deur.'

De monnik verdween met een werelds scheldwoord zacht galmend in zijn kielzog.

'Jij laat ook overal waar je komt één lange rij tevreden klanten achter,' merkte Randazzo op.

Het fluiten nam weer een aanvang tot Lavazzi grinnikend terugkwam. Hij had iets bij zich in een plastic tasje.

'Het is voor elkaar,' zei hij. 'We mogen twee uur naar buiten. Daarna moet u weer terug in uw cel, *commissario*. Ik hoop dat u genoeg geld bij u hebt.'

'Zat,' mompelde Randazzo, die naar het tasje keek.

'O, ja,' ging Lavazzi verder, nog altijd grijnzend als een puber, 'er was één voorwaarde. U moet naar buiten in een soort vermomming.'

Hij stak zijn hand in het tasje en haalde de inhoud eruit. Het was een bruine monnikspij, compleet met gordel.

'Met dat kale hoofd bent u het sprekend,' verklaarde de politieman.

Misschien was het een van de vele grapjes van het stel. Misschien vond iemand in de Questura werkelijk dat hij discreet moest zijn. Het kon Randazzo niet schelen. Hij zou een uur in de buitenwereld zijn, met echte wijn, niet het bocht dat de monniken dronken, echt eten, in het restaurant, aan een rustig, schaduwrijk tafeltje, terwijl Lavazzi en Malipiero op de stoep in de zon zaten te zweten.

Randazzo pakte de pij op. 'Kunnen jullie me even alleen laten?' vroeg hij. 'Als ik me omkleed?'

'Nu doet u het weer, *commissario*,' ging Malipiero verder. 'Vraagt u ons weer de regels te overtreden. Het geeft niet. Echt niet. We blijven wel kijken.'

10

Teresa Lupo en Silvio Di Capua aten koude pizza en keken naar hun werk: de gemailde eerste rapporten van de twee laboratoria in Mestre die ze voor hun onderzoek hadden uitgekozen, een voor chemische analyses, een voor pathologie; en alvast wat uitslagen van het materiaal dat via Alberto Tosi naar Rome was gestuurd. Het was nu halfeen. Van Nic hadden ze gehoord dat ze niet meer dan een paar uur hadden om met iets te komen wat de *carabinieri* tegen de Engelsman konden gebruiken. Het zag er niet goed uit.

De meest veelbelovende koers hadden de bestanden moeten zijn die Emily – op de een of andere manier – van Massiters computer had gehaald. Dat was hard bewijs, het soort waar rechercheurs dol op waren, omdat je het aan elkaar kon doorgeven en iedereen het op waarde kon schatten zonder dat een techneut het hoefde uit te leggen. Ze had de USB-stick aan de rechercheur gegeven die hem was komen halen toen ze had gebeld, maar eerst had ze alles gekopieerd wat erop stond.

Silvio, die veel meer van computers wist dan zij, had op allerlei voor haar onbegrijpelijke manieren geprobeerd de bestanden te openen. Het beste resultaat dat hij onder het slaken van zachte vloeken en verwensingen vol duistere acroniemen had gekregen, was een scherm vol rotzooi en onbekende tekens. De bestanden waren niet alleen beschermd met een wachtwoord. Ze waren ook gecodeerd en Silvio wist hoe. Toen ze eerder vertwijfeld dan hoopvol vroeg of de code gekraakt kon worden, mompelde hij iets over maanden werk en enorme hoeveelheden van iets vaags dat MIPS-jaren heette. Wat, voor zover zij het begreep, in gewone mensentaal betekende dat iemand de bestanden zou kunnen kraken, maar dat het veel tijd zou kosten en meer computers dan er volgens iemand als Alberto Tosi op aarde bestonden. Over een heleboel maanden, als een officieel onderzoek naar Massiter van start was gegaan, zouden ze misschien nuttig kunnen worden. Op dit moment waren ze waardeloos, zodat ze weer terug waren bij af en de runen van het weinige stoffelijke en menselijke bewijsmateriaal dat ze hadden, moesten proberen te ontcijferen.

Na te hebben gefaald met de computerbestanden, hadden ze zich op de rapporten over Uriels voorschoot en de houtmonsters gestort. Hoe langer ze ernaar keek, des te meer Teresa zin kreeg om te gillen.

Ze klokte een paar slokken mineraalwater naar binnen uit een flesje dat ze uit Nics koelkast had ontvreemd.

'Jij bent de chemicus, Silvio. Keton. Wat is keton in godsnaam? Fris mijn geheugen eens op.'

Hij keek haar aan met zo'n blik van: 'Ik kan me niet voorstellen dat je dat niet weet', een blik die ze de laatste tijd steeds vaker zag. Silvio was een beetje afgevallen en had zijn kledingkeuze verfijnd. Nu droeg hij een grijze ribbroek en een licht lavendelblauw poloshirt. Niet slecht, dacht ze. Als hij zo doorging, zou hij binnenkort eindelijk een vriendin krijgen.

'Industrieel oplosmiddel. Laboratoria gebruiken het. Wij gebruiken het.'

'Je weet dat ik al dat chemische spul aan jou overlaat. Brandt het?'

'Eh, ja,' zei hij sarcastisch. 'Lees je de waarschuwingsetiketten op de flessen in het lab nooit?'

'Geen tijd voor. Dus zijn voorschoot is in een brandbaar industrieel oplosmiddel gedoopt. Dat is alvast wat. Nu weten we tenminste dat we tovenarij kunnen uitsluiten.'

Silvio keek haar met een korzelige, teleurgestelde uitdrukking op zijn gezicht aan.

'Contaminatie,' zei hij.

'Hè?'

'Die bavianen van wat hier voor een gerechtelijk lab doorgaat, hebben dit spul in handen gehad voor wij het van ze mochten hebben, nietwaar? Ziedaar. Klassiek geval van labcontaminatie. Je zei zelf dat die lui amateurs waren.'

'Dat heb ik helemaal niet gezegd! Ik zei dat die man oud was.'

'Hij is oud. Het lab is oud. Hun methoden zijn oud. Het is gewoon prutswerk. Deze dingen zitten onder dat spul. Heeft hij gezegd dat er blusschuim op de oorspronkelijke monsters zat?'

'Ja. Dat zei hij inderdaad.'

'Als ik het niet dacht. Dit zijn dingen die beginnende labanalisten die zo van de opleiding komen, al wordt geleerd. Je maakt nooit rommel met rommel schoon. Een of andere debiel heeft hier oplosmiddel op gegooid om van het schuim af te komen. Daardoor is alles wat we daaronder hadden kunnen vinden verdwenen.'

'Voorgoed?' Ze kon niet geloven dat ze zo stom waren.

Hij trok een treurig gezicht. 'Nou, nee. Maar het maakt het allemaal een stuk lastiger. Veel tijdrovender en duurder ook. We zouden de spullen naar een paar gespecialiseerde laboratoria kunnen sturen. Maar bij deze mate van degradatie... Ik weet het niet. En het zou weken duren.'

'Wil je zeggen dat Alberto Tosi, of zijn griezelige kleindochter, of een van zijn andere familieleden die eraan gewerkt hebben, dit bewijs volkomen hebben verpest?'

'In één keer goed.'

'Fijn!'

'Misschien hebben ze het opzettelijk gedaan,' opperde hij in een poging haar op te vrolijken.

216

'Doe niet zo belachelijk. Alberto is er de man niet naar om dat soort stomme spelletjes te spelen. Als hij dat wel was, had hij me de spullen nooit gegeven.'

'In dat geval zijn ze gewoon ronduit incompetent. Sorry. Meer smaken zijn er niet.'

'Daar zijn we mooi klaar mee!' riep ze uit. 'Waar zijn in dat geval die DNA-rapporten van onze particuliere mensen aan de overkant van het water? Een uur geleden zeiden ze over een uur.'

'Je moet het niet op mij afreageren! Ik heb die troep niet op je kostbare bewijsmateriaal gegooid. Bovendien zeiden ze een uur geleden over twee uur, hoor. Per e-mail.'

'Niks e-mail,' mopperde ze en ze belde het bedrijf, liet zich direct doorverbinden met het hoofd van het lab en deed een korte imitatie van Leo Falcone op een slechte dag.

Vijf minuten later kwam het rapport, nog vol spelfouten en kromme zinnen, binnen. Zestien afzonderlijke tests. Eén mannelijk DNA-spoor in allemaal.

'Godzijdank is er het Y-chromosoom,' mompelde ze. 'Het enige nuttige ding dat sinds de dageraad van de mens uit de gemiddelde penis is gekomen.'

Toen begon ze de andere resultaten op het beeldscherm door te nemen, terwijl ze zich bewust was van Silvio, die wel heel dicht achter haar schouder stond.

'Eureka.' Ze had drie hele seconden een gevoel van triomf. Het nieuws over de voorschoot en de vloer had haar echt aangegrepen.

Bella zat in vier monsters van vaginale uitscheiding. De andere twaalf waren onbekend.

'Op een dag –' mompelde Silvio.

Ze hoorde een bekende tirade aankomen. Dat het op de wereld beter en veiliger zou zijn als iedereen bij zijn geboorte werd gemerkt, als profiel ergens in een reusachtige computer werd opgeslagen, de bestanden tevoorschijn werden gehaald zodra een druppel bloed of een spoortje zaad een vadsige politieman die te lui was om zijn hersenen te laten werken en naar bewijzen op zoek te gaan, voor een raadsel zette.

'Ik heb het je al eerder gezegd,' onderbrak ze hem. 'Ik zeg het je nog een keer. Het is verkeerd. Je moet mensen een beetje privacy gunnen, anders zijn ze niet menselijk meer.'

Ze dacht aan het opgevouwen papieren zakdoekje dat nog in haar handtas zat en algauw terecht zou komen waar het thuishoorde: in de vuilnisbak buiten voor de deur. Ze had niet eens overwogen het er met Nic over te hebben, hoewel ze zich wel had afgevraagd of Emily dat misschien juist wilde: het nieuws via een ander brengen. Toch had Nic wat aan haar stem gehoord. Dat wist ze. Hem ontging nooit iets.

'Niemand wil alles over iedereen weten. Dat is onnatuurlijk. Het is...'

Vragen om moeilijkheden, dacht ze. Je moest je concentreren op wat belangrijk was en geen aandacht schenken aan de triviale details.

Hier was iets bijzonder belangrijk. Bella was met Hugo Massiter naar bed geweest. Hij was misschien de vader van haar ongeboren kind. In een normaal politieonderzoek waren dit uitgangspunten, stukjes informatie die iemand als Leo Falcone achterhaalde, waar hij over nadacht en die hij dan gebruikte als middel om andere, meer belastende bewijzen boven tafel te krijgen. En om uiteindelijk, met enig geluk, een beeld te vormen van wat er was gebeurd. Maar ze hadden de middelen niet, noch de tijd.

'Je moet als politieman denken, Silvio,' beval ze. 'Een vrouw is verbrand in een oven. Wat zijn de belangrijkste feiten die je wilt weten?'

Hij haalde zijn schouders op. Dit was niets voor hem. 'De temperatuur. Kunnen we nog meer bewijsmateriaal uit de stoffelijke resten krijgen?'

'Nee, néé. NEE!' schreeuwde ze en ze vroeg zich even af of het ongepast zou zijn hem een tik op zijn bleke en slappe wangen te geven. 'Zo denken wíj. Zíj niet.'

'In dat geval heb ik geen idee,' gaf hij toe. 'Hoe ze er terecht is gekomen, misschien. Dat vragen ze altijd.'

Nee, dat deden ze niet. Niet altijd. Nu Falcone uitgeschakeld was, luidde de officiële versie dat Uriel haar op de een of andere manier in de oven had gestopt, en omdat hij ook dood was, waren het waarom en waarvoor onbelangrijk, overbodig.

Twee mensen waren een onnatuurlijke dood gestorven zonder dat de politie ooit het antwoord was gaan zoeken op een van de meest fundamentele aspecten van elk moordonderzoek: hoe precies?

Ze draaide al lang genoeg mee om te begrijpen wat, in het geval van Bella, dat antwoord waarschijnlijk zou zijn. Niemand kon tegen zijn wil in een gloeiend hete oven worden geduwd. Dat was gewoon onvoorstelbaar, hoe sterk de aanvaller, hoe zwak het slachtoffer ook was. Bella zou eerst bewusteloos moeten zijn gemaakt en Teresa Lupo's intuïtie vertelde haar de meest waarschijnlijke manier waarop dat was gebeurd. Niet met alchemie, maar met het oudste moordwapen uit het boekje: bruut geweld dat altijd, altijd de bekende sporen naliet.

'Jezus christus,' mompelde ze. 'Hoe kan ik zo stom zijn? We hebben hier twee moorden en niemand heeft één bloedvlek gezien, zelfs de oude Alberto Tosi niet. Hoe vaak komt dát voor?'

Ze keek op haar horloge, belde het nummer van Raffaela Arcangelo en hoopte dat de vrouw even het Ospedale Civile uit gegaan zou zijn. Toen ze die ochtend had gebeld, had ze gehoord dat ze de bewusteloze Falcone een uurtje in een MRI-scanner wilden schuiven in de hoop dat al die oorverdovende magneten die dan om zijn beschadigde hoofd snorden, iets zouden zien wat erop wees dat hij een dezer dagen naar de wereld der levenden zou terugkeren. Teresa had, toen ze als arts werkte, ervaring opgedaan met MRI-apparaten. Ze was niet erg optimistisch. Op zijn best werd je er niets wijzer van en als ze nieuws brachten, was het slecht.

'Heb je iets gehoord?' vroeg Raffaela ogenblikkelijk. 'Ze hebben gezegd dat ze een paar onderzoeken gingen doen. Ik kon er niet de hele tijd bij blijven. Ik kon er niet tegen.'

'Het duurt meestal een paar uur, soms een dag, voor de uitslag bij de behandelend arts is. Er is niets veranderd. Sorry. Maar het is geen slecht nieuws. Ik vroeg me af...'

Ze kon bijna voelen hoe gespannen de vrouw was.

'Arme Leo...' kreunde ze zacht.

'Ik vroeg me af of je al iets had gevonden.'

'Sorry, dat was ik vergeten,' bekende ze.

Teresa was niet van plan op te geven. 'Is er nu iemand op het eiland, behalve jij?'

'Nee. Mijn broers zijn bij de advocaat. Ik denk dat ze daar nog wel even zullen zijn. Kennelijk heeft *signor* Massiter de bepalingen in het contract gewijzigd. Nogal drastisch. Niet dat we in de positie verkeren dat we nog kunnen weigeren.'

'Zou je het erg vinden als wij even langskwamen? Ik wil Bella's slaapkamer zien. Misschien nog een paar monsters meenemen.'

Emily had succes gehad met de truc met het matras. Het was de moeite waard hem nog een keer te doen, hoewel er niet mee kon worden bewezen dat Massiter er op de avond van de moord ook werkelijk was geweest.

'Natuurlijk niet.'

'En nog iets. Hier moet je even heel goed over nadenken, Raffaela. Heb je nadat ze waren vermoord toevallig iets gezien waar bloed op zat? Vlekken ergens op het schilderwerk of op de vloer. Spetters op een stuk stof. Iets wat er niet hoorde. Ik zeg maar wat.'

Raffaela was stil. Teresa's hart sloeg een slag over.

'Raffaela?'

Teresa kon zich voorstellen hoe de vrouw erbij stond, met een hand voor haar mond stond te peinzen en probeerde te bedenken wat er mis was.

'Je kunt maar beter direct komen,' zei ze na enige tijd. 'Ik ben dom geweest, geloof ik.'

11

De dertig jaar oude Cessna 180, een lompe rood met witte kist met hoge vleugels en een paar enorme Edo-drijvers op de plaats waar het landingsgestel had horen zitten, maakte laag boven het glinsterende, makrelenvelachtige water van de lagune een scherpe bocht van veertig graden naar rechts. Andrea Correr, eigenaar van een paar hotels op het Lido, twee restaurants op het San Marco en een van de grootste reisbureaus in de stad, stak een sigaret in zijn mond, begon met het roer te vechten en probeerde zich de lessen over landingen op water te herinneren die hij negen jaar geleden op een van kaaimannen vergeven meer een paar kilometer buiten Orlando had gehad. Correr mocht zichzelf graag een goede piloot noemen, een amateur, dat wel, maar een die in tien jaar vliegen vanaf het kleine vliegveld dat verstopt op het puntje van het Lido lag, bijna duizend uren had gemaakt. Toen een jonge politieman zwaaiend met zijn politiekaart naar de standplaats van het vliegtuig toe was gekomen, had geëist dat hij hem mee de lucht in nam en aanbood de brandstof te betalen, had Correr geen moment geaarzeld. Hij had geen beroepsvergunning, dus hij zou het geld moeten aannemen als bijdrage in de kosten, en hij piekerde er niet over de man een factuur te geven, maar daar had hij zolang ze nog aan de grond stonden wijselijk zijn mond over gehouden.

Er was maar één probleem, en dat was zowel het mooie als het hachelijke aan de hele onderneming. Costa scheen te denken dat Correr het toestel gewoon op het water zou neerzetten, als hij had gevonden wat hij zocht, naar de kust zou taxiën, hem daar achterlaten en terug naar huis zou zoeven. Het was, gezien die grote Edo-drijvers die voor iedereen zichtbaar waren, een begrijpelijke vergissing. Maar met deze Cessna was zo lang als Correr zich kon herinneren alleen met de inwendige landingswielen uitgeklapt gevlogen. Hij had zich laten overhalen het dure oude watervliegtuig te kopen door een vaste bezoeker van de vliegclub die één saillant detail had vergeten te melden: de wet verbood hem ermee op de lagune te landen. Alleen gebruik op zee was toegestaan, en men zei dat de ruwe golfslag van de Adriatische Zee te moeilijk was, behalve voor zeer ervaren piloten. Het enige vliegtuig waarmee Correr ooit op water was geland, was een Piper Cub van de school in Florida, en dat was een klein oud geval van canvas en hout geweest waar twee personen in konden, achter elkaar, een vliegtuigje dat je moest starten door op de drijver te gaan staan en de propeller met de hand een slinger te geven, meer een stukje speelgoed dan een echt vliegtuig, dat van en naar grote watervlakten vloog, waar het zelden door meer dan een kortstondig briesje werd geplaagd.

De 180 was een complexe machine, met een verstelbare propeller en meer knopjes dan hij aankon soms, ook al had hij hem al tien jaar, en een onhandig landingsgestel dat opgehesen moest worden in de drijvers voor het vliegtuig een golfje raakte. En de lagune was geen vlak stukje meer in de Everglades; eerder een miniatuurzee, met een gevlekt oppervlak dat van bovenaf niet in te schatten was, vol onzichtbare stromingen en voortdurend bestookt door onvoorspelbare, harde windvlagen die helemaal van de Dolomieten kwamen. Ergens wist Andrea Correr dat het waanzin zou zijn te doen wat de jonge politieman wilde. Maar hij wist ook dat hij deze kans zijn hele leven niet meer zou krijgen, en hij kon altijd de politie de schuld geven als het allemaal verschrikkelijk misliep.

Ze hadden rondjes om de meeste onbekende eilandjes van de lagune gevlogen, twee keer, allemaal op dezelfde nauwelijks legitieme hoogte, met de Cessna zeilend in de lucht, hortend net boven zijn overtreksnelheid, zodat de jonge politieman in de bochten vanaf de passagiersstoel aan de rechterkant het beste zicht had. Andrea was de tel kwijt van het aantal sigaretten dat hij had gerookt en de peukjes die hij door het open zijraampje naar buiten had gegooid. Correr kende een paar van deze eilanden: San Francesco del Deserto, met het Franciscaner klooster. Lazzaretto Nuovo, de voormalige kolonie voor lepralijders dat nu een handjevol niet meer in gebruik zijnde militaire gebouwen herbergde. Santa Cristina met zijn piepkleine bakstenen kerk. Andere waren alleen maar plaatsen op de toeristenkaart van de politieman: La Salina, La Cura, Campana, Sant' Ariano... niet meer dan grazige rotsbrokken die in de loop der eeuwen verlaten waren, met hoogstens een paar verwaarloosde gebouwen die aangaven dat er ooit mensen hadden gewoond.

Costa begon wanhopig te worden. Correr kon niet uitmaken of hij teleurgesteld of opgelucht moest zijn. Als hij eraan dacht dat hij de vogel met zijn dikke poten op de lagune neer zou moeten zetten, schoot er nog steeds een rilling van opwinding en angst langs zijn rug.

Ze waren nu boven Mazzorbo, het lange, vrijwel onbewoonde eiland naast Burano, waarmee het door een brug was verbonden. Correr ging hier 's winters op eendenjacht en at graag in het restaurant bij de *vaporetto*-halte waar, in het jachtseizoen, de plaatselijke wilde vogels regelmatig op tafel kwamen tegen prijzen die een fractie waren van die in de stad.

Hij keek even naar de brandstofmeter: nog genoeg voor een uur. Oliedruk en temperatuur zagen er stabiel uit. De oude Cessna was een betrouwbaar beest. Het zou niet lang meer duren of ze waren overal geweest. De lagune was vanuit de lucht niet zo groot. Ze hadden zo laag gevlogen, dat ze bij mensen in de tuin en het zwembad konden kijken, zo laag, dat het hem een reprimande zou opleveren als hij weer op het Lido was. Niemand was gediend van storend vlieggedrag. Het leverde alleen maar klachten op.

'Waar ben je eigenlijk naar op zoek?' schreeuwde Correr boven het lawaai van de motor uit.

Ze hadden allebei een geluidwerende koptelefoon op, maar die kon de herrie van de zware Lycoming-motor voorin niet helemaal tegenhouden.

'Een man en een vrouw,' blafte de politieman terug. 'Houden zich schuil.'

Waar ze ook niet veel mee opschoten.

'Als ik me wilde verstoppen,' merkte Correr op, 'zou ik het daar doen.'

Hij stak weer een sigaret in zijn mond en wees naar de eilandstad aan de horizon. Vanaf deze hoogte leek ze niet groot, een woud van bakstenen torens die uit een dicht opeengepakte verzameling huizen oprezen.

'Daar kunnen ze niet zijn. Ze zouden worden herkend.'

'Dan zijn ze misschien weg.'

De politieman schudde heftig zijn hoofd. 'Niet waarschijnlijk. Ze hebben het geld er niet voor. Bovendien hebben ze een verbondenheid. Sterke verbondenheid. Ik zie ze er niet vandoor gaan.'

'Waarom zoeken we dan in de lagune?'

De kleine politieman zat in de richting van Murano te kijken, naar het drietal merkwaardige, verwaarloosde gebouwen waar Correr over in de krant had gelezen. Binnenkort zouden daar misschien een hotel en een nieuwe galerie verrijzen, dankzij de rijke Engelsman die op intiemere voet stond met invloedrijke mensen in Venetië dan een inwoner uit de middenklasse als Andrea Correr ooit zou staan. Toch was het nuttig deze ontwikkelingen in gedachten te houden. De reisagent in hem wist dat er binnenkort geld te verdienen zou zijn.

Costa wrong zich in allerlei bochten op de passagiersstoel, draaide zich toen om en keek hem aan. 'Als ik me niet vergis, hebben ze hulp gehad. Van een boer op Sant' Erasmo. Iemand die de lagune op zijn duimpje kent. Als hij ze ergens wilde verbergen, dacht ik...'

Hij viel stil.

Correr had liever gehad dat hij dit had verteld voor ze waren opgestegen.

'Je bent niet van hier, hè? De meeste kleine eilandjes in de lagune zijn onbewoond. Je zou er niet zomaar iemand kunnen verbergen. Een mens moet een dak boven zijn hoofd hebben. Bovendien worden die kleintjes in de gaten gehouden door milieubeschermers en archeologische types. Die zouden al moord en brand schreeuwen als ze een leeg colablikje vonden. Ik denk niet —'

'Oké, oké.'

Het was een zinloze zoektocht en Correr begreep dat hij dat niet hoefde uit te leggen.

'Waar zou jij dan iemand verbergen?'

Correr lachte. Het lag zo voor de hand. 'Als ik boer was op Sant' Erasmo? In mijn achtertuin. Of ergens vlakbij. Dat eiland is groter dan Venetië. Niemand komt er, alleen de mensen die er wonen. Ze hebben er volgens mij niet eens politie.'

'Nee, dat klopt.'

'Nou dan. Zoek dat eiland af. Dat kun je niet vanuit de lucht doen. Je zult ook heel wat mensen nodig hebben, want de *matti* zouden nog niet op je pissen als de vlammen uit je oren kwamen.'

'Breng me erheen,' beval Costa.

'Natuurlijk.' Correr draaide de grote metalen vogel om en richtte de neus op het vlakke silhouet van Sant' Erasmo dat zwart afstak tegen de heldere horizon. 'Nog een speciale plaats in gedachten?'

'De zuidpunt. Niet te dicht bij de *vaporetto*-halte. Bij iedereen uit de buurt. Heb je toevallig een plattegrond van de lagune?'

'Vier. Dat noem je zeekaarten trouwens.'

Correr stak zijn hand in het dahsboardkastje, grabbelde achter een aantal half lege pakjes sigaretten en vond het stel kaarten dat hij zocht. De politieman keek er verbaasd naar.

'Dit is een watervliegtuig,' legde Correr uit. 'Bovendien zeil ik ook. En ik hou toevallig van zeekaarten.'

'Staan er gebouwen op? Individuele huizen?'

'Het zou je verbazen wat je allemaal op kaarten kunt vinden. Op Sant' Erasmo moet je alles natuurlijk wel controleren.'

'Hoezo?'

Mensen van terra firma. Die snapten het gewoon niet.

'Omdat de *matti* precies doen waar ze zin in hebben. Zoals een kleine *baracca* optrekken voor oma, zodat ze je niet op je zenuwen werkt omdat ze bij je in huis woont. Daar zal niemand iets over zeggen tegen de autoriteiten. Het gebeurt zo vaak. En waarom niet? Hier, in deze uithoek, wie kan het wat schelen?'

Het kostte nog geen drie minuten. Toen begonnen ze aan een bocht van veertig graden, waarbij Correr wat meer gas gaf en hard op het richtingsroer trapte zodat de G-kracht hen een beetje in hun stoel drukte. Zijn passagier had er niet uitgezien als een goede vlieger toen hij aan boord kwam. Nu begon Correr zijn mening te herzien. Om het te controleren, gaf hij een beetje gas, trok het vliegtuig door tot zestig graden en fixeerde het in de steilste bocht die hij op deze hoogte durfde maken, een bocht waardoor ze allebei hard in hun stoel werden gedrukt en de neus van de Cessna in een gevaarlijke cirkel werd rondgetrokken, alsof hij aan een touw vastzat. Ze hingen nu zo schuin, dat hij zelfs naar beneden kon kijken: velden en hutten en rotzooi. Het gebruikelijke.

Op een derde van de bocht bespeurde hij iets op het gezicht van zijn passagier. Correr ging door de driehonderdzestig, trok het vliegtuig horizontaal op dezelfde hoogte, dezelfde plek aan de horizon waar hij de bocht in was gegaan, gaf zichzelf een tien voor vliegkunst en richtte de neus naar zee. De politieagent richtte zijn blik op hem.

'Er staat daar beneden een kleine keet. Die staat niet op de plattegrond. Hij was me niet eerder opgevallen.'

'Het heet een kaart. Zoals ik al zei. Er is een reden dat je hem niet zag. Je keek niet. Dat is een van de dingen die je in een klein vliegtuig leert. Kijken.'

Costa knikte. 'Toen jij die herrie maakte, kwam er een vrouw naar buiten. Ze keek omhoog naar ons.'

'Was ze knap?'

'Kon ik niet zien.'

'Misschien moeten we er nog een keer overheen vliegen, maar dan iets lager.' Hij keek de politieman vol vertrouwen aan. 'Je lost het wel voor me op, hè, als ik straks gedonder krijg?'

'Erewoord,' zei Costa. Hij draaide zich half om en tuurde naar de groene punt van Sant' Erasmo.

Correr deed hetzelfde. Niet ver van de punt lag een heel klein strandje. Hij vermoedde al wat er zou komen.

'Ik wil dat je me daar aan de grond zet,' zei Costa, terwijl hij op zijn horloge keek. 'Nu direct.'

'En dan?'

Hij dacht even na. 'Dan ga je terug naar het vliegveld. Ik heb je niet meer nodig.'

Hij klonk onzeker over dat laatste. Correr vroeg zich af of hij ertegenin moest gaan. 'Ik kan vier mensen in dit ding meenemen, hoor. Dat is geen punt. Echt niet.'

Hij glimlachte, voor het eerst sinds ze elkaar hadden ontmoet, en Andrea Correr kwam zomaar, zonder speciale reden, tot de conclusie dat hij deze kleine man aardig vond, ook al was hij van de politie.

'Bedankt, maar dat hoeft niet. Je hebt genoeg gedaan. Zet ons gewoon maar aan de grond.'

Correr wierp een blik achterom naar het eiland. Er was iemand houtskool aan het verbranden of zo. De rook trok weg in de richting van de open Adriatische Zee, niet erg snel, in een kaarsrechte lijn.

Land tegen een goede, betrouwbare wind in. Taxi om en stijg op in dezelfde richting.

Zijn mond was droog, zoals al die jaren geleden toen hij op het Lido leerde vliegen in een piepkleine Cessna 150 met vast landingsgestel, het kleine broertje van dit complexere grotere beest. Hij kon zich die lessen in Florida nog herinneren. Na een tijdje leek het zo gemakkelijk als je hen hoorde praten. In zekere zin was dat een deel van het geheim, dat je het gemakkelijk moest laten lijken.

Correr lachte bij zichzelf, haalde de half opgerookte sigaret uit zijn mond en mikte hem uit het raam. Toen bediende hij de hendel om de wielen op te trekken in de drijvers. Het vliegtuig had twee maanden geleden nog zijn jaarlijkse luchtwaardigheidskeuring gehad. Alles – kleppen, ailerons, gashendel, landingsgestel – werkte zo soepel als wat.

Hij draaide de 180 tegen de wind in, met de neus naar het eiland, en begon aan een lange, vlakke afdaling, waarbij hij de neus optrok en de kolossale Edodrijvers in precies de goede hoek ten opzichte van het water hield, tot hij genoeg vaart had geminderd om ze veilig op de golven neer te zetten. Als je het verkeerd raakte, kwam je er algauw achter hoe hard water eigenlijk is. Iemand had een Cub aan gort gevlogen toen hij aan het oefenen was, en dat was gebeurd op een meer dat eruitzag als volmaakt glas, niet op het gevlekte grillig gerimpelde netwerk van golfjes dat tussen hen en het eiland lag.

De man op de stoel naast hem begon nerveus te worden en zette zich schrap. Correr wist waarom. Hij had de eerste keer dat hij op water landde, hetzelfde gedaan. Je besefte niet hoe sterk het oppervlak het vliegtuig zou afremmen. Het was anders dan gras of asfalt. Bij een goede landing kwam het vliegtuig aan met een snelheid van zo'n zestig knopen, zette zijn landingsgestel op het water en werd dan in nog geen honderd meter tot stilstand gebracht, wat betekende dat ze tijdens het aanvliegen gevaarlijk dicht bij hard, stenig land leken te zijn, te dichtbij, vermoedde hij, en hij was in gedachten al aan het aftellen voor een bocht als het allemaal een beetje te kritisch werd.

Prachtig verhaal voor de vliegclub, dacht Correr bij zichzelf en hij draaide het gas helemaal dicht, hield de neus omhoog, liet de snelheid wegvallen, voelde hoe het vliegstuur slap en trillerig werd in zijn handen toen de vleugels hun greep op de lucht begonnen te verliezen... en zette het vliegtuig, met een luide klap van water tegen metaal, precies voor het strand neer, waarna het op niet meer dan tien meter van het zand tot stilstand kwam.

Hij maakte zijn riem los, deed de deur open en leunde naar buiten om langs de zijkant omlaag te kijken. Hij kon de bodem van de zee zien, rotsen, kiezels en kleine visjes.

'Ik kan niet veel verder,' zei hij. 'Stap uit en loop naar de voorkant van de drijver. Je kunt me naar het strand toe loodsen tot je ziet dat het water te ondiep wordt en ik het zand zou kunnen raken. Er zit geen achteruit op deze dingen.'

Costa haalde zijn portemonnee tevoorschijn en trok er een stapel briefjes uit. 'Bedankt,' zei hij, terwijl hij hem het geld voorhield.

'Nee,' antwoordde Correr met een glimlach, voor hij het geld aanpakte. 'Jij bedankt.'

De politieman moest door ongeveer een meter diep water waden om aan land te komen. Toen draaide Correr het vliegtuig om en taxiede de open lagune op. Maakte nog een draai en steeg zo perfect op, dat hij wenste dat de chagrijnige oude instructeur van de school in Florida het had kunnen zien.

En ook even dat hij zijn verhaal in de bar van de vliegclub kon vertellen. Ze hadden geen van allen ooit op de lagune geland. De kans was groot dat hij het nooit meer zou doen.

De 180 vloog bulderend over Sant' Erasmo. Andrea Correr leunde uit het raampje om gedag te zwaaien. Maar er was niemand te zien.

12 Ze waren met zijn tweeën naar de Via Garibaldi gerend, de brede drukke hoofdstraat, en hadden zich een weg langs de boot van de groenteboer naar de achterafstraatjes van Castello en over de voetbrug naar het verlaten eiland San Pietro gebaand. Teresa had naar de boot naar Murano moeten schreeuwen dat hij op hen moest wachten. Twintig minuten later stonden ze in de waskamer van Raffaela Arcangelo naar een oude emaillen schaal met daarin rozig gekleurd bloederig water en een net zichtbaar rommelig hoopje katoen te kijken.

'Ik heb er niet bij stilgestaan. Het is zo druk geweest, dat ik er gisteren pas aan toe ben gekomen naar de wasmanden te kijken. Het leek iets onbelangrijks.'

'Wat leek onbelangrijk? Wind je niet zo op, Raffaela. Doe eens rustig.'

Ze keek alsof het idee dat ze iets over het hoofd had gezien, haar radeloos maakte. Raffaela had Leo die belofte gedaan. Uit wat ze zag, concludeerde Teresa dat die nog stond.

'O, god. Ik ben zo stom! Ik-ik-ik...'

'Langzaam, graag. En rustig.'

Ze zuchtte. 'Uriel heeft vijf of zes jaar geleden een ongeluk gehad in de glasblazerij. Een afschuwelijk ongeluk. Hij had geluk dat hij niet zwaarder gewond raakte. Maar zijn gehoor was wel beschadigd. Ik vond het zo vervelend voor hem. Het had ook tot gevolg dat hij slecht rook en van tijd tot tijd bloedneuzen had. Verschrikkelijke bloedneuzen. Dan kon hij alleen gaan zitten met een koude natte lap en wachten tot het ophield. Omdat het twee of drie keer per week voorkwam, dacht ik er na een tijdje niet meer bij na. Hij was een man. Het betekende gewoon meer was. Hij gooide alles waar bloed op zat zo in de wasmand zonder erbij stil te staan. Hij wist niet hoe moeilijk het is die vlekken eruit te krijgen. Ik heb het wel tegen hem gezegd. Maar...'

Teresa keek nogmaals naar de schaal. 'Je hebt een wit bebloed overhemd gevonden?'

'Het was niets bijzonders! Ik had het al zo vaak gezien!' Raffaela keek hen met droevige, berouwvolle ogen aan. 'Ik kan niet geloven dat ik zo stom ben geweest.'

'Geeft niet,' zei Teresa.

'Maar het staat al sinds gisteren in de week.'

Silvio Di Capua stond vol vertrouwen naar het ding in het water te kijken.

'Je zou dat ding zoals het nu is vijfentwintig jaar in een kast kunnen leggen en dan zouden we er nog DNA uit kunnen halen. En over vijfentwintig jaar...'

'Af, jongen,' waarschuwde Teresa.

Silvio kon zijn mond niet houden. 'Nog meer ook. Als dit iets met de moord te maken heeft, dan kun je er vergif op innemen dat er ook bewijsmateriaal op zit dat we niet eens kunnen zien. Zweet van zijn handen. Speeksel. Dat kunnen we er allebei uit halen.'

'Allebei?' vroeg Raffaela met haar ogen knipperend.

'O, reken maar!' ging Silvio verder en hij keek begerig naar het overhemd. 'Het zou heel uitzonderlijk zijn als daarmee niet de identiteit van het slachtoffer én de schuldige kan worden vastgesteld.'

Teresa moest naar voren springen om te voorkomen dat Silvio het natte overhemd uit de schaal griste en kreeg een gemelijke blik voor de moeite.

'We gaan het stap voor stap aanpakken. Kun je me laten zien waar je het hebt gevonden?'

Ze gingen een trap op en liepen achter haar aan door een van de donkere klamme gangen van het huis naar een grote slaapkamer die vroeger vorstelijk geweest moest zijn. Nu was het behang oud en gescheurd, het bed nog slordig opgemaakt van de laatste keer dat er iemand in had geslapen.

'Ik heb mezelf er niet toe kunnen brengen hier op te ruimen,' zei Raffaela. 'Er was iets wat me tegenhield.'

'Dat maakt het er voor ons alleen maar beter op,' antwoordde Teresa, die de kamer rondliep, naar de muren keek en in de oude raffia wasmand keek, die nu leeg was.

Ze bleef staan bij het raam, dat uitkeek op een stuk van het roestende dak van golfplaten van de glasblazerij. Ze schoof het raam open, liet wat welkome lucht in de kamer en leunde zo ver als ze durfde over de vensterbank naar buiten.

Met een harde zet duwde ze zichzelf weer naar binnen en ze draaide zich om om naar de aangrenzende muur te kijken. In een gewoon onderzoek zou dit de plaats zijn om te beginnen. Maar deze zaak was al afgesloten voor iemand eraan toe was gekomen hem te openen. Het verbaasde haar dat zelfs Leo het niet nodig had gevonden wat uitgebreider rond te kijken, maar misschien was hij door andere, persoonlijke en intellectuele, kwesties afgeleid geweest.

'Hier...'

Ze wees naar een lichte, kleine vlek op de muur, die zo onopvallend was, dat Silvio en Raffaela dichterbij moesten komen en hun ogen tot spleetjes moesten knijpen om hem te zien.

Toen hapte Raffaela naar adem en liet zich met haar hand voor haar mond op het bed neerzakken. Haar ogen vulden zich met tranen van de schok.

'Niet flauwvallen, hoor,' smeekte Teresa. 'Ik heb je nodig. Dit is een zeer gebruikelijke minimale hoeveelheid bloedspetters passend, op deze hoogte, bij één enkele klap op het hoofd. Hard instrument, misschien een kleine hamer. Ik vermoed' – ze trok Silvio voor zich in de houding waarin Bella naar haar idee moest hebben gestaan toen ze werd aangevallen – 'dat Bella hier stond toen hij op haar afkwam. Eén harde klap op haar hoofd.'

Ze zwaaide met het denkbeeldige wapen in haar hand, liet het zacht neerkomen op de zijkant van Silvio's hoofd, op de plek waar franje kale schedel ontmoette, net achter het oor.

'Als hij haar een paar keer had geslagen, zou er veel meer bloed zijn. Eén klap zou trouwens genoeg zijn om haar bewusteloos te slaan. Als hij het goed deed, zou het ook geen lawaai geven. Wie waren er nog meer in huis?'

Raffaela tilde haar hoofd op uit haar handen. 'Ik was er de hele nacht. Michele en Gabriele ook. Het kan gewoon niet. We zouden iets hebben gehoord. We zouden wakker zijn geworden.'

'Dat denkt iedereen. Het zou je verbazen hoe vaak mensen in een naburige kamer door een moord heen slapen. Als er niet wordt gevochten, geen vuurwapen wordt gebruikt...' Dit was een kast van een huis. Groot, oud en donker, met genoeg plaatsen om je te verstoppen. Het was heel goed mogelijk dat hij haar had opgewacht in de slaapkamer, met die ene dreunende klap had toegeslagen en haar daarna naar beneden had gedragen zonder dat iemand het merkte. Het zou niet moeilijk geweest zijn. 'Als hij het had voorbereid, kan het heel snel zijn gegaan. Zonder een worsteling, anders zouden daar sporen van zijn geweest. Daarna gaat hij door naar Uriel en bezorgt zichzelf een zondebok.'

'Maar...'

'Geloof me nou maar,' zei Teresa stellig en ze liep terug naar het raam. 'Je zult een ladder nodig hebben, Silvio. Daarbuiten, helemaal achteraan op het golfplaten dak ligt een stuk gereedschap. Ik kan niet zien wat het is. Iets uit de glasblazerij, denk ik, een pin of zo, of een hamer misschien. Hij moet het door het open raam naar buiten hebben gegooid in de verwachting dat het in het water terecht zou komen. Het was donker. Hij kon niet weten dat het dat niet heeft gehaald. Laten we nu eens naar dat overhemd kijken.'

Ze liepen achter haar aan terug naar de waskamer. Teresa Lupo voelde zich op dat moment helemaal in haar element. Het kon niet beter worden. Ze liep naar de wasbak en goot het vocht voorzichtig af. De stof bleef als een nat verkreukeld hoopje onder in de schaal liggen.

Toen keek ze naar Silvio. 'Ik wil dat je hiermee en met de hamer, of wat het dan ook is, direct naar dat particuliere laboratorium in Mestre gaat. Zeg tegen ze dat ze al het andere uit hun handen laten vallen en een snelle DNA-test moeten doen op alles wat ze kunnen vinden. Niet alleen bloed. Zweet. Speeksel. Urine. Maakt niet uit. Jij blijft daar in hun nek staan hijgen tot er een antwoord is. Het kan me niet schelen wat het kost. Het kan me niet schelen tegen wie je moet schreeuwen.'

'Het genoegen is geheel aan mij,' zei hij.

'Ja, straks, als je eenmaal op dat dak bent geweest. En daarna,' ging ze verder met een blik op Raffaela, 'gaan jij en ik bij Leo op bezoek. Hij zal inmiddels uit dat apparaat zijn. Ik kan waarschijnlijk de scans wel even te zien krijgen.'

Ze trok de natte stof langzaam met chirurgische precisie uit elkaar, tot haar iets opviel.

Mannen waren soms echt arrogante klootzakken. Het waren net honden: ze hadden het idee dat ze overal hun sporen moesten achterlaten.

Op de zak van het overhemd, van fijn katoen, zag ze nu, zaten twee initialen als monogram in de stof genaaid: HM.

13

Hij wilde dat hij kon gillen. Hij wilde dat hij kon bewegen en hij probeerde met pure wilskracht enig leven in zijn vingers te krijgen, probeerde te geloven dat er iets, één enkele zenuw, één licht trillende spier, reageerde.

Voor hem veranderde de verschuivende, glasachtige deur van vorm, werd doorzichtig, en de jongen Leo was stil en herkende de man die hem aankeek.

Het was zijn oudere ik, de inmiddels vertrouwde walnootbruine kleur, een glad, glanzend kaal hoofd, beschadigd, gebarsten, met bloederige breuklijnen, zoals die op Humpty Dumpty na zijn val. Het gezicht van een man die zich niet bewust was van zijn toestand, niet zeker wist of hij levend was of dood, of domweg iets daartussenin.

'Kleine Leo,' zei zijn oudere ik smekend. 'Kijk en denk na, in godsnaam.'

Het gepijnigde bruine gezicht vervaagde. Hij kon er nu voorbij kijken, in de slaapkamer, de verboden slaapkamer, de plek waar zo veel mysteries schenen te gedijen.

'Je hebt al die tijd geweten dat dit gebeurde,' zei de oudere Leo. 'En omdat je een kind was, heb je niets gedaan. Maar nu begrijp je het, Kleine Leo. Je kunt er in zekere zin een einde aan maken. Niet in het verleden. Maar nu. In je hoofd. Ons hoofd. Enkel door te kijken. Enkel door er te zijn.'

'Bang,' fluisterde hij en hij hoorde dezelfde stem. De gemeenschappelijke krachteloosheid viel hem op.

'Leo.' De stem was zo zwak, zo spookachtig; dat benauwde hem nog het meeste. 'Het móét.'

Het ding zweefde daar voor hem, trillend als een bezetene door de herrie achter de deur, en het lawaai van de onzichtbare machine buiten deze doodskist van hout en glas.

'Bang van de sleutel.'

'Die er is om...?'

Het was verkeerd de spot te drijven met een kind, zelfs als het een onecht man-kind was.

Hij tuurde angstig door de doorzichtige deur en zag de schoppen en de slagen, zag hoe ze zich klein maakte om de pijn te verminderen, terwijl ze wanhopig achteromkeek, hem smekend recht aankeek en met haar ogen vroeg waarom.

'Om haar binnen te houden!' krijste het kind. 'Ik heb het je verteld, ik heb het je verteld, ik heb...'

Hij was er weer, belemmerde het zicht op zijn ouders, waar hij blij om was.

231

Alleen zag zijn gebruinde hoofd er nu erger uit, de barsten leken zich te hebben vermenigvuldigd, er sijpelde bloed uit. Het droop over de walnootbruine huid naar beneden, liep in de heldere, witte ogen. Ze verschenen overal op de schedel van deze stervende man als een spinnenweb dat hem verstrikte, steeds strakker werd, het laatste restje leven uit hem perste.

'Ik hoor je gedachten,' fluisterde de gebroken man. 'Ik heb dezelfde sprookjes gelezen. Weet je het nog, Leo? Humpty Dumpty... "Als ik een woord gebruik," zei Humpty Dumpty nogal smalend, "betekent het precies wat ik wil dat het betekent, niet meer en niet minder." "De vraag is," zei Alice, "of u woorden zo veel verschillende betekenissen kunt geven."' Hij verging van de pijn en moest alles op alles zetten om verder te kunnen. '"De vraag is," zei Humpty Dumpty, "wie de baas is, punt uit."'

Zijn ogen veranderden, verbleekten. Dit waren de laatste ogenblikken.

'Feiten zijn als woorden. Dat hebben we in al deze jaren geleerd. Ze staan open voor interpretatie. Het is uiteindelijk alleen een kwestie van wie hun baas zal zijn.'

De jongen Leo keek naar de persoon voor hem en begreep dat hij op dit moment de treurigste man in het universum zag, een man met sombere, afgestompte gevoelens, maar ook een wezen vol kennis, in bezit van een belangrijk geheim dat hij, wist de jongen nu stilzwijgend, net als zijn oudere ik kende omdat het uiteindelijk uit hen beiden afkomstig was.

'De sleutel...' zei het vervagende gezicht.

'...is er om mij buiten te houden!' brulde de jongen Leo. 'De sleutel is er om mij buiten te houden! Buiten! Buiten! Buiten!'

Ergens achter zijn verbeelding gierde het metalen beest, een kakofonie van raderen, tot rust komend ijzer dat bedaarde omdat de taak erop zat.

De jongen boog zich naar voren, pakte de sleutel, draaide hem om, zag vol verbazing hoe de deur een echte deur werd, het hout dat hij zich uit zijn jeugd herinnerde, voelde het oude metaal vertrouwd in zijn hand.

Het was het ergste jaar. Het jaar dat hun gezin uit elkaar was gevallen, in echtscheiding en haat was weggezakt, een koude, harde plaats waar een kleine jongen niets anders kon doen dan in zijn schulp kruipen en dat broze pantser versterken dat de wreedheid van de echte wereld op afstand hield. Hij herinnerde zich alles, alles wat zijn verstand in de loop der jaren had verdrongen, over die afschuwelijke vakantie in de bergen, toen zij met zijn tweeën opgesloten zaten in die verre, verboden kamer en dachten dat hun geschreeuw nooit buiten de muren zou doordringen tot een angstig eenzaam kind dat sprakeloos en radeloos was.

Het hout verdween. Er was alleen licht. En Leo – die, zo begreep hij nu, de jongen en de man was – merkte dat hij naar de slaapkamer werd gedreven waaruit hij voor altijd verbannen was, zich tussen hen in drong en de dode oude stoffige figuur die in een duister, beschadigd deel van zijn hoofd stond voor wat er van zijn herinnering aan zijn vader over was, achteruitduwde.

Hij keek naar het harteloze gezicht, genoot van de verbazing die hij zag, en zei het woord, het gevreesde verboden woord, dat de jongen Leo tijdens zijn leven nooit tegen hem had durven uitspreken.

Leo Falcone opende zijn ogen – zijn echte ogen, viel hem op – en kwam tot de ontdekking dat hij zich in een lichte klinische ruimte met de misselijkmakende scherpe geur van een ziekenzaal bevond. Hij lag op een bed dat uit een groot wit tonvormig ding werd getrokken, een ding dat hij vaag herkende uit ziekenhuis-scènes in films.

Een knappe jonge verpleegster met opgestoken zwart haar en fonkelende, vrolijke ogen keek hem lachend aan.

'Welkom terug, inspecteur Falcone,' zei ze met een aangename zuidelijke stem. 'Dat heeft lang geduurd.'

'Hoelang?' snauwde hij. 'En waar zijn verdomme mijn mensen?'

14

Een oud klooster, verborgen in een kerk vlak bij de gasfabriek in Castello, niet meer dan drie minuten lopen van de straat waar Peroni en Costa de afgelopen acht maanden hadden gewoond. Ze wisten geen van beiden van het bestaan af. Het was wel de laatste plaats waar iemand die Gianfranco Randazzo probeerde op te sporen, zou zoeken. Ze zouden het nooit hebben gevonden als Peroni de enige politieman in de Questura in Castello die hen niet had behandeld alsof ze melaats waren, Cornaro, niet nog om één gunst had gevraagd.

Gianni Peroni glimlachte tegen de vriendelijke monnik in de bruine pij die hen, verbijsterd en ogenschijnlijk niet in staat tot iets wat voor hulp zou kunnen doorgaan, had ontvangen.

'We moeten *commissario* Randazzo spreken,' zei Zecchini nogmaals, met een gezicht dat rood aan begon te lopen van ergernis. 'Nu direct, graag.'

'Dit is een politiezaak. En ook een zaak van de *carabinieri*,' viel Peroni hem bij.

De monnik haalde zijn schouders op en glimlachte. 'Dan moet het wel heel belangrijk zijn. Maar er is mij verteld dat *signor* Randazzo niet gestoord mocht worden. Hij is hier, heb ik gehoord, voor zijn gezondheid. Een man met een nerveuze inslag.'

Dat was een beetje overdreven, zelfs uit de mond van een onwereldlijke monnik.

'Is hij alleen?' vroeg Peroni.

'Nee. Meestal zijn er mensen bij hem.' De monnik fronste zijn wenkbrauwen en zag er even uit als iemand die in de wereld woonde die Peroni kende. 'Twee lelijke mannen met name. Van de politie, geloof ik. Niet het soort mensen dat we hier vaak binnen krijgen. Dat verbaast me nogal, moet ik toegeven. Maar we zijn hier om te dienen. Niet om vragen te stellen.'

'Wie heeft hier de leiding?' vroeg Zecchini nors.

'Niemand op dit moment. Bestuurlijk gezien, zou je kunnen zeggen, bevinden we ons in een interregnum.'

Zoals iemand in de Questura ongetwijfeld wist, dacht Peroni.

'Vader,' zei hij en aan de blik op het gezicht van de man zag hij dat hij kennelijk het verkeerde woord had gekozen, 'we moeten Randazzo echt spreken. Het is belangrijk.'

'We hebben een bevélschrift,' viel Zecchini hem bij en hij zwaaide met een vel papier.

De monnik staarde naar het document. 'Een bevelschrift? Wat is dat?'

'Dat is een stuk papier waarop staat dat u hem bij ons moet brengen, of u wilt of u niet!' schreeuwde Zecchini.

De vloeken die hij eraan toevoegde, galmden over de heldere, zonverlichte binnenplaats en een paar duiven fladderden geschrokken alle kanten op de wolkeloze lucht in.

Maar de monnik liet zich door niets van de wijs brengen. Hij sloeg zijn armen over elkaar, bleef glimlachen en zweeg. Peroni kon zich niet inhouden en keek de majoor van de *carabinieri* even zuur aan.

'We willen het klooster niet doorzoeken,' zei hij kalm, 'en ik weet zeker dat u dat ook niet wilt. Dan zouden er heel veel politiemensen komen. Heel veel onrust. En herrie.'

De monnik hield niet van herrie. Peroni had gezien hoe hij zijn neus optrok wanneer Zecchini zijn stem verhief.

'Niemand wil herrie,' voegde hij eraan toe.

De man lachte en Gianni Peroni realiseerde zich tot zijn verbazing dat hij hen uitlachte en dat er bij hem bijzonder weinig verschil tussen een glimlach en een grijns zat.

'Hij is hier niet. Ze zijn gaan lunchen. En nee' – het antwoord was er eerder dan de vraag – 'ik weet niet waar en het kan me ook niet schelen. Dit is een kleine en rustige gemeenschap, heren. Als ons gevraagd wordt de stad te helpen, doen we dat zonder meer. We vertrouwen onze superieuren. U ook?'

Zecchini keek hem boos aan en vroeg toen: 'Voorgoed vertrokken?'

De monnik spreidde zijn armen en hief zijn handen ten hemel om aan te geven dat het geen zin had. 'We zijn geen gevangenis, en ook geen hotel. Ik kan u niet verder helpen. Ik kan...'

Gianni Peroni kon zijn ogen niet van de duiven afhouden. Ze hadden zich weer om de sokkel van het standbeeld van Sint-Franciscus verzameld. Het was een fantastische plek om iemand te verbergen. Zo goed, dat hij het merkwaardig vond dat Randazzo de drang had gevoeld er weg te gaan, al was het maar om te gaan eten.

Opeens, terwijl hij stond te kijken, vlogen de vogels op, een furieuze werveling van grijze en witte veren, en fladderden redeloos, doodsbang alle kanten op.

Vier, mogelijk vijf schoten weerklonken ergens achter de stille muren van het klooster, het geluid kaatste van het heldere, schone terracotta, galmde over het kleine, volmaakte hofje en vlocht zich tussen de zuilen door.

Luca Zecchini had direct zijn pistool in zijn hand. Zowel geschrokken als ontstemd door de zichtbare aanwezigheid van een wapen, keek de monnik hem aan.

'Waar?' schreeuwde Zecchini.

Gianni Peroni had geen zin te wachten tot deze poppenkast was afgelopen. Schreeuwen tegen een bange, onwereldlijke monnik die zijn hele beschermde leventje lang nog nooit een schot had gehoord, zou hen niet dichter bij Gianfranco Randazzo brengen. Hij beende met zijn grote lijf terug naar de buitenwereld, dacht aan wat hij van deze wijk wist en waar een politiecommissaris die van lekker eten hield, zou willen lunchen. Veel mogelijkheden waren er niet. Toen begon hij te hollen en hij merkte na een paar grote stappen al dat Zecchini en zijn mensen krijgertje speelden in zijn voetspoor.

15

Teresa Lupo had Pino Ferrante veel verteld over de patiënt wiens leven hij had gered in die lange nacht toen ze hem van zijn eettafel in Bologna had weggerukt. Ze had hem verteld dat Leo Falcone de moeite van het redden waard was, een hoogstaande, eerlijke, plichtsgetrouwe *ispettore* van de Romeinse politie, iemand die beter verdiende dan door een onnozele Venetiaanse slager opengesneden te worden, als ze die al konden vinden.

Nu lag Falcone met zijn ogen wijdopen op zijn bed hen om beurten fel aan te kijken en naar alle kanten vuur te spuwen. Pino keek haar even aan en glimlachte, die glimlach vol zelfkritiek die ze nog kende uit hun studietijd, de glimlach waaraan niemand aanstoot kon nemen, maar die toch wist te zeggen: 'Zeker weten?'

Zelfs Raffaela Arcangelo keek een beetje geschrokken. Dit was duidelijk een kant van Leo waarmee ze nog geen kennis had gemaakt.

Pino liet Falcone zichzelf uitputten met een hele reeks eisen – de meest recente verslagen over Aldo Bracci en de zaak-Arcangelo, een overzicht van alle nieuwe bewijzen en dat Costa en Peroni moesten worden teruggeroepen, waar ze ook uithingen, waarschijnlijk om hem een paar andere slachtoffers te geven om tegen te schreeuwen – ging toen bij het bed zitten, sloeg zijn armen over elkaar en keek aandachtig naar de man die daar op zijn rug lag.

'Inspecteur Falcone,' zei hij op milde toon, 'u hebt ernstige verwondingen opgelopen door een schot in het hoofd. U bent meer dan een week buiten bewustzijn geweest. Ik had gehoopt dat een man die heeft meegemaakt wat u hebt meegemaakt, me een of twee vragen over zijn toestand zou willen stellen. Anders...'

Hij had nu een vrij harde glimlach op zijn gezicht, meende Teresa, eentje die hij zich na de universiteit eigen had gemaakt.

'...zal ik misschien tot de conclusie moeten komen dat u niet zover hersteld bent als u schijnt te geloven.'

Falcone, die tegen een stapel kussens aan hing met zijn hoofd in het verband en een gezicht waarop de bruine kleur die Teresa als vanzelfsprekend was gaan beschouwen, ontbrak, was heel even stil.

Daarna antwoordde hij met al zijn gebruikelijke lompheid: 'Ik ben een politieofficier die bezig is met een moordonderzoek. Het is mijn plicht me volledig op de hoogte te laten houden. Het is uw plicht me niet voor de voeten te lopen. Ik zou u willen aanraden dat goed te onthouden.'

Pino wachtte. Toen duidelijk werd dat Falcone niet van plan was nog een woord te zeggen, zei de chirurg: 'Wilt u me nu iets vragen? Of hebt u liever dat ik wegga, zodat u tegen uw collega's kunt blijven schreeuwen tot u niet meer kunt? Niet dat u daar volgens mij nog veel kracht voor hebt. Zeg het maar.' Hij keek op zijn horloge. 'Ik woon in Bologna en ik zou graag om acht uur thuis zijn, dus wilt u direct beslissen?'

Falcone keek even naar Teresa en Raffaela Arcangelo, alsof dit op de een of andere manier deels hun schuld was. Daarna vroeg hij op berustende toon: 'Wat is er in hemelsnaam met me aan de hand?'

'U bent door het hoofd geschoten,' antwoordde Pino met een schouderophalen. 'De hersenen waren beschadigd. De hersenen zijn een gevoelig orgaan, zelfs in een ongevoelige man. Een mysterieus orgaan ook. Ik kan een andere keer op de details ingaan, maar die zullen u niet veel zeggen. Ik moet toegeven dat ze mij ook niet zo veel zeggen. Zo is het nu eenmaal met neurologische kwesties. Wat ik nu zie, is wat ik had verwacht. Gehoopt, om eerlijk te zijn. Er is sprake van enige verlamming vanaf het middel. U moet er ook op rekenen dat u regelmatig hoofdpijn zult hebben. Black-outs misschien. En zeker enige bijwerkingen van de medicijnen. We zullen al deze dingen een tijdje in de gaten moeten houden.'

Een paarsrode gloed van boosheid begon zich over Falcones gezicht te verspreiden.

'Ik moet werken!'

'Dat is belachelijk,' zei Pino botweg. 'Iemand in uw toestand kan niet werken. Zelfs als u daar lichamelijk toe in staat was, is uw mentale toestand nog fragiel, hoe graag u dat ook anders zou willen zien. U hebt hetzelfde nodig als ieder ander mens in deze omstandigheden. Een herstelperiode. Verpleging. Nazorg. U zult enige tijd van anderen afhankelijk zijn. Ik vertrouw erop dat u uw ego kunt leren dit feit te aanvaarden, *ispettore*.'

'Ik...' De woorden bestierven Falcone in de mond. Dit was een situatie waar hij duidelijk nog nooit mee was geconfronteerd en ook geen moment aan had gedacht.

'Leo,' kwam Teresa tussenbeide, 'je bent niet meer of minder menselijk dan wij allemaal. Bovendien mag je blij zijn dat je nog leeft. Doe rustig aan. En...'

Ze keek naar de neurochirurg, die net een blik op zijn horloge had geworpen.

'O, verdomme, Pino! Aangezien hij het niet vraagt, zal ik het maar doen. Hoelang blijft hij zo? Wat houdt het verder in?'

'Een rolstoel. Minstens twee, misschien drie maanden. Mogelijk langer. Het is domweg een kwestie van afwachten. Ik heb geen kristallen bol. Het zou kunnen...' Hij keek Falcone strak aan om er zeker van te zijn dat zijn volgende opmerking tot hem doordrong. 'Als u pech hebt, zult u voorgoed in een rolstoel zitten. Ik denk niet dat het blijvend is, maar je weet het nooit zeker. U zult fysiotherapie moeten hebben om aan dat been te werken. Ik heb gehoord dat u vrijgezel bent. Misschien is er een tehuis van de politie waar ze voor u kunnen zorgen.'

'Een tehuis?' brulde Falcone.

'Hij gaat niet naar een tehuis,' zei Raffaela zacht. 'Alsjeblieft, Leo. Luister naar je chirurg. Hij is toch degene die weet wat het beste voor je is.'

'En wat moet ik dan de hele dag doen, hè?'

'Uitrusten,' opperde Pino. 'Boeken lezen. Naar muziek luisteren. Aan een hobby beginnen. Ik raad schilderen aan. Dat is een talent dat je soms bij de meest onverwachte mensen aantreft. Los van de fysiotherapie verwacht ik niet dat u veel pijn zult hebben. De meeste mensen zouden blij zijn met zo'n kans.'

'De meeste mensen!' beet Falcone hem toe. Hij keek boos naar Teresa. 'Haal Costa en Peroni ogenblikkelijk hierheen.'

Pino schudde zijn hoofd. 'Nee. Dat moet ik absoluut verbieden. Werkstress is wel het laatste wat u op dit moment kunt gebruiken.'

Falcone keek de chirurg woedend aan. 'Laat ze me dan ten minste de dossiers brengen. Een mens mag toch wel lezen, hoop ik?'

'Jazeker,' zei Pino glimlachend. 'U mag lezen zoveel u wilt.'

16

Het eten smaakte beter toen Lavazzi en Malipiero weg waren. Gianfranco Randazzo zat één tafeltje van het raam alleen in het restaurant langzaam te eten en te drinken. Hij genoot van de gerechten en de eenzaamheid, en rekte de maaltijd zo lang mogelijk. De tijdelijke ontvluchting uit het klooster had hem doen beseffen dat hij er genoeg van begon te krijgen. Hij was traag en suf aan het worden. Nog één dag. Langer wilde hij niet wachten. Dan zou hij contact opnemen met de juiste mensen in de Questura en in de stad om hen aan een paar saillante feiten te herinneren en hun onder de neus te wrijven dat het onfatsoenlijk was dat ze op bewezen gunsten moesten worden gewezen voor ze iemand een wederdienst wilden bewijzen.

Het was nu bijna kwart voor drie. Hij had zich door een uitgebreidere maaltijd heen gewerkt dan hij normaal gesproken zou hebben gegeten: *antipasti* bestaande uit krab met zachte schaal, *calamari* en mantisgarnalen; risotto met *porcini*; en daarna lamskoteletten met alleen spinazie als *contorno*. Alles vergezeld van de beste fles zware Barolo op de wijnkaart. Hij was een beetje dronken, een beetje boos ook. Het was allemaal heel onterecht. Aldo Bracci was een lul en een crimineel. Een rotzak die zijn verdiende loon had gekregen.

En Randazzo's beloning? Veroordeeld worden tot een soort ballingschap, vernederd toen hij voor een korte verpozing naar buiten ging, gedwongen de stomme, jeukende, zweterige pij van een monnik te dragen, een vermomming waar niemand intrapte te oordelen naar de manier waarop de ober naar hem had gekeken en bijna in lachen was uitgebarsten toen hij bij het restaurant aankwam met de twee idioten uit de Questura, die zich de rest van de tijd op zijn kosten hadden zitten volstoppen.

Er viel heel wat te vereffenen na deze behandeling. Randazzo liet een paar mogelijkheden de revue passeren. Een chalet in de bergen zou niet meer genoeg zijn. Massiter zou miljoenen verdienen aan het Isola degli Arcangeli. Als daar een paar drupjes van doorsijpelden naar de man die de laatste hindernis voor de overeenkomst uit de weg had geruimd, zou hij die niet missen.

Hij zat over enkele andere mogelijkheden na te denken toen de ober terugkwam met nog een gerecht: kleine wilde aardbeien overgoten met slagroom en een of andere sterkedrank.

'Dat heb ik niet besteld,' snauwde Randazzo.

'Rustig maar. Het is van het huis!' merkte de ober grijnzend op. Hij dreef de spot met hem. 'We krijgen hier niet zo vaak monniken. Ik hoop eigenlijk dat u in de toekomst een paar collega's meeneemt. Als dat het juiste woord is. We doen altijd goede zaken met de kerk. We kunnen u een kleine *sconto* op de rekening geven als u wilt. Wat dacht u van tien procent? Twintig voor u?'

'Begin daar vandaag dan maar mee.' Hij wierp een blik op de tafeltjes buiten. 'Zorg dat het ook van die van hen afgaat.'

Hij keek nogmaals. Ze waren er niet. Lavazzi en Malipiero hadden hun maaltijd beëindigd zonder dat hij dat had gezien en waren blijkbaar ergens heen gegaan, misschien naar een naburig café om een drankje te bietsen.

Alhoewel... Ze hoefden toch al niet te betalen voor hun eten en drinken. Randazzo kon er niet bij met zijn benevelde verstand. Er waren mannen, dacht hij, die er tijdens het werk gewoon af en toe tussenuit moesten knijpen, zelfs als daar geen goede reden voor was. Het zat in hun genen. Als een draaiing in het DNA dat, als je het uit elkaar zou kunnen halen, zei: 'Luie klootzak, zal nooit veranderen.'

Randazzo staarde naar het kleine *piazza* en vroeg zich af waarom hij hier niet vaker at. Het lag in Castello, dat was waar, maar niet in de sjofele arbeiders-*quartiere* rond de Via Garibaldi waar de Questura een paar appartementen aanhield. Dit was een goede plek om te eten, een rustige en mooie locatie, waar de toeristen alleen bij toeval terechtkwamen. Klasse. Het was echt de moeite waard. De laatste keer dat hij had gekeken, was elke tafel buiten bezet geweest. Nu bevond zich nog maar één gezelschap op het terras. Drie mannen in pak – blauw overhemd, zonnebril, glad achterover gekamd haar, keurig geperste pantalon – zaten recht tegenover het tafeltje waaraan de politiemannen hadden gezeten, aan de andere kant van het terras. Randazzo begreep wel waarom verder iedereen was vertrokken. Het was warm. Het werd al laat.

De ober was teruggelopen naar de bar en stond broodkruimels en stof weg te slaan met zijn servet. Randazzo kwam een beetje wankel overeind en pakte de fles wijn op. Hij kwam veel te gemakkelijk omhoog van de tafel. Hij keek fronsend naar de Barolo, met zijn versierde gele etiket en donkere, donkere glas. Hij was leeg.

'Koffie,' mompelde hij.

De ober draaide zich om en trok een lelijk gezicht. Hij deed niet eens een poging hem te verstaan, kwam geen stap dichterbij. 'Wat?'

'Koffie,' blafte Randazzo boos. 'En *grappa*. Goede *grappa*. Niet die rotzooi die je normaal gesproken zou schenken. Een grote. Ik drink het buiten op.'

Bij een andere gelegenheid zou hij daar toch hebben gezeten, naar de hekken van het Arsenaal hebben gekeken en hebben nagedacht over de leeuwen. Hij hield van geschiedenis, de goede stukken in elk geval. Er was een tijd geweest dat hele marinevloten vanuit die uitgestrekte militaire werf achter die kasteelachtige voorgevel waren uitgevaren. Groot genoeg, machtig genoeg om het hele oostelijke Middellandse Zeegebied te intimideren, zodat het zich overgaf; om keizers op de vlucht te jagen en naties naar hun schatkist om goud te halen waarmee de Venetiaanse piraten tot staan gebracht konden worden.

Piraterij en stelen. Dat zat de Venetianen in het bloed. Het viel niet te ontkennen. Hij wankelde naar het dichtstbijzijnde tafeltje op het terras, liet zich in een stoel vallen, schepte een beetje rietsuiker in zijn kopje en nam een slokje.

Hij zat naast de drie zakenmannen, die naar hem keken. Ze konden de pest krijgen, dacht Randazzo. Hij had hen horen praten. Gekeuvel. In een taal die hem bekend in de oren klonk omdat hij veel leek op het dialect van Veneto.

De Kroaten zaten tegenwoordig overal: in de toeristenwereld, in de smokkelbendes. De grens tussen fatsoenlijke en criminele Kroaten was moeilijk te trekken.

Randazzo keek hen aan met een sarcastische grijns en mompelde: *'Salute.'*

De grootste hief zijn glas bier en zei hetzelfde terug.

Hij overwoog binnensmonds een zachte verwensing te mompelen, maar bedacht zich.

'Hoe moeten we u aanspreken?' vroeg een van de mannen. 'Met vader? Broeder? Of met iets anders?'

Randazzo staarde hen aan. Naar zijn mening was het merendeel van de Kroaten tuig. Opportunisten die de Adriatische Zee waren overgestoken in de hoop dat ze de eerste de beste sufferd die ze tegenkwamen, geld afhandig konden maken. Hij wierp hun één zure blik toe en richtte zijn aandacht weer op zijn *grappa*.

'Misschien is het een van die zwijgers,' opperde de dichtstbijzijnde. 'Je weet wel. Zo'n monnik die nooit een woord zegt, omdat hij de hele dag verzonken is in gedachten over God of zoiets.'

Het wezelachtige donkerharige creatuur naast hem lachte. 'De hele dag in zijn glas verzonken en in wat er op zijn bord ligt, zul je bedoelen. Betaalt u daarvoor, vader, broeder, zuster, oom? Of hoe ze u ook noemen?'

En ze hadden nooit respect voor je. Dat ergerde hem ook aan Kroaten.

'Ik betaal voor alles,' antwoordde Randazzo. Hij deed zijn best niet dronken over te komen. 'Ook voor tuig als jullie.'

Ze begonnen nu duidelijk in beeld te komen. Eentje was ouder en groter dan de rest. Randazzo keek eens goed het verlaten *piazza* rond.

'Lavazzi! Malipiero!' riep hij. 'Waar zitten jullie verdomme als ik jullie nodig heb?'

'Wat een taal.' De grote maakte een afkeurend geluid.

'Wel godver–'

Randazzo slikte de rest van wat hij wilde zeggen in en keek achterom naar het restaurant. Daar was nu niemand meer. Zelfs de brutale ober was weg. Het *piazza* was stil en verlaten, nergens iemand achter de ramen, nergens een hand die slierten wasgoed naar buiten duwde op de lijnen die in de steegjes aan het plein van de ene gevel naar de andere waren gespannen. Alleen hij, de mannen en een paar oude leeuwen van steen.

Hij snoof en rook een vieze stank, die uit het kabbelende water in het kanaal bij het Arsenaal opsteeg en op een allerzachtst augustuswindje naar hem toe kwam.

De grote man stond op, veegde wat kruimels van zijn pantalon en nam nog een slok van zijn bier.

'Weet je,' zei hij, 'dat vind ik nou het ergste wat er is. Een man van de kerk die vloekt. Zich te barsten eet aan goede, luxueuze kost terwijl de halve wereld honger lijdt.'

Hij keek boos naar Randazzo en knikte toen naar het restaurant. 'Waar wij vandaan komen, droomt iedereen ervan in zo'n gelegenheid te eten. Zelfs de priesters.'

Maar ik ben geen priester, wilde Randazzo tegenwerpen. Iets, een gevoel van gevaar dat doordrong in de Barolo-nevel waarmee zijn hoofd vol zat, weerhield hem.

De andere twee waren inmiddels ook opgestaan en een van hen had iets op zijn lever. 'Weet je wat nog erger is dan een inhalige priester?' vroeg hij.

Randazzo riep nogmaals om Lavazzi en Malipiero, en zwoer dat hij hen ervanlangs zou geven als ze eindelijk tevoorschijn kropen uit het drankhol dat ze kennelijk gevonden hadden.

'Nog erger,' ging de Kroaat verder, terwijl hij naar hem toe kwam met een gezicht dat eerder teleurgesteld dan dreigend stond, 'is een corrupte politieman. Eentje die pakt wat hem wordt aangeboden en dan nog zijn plaats niet kent.'

'Gebrek aan dankbaarheid,' zei de grote, die iets uit zijn zak haalde, een zwart, dof en bekend ding, dat hij losjes vasthield met een lome achteloosheid waarvan Gianfranco Randazzo moest huiveren in de warme, jeukende franciscaner pij, 'staat gelijk aan gebrek aan respect.'

Hij stond nu voor Randazzo met het vuurwapen stevig in zijn rechterhand. 'En dat, *commissario*,' voegde hij eraan toe, 'is de reden dat ik wil dat dit niet in één keer gebeurt.'

Randazzo's hoofd werd op slag helder; elk verwarrend spettertje van de zware bloedrode drank vluchtte ergens diep weg.

'Ik h-heb tegen niemand gepraat,' stamelde hij. 'Dat zou ik nooit doen. Zeg hem dat. Zeg het ze allemaal. Ik –'

Ze luisterden niet eens. Ze speurden alleen het *piazza* af om te zien of ze echt alleen waren.

'Dat zal ik doorgeven,' zei de grote en hij plantte het pistool hard op Randazzo's knie, precies op het moment dat de politieman van de stoel opstond en de kracht en de moed probeerde te verzamelen om te vluchten. Er klonk een compacte, harde knal.

243

Gianfranco Randazzo tilde zijn verbrijzelde been op. Hij was er nog altijd van overtuigd dat hij kon vluchten en gilde het uit toen zijn voet de grond raakte, voelde zichzelf vallen, voelde iets in zijn borst en zijn buik steken, kleine, vurige, metalen duivels die snijdend en scheurend door hem heen stoven, verzengende brokken metaal die door zijn vlees schoten.

De bestrating van het *piazza* kwam op hem af. Zijn hoofd sloeg hard tegen de keien, zijn tanden braken op de keiharde stenen.

Hij keek op en probeerde hen te zien. Boven hem stond de leeuw van steen verlekkerd te kijken, een gestolen object dat met genoegen zag hoe iets anders van een mens werd geroofd.

Toen verdwenen zijn afgesleten trekken en kwam het gezicht van de grote Kroaat ervoor in de plaats. Een onzichtbaar ding, een hard, koud, metalen ding verscheen uit het niets en plaatste zich op een kloppende ader in Randazzo's rechterslaap.

'*Ciao,*' mompelde de man.

17

Scacchi's boot was nog weg toen ze over het eiland waren gevlogen. Afgezien van de vrouw die ongerust de lucht afspeurde om te zien waar het lawaai vandaan kwam, had Costa niets waar hij op af kon gaan. Alleen een illegaal hutje, ergens achter op het land van Piero Scacchi, dat, zo op het eerste gezicht vanaf zijn stoel in Andrea Corrers vliegtuig, recent was gebouwd. Het was een schot in het duister. Precies het soort kunstje dat Leo Falcone zou hebben uitgehaald als het allemaal lastig werd. Hij hoopte dat hij ook iets van het geluk van de oude klootzak had meegekregen.

Costa liep over het strand, klom over een laag gammel hek en kwam op een akker terecht. Onberispelijke rijen paprikaplanten vol rode vruchten strekten zich groen op verhoogde bedden voor hem uit. Achter een hek links van hem stonden paarse artisjokken netjes in het gelid en rechts van hem lag een veld met even keurig geordende snijbiet, een levend groen laken. Scacchi, of wie deze gewassen ook verzorgde, was heel precies. Er stond geen plant verkeerd; er was geen blad dat sporen van ziekte of insecten vertoonde. Hij herinnerde zich hoe zijn eigen vader de moestuin bij zijn ouderlijk huis in Rome, aan de rand van de stad, dicht bij de Via Appia, had verzorgd. Daar was sprake geweest van dezelfde boerenbekwaamheid, dezelfde eentonige, slopende zorg, wat zich bewees in de gewassen, in elk glanzend blad.

Hij keek in de richting van de hut, die nog geen honderd meter verderop stond. De vrouw was weg. Weer naar binnen misschien. Of hulp halen omdat ze vermoedde wat er zou komen. Costa dacht na over wat hij van de achtergrond van de zaak wist, haalde zijn dienstpistool tevoorschijn, controleerde het magazijn en stopte het terug in de holster onder zijn donkere jasje.

Vuurwapens deprimeerden hem. Dat was altijd al zo geweest en hij vermoedde dat het altijd zo zou blijven.

Vervolgens pakte hij zijn mobiele telefoon om te zien of er berichten waren. Niets. Geen woord van Teresa of Peroni. ook niet van Emily en hij vroeg zich af waarom hij het laatst aan haar had gedacht.

Hij zette deze twijfels van zich af, deed een poging althans, en liep door naar het huisje. De deur bleek open te zijn. Hij ging naar binnen en zei zacht, kalm, zonder het kleinste spoortje dreiging in zijn stem: '*Signora* Conti?'

Het gebouwtje was niet zoals hij had verwacht. Vanbuiten leek het een verwaarloosd boerenschuurtje, slecht gebouwd, met kale witte muren en slechts één raam dat uitkeek op een kleine tuin pal voor de goedkope, groene deur, met Oost-Indische kers en rozen. Maar vanbinnen zag het eruit als een huis, en niet eentje van een keuterboer. Er hingen schilderijen aan de muur, slechts vaag zichtbaar in het slechte licht; er stond klassieke muziek op; er waren kasten met boeken. Uit een aangrenzende deur kwam de geur van eten. Het was smetteloos schoon, keurig opgeruimd en ordelijk op een manier die hem eerder aan het leven in de stad dan aan het platteland deed denken.

'*Signora* Conti?' riep hij nogmaals. 'Ik wil met u praten. U hoeft nergens bang voor te zijn.'

De vrouw kwam uit de keuken met een doek waaraan ze haar handen afveegde en keek hem boos aan. 'Wat geeft u het recht hier zomaar binnen te komen? Met uw vliegtuig over mijn huis te vliegen?'

'*Signora* Conti...'

'Noem me niet zo!' maande ze, haar stem verheffend. 'Er is hier niemand die zo heet. Gaat u toch weg. Voor ik de politie bel.'

Hij haalde de foto uit zijn zak. Ze hadden er slechts één in de dossiers in de Questura. Het was een oude foto. Ze had haar uiterlijk veranderd. Haar haar geverfd, kort geknipt.

Hij hield hem voor haar neus.

'U bent Laura Conti. Ik weet waarom u hier bent. Ik weet waarom u zich schuilhoudt. Piero heeft het goed aangepakt. Iemand op de luchthaven vragen om die briefkaarten te sturen zodat iedereen dacht dat u was gevlucht, terwijl hij u al die tijd onderdak bood op de laatste plaats waar wij of Hugo Massiter zouden zoeken, dicht bij hem, dicht bij de stad. Het is een bijdehante man. Een slimme vriend.'

'Piero?' vroeg ze. 'Waar is hij? Wat hebt u met hem gedaan?'

'Ik heb niets met hem gedaan. Hij is er niet. Ik dacht dat u misschien wist...'

'Hij is de huisbaas. Verder niets. Ik begrijp niet waar u het over hebt. Het is onzin.'

'Laura...'

'Zeg dat toch niet!'

Hij deed één stap naar haar toe. Ze huiverde vanwege zijn nabijheid.

'Ik heb je hulp nodig,' zei hij. 'Ik heb hem heel hard nodig. En ik kan dit niet zo door laten gaan. Het is niet goed. Er is een tijd om te vluchten en een tijd om je verleden onder ogen te zien. Die tijd is nu gekomen. Daniel en jij...'

'Daniel, Daniel, Daniel...' fluisterde ze met haar hoofd in haar handen. 'Waar hebt u het over? Ik heet Paola Soranzo. Ik woon hier met mijn man Carlo. We zijn eenvoudige boeren. Laat ons met rust.'

Costa gooide de foto op de tafel. Ze keek er niet eens naar.

'Dat kan ik niet doen,' zei hij. 'Niet voor jou. Niet voor mezelf. Ik moet...'

Hij stak zijn hand in zijn binnenzak om zijn politiekaart te pakken toen de man hem van achteren, zo stil als een muis, besloop. Nic Costa merkte niets tot de lange, lelijke dubbele loop van een jachtgeweer opdook bij zijn rechterschouder en schuin omhoog naar zijn gezicht draaide.

Een hand kwam van links om zijn borst heen, zocht het wapen in de holster op, haalde het eruit en gooide het op de grond. Toen kwam hij langzaam in het zicht. Daniel Forster kon gemakkelijk voor een boer van Sant' Erasmo doorgaan. Zijn haar was bijna zwart geverfd en lang onder een vuile baret. Hij had een dikke snor en een stoppelbaard. En hij had ook de kromme rug van een boer, de hangende schouders die het gevolg waren van het werken op het land. Costa was onder de indruk. Hij stak zijn handen op en hield ze hoog in de lucht.

'*Signor* Forster...' begon hij.

'Hou je mond!' schreeuwde de man en hij gaf hem met de loop van het jachtgeweer een pijnlijke klap tegen de zijkant van zijn hoofd.

De vrouw gilde, van angst of van boosheid, dat wist Costa niet. Toen kwam de harde houten kolf omlaag, tuimelde hij op de grond en kon het hem niets meer schelen.

18 Het advocatenkantoor was gevestigd op de tweede verdieping van een gebouw op de Zatterekade in Dorsoduro en keek uit op Guidecca, het vlakke eiland met hotels en appartementen dat ertegenover lag. Emily Deacon sloot zich even af voor het gesprek en keek naar de Molino Stucky, de voormalige molen die bijna recht aan de overkant stond. Het gebouw was, net als het Isola degli Arcangeli, een stukje verouderd Venetië waarvoor een bestemming moest worden gezocht in een nieuwe, veranderende wereld. Na tientallen jaren leeg te hebben gestaan, toen het bedrijf achter het hoge fabrieksachtige gebouw van rode baksteen ter ziele was gegaan, waren er allerlei renovatieplannen voor gemaakt om het voor nieuwe industrieën of productiebedrijven geschikt te maken. Nu werd het omgebouwd tot een mix van hotels en appartementen, een bewijs welke weg Venetië was ingeslagen. Massiter had gelijk. Er was tegenwoordig in de stad maar één vorm van commercie toegestaan: het uitmelken van alsmaar toenemende aantallen bezoekers. Vergeleken bij de Molino Stucky was het eiland van de Arcangelo's een paradijs, een unieke combinatie van bijzondere architectuur op een bijzondere locatie, geen lompe gerenoveerde molen op de punt van een eiland dat weinigen ooit zouden willen bezoeken. Ze begreep wel waarom Massiter niet van plan was zich te laten dwarsbomen door het zinloze verlangen van de Arcangelo's hun glasmakerij in stand te houden ongeacht het effect op het project als geheel. Hij had gezien waar zijn belangen lagen en was nu van plan zijn kans te grijpen.

Ze luisterde naar de discussie die tetterend over en weer ging tussen de twee arrogante advocaten van Massiter, een Engelsman en een Milanees, en de plaatselijke advocaat die de Arcangelo's vertegenwoordigde, een man die het allemaal boven de pet ging en naar haar idee bovendien een beetje bang was van de Engelsman. Michele zat naast zijn advocaat, vastbesloten zich niet gewonnen te geven wanneer er weer een eis van Massiter op tafel kwam, en keek met zijn ene goede oog naar de stapels papieren en plannen die, zoals hij ongetwijfeld wist, het einde van de macht van de Arcangelo's over hun treurige kleine eiland betekenden. Gabriele zat zwijgend aan de andere kant en zag eruit alsof hij ergens anders wilde zijn. Het kwam allemaal uit de koker van Michele, bedacht ze. Hij werd gedreven door zijn ego, zijn verlangen zijn vader te evenaren. Aan Massiters oplossing hield hij alleen geld over. Heel veel geld. Een paar miljoen euro nog nadat de schulden waren afbetaald. Maar het was haar duidelijk dat dit voor hem van geen enkele betekenis was. Zonder een stem in de toekomst van het eiland zou Michele Arcangelo de overeenkomst waardeloos vinden, tenzij het alternatief nog moeilijker te aanvaarden was.

De Arcangelo's hadden op alle punten toegegeven, op één na. Dat laatste betrof de glasblazerij. Michele stond erop dat Massiter zich hield aan zijn oorspronkelijke aanbod, waarbij ze hun bedrijf ongehinderd mochten voortzetten en een kleine winkel mochten inrichten om hun waren aan de man te brengen. Het was het enig overgebleven knelpunt, een punt dat Massiter niet wilde laten passeren. Op het jacht had Emily een deel van de plannen gezien en ze had begrepen wat hij met het gebouw wilde. Het zou een restaurant en conferentieoord worden, naast de galerie in het *palazzo* en de exclusieve hotelkamers in het woonhuis gelegen en vóór een nieuw hotel met goedkopere kamers dat aan de achterkant van het eiland zou worden gepropt. Het was ondenkbaar dat hij een in bedrijf zijnde glasblazerij met al het gas, de rook en de stank op het eiland zou laten voortbestaan. Toeristen eisten perfectie, eenzaamheid, de belofte van rust; niet de hete, lawaaiige nachten van een glasblazerij vlak voor de deur. Dit verklaarde ongetwijfeld waarom Massiter vanaf het begin zijn omvangrijkere plan voor het eiland voor de Arcangelo's verborgen had gehouden en hen in de waan had gelaten dat zijn belangstelling puur persoonlijk was en gericht op de vestiging van een tentoonstellingsruimte.

Er was een reden voor Emily's aanwezigheid in de kamer. Ze wilde dat Hugo Massiter, voor zover mogelijk, vertrouwen in haar bleef houden, tot het er niet meer toe deed. Vertrouwen en bruikbaarheid waren voor hem onlosmakelijk met elkaar verbonden. Daarom keek ze op haar horloge en onderbrak ze Michele met opzet midden in een zin toen hij aan een bittere tirade over de drastische wijzigingen begon die in zo'n laat stadium in de overeenkomst werden aangebracht.

'We hebben twee uur om dit af te ronden, heren,' zei ze. 'Heeft het echt zin deze kwesties te bespreken? Of zullen we er gewoon een punt achter zetten? Iedereen, tot en met de burgemeester aan toe, staat om zes uur klaar om jullie op het stippellijntje te zien tekenen. Als dat moet worden afgelast, laten we dat dat nu doen.'

Micheles glazige oog glansde haar aan.

'De maîtresse spreekt,' snauwde hij. 'Is dit een van je vele beledigingen, Massiter? Zo ja –'

'Ik ben zijn architect,' onderbrak ze hem. 'Ik probeer erop toe te zien dat het contract dat *signor* Massiter tekent enigszins rendabel is. Daarom ben ik hier. Hij is te slim om in dezelfde financiële ellende terecht te komen als u. Ik ben van plan dat zo te houden.'

De gerimpelde handen van de man sloegen naar de papieren op tafel.

'Dus u wist de hele tijd al dat hij dit in gedachten had?'

Massiter zat haar glimlachend op te nemen. Onder de indruk, concludeerde ze.

'Aan contracten van deze omvang werken veel mensen,' antwoordde ze. 'Dit is niet het werk van één persoon.'

Ze putte moed uit haar positie en voelde zich daardoor in staat deze poppenkast op te voeren. 'U moet het me niet kwalijk nemen als dit bot overkomt, *signor* Arcangelo. Maar wil een onderneming overleven, dan zal er een gezond financieel plan aan ten grondslag moeten liggen. Geen dagdromen.'

'Zoals die van ons?' brulde Michele.

'Zoals die van u,' zei ze kalm.

'Wij zijn kunstenaars! Ons soort mensen heeft Venetië gemaakt tot wat het is!'

Massiter lachte, niet onvriendelijk. 'O, Michele, alsjeblieft. Stel je niet zo aan. Jullie zijn een stelletje botenbouwers uit Chioggia, waarvan er eentje toevallig een idee had dat een tijdje heeft gewerkt. Niemand is nog geïnteresseerd in jullie kunst. Het is passé. Dat is het probleem met mode. De ene dag is het in. De volgende...' Hij stak zijn handen op. 'Jij bent niet objectief,' ging hij verder. 'Dat geldt voor mij ook in zekere zin. Emily daarentegen staat er bewonderenswaardig koel en onverschillig tegenover. We zouden er allebei goed aan doen naar haar te luisteren.'

Hij wierp haar een blik toe, een warme blik, waardoor ze zich bijna schuldig ging voelen.

'Haar advies is voor ons allebei bedoeld. Wat je ook denkt.'

'En hoe luidt dat advies precies?' bromde Michele.

Ze wist ogenblikkelijk hoe ze moest reageren. 'Voor Hugo? Weggaan. Deze kamer uit lopen en niet eens overwegen dit contract door te zetten, zelfs niet met de voorwaarden die nu op tafel liggen. Het inspectierapport van het eiland is onvolledig en waarschijnlijk onwaar. Ik hoef de bankrekeningen van de hierbij betrokken mensen niet te zien, want ik begrijp zo ook wel dat de meeste rapporten zijn gebaseerd op omkoperij en niet op feiten. De toestand van de fundering, van de constructie, het ijzer, het hout, de hele architectuur van het *palazzo*... Hugo schrijft een blanco cheque uit voor alles en als er niet minstens twee maanden aan goede, onafhankelijke inspecties worden besteed, kan ik niet eens een schatting geven van wat het zal kosten om dat gebouw weer in orde te maken.'

'Dat gebouw is goed!' schreeuwde Michele. 'Bovendien heeft hij de herbouwkosten afgewenteld op zijn vrienden in de regio's. Er wordt gemeenschapsgeld aan uitgegeven, niet dat van hem.'

'Dat doet niet ter zake. Het is een bouwval,' ging ze verder. 'Als de brand in de glasblazerij nog een kwartier langer had geduurd, hadden we wellicht geen onroerend goed meer gehad om over te praten. En misschien was dat beter geweest. U hebt hem toch niet zelf aangestoken, hè?'

De man sloeg met zijn vuist op tafel. 'Ik ben hier niet naartoe gekomen om me te laten beledigen!'

'Het was maar een opmerking,' ging ze verder. 'Het zou te begrijpen zijn. Dat eiland van u is waardeloos. Alles is oud en verrot. Het hoeft alleen nog maar in te storten. Zonder Hugo gebeurt dat ook. U hebt zijn geld nodig. U hebt geen tijd voor alternatieven.'

Ze keek naar de broer.

'Zeg het dan, Gabriele. Jij werkt in die gebouwen. Hij zit alleen maar in het huis met de boeken te knoeien. Zeg hem de waarheid. Het wordt tijd dat iemand dat doet.'

De jongste broer schoof heen en weer op zijn stoel en wilde niet opkijken van de stukken op tafel.

'Nou?' vroeg Michele bars.

'Het staat er slecht bij,' zei Gabriele zacht. 'Slechter dan je denkt, Michele. De boel begint in te storten. Ik heb me, als ik er aan het werk was, wel eens afgevraagd hoelang het nog zou blijven staan. Wat er zou kunnen gebeuren als het weer ging stormen. Het is...'

Hij staarde naar de tekeningen van het *palazzo*, waarop het gebouw iets van zijn luister had teruggekregen, met tafeltjes van het restaurant op de verlengde kade, boten die de toeristen naar het hotel kwamen brengen.

'Het wordt tijd hier een einde aan te maken. We kunnen zo niet doorgaan. Zonder Uriel. Zonder geld.'

'Ik beslis voor de familie,' beet Michele hem toe. 'Dat is afgesproken. Het staat zwart op wit.'

'Ja, dat is de afspraak,' beaamde Gabriele.

'En als ik geen beslissing neem,' vervolgde de oudste broer, terwijl hij boos naar Massiter wees, 'gaan we allemaal met dit schip ten onder. Jij. Wij. Die klootzakken in de stad. Iedereen.'

'Iedereen?' herhaalde Massiter lachend. 'Dat denk ik niet. Ik versta de kunst er altijd zonder kleerscheuren van af te komen. Dat weet je toch wel? Als je het echt wilt wagen anderen met je mee te sleuren, ja, dan...'

Massiter staarde de man aan tot hij zijn ogen neersloeg. Ze wisten allebei hoe onverstandig het zou zijn die weg te bewandelen.

Michele Arcangelo keek stuurs en zweeg.

Emily Deacon stopte haar pen en blocnote weg.

'Ik heb hier niets meer aan toe te voegen, Hugo,' verklaarde ze. 'Als je door wilt gaan met deze onzin, doe je best. Maar kom niet met de rekening aanzetten als het allemaal misloopt.'

'Laat ons in onze waarde,' snauwde Michele. 'Gun ons een plek om te werken. Een plek om onze waar te verkopen. Is dat te veel gevraagd?'

'Helemaal niet,' antwoordde Massiter. 'Ik heb een bedrijfsgebouw in de buurt van het Piazzale Roma. Het is modern. Efficiënt. Gebruik het. Ik heb ook een paar winkeltjes in de Strada Nuova. Neem er eentje.'

Micheles gezicht vertrok bij het horen van de naam van de straat. Emily kende de lange saaie promenade van het station naar het San Marco, een aaneenschakeling van goedkope souvenirwinkeltjes die dure rotzooi aan onnozele toeristen verkochten.

'Daar kun je alles voor echt door laten gaan,' ging Massiter verder. 'Neem ze, Michele. Tien jaar geen huur. Kun je je souvenirtjes verkopen.'

'De Strada Nuova...' Michele uitte een korte reeks Venetiaanse vloeken. 'Dus ik moet maar winkelier worden?'

'De detailhandel heeft in deze contreien een grote toekomst,' zei Massiter. 'Groter dan het maken van glazen prullen die niemand wil kopen. In deze tijd is luxe alleen weggelegd voor mensen die het zich kunnen veroorloven. We kunnen geen van allen meer kieskeurig zijn. Ik vond het vroeger best om van een veilinghuis te leven. Nu moet ik een beetje aan projectontwikkeling doen, mijn vriendenkring uitbreiden. Alleen een dwaas denkt dat de wereld om hem heen moet veranderen. We moeten allemaal onze eigen weg zoeken. Luister naar je broer. Niet naar mij.'

Gabriele Arcangelo keek boos naar Massiter. 'Ik zou ook graag een zekere waardigheid behouden,' merkte hij op.

Massiters gezicht betrok. 'Neem ze dan,' zei hij ernstig. 'Stel mijn vrijgevigheid niet op de proef. Een plek om je glas te maken. Een plek om het te verkopen, als dat lukt. Tien jaar voor niets. Dat, of de ondergang.'

Hij boog zich naar voren om zijn woorden kracht bij te zetten. 'De totale ondergang. Gevangenisstraf voor jou misschien, Michele. Op zijn minst.'

De oudere man schudde spijtig zijn hoofd. 'Ik had je die dag nooit moeten binnenlaten. Ik had anderen kunnen krijgen...'

'Maar je hebt het gedaan!' antwoordde Massiter onverwachts monter. 'Je hebt me zelfs uitgenodigd, nietwaar? Ik kom alleen waar ik welkom ben. Ik dacht dat je dat wist. En nu...'

Hij haalde een pen uit het met een monogram versierde borstzakje van zijn overhemd. Een grote, gouden Parker, die hij vervolgens over de tafel heen schoof.

'Je mag deze gebruiken als de burgemeester er straks bij is. Doe maar of hij van jou is. Hou hem maar. Alleen één ding.'

Michele keek kwaad naar de glimmende pen.

'Nou?'

'Blijf niet rondhangen als het eiland eenmaal van mij is,' zei Hugo Massiter met een neerbuigende glimlach.

19

Tegen de tijd dat Gianni Peroni de hoek van het *piazza* bij het hek van het Arsenaal om kwam, waren agenten van de staatspolitie het plein met lint aan het afzetten om de nieuwsgierigen op afstand te houden. Zo nu en dan wierpen ze een steelse blik op het lijk bij de stenen leeuw waaruit nog steeds bloed op de keien liep.

Met zijn verbrijzelde gezicht omhoog en zijn starre ogen op de felle zon gericht zag Gianfranco Randazzo er niet uit alsof hij als dode blijer was met de wereld dan toen hij nog leefde. Het was geen gemakkelijke dood geweest ook. Peroni wist genoeg van schotwonden om te zien dat dit een bijzonder wrede moord was geweest. De *commissario* was verschillende malen in benen en bovenlichaam geschoten, toen met een spoor bloed achter zich aan bij de omgevallen tafeltjes van het nabijgelegen restaurant weggekropen, voor hij een kogel in het hoofd kreeg, waarschijnlijk terwijl hij nog op de grond lag.

Peroni herkende een huurmoord als hij er een zag. Randazzo was op brute, weloverwogen wijze omgebracht en uit het gedrag van de agenten en een stel rechercheurs, die zich meer als geschokte straatvegers dan drukke politiemensen gedroegen, was op te maken dat geen van zijn moordenaars lang genoeg was blijven rondhangen om gearresteerd te worden.

'Ik hoef het zeker niet te vragen,' mompelde de majoor van de *carabinieri*, die hevig transpirerend naar adem stond te happen om een beetje ijle middaglucht in zijn longen te krijgen.

'Nee,' antwoordde Peroni. Hij keek naar een paar rechercheurs die hij herkende. Ze hingen een beetje stiekem in de buurt van het restaurant rond en namen af en toe heimelijk een slok van het glas bier dat ze daar op een tafeltje hadden staan.

'Hier klopt niets van,' zei Zecchini. 'Die schoten zijn nog maar een paar minuten geleden afgevuurd. Hoe kan het dat ze hier zo snel zijn?'

Daar had Peroni al over nagedacht. 'Het wijkbureau zit net om de hoek. Ik neem aan dat ze de schoten hebben gehoord.'

Al met al was het toch een knap snelle reactie.

Hij tuurde naar de twee mannen die hij herkende. De monnik had een afkerige blik op zijn gezicht gekregen toen hij het over de politiemannen had die Randazzo gezelschap hadden moeten houden. Hij had hetzelfde gevoel gehad toen hij dit stel in de Questura was tegengekomen.

'En als ik me niet vergis, waren dát de kerels die moesten voorkomen dat Randazzo iets overkwam. Hé! Lavazzi!'

Eentje draaide zich om. Peroni had tenminste één naam onthouden. De man keek bang.

'Ik wil je even spreken.'

Hij verroerde zich niet, bleef staan waar hij stond met het biertje in zijn hand en keek om zich heen om steun te zoeken bij zijn collega's.

De rechercheur die net een stuk plastic over het lijk legde, vloekte hevig, maakte af waar hij mee bezig was en kwam toen naar hen toe. Peroni herkende hem vaag: een van de gezichtsloze mensen van het hoofdbureau op het Piazzale Roma, een lokale *commissario* die Costa en hem al die tijd dat ze in Venetië hadden gewerkt, geen blik waardig had gekeurd.

Hij sprak met een vlak, eentonig noordelijk accent dat niet uit de omgeving kwam, noch erg innemend klonk.

'Jullie zouden echt een betere manier moeten vinden om jullie tijd door te brengen.'

Zecchini stak zijn hand in zijn binnenzak en liet zijn penning zien. '*Carabinieri,*' zei hij met een knikje naar het plastic op de grond. 'We hebben een bevel tot verhoor voor die man.'

'Het lijkt er helaas op dat jullie een beetje te laat zijn.'

Er waren een paar mensen van het mortuarium verschenen. Ze duwden een brancard over de keien en waren kennelijk van plan het lijk te verplaatsen. Peroni dacht aan wat er op het Isola degli Arcangeli was gebeurd. Alles werd wel heel erg snel geregeld.

'Jullie horen te wachten tot de patholoog-anatoom er is,' zei hij. 'Jullie zouden op zijn minst de schijn kunnen wekken dat je je best doet.'

De naamloze *commissario* kwam vlak voor hem staan en keek hem dreigend aan. Het was een kleine man met een dikke walrussnor en zwarte, levenloze ogen.

'Hou je mond, Peroni,' zei hij. 'Dit is ons pakkie-an, niet dat van jou. En we dóén ons best trouwens. Zoals we nog nooit hebben hoeven doen tot jij en die Romeinse maatjes van je verschenen. Wat is dat toch met jullie? Trekken jullie dit soort ellende aan?'

Peroni vroeg zich af hoelang hij in Venetië zou moeten blijven voor hij met een levenslange gewoonte brak en mensen zou gaan slaan.

'Zoals je al zei, *commissario,*' antwoordde hij kalm. 'Dit is jouw pakkie-an. Dat was het al voor wij kwamen en ik weet zeker dat het lang nadat wij zijn vertrokken, nog zo zal zijn. Kijk naar je eigen verrotte zooitje. Niet naar ons.'

'Jullie zijn nu al weg!' brulde de politieman witheet. 'Jullie zijn niet meer verbonden aan deze Questura. Als je je lelijke neus in zaken gaat steken waar je niets mee te maken hebt, gooi ik je in de cel. Begrepen?' Hij keek even naar Zecchini. 'En dat geldt ook voor jou. Dit is een zaak van de staatspolitie. Het gaat de *carabinieri* niets aan.'

'We hebben een bevel!' zei Zecchini nogmaals en hij haalde de papieren uit zijn zak.

'Je kunt een overleden man geen gerechtelijk bevel geven,' schreeuwde de *commissario*.

'Ze kunnen vragen hoe het komt dat hij dood is,' kwam Peroni tussenbeide. 'Terwijl hij zogezegd onder bescherming van jullie mensen stond. Of is dat een vraag die iemand buiten jullie vriendenkring niet hoort te stellen?'

Peroni voelde zich een beetje schuldig over die sneer. De Questura was niet boven een beetje kleine corruptie verheven, daar twijfelde hij niet aan, maar een algemeen complot voor de moord op een collega, zelfs al was het iemand die zo weinig geliefd was als Gianfranco Randazzo, ging een stap te ver.

'Sorry,' ging hij verder, 'het spijt me dat ik uit mijn slof schoot. Ik wil alleen maar zeggen dat we misschien kunnen helpen.'

'Ik hoef jullie hulp niet.'

De man was bang, realiseerde Peroni zich. Hij begreep waarschijnlijk niet waarom. Hij wist alleen dat hij alles strak in de hand moest houden en moest zorgen dat er niets uitlekte tot iemand anders hem vertelde wat er verder moest gebeuren.

'Ik wil alleen maar dit zeggen,' ging Peroni verder. 'Jullie zitten met een overleden collega. Een man die geschorst was. Een man voor wie de *carabinieri* een gerechtelijk bevel hadden in verband met kunstsmokkel.'

Bij deze informatie begon de snor een beetje te trillen. Opeens schoot Gianni Peroni een naam te binnen. Hij probeerde meegaand te klinken.

'*Commissario* Grassi, waarom maken we ruzie? Ik ken je accent. Je komt uit Milaan. Niet hiervandaan. Ze geven geen barst om je, net zomin als ze om mij iets geven. We zijn allemaal vervangbaar. *Maggiore* Zecchini hier ook. Als blijkt dat het tapijt niet groot genoeg is om al deze vuiligheid onder te vegen, wie krijgt er dan de schuld, denk je? De Venetianen? Of mensen als wij?'

Peroni keek naar de reactie op Grassi's gezicht en dacht na over het evidente feit dat je aan een lafaard even weinig had als aan een oneerlijk mens.

'Waar heb je het in godsnaam over, Peroni? Iedereen zei al dat jullie gek waren. Dit is een misdrijf tijdens mijn dienst. Ik doe het onderzoek, op mijn manier.'

'Je zit met een overleden *commissario*. Je zit met twee moorden op dat rare eiland. En een lijk in het mortuarium dat daar door toedoen van deze man terecht is gekomen...'

Hij knikte naar de brancard. Tot zijn verbijstering waren ze het lijk van Randazzo erop aan het leggen.

'Denk je nou echt dat er niet iemand buiten Venetië is die de boel hier volgt en zich van alles gaat afvragen?'

Grassi dacht even na. 'Wat zoal?'

Zecchini gaf antwoord. 'Of het niet eens tijd wordt dat er iemand van buiten komt kijken wat hier allemaal aan de hand is. Er wordt gepraat, *commissario*. En na een tijdje is dat niet meer te stoppen. Soms moet een man aan zijn eigen carrière denken. En geef toe...'

Zecchini haalde zijn schouders op. Hij keek weer iets zelfverzekerder uit zijn ogen, zag Peroni tot zijn genoegen. Een of ander vervelend brokje twijfel had de man van de *carabinieri* dwarsgezeten vanaf het moment dat Costa hem bij de zaak betrokken had.

'Wij zijn er,' ging de majoor verder. 'Zet dat je niet aan het denken?'

Grassi knikte. 'Reken maar,' beaamde hij. 'En weet je wat ik vooral denk? Jij bent hier om een overleden man te verhoren. Peroni is hier omdat hij gek is en zich altijd moet bemoeien met dingen die hem niet aangaan. Jullie hebben geen van beiden het recht of een goede reden om mijn tijd in beslag te nemen. En als jullie dat toch doen, word ik heel erg boos. Daar kun je van op aan.'

De wieltjes van de brancard piepten over de keien.

'Dus je hebt al een paar verdachten op het oog, *commissario*?' vroeg Peroni droog.

'Goede politiemensen maken voortdurend vijanden,' antwoordde Grassi. Vervolgens keek hij hem vernietigend aan. 'Slechte ook soms. Dat zou ik maar onthouden als ik jou was.'

Daarop draaide Grassi zich op zijn hakken om. Hij liep terug naar de brancard en het lijk, en blafte weer standaardbevelen tegen de technische rechercheurs die traag hun witte pakken stonden aan te trekken als mensen die er de rest van de dag liever tussenuit wilden knijpen.

Zecchini keek hem hoofdschuddend na. 'Ik heb trek in een biertje,' kreunde hij. 'Doe je mee?'

'Ik trakteer,' zei Peroni.

De man van de *carabinieri* draaide zich om en keek hem aan met een blik die Peroni niet helemaal kon thuisbrengen. Steels misschien. Of alleen vol van een dreigend schuldgevoel.

'Nee,' merkte Zecchini op. 'Deze betaal ik. Laten we je partner er ook maar bij halen. We moeten praten.'

20

Toen hij bijkwam, stond Daniel Forster nog naast hem met het jachtgeweer aan zijn zij, de loop niet recht in Costa's gezicht. Maar dichtbij genoeg. Costa voelde aan de plek van de klap. Het bloedde. Hij huiverde.

'Je hoort een beetje een Engels accent in je stem als je boos wordt,' merkte hij op.

Daniel Forster keek hem kwaad aan. 'Je verdiende het.'

'Je trekt nogal snel je conclusies. Mag ik opstaan? Is het erg onbeleefd als ik om een beetje water vraag?'

De vrouw zei snel iets tegen hem in het Engels. Costa verstond het niet. Toen liep ze naar de keuken en kwam terug met een glas. Costa kwam moeizaam overeind, pakte het water aan en dronk er gulzig van.

'Je gaat geen domme dingen doen, Daniel,' zei ze streng. 'Dat meen ik.'

Ondanks alles schrok Costa van de verschijning van de man. Daniel Forster was een gecultiveerd mens geweest; nu zag hij er verloren, gebroken, getekend uit. Laura Conti beschermde hem, zo leek het. Niet andersom.

'Laat me het uitleggen...' begon Costa.

Het jachtgeweer kwam weer omhoog naar zijn gezicht.

'Hou je mond! We zijn voorbereid, hoor. We kunnen hier binnen een uur weg zijn. Er zijn boten. Er zijn mensen die ons willen helpen. We zijn hier weg voor ze je lijk gevonden hebben.'

De vrouw legde haar hand stevig op het wapen. 'Nee, Daniel. Dat laat ik niet gebeuren.'

Costa sloeg het gade. 'Ik ben niet wie je denkt dat ik ben,' zei hij, terwijl hij voorzichtig zijn hand in zijn binnenzak stak en zijn identiteitskaart tevoorschijn haalde. 'Ik ben van de politie. Ik kwam vragen of jullie ons wilden helpen met iets wat we jaren geleden al hadden moeten doen: Hugo Massiter achter de tralies zetten.'

Forster keek stomverbaasd. Toen begon hij te lachen. Het was geen bemoedigend geluid.

'Laat hem uitpraten, Daniel!' beet Laura Conti hem toe. 'Geef hem een kans.'

'Een kans voor de politie om Hugo Massiter achter de tralies te zetten?' vroeg Forster. 'Hoeveel willen ze er hebben?'

'Maar één goede,' antwoordde Costa onmiddellijk. 'Die kunnen jullie ons geven.'

Nu nam de vrouw het woord. Ze keek hem strak aan met een droevige, berustende blik in haar ogen en zei: 'Nee, dat kunnen we niet. We kunnen jullie op geen enkele manier helpen. Sorry.'

Costa begreep het niet en zei dat ook. 'Willen jullie je de rest van je leven schuilhouden? Mensen zijn die jullie niet zijn? Bij iedereen uit de buurt blijven?'

'En in leven blijven,' zei Daniel Forster mistroostig. Hij keek met een blik vol afschuw de kamer rond. 'Zelfs als het zo moet.'

'Ik beloof jullie dat jullie geen gevaar zullen lopen,' ging Costa snel verder. 'We kunnen jullie beveiligen. Zeg maar wat jullie nodig hebben.'

Forster moest weer lachen. Het klonk iets minder wrang dit keer. Nic Costa ving een glimp op van de man die hij vroeger moest zijn geweest.

'We hebben al een keer gehad wat we nodig hadden,' zei hij met een zucht. 'Een huis. Geld. Onze vrijheid. En bovenal elkaar. Massiter is op de een of andere manier uit de dood teruggekeerd en heeft ons alles afgenomen, behalve dat laatste.'

Hij legde het wapen neer, greep de vrouw even bij haar middel, kuste haar op de wang en keek daarna weer naar Costa met een gezicht dat strak stond van vastberadenheid.

'Dat gaat hij ons niet afnemen,' voegde hij eraan toe.

'Maar dit is niet wie jullie zijn,' wierp Costa tegen. Hij zag dat zij haar ogen sloot toen Forster haar omhelsde en het gezamenlijke verdriet dat uit hun gebaren sprak.

Ze keek nauwkeuriger naar Costa's politiekaart. 'Hugo Massiter heeft ons jaren geleden onze identiteit afgenomen, *agente* Costa,' zei ze. 'Naar wat voor soort leven zouden we teruggaan, denk je?'

Daar had hij niet zo snel een antwoord op. Toen ging zijn telefoon in zijn jaszak. Het was zo'n hard geluid, dat ze allemaal schrokken.

Costa nam het gesprek aan, terwijl zij hem nauwlettend in het oog hielden. Peroni was aan de lijn. Costa luisterde, zei weinig terug en stopte de telefoon weer weg. Ze hadden waarschijnlijk de uitdrukking op zijn gezicht gezien.

'Slecht nieuws?' vroeg ze.

Ze stonden allebei geïnteresseerd, maar naar Costa's idee nog altijd onbewogen naar hem te kijken.

'Ik dacht dat we nog een getuige hadden,' zei Costa. 'Eentje die Massiter onderuit kon halen als ik jullie niet kon vinden.'

'En...?' vroeg ze hoopvol.

Liegen had geen zin. 'Hij is dood. Geen getuigen. Ik heb wel vermoedens – daar hebben we er veel van – maar bewijzen...'

Ze nam hem het lege glas uit handen, kwam terug met een vol, bekeek zijn hoofd en veegde het bloed weg met een papieren zakdoekje.

'Begin je het nu te begrijpen?' vroeg Laura Conti.

'Niet echt,' gaf Costa toe. 'Wil je het me uitleggen?'

'Het is heel eenvoudig,' zei ze. 'Je kunt niet winnen en tegen de tijd dat je dat beseft, is het te laat, want dan heeft hij je al te pakken. Zodra je in de buurt van Massiter komt, ben je verloren.'

Hij dacht aan Emily, en het risico dat ze vrijwillig op zich had genomen, uit eigen beweging, hoewel hij het had kunnen verhinderen.

'Daarvoor is het nu te laat,' mompelde hij.

Laura Conti keek hem met droevige, donkere ogen aan. 'Dan heb ik medelijden met je,' zei ze.

Hij gaf zich niet gewonnen. 'Ik ben niet van plan het op te geven. En dat zouden jullie ook niet moeten doen. Die man was verantwoordelijk voor de dood van mensen die jullie kenden. Piero's neef en zijn partner. Hij heeft die politiemensen gedood. Hij heeft jullie geruïneerd. Ik dacht...'

Costa aarzelde. Hij schoot geen steek op.

'Wat?' vroeg Forster. 'Dat we wraak zouden willen nemen? Wat hebben we daaraan? We willen alleen blijven leven.'

'Meer niet,' voegde de vrouw eraan toe. 'Je kunt niet van ons verlangen dat we dat te grabbel gooien.'

'Dat zou ik niet durven. Zoals ik al zei, we kunnen jullie beveiligen.'

'Zoals jullie je getuige hebben beveiligd?' vroeg ze scherp. 'Kom nou. We kennen deze man beter dan jullie. Ga nu maar. Laat ons met rust. Morgen zijn we weg. Je vertelt toch aan niemand dat we hier zijn, hè? Er bestaan in Venetië geen geheimen. Niet lang.'

Forster keek weer met een schuin oog naar het jachtgeweer.

'Weten jullie het zeker?' vroeg Costa.

Ze knikten allebei. Er was niets meer waar hij nu nog gebruik van kon maken, geen dwang, geen overredingskracht.

'Ja, we weten het zeker,' zei ze.

Hij knikte. 'In dat geval is het belangrijk dat jullie naar me luisteren. Over een paar uur tekent Massiter een zakelijke overeenkomst. Een heel groot contract. Een contract waarmee zijn positie in de stad en daarbuiten wordt bezegeld. Als dat eenmaal is gebeurd, zal niemand hem meer durven aanpakken. Niet op plaatselijk niveau. Niet op regionaal niveau. Zelfs de landelijke autoriteiten niet naar mijn idee omdat...'

Nu hij dit paar had ontmoet, de angst in hun ogen had gezien, drong de omvang van de stap die Massiter nam, pas goed tot hem door.

'...hij heel veel macht over heel veel mensen zal hebben. Het zal moeilijk, misschien onmogelijk worden tegen hem in te gaan.'

Daniel Forster vloekte zacht.

'Ik zal niemand vertellen waar jullie zijn,' beloofde Costa. 'Toch is het misschien verstandig om te overwegen zo ver mogelijk weg te gaan en dat tegen niemand te zeggen. Zeker niet tegen Piero. Daardoor zouden jullie het risico voor hem alleen maar groter maken. Als ik op de een of andere manier kan helpen...'

Forsters ogen fonkelden in het halfduister van het hutje. 'Ik had hem kunnen doden, weet je dat,' zei hij. 'Vroeger een keer.'

'Waarom heb je het niet gedaan?' vroeg Costa.

De jonge Engelsman staarde naar het jachtgeweer met een gezicht waar zowel haat als spijt uit sprak.

'Omdat ik dom was.'

21 De golfslag onder de boot was kort en venijnig. Piero Scacchi had zijn halve leven op het water doorgebracht. Hij wist automatisch, zonder erover na te hoeven denken, wat die stampende, grillige kracht die tegen de oude gehavende planken van de *Sophia* klotste, beduidde. Er zat verandering in de lucht. Misschien ging het opnieuw stormen, of keerde de sirocco stuivend terug uit het zuiden met zijn schoot vol zand. De zomer nam in de lagune nooit rustig afscheid. Hij verzette zich met veel kabaal uit protest tegen de komende kou. Over twee dagen zou het september zijn. Het zou zeker nog een maand warm blijven. Maar het vuur en de razernij in de schoot van het seizoen zou doven wanneer *estate* veranderde in *autonno*, de koelere, kortende dagen die uiteindelijk gevolgd zouden worden door de heldere, ijzig koude stilte van de winter. Dat was de tijd van het jaar waar Scacchi het meest van hield, wanneer de druiven lagen te gisten in de Sloveense eiken vaten die hij al heel lang had, wanneer eend en snip het luchtruim kozen en Xerxes bereid was elk moeras, alle slijk, ijs en modder te trotseren om de prooi te zoeken die zojuist uit die zelfde heldere, wolkeloze lucht was gevallen die duizend jaar geleden ook boven de kusteilandjes moest hebben gehangen.

Maar verandering was overal, onvermijdelijk, een feit dat geaccepteerd moest worden. Nu zou geld weer een probleem worden, en hij had geen idee waar hij dit keer de moed vandaan moest halen om het hoofd te bieden aan de zware taak het ergens te vinden. Hij had nog één lading hout en zeewier, die hij voor een schijntje had gekocht van een boer op Le Vignole, het eilandje net ten zuidwesten van Sant' Erasmo, die volgens afspraak bij de Arcangelo's moest worden afgeleverd en daarna zou Piero Scacchi niet meer voor de familie werken. Wat er ook gebeurde, op een eiland dat eigendom was van Hugo Massiter zou hij geen voet zetten. De herinneringen aan het verleden vraten nog aan hem, als hij ze toeliet. Niet vanwege wraakgevoelens; dat soort emoties waren Piero Scacchi volkomen vreemd. Wat er vijf jaar geleden was gebeurd, de dood van zijn neef, de uiteindelijke ballingschap van Daniel Forster en Laura Conti, maakte deel uit van een aantal aaneengeschakelde tragedies waar hij geenszins naar terug wilde. Het was voor Scacchi belangrijk in het heden te leven, een heden waarin hij zich tenminste op zijn gemak kon voelen en dat hij bij voorkeur volledig kon sturen.

De hond lag nu voor in de boot met zijn zwarte kop op de voorsteven te genieten van de zoute, bijtende lucht die in zijn neusgaten waaide. Scacchi kon zijn scherpe, donkere ogen niet zien, maar hij wist waar ze naar keken. Naar de vlakke strook tussen het land en de lucht, het gebied waar ze al jaren met zijn tweeën gingen jagen. Soms was hij jaloers op het dier. Wat belangrijke zaken betrof, was hij wijs, alwetend. Geen enkel wezen ontsnapte aan zijn ogen, oren en neus. Geen enkele mogelijkheid voordeel te behalen – of dat nu eten, plezier of genegenheid was – werd de zeldzame keren dat er iemand op bezoek kwam gemist. De hond was een wezen dat tevreden, gespeend van alle ambitie, in zijn eigen wereld leefde en zich net zomin als de idioten in de stad zorgen maakte over morgen.

Piero Scacchi moest van tijd tot tijd wel aan de toekomst denken en hij vond het een mistroostige en verlaten plek, een plek met louter moeilijke beslissingen, zonder veilige havens om te schuilen.

Ze woonden nu twee jaar in het hutje dat hij voor hen had gebouwd en niemand had het gemerkt, niemand van buiten het eiland. Het was nooit de bedoeling geweest dat het zo lang zou duren. Zij, hijzelf inbegrepen, moesten het geld zien te vinden om echt te ontsnappen. Een manier om Venetië voorgoed te ontvluchten. Hugo Massiter was terug voor altijd. Dat maakte Piero Scacchi op uit de manier waarop mensen zijn naam uitspraken, het ontzag en de angst die bij het horen van die zeer Engelse klinkers in hun ogen verschenen.

Zijn overleden neef had veel gedenkwaardige dingen gezegd. Hij kon veel beter met woorden overweg dan Piero ooit zou kunnen. Eén stukje uit een gesprek had Piero Scacchi vooral getroffen, zij het pas later, toen Massiter schijnbaar uit Venetië was vertrokken, Daniel in de gevangenis zat en Laura veilig op het Lido zat verborgen.

Het gesprek had plaatsgehad op de *Sophia* in die noodlottige zomer, voor de donkere wolken zich samenpakten, toen de boot rustig van een picknick op Sant' Erasmo terugvoer, met Xerxes aan het roer die hen, met de leren riem die Piero had gemaakt om de hond van tijd tot tijd te laten navigeren in zijn zachte bek, veilig terugloodste naar Venetië.

Het waren maar een paar zinnen, zinnen die nu heel helder bij Piero bovenkwamen, zoals alleen gebeurde wanneer hij een paar slokken te veel op had van zijn lekkere, goed gerijpte rode wijn, welke hij zo uit de plastic limonadefles dronk die hij voor noodgevallen in het gereedschapsvak bewaarde.

Hij kon hen nog steeds voor zich zien, levend, belachelijk gelukkig, zo vol vreugde met elkaar. Ze dachten dat er aan die tijd nooit een einde zou komen. Scacchi, arme overleden Scacchi, zwaaide om de een of andere reden vermanend met een uitgemergelde vinger naar Daniel Forster en probeerde het laatste woord te hebben in een gesprek waarvan hij dacht dat niemand het had gehoord.

'Je kunt de duivel niet ontlopen,' verklaarde de oude man streng. 'Nooit!'

'Dat weet ik,' antwoordde Daniel met een lome, halfdronken glimlach. 'Die heb ik al eens gehoord. Je kunt niet weglopen voor de duivel, omdat hij altijd sneller kan lopen dan jij.'

'Dat is van die stomme, afgezaagde, voorspelbare onzin die ik op televisie zou verwachten, als ik zo'n ding had,' merkte Scacchi op. 'Je stelt me teleur.'

Scacchi wist teleurstelling te laten klinken als een doodzonde. Daniel had de terechtwijzing rustig opgenomen. Hij was toen al niet meer een naïeve jonge Engelse student, maar Scacchi's creatie. Een man van de wereld. De Venetiaanse wereld.

'Hoe zit het dan?' wilde Daniel weten.

'Je kunt de duivel niet ontlopen,' zei Scacchi, terwijl hij zijn glas hief op de maat van de deining in de lagune, 'omdat je onmogelijk jezelf kunt ontlopen. Hij is zowel een stukje van jou als een stukje van iets anders. Maar zonder die macht over je ziel, die je zelf moet aanbieden, Daniel, is hij niets. Enkel een roofdier in de nacht. De boeman, zoals de Amerikanen zouden zeggen. Een schepsel om kinderen de stuipen mee op het lijf te jagen, meer niet. En daarom...'

Piero herinnerde zich dat de oude man zichzelf rechtop had gehesen op de harde bank van de *Sophia* om zijn volgende woorden kracht bij te zetten.

'...moet je om de duivel te overwinnen eerst jezelf overwinnen. En dat is de moeilijkste en de moedigste krachtmeting die er is.'

Hij was een sluwe en pretentieuze oude rotzak. Dat had Piero altijd al geweten en hij was soms een beetje bang geweest voor zijn neef. Maar hij had ook een zeker inzicht in de manier waarop de geest van een mens werkte. Dat gesprek zat nu al jaren in Piero Scacchi's hoofd. Wat Scacchi had gesuggereerd, was waar en verschrikkelijk tegelijk. Dat degenen die met een creatuur als Massiter omgingen, deels hun eigen lot over zichzelf afriepen. Dat er geen zwart-witzekerheden bestonden, geen goed en kwaad, juist en verkeerd. Alleen grijstinten, die door het handelen van hen die steeds veronderstelden dat zij de onschuldige benadeelde partij in het geheel waren, de ene of andere kant op neigden.

Piero beschouwde zichzelf als een eenvoudige, eerlijke man. Hij verwachtte nooit iets waar hij niet voor had gewerkt. Hij verlangde nooit dat een ander zijn private of publieke lasten op zich nam. Hij zocht een rustig leven in een wereld waar hij soms niet eens aan wilde denken. Hoewel hij het niet graag toegaf, was dat ook een vorm van lafheid, een verlangen naar eenvoud als verschansing tegen de moeilijke, complexe wereld buiten Sant' Erasmo. Elders bewogen mannen en vrouwen zich volgens ingewikkeldere patronen, teerden op elkaar uit luiheid en hebzucht, gingen daarna naar huis en sliepen 's nachts goed in het vertrouwen dat hun daden gerechtvaardigd konden worden omdat het vanuit hun oogpunt gezien de normale gang van zaken was.

Zulke gevechten leverde hij niet. Hij hoopte dat zijn hulp aan Laura en Daniel een vorm van dapperheid was. Maar soms vroeg hij zich af of hij enkel een andere laffe daad verbloemde, het vluchten voor de duivel kon hij werkelijk niet anders opvatten.

Hij keek achterom naar de lage massa van zijn eigen eiland dat verscheen toen hij de kust van Le Vignole rondde. De scheve, provisorische steiger van thuis lag daar lonkend in de verte te wachten tot Scacchi en de hond terugkwamen en alles weer goed was. Daar hoorde hij. Hij en mensen zoals hij. Daniel niet. Laura niet. Zij waren slachtoffers in een drama dat deels door henzelf gecreëerd was. Dat deed niets af aan zijn sympathie voor hen. In zekere zin werd zijn voornemen hen te helpen er alleen maar sterker door, omdat ze, zo op het oog althans, blind waren voor hun eigen schuldigheid. Ze waren door Hugo Massiter evenzeer van hun bestaan beroofd als de oude Scacchi. Meer nog, als hij eerlijk was tegen zichzelf, omdat zij nog leefden en achtervolgd werden door de dag dat ze in zijn handen waren gevallen. Scacchi had al jong begrepen dat een goed mens ervan uitging dat de gekwetsten recht hadden op hulp van de ongeschonden mensen. Het was een plicht waaraan hij nooit had getwijfeld, niet toen zijn moeder eerst haar gezondheid en vervolgens haar verstand verloor. Het leven was zo'n kort, onvervangbaar geschenk en de dood zo donker en hol, afschuwelijk, dat hij met plezier al het mogelijke deed om de situatie van mensen met wie hij medelijden had, te verbeteren.

Hij bleef naar de steiger kijken en dacht aan andere bezoekers. Het vreemde stel van de politie: de ene klein, jong en geestdriftig; de andere oud, lelijk en wijs; en de derde, de inspecteur met een schaduw in zijn heldere, intelligente ogen die Piero Scacchi herkende zodra hij hem zag.

Die man had met de duivel gedanst, maar hij moest dat feit deels nog onder ogen zien.

Een beetje duizelig van de wijn merkte Piero dat zijn blik over de lagune naar de waterkant van de stad en die lange eentonige rij hoge gebouwen tussen Celestia en de Fondamente Nove dwaalde. Hij las elke dag gretig de krant. Het was belangrijk goed geïnformeerd te zijn. Er stond veel in over de rijzende ster van Hugo Massiter en de grote plannen die de Engelsman voor het Isola degli Arcangeli had. Er was iets, maar niet te veel, geschreven over de nasleep van de tragedie in het *palazzo*, een voorval waar hij getuige van had kunnen zijn als hij zich die avond, na zijn lading te hebben afgeleverd, niet direct uit de voeten had gemaakt omdat hij zo snel mogelijk weg wilde bij de pauwen en opgedirkte dames die het eiland op stroomden.

De zorgelijke inspecteur lag nu ergens in dat gebouwencomplex in de verte op de kade. Piero vroeg zich af of de man in zijn slaap zijn eigen persoonlijke demonen was tegengekomen en wie zou winnen als zo'n confrontatie plaatsvond.

'Een man kan zichzelf niet ontvluchten,' zei hij en hij hoorde dat hij een beetje een dubbele tong had, omdat hij iets te veel had gedronken van de koppige donkere wijn uit de oogst van vorig jaar van de Sangiovese-, Oselata- en Corvina-wijnstokken die als verkrampte slangen in de donkere aarde bij de zee groeiden.

Alles gaat zijn einde tegemoet, dacht hij. Het enige wat veranderde, was het tempo, de snelheid waarmee je die laatste ontmoeting naderde.

Zijn hoofd tolde. Hij wilde de hond nog een kans aan het roer geven, met de boot de lagune oversteken naar het eiland met de ijzeren engel, voor de laatste keer, een taak waar hij Xerxes nooit meer mee zou hoeven belasten.

Toen viel zijn oog ergens op. Een watertaxi, lang, slank en glanzend die zijn deel van de kust van Sant' Erasmo omkwam, zijn krachtige motoren opendraaide, zodat de neus zich boven het grijze water van de lagune verhief, en op hoge snelheid terugvoer naar de stad.

Niemand op het eiland maakte ooit gebruik van die boten. Daar was geen geld voor. Daar was geen noodzaak toe.

Van zijn stuk gebracht, dacht hij aan de oude, armetierige motor van de *Sophia*, die zo zwak was, dat hij de vuilnisboten die afval uit de stad ophaalden om het ergens ver weg aan de rand van de lagune te storten, nauwelijks kon bijhouden.

Hij keek toe terwijl het silhouet van de watertaxi steeds kleiner werd in de verte en wenste dat hij een kwart van die snelheid kon halen. Piero Scacchi wist dat hij het Isola degli Arcangeli nog één keer moest zien en dan voorgoed klaar zou zijn met het eiland.

22

Costa was nog aan de telefoon toen ze bij de *vaporetto*-halte San Pietro afmeerden. De achteruit draaiende dieselmotor maakte zo veel lawaai, dat er een zwerm geschrokken duiven opvloog de strakblauwe lucht in. Hij gaf de taxi-eigenaar een flinke stapel geld, stapte aan wal, keek naar de scheve campanile voor hem en vroeg zich af hoe hij door de wirwar van straatjes die vanaf de waterkant naar alle kanten uitwaaierden, bij die toren kwam. Zelfs hier, op dit verlaten eiland dat maar net aan de hoofdmassa van Venetië vastzat, viel niet te ontkomen aan de zucht naar macht van de stad. Tot twee eeuwen geleden was de grote San Pietro de kathedraal van de stad geweest, een symbool van de kerk dat de staat met opzet naar de periferie had verbannen, zodat niemand, priester noch parochie, er ook maar een moment aan zou twijfelen dat het geestelijke altijd plaats moest maken voor het wereldlijke. Nu was het beetje macht dat dit gebied ooit had gehad, volledig verdwenen, weggewaaid als stuifmeel in de wind. Verlaten als het was, afgezien van een paar bejaarden die op het schriele groene gras voor de kathedraal van de zon genoten, leek het een passende plek om het laatste bedrijf van een samenzwering te plannen.

Hij had hen stuk voor stuk gebeld toen hij onderweg was op de lagune. Teresa Lupo vond het niet meer nodig bij de slapende Leo Falcone in het Osepdale Civile te waken. Ze was tevreden over hem. Hij zou zich voorlopig niet verroeren. De chirurg die ze erbij had gehaald om hem te behandelen, had haar verzekerd dat Falcone buiten gevaar was, maar dat had hij haar eigenlijk niet hoeven vertellen. Ze was moeilijk te verstaan geweest aan de telefoon door het lawaai van de taxi die zich over de lagune heen ploegde, maar ze had hem verteld hoe ze het vuur in de ogen van Falcone had gezien toen het kalmerend middel de strijd met hem aanging om hem in slaap te krijgen en uiteindelijk had gewonnen. Er zou nog een moeilijke tijd komen, maar Leo zou naar het strijdperk terugkeren en dat blijven doen tot iets hem voorgoed tegenhield.

Het was een stille, venijnige kritiek op Costa's eigen positie misschien, maar hij had op dat moment niet veel tijd om daarover na te denken.

Gianni Peroni zou naar zijn stellige overtuiging nog woest zijn na een korte onprettige episode in de grote Questura op het Piazzale Roma. Hij had uit wanhoop, en tegen Costa's advies in, nog één poging gedaan een meerdere van *commissario* Grassi ervan te overtuigen dat de moord op Randazzo alleen goed kon worden onderzocht als hij in het licht van de zaak-Bracci, en bij implicatie die van Uriel en Bella Arcangelo, werd bekeken. Het was voor dove oren preken. Peroni was niet verder gekomen dan de pennenlikker aan de balie, die één telefoontje pleegde naar iemand wiens naam hij niet kende en hem daarna vertelde dat iedereen op het bureau het te druk had en geen tijd over had voor iemand die er niet meer werkte.

Het had even geduurd voor Costa Zecchini aan de lijn kreeg op zijn mobiele telefoon. Zecchini was terughoudend en zwijgzaam geweest en had gezegd dat hij wat tijd voor zichzelf nodig had. De *carabinieri* hadden niet ver van de Questura in Castello een bureau op de Campo San Zaccaria. Het was niet moeilijk te raden wat Luca zou gaan doen. Precies wat iedere betrouwbare, conventionele officier in de omstandigheden zou hebben gedaan. Contact opnemen met de basis, de situatie uitleggen aan een meerdere, orders afwachten. Er een gezamenlijke verantwoordelijkheid van maken. Een tevreden, ordelijke man als Zecchini was ongetwijfeld van mening dat alleen een dwaas zijn nek op het blok zou leggen zonder goede reden. De majoor was al heel ver gegaan en dat allemaal op grond van een korte persoonlijke vriendschap met een man uit een rivaliserende politiemacht. Uit het korte gesprek dat ze hadden, waarin Costa zijn best deed hem over te halen naar de bijeenkomst op San Pietro te gaan, was moeilijk op te maken hoeveel meer hij, of zijn meerderen, nog aanvaardbaar zouden vinden.

En daarna had Costa tot slot Emily gebeld, een bericht achtergelaten omdat haar voicemail aanstond en een tijdje later een kort telefoontje gekregen, waarin ze beloofde dat ze naar de kathedraal zou komen, zoals hij had gevraagd.

Hij had geen tijd om na te denken over de aarzeling in haar stem, geen tijd voor iets anders dan het verzinnen van een plan. Het was nu bijna vijf uur. Het lot van het Isola degli Arcangeli zou over iets meer dan een uur met een paar handtekeningen worden bezegeld.

Costa keek naar voren en zag een slanke gedaante in een broekpak van donkere zijde, die half verborgen naast de scheve witmarmeren campanile stond die in een rare hoek overhelde en los stond van de kathedraal waar hij bij hoorde.

'Waar heb je gezeten?' vroeg ze direct toen hij bij haar was.

'Op jacht geweest naar geesten.'

'Heb je ze gevonden?'

Hij wilde het daar op dat moment niet over hebben. 'Niet echt. Het was waarschijnlijk een stom idee. Ik denk niet dat Leo het goed zou hebben gevonden.'

Emily keek naar de wond op zijn hoofd. Laura Conti had er een pleister op gedaan. Hij voelde dat het kleverige bloed eronderuit was gelopen.

'Je bent gewond, Nic.' Haar hand ging naar zijn haar; haar ogen bestudeerden de plek van de klap. 'Hoofdwonden kunnen problemen geven. Je moet naar de dokter.'

'Straks. We hebben nu geen tijd.'

'O, nee?'

Hij had haar nog nooit eerder zo gezien. Haar ogen glansden niet meer. Haar gezicht stond neutraal, emotieloos en daardoor zag ze er ouder en verdrietiger uit.

'En jij?'

'Ik heb pogingen gedaan de dingen te pakken te krijgen die jij wilde hebben.'

'Dat weet ik. Bedankt.'

Hij raakte haar blote arm aan, drukte een kus op de zachte ronding van haar wang en voelde hoe ze zich tegen hem wapende.

'Dat meen ik. Bedankt.'

'Ik geloof niet dat het is gelukt,' mompelde ze. 'Sorry...'

Er stond een uitdrukking op haar gezicht, een troosteloze, ongelukkige blik die hij niet eerder had gezien.

'We moeten niet op de zaken vooruitlopen,' zei hij. 'Er zijn meer manieren om die vent te pakken.'

'O, ja? Weet je zeker dat hij ons niet te pakken neemt? Net als alle anderen?'

'Denk je er zo over?'

'Ja, ik wel. Zullen we aan de slag gaan?' Ze knikte naar de deur van de kathedraal. 'Ze zitten op ons te wachten. Ik wil dit na vanavond voorgoed uit mijn leven bannen. Morgenochtend ben ik uit Venetië vertrokken.' Haar blauwe ogen lieten hem niet los. Ze zochten ergens naar, maar kennelijk vonden ze het niet. 'Met of zonder jou.'

Hij verdiende niet beter. Costa had hen allemaal achter de vodden gezeten sinds Falcone het ziekenhuis in was gegaan. Door omstandigheden gedwongen was Emily in de nabijheid van Hugo Massiter geweest. Costa was blind geweest voor de gevolgen die dat zou kunnen hebben. Hij was pas echt gaan nadenken over de mogelijke schade toen hij Laura Conti en Daniel Forster zag, zielig weggekropen in dat hutje op Sant' Erasmo, nog altijd doodsbang voor een man die ze al jaren niet hadden gezien.

'Morgen vertrekken we,' zei hij, terwijl hij haar handen pakte. 'Naar Toscane. Of ergens anders heen. Dat beloof ik.'

'Mensen in jouw werk doen zoveel beloften,' antwoordde ze en ze stapte door de deur de donkere imposante kathederaal in, die verlaten was afgezien van een beheerder bij de deur en drie personen op een houten bank in het halfduister van het schip: Teresa, Peroni en tot Costa's verrassing Luca Zecchini, die tussen hen tweeën in zat. Hij zag er opgewekter uit dan op enig ander moment sinds ze hem de dag ervoor toen hij in Verona rustig zat te eten, hadden overvallen.

Costa trok een paar gammele metalen stoelen bij, zette ze tegenover dit onwaarschijnlijke trio en stelde Emily voor aan de man van de *carabinieri*.

'Ik was er niet zeker van dat je zou komen, Luca. Ik wist niet of ik het je wel had moeten vragen, eerlijk gezegd.'

'Ach,' antwoordde Zecchini met een brede grijns. 'Leo zei altijd dat jullie goed waren om de verveling te verdrijven. Ik ben tot de conclusie gekomen dat ik me een beetje zat te vervelen.'

'En je mensen?' vroeg Costa.

'Die zijn nog zo jong en zo kort bij de *carabinieri*, dat ze niet het risico kunnen nemen iets anders te doen dan zich te vervelen. Ik vind het niet erg mijn eigen baan op het spel te zetten, maar dat voorrecht verleen ik mijn mensen niet. Ik neem aan dat Leo net zo is.'

Peroni barstte in lachen uit. 'Reken maar,' zei de grote man nog nalachend. 'Daarom zijn we hier.'

'Als we Massiter onderuit kunnen halen, mag jij hem hebben,' bood Costa aan. 'Dan krijg je geen gelazer.'

'Ik. Jullie.' De majoor haalde nonchalant zijn schouders op. 'Wat maakt het uit? Ik heb met mijn mensen gesproken, Nic. Ze hebben hier geen banden. Vergeet dat niet. Ze hebben ook een heleboel redenen waarom ze Hugo Massiter de gevangenis in willen hebben, als er een goede kans is dat we hem daar kunnen houden.'

Costa knikte. Hij snapte dat laatste voorbehoud heel goed.

'Aan de andere kant,' voegde Zecchini eraan toe. 'Als we het verpesten...' De manier waarop zijn bleke, intelligente gezicht opeens betrok, maakte het volkomen duidelijk. 'Hij is onaantastbaar als hij deze overeenkomst eenmaal heeft gesloten,' ging hij verder. 'Dat weet iedereen, iedereen bepaalt zijn positie op grond van die wetenschap. Er zullen mensen tot ver buiten Venetië bij hem in het krijt staan, in de regio, in Rome zelfs. Ze zijn nu al bang van Massiter. Als hij ze eenmaal heeft vastgelegd in alle leningen en garanties en al het andere gesjoemel dat met zoiets als dit gepaard gaat –'

'We snappen het,' onderbrak Peroni hem.

'Gelukkig maar,' zei Zecchini. 'Voor jullie is dit misschien gesneden koek, maar voor mij...' Zonder erbij na te denken haalde hij een pakje sigaretten tevoorschijn, keek onder Costa's staalharde blik een keer de sombere kathedraal rond, lachte en stopte het weg. 'In een kerk nota bene. Dus, mensen, wat hebben we? Kunnen we die man ergens van beschuldigen? Kunnen we hem misschien zelfs in hechtenis nemen?'

'Dat weet ik niet,' zei Costa openhartig. 'Kunnen we niet iets met kunstsmokkel? Zeg jij het maar.'

Zecchini fronste zijn wenkbrauwen. 'Onmogelijk. Niet met wat we hebben.' Hij glimlachte tegen Emily Deacon. 'Ik wil je niet teleurstellen. Ik heb geen idee hoe je aan dat materiaal bent gekomen. Het was heel dapper van je, uitgaande van alles wat ik van Massiter weet. Onze computermensen zijn het nu aan het bekijken. Ze beweren dat het, zonder wachtwoord, maanden kan duren voor ze iets hebben gedecodeerd. Er zou ook iemand een budget beschikbaar moeten stellen. Dat zie ik niet gebeuren. Ze zijn er nog mee bezig. Maar...'

Peroni keek niet zo blij. 'De computerbestanden zijn niet het enige,' wierp hij tegen. 'We hebben ook de relatie tussen Randazzo en Massiter nog. Die spullen in Randazzo's huis.'

'Kun je het verband al bewijzen?' wilde Zecchini weten.

'Het moet er zijn. Haal Massiter op en vraag het hem.'

'Op welke grond? Ik heb geen enkel bewijs dat Randazzo zijn illegale spullen van Massiter heeft gekregen. Er blijkt nergens uit dat er meer tussen hen speelde, of dat Massiter achter het neerschieten van die Bracci zat.'

'We weten dat het zo is,' hield Costa vol.

Zecchini gaf zich niet gewonnen. 'Na alles wat ik heb gehoord, twijfel ik er niet aan dat je gelijk hebt. Waarom zou ik anders hier zijn? Maar ja... wat harde feiten betreft, heb ik niets waar ik je mee kan helpen. Als we een paar weken hadden om een inventaris te maken van wat er in Randazzo's huis staat en die te vergelijken met andere lijsten, dan zouden we misschien iets hebben, hoewel een direct verband met Massiter dan nog moeilijk te bewijzen zou kunnen zijn. Maar dan hebben we het over heel veel tijd en heel veel mankracht, en die hebben we geen van beide. Als ik me vergis, moet je het zeggen, maar zo zie ik het.'

'Daar gaat mijn bijdrage,' merkte Emily op. 'Blijft er nog iets over?'

'We hebben wat we van het begin af aan hebben gehad,' zei Teresa. 'Bella en Uriel Arcangelo. En nu dit.'

Ze rommelde in haar grote zwartleren tas en haalde de digitale camera eruit die ze tegenwoordig altijd bij zich had. Op het hel verlichte schermpje stond een foto van het katoenen overhemd met het monogram dat ze in Ca' degli Arcangeli hadden aangetroffen. 'Het ligt veilig in een particulier lab in Mestre. Silvio is ermee bezig.'

'Heeft het al iets opgeleverd?' vroeg Costa.

'Het bloed is van Bella. En dat stuk stof is zonder enige twijfel van Massiter. Van wie we ook weten dat hij op zijn jacht meer dan eens met haar naar bed is geweest om dichter in de buurt van de familie te komen. Onweerlegbaar bewijs, solide DNA. Van dat spul waar jullie tegenwoordig zo dol op zijn. Misschien...'

Ze zweeg omdat ze de teleurstelling op hun gezicht zag.

'En die voorschoot?' vroeg Peroni. 'Ik dacht dat je kon bewijzen dat er mee gerommeld was?'

'Dat was iets te optimistisch van me. Hij is door Tosi's lab in Mestre verontreinigd. Het kan nog weken duren voor we een behoorlijk rapport hebben.'

'Daar kunnen we geen arrestatie op baseren,' zei Zecchini met een grimas.

'Waarom niet?' wilde ze weten. 'Zet alles nou eens op een rijtje. Bella is zwanger. Ze loopt tegen Massiter te schreeuwen dat hij moet toegeven dat hij de vader is. Misschien wil ze Uriel lozen en bij de Engelsman intrekken. Stel nou dat hij het plan had haar in het huis om te brengen, vervolgens Uriel heeft vermoord en het toen zo heeft geregeld dat het leek of hij verantwoordelijk was. Heeft iemand daar een probleem mee?'

'In principe niet,' zei Costa.

Het idee werd gestaafd door de feiten die ze kenden. Bovendien paste het bij Hugo Massiters karakter, voor zover Costa dat kende. Inhaligheid, seksuele hebzucht, meedogenloosheid... en het talent zichzelf van blaam te zuiveren en de schuld op anderen te schuiven, zoals hij met Laura Conti en Daniel Forster had gedaan.

'Maar het zijn enkel veronderstellingen. Er zijn niet genoeg harde bewijzen.'

'Wát?' riep ze uit. 'Ga toch heen met je deductie. Laten we op degelijke ouderwetse chemie afgaan. Bella's bloed zit op Massiters overhemd. Als dat geen bewijs is, wat dan wel?'

'Het is een overhemd dat blijkbaar van Massiter is geweest,' verklaarde Emily. 'Meer kunnen we er niet uit afleiden. Misschien heeft Bella het zelf een keer meegenomen van zijn jacht. We weten dat ze daar is geweest. Hij heeft ook nog dat appartement in het *palazzo*. Ook al maakt hij daar nu alleen overdag gebruik van, hij zal er toch wel kleren hebben hangen. Als je in een rechtszaal dat overhemd als bewijs tegen Massiter gebruikt, laten ze niets van je heel. En terecht. Het bewijst niets.'

'Maar het gaat alles bewijzen!' gilde Teresa. 'Wacht maar af.'

'Wat bedoel je?' vroeg Costa.

'Dat had ik je nog niet verteld. Ik kan het niet binnen de tijdslimiet die je hebt, voor elkaar krijgen en daarom leek het me irrelevant. Maar Silvio heeft nog meer bewijsmateriaal op het overhemd gevonden. We denken dat er DNA van de dader op zit. Zweet naar het schijnt.'

Emily fleurde op slag op. 'En is het van Massiter?'

Teresa keek niemand van hen recht aan op dat moment. 'Zo eenvoudig ligt het niet. Bloed kun je heel gemakkelijk ergens uit halen. Dit is veel moeilijker. Maar goed, ik hoop snel wat resultaten te hebben.'

'Wanneer?' wilde Peroni weten.

Ze vloekte zacht en zonderde zich af in een donker hoekje. De overige vier keken elkaar zwijgend aan en luisterden terwijl Teresa afwisselend boos en vleiend in de telefoon sprak.

Toen ze terugkwam, zag ze er opvallend terneergeslagen uit. 'Zelfs als Silvio alle registers opentrekt, hebben we op zijn vroegst vanavond om een uur of zeven de uitslag. Dat heb je met chemie. Je kunt niet zomaar dingen overslaan. Sorry.'

Zecchini keek de twee politiemannen strak aan. 'Zeven uur is te laat. Tegen die tijd is Massiter al buiten schot.'

'Dan moeten we misschien maar accepteren dat hij heeft gewonnen,' zei Emily duidelijk met grote weerzin. 'Meer kunnen we er niet van maken. Leo blijft leven. We kunnen deze bewijzen stilletjes op het juiste moment aan de juiste mensen geven. Over een paar maanden kunnen ze er misschien iets mee. Of we geven de informatie aan de media en laten hen ermee aan de slag gaan.'

'Dit is een taak voor ons,' zei Costa gedecideerd. 'Of voor de *carabinieri*. Voor niemand anders. En het gebeurt nu, of het gebeurt nooit meer. Dat weten we allemaal.'

Emily glimlachte. 'Kijk. Zie je nou? Hij heeft jou ook te pakken. Zo gaat Hugo te werk. Daar krijgt hij een kick van. Niet van het geld. Niet van het bezit. Maar van het feit dat hij mensen in zijn macht heeft. Dat hij ze in zijn zak heeft. Meer mensen dan ooit. Ons nu ook. En op een dag krijgen we een telefoontje. Een kleine gunst van zijn kant. Een kleinigheidje terug van onze kant.'

Peroni keek verbijsterd. 'Waarom zouden we daar in godsnaam op ingaan?'

'Omdat hij iets zou aanbieden wat wij willen hebben!' hield Emily staande. 'Voor jullie tweeën misschien een aanknopingspunt. Voor mij een opdracht. Wie zal het zeggen? Zo begint het. We moeten deze man niet verder in ons leven toelaten, Nic. Als hij wist dat we hier een plan zaten te verzinnen om hem onderuit te halen en dat het ons niet lukte, weet je wat hij dan zou denken? Hij zou blij zijn. Hij zou het zien als een bevestiging. Hij zou weten dat hij bij ons binnen was.'

Daarop ving Costa haar blik en hij wenste dat je meer kon zeggen met je ogen. Hugo Massiter was al binnen in haar leven. Costa had hem daar uitgenodigd.

'Hij tekent dus om zes uur,' zei hij. 'En een uur later krijgen we een rapport dat het bewijs levert dat hij op de plaats van de moord is geweest, een rapport dat niemand die bij zijn volle verstand is, zal willen lezen. Teresa, er moet een manier zijn om –'

'Nee! Nee! Nee!' krijste ze. 'Ik weet wat je gaat zeggen en het kan niet. Ik kan de natuurwetten niet veranderen. Silvio gaat al tot het uiterste.'

Ze zaten zwijgend, stil bij elkaar. Behalve Luca Zecchini, die voortdurend op de bank heen en weer wiegde. Hij keek hen om beurten half verbaasd, half boos aan en vroeg: 'Dus dat is het dan?'

De anderen sloegen hun ogen naar hem op.

'Dat is het dan,' gaf Costa na enige tijd toe. 'Meer hebben we niet.'

'Wát? Leo zei dat jullie nooit opgaven,' protesteerde Luca. 'Leo zei dat jullie altijd wel iets wisten te verzinnen.'

'Leo is er niet bij, mocht je het nog niet hebben gemerkt,' wierp Teresa bitter tegen.

'Hij heeft me gezegd dat hij er niet bij hoefde te zijn. Misschien moet ik maar eens naar het ziekenhuis gaan om hem te vertellen hoe hij zich vergist heeft, als er niets beters te doen is.'

Peroni nam het woord. 'We kunnen niet met ons kop tegen de muur blijven lopen, Luca.'

Nic Costa's gedachten keerden telkens terug naar het paar aan de overkant van de lagune en de belofte die hij had gedaan. Hij herinnerde zich de paniek in de ogen van de vrouw toen ze dacht dat hij van Massiter kwam. Emily had zoals altijd gelijk; ze was zo opmerkzaam, zo scherp. Massiters kracht was dat hij als een virus in de mensen bleef zitten met wie hij in aanraking was gekomen. Zij had die kracht gevoeld, net als Laura Conti en Daniel Forster. De schade die erdoor werd veroorzaakt, was ernstig, iets om te verfoeien en te vrezen. Maar tegelijk met die vrees ontstond ook de behoefte aan een oplossing. Dat was het dilemma waar Laura en de Engelsman voor stonden en dat ze nog niet hadden opgelost.

Weglopen werkte niet. Het had voor Laura Conti en Daniel Forster niet gewerkt. Het zou voor Emily ook niet werken. Wat hij haar zonder er goed over na te denken had laten doen, dreigde al wat er nog over was van hun relatie kapot te maken. Hij had voor de kathedraal de doodse blik op Emily's gezicht gezien en meteen begrepen wat dat waarschijnlijk betekende. Ze was een voormalig FBI-agent. Wanneer het erop aankwam de klus te klaren, zou niets, persoonlijke trots noch zelfrespect, haar kunnen weerhouden, en dat had hij zich veel eerder moeten realiseren.

Costa dacht aan die grote glazen hal waar een verdwaalde kogel hun aller leven had veranderd; Leo Falcone op het randje van de dood had gebracht; de rest van hen ertoe had bewogen een zoektocht naar gerechtigheid te beginnen, die zijn tol eiste, zoals hij van het begin af aan had moeten beseffen.

Het *palazzo* joeg hem enige angst aan. Er lagen te veel herinneringen. Emily in haar mooie engelenkostuum, met de bloedrode wond van de *peperoncini* op haar veren vleugel, was daar onder invloed van Hugo Massiter gekomen. Dat verloren ogenblik waarin ze met zijn tweeën aan alles hadden kunnen ontsnappen. En Leo Falcone geveld op de grond; het bloed dat uit zijn mond liep en Teresa die wanhopig probeerde het bloeden te stoppen.

Hij keek Zecchini in de ogen en was blij met de onverwachte interesse die hij daar zag. 'Een uur, dat is verdomme alles wat we nodig hebben. Zolang kunnen we hem toch wel tegenhouden?'

'Dat zou je denken...' antwoordde Zecchini. 'Maar hoe?'

Nic Costa glimlachte naar de man in het donkere pak. 'We hoeven Massiter niet te arresteren. We moeten alleen voorkomen dat hij dat contract tekent totdat Silvio met resultaten komt. Dan heb je iets in handen op grond waarvan je hem ter plekke in hechtenis kunt nemen.'

'Maar hoe?' wilde Teresa weten.

Hij vond het geen fijn idee. Hij vond het niet prettig zijn woord te moeten breken. Er was een tijd geweest dat Nic Costa wat hij nu overwoog te gaan doen zonder meer zou hebben afgekeurd, maar toen hij er even over nadacht, besefte hij dat hij geen keus had.

'Door Hugo Massiter iets te geven wat hij nog liever wil hebben dan het Isola degli Arcangeli.'

23 Alberto Tosi had een hekel aan openbare bijeenkomsten, vooral die waar de gastheer een heel orkest verzamelde, op een podium zette en opdracht gaf achtergrondmuziek te spelen bij het getinkel van glazen en het gekwetter van idioten. Muziek verdiende iets beters. Was Anna niet zo enthousiast geweest – stijfhoofdig was misschien een beter woord – dan zou hij deze warme hoogzomeravond hebben doorgebracht op het terras van zijn grote appartement op Sant' Elena, het stille, enigszins geriatrische eiland achter het park van de Biënnale en Castello, en hebben genoten van een glas spritz en het windje van de lagune.

In plaats daarvan stond hij op het Isola degli Arcangeli toe te kijken hoe een paar honderd leden van de elite van de stad zich opmaakten om zich te goed te doen aan talloze schalen exquise hapjes die, ongetwijfeld tegen een hoge prijs, door Cipriani waren geleverd, en dat allemaal om te vieren dat... Ja, wat eigenlijk? Tosi wist het antwoord niet precies. Om hun eigen grootsheid te eren naar alle waarschijnlijkheid. Dit was, zo luidde zijn oordeel al snel, een akelig narcistische bijeenkomst.

Anna voelde zich tot zijn teleurstelling helemaal thuis. Ze droeg een tamelijk korte rok en een glimmende roodzijden blouse, en haar grootvader had haar nog nooit zo schaars gekleed zien gaan. Het John Lennon-montuur was vervangen door contactlenzen, die haar een enigszins glazige blik gaven, vond Tosi, hoewel dat de mannen er niet van weerhield onderzoekende, bewonderende blikken in haar richting te werpen.

Had het hem iets kunnen schelen, dan had Tosi zich misschien een beetje ongemakkelijk gevoeld in zijn oude, donkere, doordeweekse pak. De anderen schenen allemaal net zo gefixeerd te zijn op hun uiterlijk als Anna. Smokings en avondjurken fladderden in een eindeloze maalstroom om hem heen. De helft van de luisterrijke, roezemoezige eetkamers van Venetië zou vanavond leeg zijn. Hun eigenaren hadden zich op het treurige eilandje van de Arcangelo's verzameld om het glas te heffen op zijn zogenaamde hergeboorte en, wat naar Tosi's idee belangrijker was, op de Engelsman die het eiland nieuw leven had ingeblazen. Een man die op het punt stond een soort moderne doge te worden, honorair heer van de stad, een edelman in alles behalve een titel, door zijn gelijken verheven in een symbiotisch proces, een proces waarin dank zowel gebracht als ontvangen werd. Dat begreep Tosi onderhand maar al te goed.

Hij had gezien hoe Massiter tussen zijn publiek door paradeerde. Een opgeblazen pauw van een man, heel anders dan de meeste Engelsen uit de betere kringen die hij in de loop der jaren had ontmoet. Op een gegeven moment wilde hij dat hij de moed had naar deze pas gekroonde nep-aristocraat toe te lopen om hem erop te wijzen dat de Venetianen de prinsen die ze kort tevoren nog met zo veel enthousiasme hadden verkozen, soms omver wierpen. Een krijsende menigte had Ipato Orso, de eerste doge, de keel doorgesneden. Marino Faliero was zonder vorm van proces onthoofd door zijn mede-edelen, en dat op de leeftijd van zeventig jaar. Niet dat creaturen als Massiter iets van geschiedenis wisten of erom gaven. Het was tegenwoordig een onderwerp voor oude mensen, maar dat was niet de reden dat Tosi de kwestie niet onder de aandacht van zijn ongewenste gastheer bracht. Respect en angst gingen in dit soort kringen hand in hand, een feit dat de oude patholoog-anatoom met zijn scherpe en goede geheugen nooit zou vergeten.

Soms vroeg hij zich af hoe het over vijftig jaar met Venetië gesteld zou zijn. Hij was blij dat hij de veranderingen niet meer zou hoeven meemaken. De straten zouden weerklinken van de snaterende klanken van Engels, Russisch en Chinees, alles behalve de knarsende klinkers van het Veneto dat Tosi thuis op Sant Elena nog altijd sprak. De stad zou een internationale zone zijn geworden, van buitenlanders voor buitenlanders, met enkel nog ondergeschikte Venetianen die van de kruimels leefden.

Alberto Tosi geloofde dat hij een beschaafde man was, een man die lang geleden al had begrepen dat de wereld altijd in verandering is. Maar soms, als hij in de plaatselijke krant over de plannen las om nog meer hordes toeristen naar een al overvolle stad te halen, kon hij zich niet aan de indruk onttrekken dat vooruitgang slechts een illusie was, een kreet die moest verhullen welk een wrede grap door een kleine minderheid met de grote massa werd uitgehaald.

Er was bijzonder weinig plaats voor zelfrespect in dit nieuwe Venetië, een eigenschap die Tosi noodzakelijk vond, een symbool van trots dat door iedereen moest worden gedragen, van de man die 's ochtends je espresso maakte door de kleppen en pijpen van zijn Gaggia-apparaat goed te bedienen, tot een gemeentelijk patholoog-anatoom op leeftijd die nog altijd behoorlijk ontstemd was over het feit dat hij onder druk werd gezet door de autoriteiten als zij dat nodig vonden. Zonder zelfrespect was je niet meer dan een loonslaaf voor de gezichtsloze personen die schijnbaar alles in handen hadden, het overal voor het zeggen hadden, vanuit hun banken en accountantskantoren in de stad aan de touwtjes trokken. Tosi had geen problemen met het idee van een klassenmaatschappij, zolang elk niveau zijn eigen reden had om voort te bestaan. Deze nieuwe wereld verdeelde zijn bewoners op onrechtvaardige wijze in winnaars en verliezers, de kleine minderheid en de grote massa, pretendeerde egalitair te zijn, maar was in feite op een absolutere, striktere en immorelere manier elitair dan het oude regime dat hij met zijn nieuwe coterie van schurken poogde te vervangen.

Massiter, een meesterschurk, zoals iedereen wist en niemand durfde zeggen, speelde dit spel als een maestro. De Arcangelo's waren altijd heel kritisch geweest en hadden maar weinig mensen toegelaten achter de uitgestrekte arm van de ijzeren engel en zijn toorts, die nu heller brandde dan ooit. De Engelsman had bepaald dat het hek naar het eiland, voor het eerst voor zover Alberto Tosi zich kon herinneren, open moest staan. Deze avond was iedereen in Venetië welkom op het eiland om vol bewondering de kroning gade te slaan.

Maar weinig mensen, buiten Massiters grote en groeiende kring van mee-lopers en profiteurs, hadden de moeite genomen. Tosi kende de bevolking van Murano. Ze hadden een hekel aan nieuwkomers. Ze hadden de Arcangelo's tientallen jaren verfoeid. Niets, geld noch macht, zou hen ertoe brengen iets voor Hugo Massiter te gaan voelen. Dit was een avontuur dat buiten hen om ging, de komst van een stipje kanker van de overkant van het water, die op een dag hun verarmde eilandje zou opvreten en daarvoor in de plaats dezelfde opzichtige, vergankelijke heisa zou uitspugen die je overal in de stad tegenkwam.

Tosi proefde van zijn slappe, slecht gemaakte spritz en fronste zijn wenkbrau-wen. Toen zag hij een bekende aankomen, iemand die zowel bewondering als een lichte vrees opriep.

Anna volgde zijn blik. Teresa Lupo, de Romeinse patholoog-anatoom, kwam met besliste, vastberaden tred op hen af gestapt.

'Ik zie je straks,' mompelde het meisje.

Hij zag hoe ze in een flits van helderrode zijde naar de plek liep waar de jongeren zich hadden verzameld, naast de tafel met drank, bemand door ernstige obers in witte overhemden die onder de vurige toorts van de ijzeren engel aan het werk waren. Dit was pas de tweede keer dat Alberto Tosi op het Isola degli Arcangeli was. De eerste keer was bijna vijftig jaar geleden geweest, ter gele-genheid van een plechtige bijeenkomst waarvoor zijn eigen vader op de een of andere manier een uitnodiging had weten los te krijgen. Dat waren andere tijden geweest, met andere mensen. Twintig jaar later was het ongeluk gebeurd waarna het *palazzo* voorgoed voor het publiek werd gesloten. Maar toen waren de kan-sen van het eiland al gekeerd. Angelo Arcangelo was dood en hij nam zijn droom mee in zijn tijdelijke graf op San Michele aan de overkant van het water.

Hij stond hierover te peinzen toen zijn aandacht werd getrokken door Teresa Lupo's opgewekte, vrolijke gezicht.

'Je bent een beetje laat voor de plaats delict, Alberto,' verklaarde ze met een montere, sardonische glimlach.

Hij lachte en heel even vroeg hij zich opstandig af of een levenslustige Ro-meinse patholoog-anatoom van tegen de veertig misschien geïnteresseerd zou kunnen zijn in een stokoude weduwnaar die weinig meer te bieden had dan een paar gemeenschappelijke interesses.

'Welke?' vroeg hij. 'Er zijn er hier zoveel. Die arme mensen in de glasblazerij. Die man Bracci. Jullie eigen inspecteur. Hoe gaat het trouwens met hem?'

'Veel beter,' antwoordde ze. 'Maar voorlopig is hij in dromenland.'

'Dromen is een talent dat je moet cultiveren. Vooral vanavond.' Hij dronk het glas leeg en pakte een ander van het blad van een van de stijve obers die langsliep. Tosi keek nors naar de vele mensen. 'Ik vraag me af hoeveel dromen deze onbenullige leventjes bevatten. Ze hebben het allemaal veel te druk met hun geld en hun uiterlijk.'

Er zat een sluwe schittering in haar ogen, die hij niet helemaal vertrouwde.

'Misschien zijn ze hier voor de sensatie,' zei ze merkwaardig opgewekt. 'Om dicht bij de geur van bloed te zijn.'

'In Rome doen ze misschien van dat soort kinderachtige dingen, maar dit is gewoon Venetië, hoor, Teresa. Een kleine en eenvoudige stad, waar we een klein en eenvoudig leven leiden.'

Ze keek naar de opgedofte menigte. 'Ik denk niet dat zij die beschrijving zouden kunnen waarderen.'

'Ik denk niet dat hun mening er veel toe doet,' antwoordde hij en hij kon niet voorkomen dat zijn stem bitter klonk. 'Er is hier nauwelijks een echte Venetiaan te bekennen.'

'En hij dan?'

Ze wees naar de kade waar een oude, nogal sjofele boot, met een even sjofele man aan het roer, vlak bij de opslagplaats afmeerde. Een bergje grijs stof nam een deel van het krappe ruim in beslag, samen met een stapel brandhout, dunne twijgjes, pover aanmaakhout, het soort dat ze in de hutjes op de eilanden in de lagune gebruikten. In de boeg lag een kleine zwarte hond, die kennelijk sliep.

Het schouwspel bevreemdde hem. Toen zag hij het teken van Sant' Erasmo op de achtersteven.

'Dat is gewoon een *matto* die spullen komt afleveren. Hout en as, zo te zien. Die gebruiken ze in de oven. Maar niet lang meer, heb ik gehoord.'

Ze luisterde niet en dat was een teleurstelling voor Tosi, die niet afkerig was van roddels, waarvan er op dat moment heel wat in omloop waren. Teresa Lupo was aan de telefoon. Ze stond vol spanning op nieuws te wachten en was teleurgesteld toen ze het blijkbaar niet kreeg.

Zijn blik ging naar het huis. Er liepen enkele mensen naar de voordeur. Ze werden gadegeslagen door de sjofele schipper. Hij zag direct wat voor soort mensen het waren. Politiemensen in burger, ergens anders vandaan, niet uit Venetië, want Alberto Tosi ging er prat op dat hij iedereen in het plaatselijke politiekorps van gezicht kende.

Ze hadden twee mensen bij zich, een man en een vrouw, gekleed in armoedige boerenkleding, zoals de sjofele schipper. Twee mensen die waren geboeid, met de handen op de buik, een wrede en overbodige actie, meende Tosi, aangezien ze op geen enkele manier verzet schenen te bieden.

Hij draaide zijn hoofd af en keek naar de glasblazerij. Die zag eruit als nieuw. De stenen waren schoongemaakt. De hoge ruiten waren smetteloos en glommen.

Binnenkort zouden de handelaren met hun snuisterijen komen, vermoedde hij. Iedereen wist hoe Massiter was: hij zou niet lang dulden dat er op zo'n waardevol stuk grond glas werd gemaakt.

'Heb je Uriels dood echt te boek gesteld als een geval van zelfontbranding?' vroeg Teresa kennelijk zomaar.

'Nee,' antwoordde hij met een kokette, sluwe terughoudendheid.

'Waarom niet?'

'Ik heb me bedacht. Dat kwam door jou. Soms hebben we de neiging te veel te willen analyseren. Een man verbrandt in een glasblazerij die door brand wordt verwoest. Er zijn onverklaarde feiten, maar uiteindelijk heeft Anna me niet kunnen overtuigen met de informatie die ze had gevonden. Ze is een goede meid. Een beetje te enthousiast soms. Jongeren gaan te veel op hun verbeelding af. Met de jaren leer je af te gaan op harde feiten.'

Ze stond hem nauwlettend op te nemen, alsof ze enige emotie bij hem verwachtte.

'Het zou misschien ook vervelende gevolgen hebben gehad,' merkte ze op. 'Zo'n ongebruikelijke bevinding zou aandacht hebben getrokken. Anderen op het idee hebben gebracht eens een kijkje te komen nemen misschien.'

'Dat ben ik met je eens,' zei hij en hij hief zijn glas. 'Op het onverklaarde!'

Ze was, vond hij inmiddels, een zeer aantrekkelijke vrouw. Niet lichamelijk, maar qua karakter. Een lastige vrouw niettemin. Een vrouw die hij niet lang om zich heen zou willen hebben.

Teresa Lupo had iets belangrijks te zeggen. Dat maakte hij op uit de ernstige blik die opeens op haar gezicht verscheen.

'Ik hoop dat je het niet erg vindt dat ik over werk praat,' ging ze verder.

'Helemaal niet. Als je het mij ook niet kwalijk neemt. Hoe zit het met het materiaal dat ik je heb gegeven? Heb je al resultaten terug van je magische machine in Rome?'

'Nee,' antwoordde ze knorrig.

'Ach.' Hij hoopte dat zijn gezicht medeleven uitdrukte.

'Die monsters die je me hebt gegeven, waren verontreinigd toen we ze kregen,' klaagde ze. 'Je zou een paar familieleden in dat lab van je in Mestre eens op hun donder moeten geven.'

Hij lachte. Hij wist niet waar ze heen wilde. 'Verontreinigd? Waarmee?'

Ze zweeg even, alsof ze naar de naam zocht en zei toen: 'Keton.'

Alberto Tosi trok een gepijnigd gezicht. Het was een van de chemicaliën waar ze tegenwoordig mee moesten werken.

'Vreselijk spul. Giftig. Uiterst brandbaar ook, maar heel goed voor waar het voor bedoeld is.'

Hij zuchtte. Soms moest je de waarheid vertellen. Het had werkelijk geen zin eromheen te draaien.

'Ik moet iets bekennen, Teresa. De monsters die ik je heb gegeven, waren niet meer dan dat. Monsters. Het lab in Mestre heeft er niets mee gedaan. Helemaal niets. Zoals ik getracht heb uit te leggen toen we elkaar de eerste keer zagen, was dit een afgesloten zaak. Er was geen reden toe. Wat jij hebt gekregen, kwam rechtstreeks uit die glasblazerij daar.'

Ze keek hem stomverbaasd en naar Tosi's idee ook behoorlijk geschrokken aan.

'Jullie hebben niets gedaan om het blusschuim weg te halen?' vroeg ze.

'Nee. Waarom zouden we?'

Teresa Lupo staarde hem verbijsterd aan. Alberto Tosi raakte van zijn stuk en wist niets te zeggen wat enig verschil zou maken.

'Dan is Uriel vermoord,' zei ze zacht, haast in zichzelf. 'En ik weet hoe,' voegde ze eraan toe. Toen verontschuldigde ze zich en liep ze, terwijl ze wat toetsen van haar telefoon indrukte, met grote stappen tussen de mensen door in de richting van het huis.

24

Hugo Massiter stond voor de *occhio*, het uitpuilende glazen oog, uit te kijken over het water van de lagune. De drie overgebleven Arcangelo's zaten zwijgend aan de oude familietafel, aan beide zijden omringd door juristen. De zijne. De hunne. Niet dat het verschil maakte. Massiter kende de juridische professie beter dan een kwijnende dynastie van glasmakers. Er waren, naar zijn mening, twee soorten advocaten: zij die overeenstemming wilden bereiken en zij die op uitstel uit waren. Hij had in de loop der jaren van beide gebruikgemaakt. Maar bij de onderhandelingen over het eiland was alleen de eerste ingezet, voor hem, en middels een heimelijke, subtiele truc, ook voor de Arcangelo's. In werkelijkheid had van meet af aan vastgestaan dat de uitkomst van de onderhandelingen bevredigend zou zijn, bevredigend voor hem uiteraard.

Hij wierp een cynische blik op de mensen beneden. Smokings en avondjurken, versierd vee dat was gekomen voor de gratis drank en versnaperingen, en de kans de mantel van de nieuwe keizer aan te raken. De avond van het carnavalgala en het sterfgeval in het *palazzo* naast het huis leken nu eeuwen geleden. Dit soort mensen was kort van memorie. Zolang Massiters ster rijzende was, zouden ze graag met hem meeliften en hem bejubelen. Niets deed ertoe behalve geld en succes. Wanneer hij die had, kon hij doen wat hij wilde. Wat zijn aard hem ingaf.

Toen viel zijn blik op enige commotie in de menigte bij de deur. Hij zag Emily Deacon die zich met een starre, bezorgde blik op haar knappe gezicht een weg tussen de mensen door baande, dacht, heel even, aan de afgelopen nacht en probeerde de weinige gevoelens die hij had, te scheiden van de praktische zaken die hem vooral bezighielden. Het was een teleurstellende nacht geweest, als hij eerlijk was. Hij hield slechts van twee soorten vrouwen: de afkerige en de enthousiaste. In beide gevallen kreeg je iets van een strijd, hetgeen onontbeerlijk was, wilde Massiter genieten. Emily voldeed aan geen van deze eisen. Ze was een plichtsgetrouwe vrouw en plicht vond hij altijd vervelend.

Toch zou hij haar aanhoren. Het kon wel eens interessant zijn.

Stralend draaide hij zich van het glimmende raam met het grootse uitzicht af, richtte zijn glimlach op de kamer, zelfs op de zielige, stille Michele, met zijn dode oog en verlamde wang, en zei luid: 'O, hemel! Wat een lange gezichten! Waarom? Jullie vreten nu allemaal mee uit de Massiter-ruif. Jullie zijn rijk. Miljoenen, Michele. En' – hij liep om, ging achter de man staan, legde een bevoogdende, autoritaire hand op zijn schouder, die hij daar stevig liet liggen, zelfs toen Michele ineenkromp – 'die ruimte in de stad, een winkel om je prullen aan het gepeupel te verkopen. Wat wil een man van Murano nog meer?'

'Breek me de bek niet open,' mompelde Michele.

Massiter liep naar het hoofd van de tafel – de plaats van de baas – zette zich in de hoge stoel aldaar en nam hen onderzoekend op. De treurige Michele. De verdwaasde Gabriele. En de vrouw, Raffaela, die zich nergens mee bemoeide, kennelijk bereid was elke oplossing, hoe vernederend ook, te aanvaarden zolang de familie maar behouden bleef, een ongeschonden bundeltje zichtbare ellende.

'Ik bezorg je alleen rijkdom,' zei Massiter half geeuwend, 'wat in deze contreien uiteraard gelijkstaat aan geluk. Een bedankje zou op zijn plaats zijn. En dan nog een bewijs van mijn gulheid...'

Hij knikte naar het grote portret boven de open haard. Angelo Arcangelo, de overleden patriarch, die somber naar hen allen keek met een streng en bitter oordeel in zijn oude, doordringende ogen.

'Dat mogen jullie meenemen als jullie vertrekken,' ging de Engelsman verder. 'Slechte kunst irriteert me. Ik wil niet dat dat afschuwelijke gezicht daar hangt en neerkijkt op mijn gasten.'

Er volgde een stilte die alleen door het gehoest van een van Massiters advocaten werd doorbroken.

'Gasten?' vroeg Raffaela ten slotte.

'Gasten.'

Hij moest het hun nu maar vertellen.

'Niet dat jullie er nog iets mee te maken hebben. Over een jaar heb ik hier een hotel, en een restaurant dat Cipriani in de schaduw zal stellen. Over twee jaar een galerie die het Guggenheim naar de kroon zal steken. Een bescheiden, beschaafd winkelcentrum voor onbescheiden, onbeschaafde kopers. Suites. Appartementen. Faciliteiten. Daar draait het om in de moderne wereld, Michele. Een vluchtig moment van vreugde voor de massa voor je ze weer huns weegs stuurt. Niet' – hij fronste onwillekeurig zijn wenkbrauwen; Massiter vond het vreselijk gemiste kansen te zien, zelfs als ze gemist waren door mensen die hij kon uitbuiten – 'om een armoedig bestaan uit glas op te bouwen omdat het altijd zo is geweest.'

Michele Arcangelo staarde voor de laatste keer naar zijn spiegelbeeld in de oude glimmende tafel.

'Leedvermaak is een onaantrekkelijk trekje, *signor* Massiter,' zei de vrouw kalm en beslist.

'Ik ben een onaantrekkelijke man,' antwoordde Massiter direct. 'Dat zouden misschien meer mensen zien, als ze niet zo blind waren door hun eigen hebzucht.'

Er klonk een geluid bij de deur.

'Bezoek,' zei hij. 'Doe de deur even open, Gabriele. Wees eens aardig.'

De broer aarzelde geen moment en merkte Micheles zachte gemene opmerking niet op. Hij liet Emily Deacon binnen, met de jonge politieman aan haar zijde, de man die ze zogenaamd had verlaten, iets wat Massiter nooit had geloofd. Ze waren zo te zien niet zeker van zichzelf. Een beetje bang misschien.

Massiter stond onmiddellijk op, beende naar Emily toe, kuste haar heel snel op de wang en drukte de man de hand.

'Dit wordt toch niet vervelend, hè?' vroeg hij deemoedig. 'Bederf alsjeblieft mijn dag niet.'

'Waarom zou het vervelend worden?' merkte ze op.

Hij haalde zijn schouders op en keek naar de kleine politieman.

'Het spijt me dat dit korte intermezzo tussen Emily en mijzelf een persoonlijk tintje heeft gekregen, *agente* Costa. Dat was jammer. En' – hij glimlachte om ervoor te zorgen dat ze hem goed begrepen – 'zinloos ook. Die spullen die ze vanochtend van mijn jacht heeft meegenomen...'

Massiter dacht aan de details die de mannen uit de dienstmeid hadden geslagen voor ze haar op straat hadden gegooid. Emily had het naar zijn mening opvallend amateuristisch aangepakt. Daarin had ze hem ook teleurgesteld.

'Daar hebben jullie niets aan,' ging hij verder. 'Zelfs in Italië kennen ze zoiets als onrechtmatig verkregen bewijs. Je kunt geen belastende informatie tegen iemand verzamelen door een knappe jonge vrouw te vragen er in zijn bed naar op zoek te gaan.'

Hij zag Costa's gezicht even vertrekken van verdriet en genoot van de aanblik.

'Ach. Sorry. Je wist het niet. Of beter gezegd, je wist het wel, maar je wilde het liever niet onder ogen zien. Zelfbedrog is een gewoonte die je moet vermijden. Vooral als politieman.'

Hij keek op zijn horloge en daarna nogmaals naar het feest buiten. De muziek was begonnen. Massiter had het stuk zelf uitgezocht. Het was het concerto waardoor hij vijf jaar geleden bijna in de gevangenis was beland, toen hij de eerste uitvoering had bekostigd onder het voorwendsel dat Daniel Forster de oorspronkelijke componist van het concert was. Hij had geen warme gevoelens voor het stuk, voor geen enkele vorm van muziek trouwens. Er zat geen geld in muziek, noch roem, niet het soort dat hij moest hebben. Zijn keuze was alleen bedoeld om iets duidelijk te maken: dat hij nu, als hij er zin in had, kon doen en laten wat hij wilde.

'Dit is een gezellige bijeenkomst,' ging hij verder. Hij zag dat er nog iemand de kamer was binnengekomen, iemand die hij niet kende, een hogergeplaatste, naar het scheen, in een donker pak. 'Kan het even snel? Waarom zijn jullie hier?'

'We hebben een cadeau voor je,' zei Emily met glinsterende ogen. 'Iets wat je al jaren wilt hebben.'

Hij lachte. 'Heus?'

Massiters rechterhand beschreef een cirkel door de kamer, langs het glazen oog boven de lagune, de stad daarachter. 'Wat voor cadeau zouden mensen als jullie voor mij kunnen hebben?'

Toen zag hij hen en zweeg. Zijn hoofd gonsde en hij kon zijn ogen niet geloven.

Ze zagen er vuil uit. Boerenkleren. Boerentrekken. Te lang in de zon, te veel zware lichamelijke arbeid. Hugo Massiter verzonk enkele seconden in gepeins en vroeg zich af welk een angst hij Laura Conti en Daniel Forster moest hebben ingeboezemd dat ze zichzelf zo'n duidelijke straf hadden opgelegd. Toen hernam hij zich en kreeg hij een gevoel van triomf, van totale triomf, een transcendente overwinning die groter was dan zelfs hij zich had kunnen voorstellen op zo'n dag.

'Wie zijn dat?' vroeg hij verwonderd en hij stapte op hen af, raakte hun groezelige kleren aan en keek naar hun bange gezichten. 'Daniel? Ben jij dat echt? Laura?'

De man deed een stap naar achteren, bij Massiter vandaan, en mompelde een paar grove woorden in het Veneto. De oudere persoon in het donkere pak ging tussen hen in staan en stak een kaart op met het bekende logo van de *carabinieri*.

'*Signor* Massiter,' zei hij. 'Ik ben Maggiore Zecchini. We menen dat we de twee personen hebben opgepakt die u al die jaren geleden hebben belasterd. We moeten u een paar vragen over hen stellen. Nu, graag. Ik weet dat u het druk hebt. Maar toch...'

Massiter merkte dat hij de heldere, scherpe, verschrikte fonkeling in Laura's blik probeerde te vangen. Ze keek niet naar hem, alleen naar de *occhio*, het grote glazen raam op de verloren wereld in de verte.

'Waarom aan mij?' vroeg hij. 'Waarom nu?'

De majoor van de *carabinieri* schuifelde nerveus met zijn voeten. 'We hebben vingerafdrukken van Forster. We weten dat hij het is. We hebben geen identificatiegegevens voor de vrouw. We moeten het zeker weten. Dat is belangrijk. Ik begrijp dat u bezig bent. Het duurt niet lang. Maar we moeten een officieel verhoor afnemen in een ruimte van de *carabinieri*. Buiten ligt een boot klaar.'

Massiter lachte en ging in één snelle beweging vlak voor haar staan, pakte haar bij de schouders en bukte zich. Ze kromp ineen en wilde zich losrukken, maar hij was te sterk en niet van plan haar te laten gaan, nergens voor, niet voor de afkeuring die hij om zich heen voelde, niet voor Emily die furieus en verontwaardigd iets tegen de jonge *agente* siste.

Het waren idioten bij de politie. Dat wist Massiter al heel lang. In zekere zin had hij zijn huidige positie niet nodig om hen te verslaan.

Hij duwde zijn neus in Laura's haar, haalde diep adem en hoorde dat ze zacht bij zichzelf begon te jammeren. Ze rook naar akkers en de zee, naar dieren en aarde. Hij luisterde naar de muziek door het raam en vroeg zich af hoelang hij het zou kunnen opbrengen te wachten, hoe heerlijk het moment zou zijn wanneer hij haar ergens alleen in een kamer kon krijgen, misschien in een verborgen hoekje van het appartement in het glazen *palazzo*, waar de muziek nog in zijn hoofd zou spelen, en er niemand zou zijn, geen bemoeizuchtige politieman, geen sullige burger, om te verhinderen dat hij, ruw of teder, de keus was aan haar, precies dat nam wat hij hebben wilde.

'Genoeg,' blafte de jonge politieman en hij drong zich ruw tussen hen in en duwde haar weg. 'U moet nu met ons meekomen, *signor* Massiter.'

'Waarom?' vroeg hij. 'Dit is Daniel Forster. Dat weten jullie net zo goed als ik. En dit is Laura Conti, die voor de overleden Scacchi heeft gewerkt, die door Forster is vermoord. Dat weten jullie ook.' Hij stond begerig naar haar te kijken. 'Ik heb invloed, Laura. Ik ken die Forster beter dan jij. Wat je ook denkt, wat voor onzin hij je ook in de loop der jaren op de mouw heeft proberen te spelden, ik kan en zal je helpen.'

Hij richtte zich tot de majoor van de *carabinieri*.

'Het is een simpele vrouw, Zecchini. Gemakkelijk beïnvloedbaar. Ze heeft al genoeg verdriet gehad. Het moet nu afgelopen zijn.' En daarna, terwijl hij tegen haar glimlachte en in die donkere, angstige ogen probeerde te kijken: 'Laura. Ik weet dat je niets met de dood van Scacchi en die politiemensen te maken had. Ik zal alles wat tot mijn beschikking staat, overleggen om dat te bewijzen. Je komt vrij. Dat beloof ik. Je hebt niets te vrezen.'

Hij raakte haar goedkope, verschoten shirt aan tot Costa, gedreven door de woeste blik van Forster, zijn hand weghaalde.

'Je moet kleren hebben,' zei Massiter tegen haar. 'Een advocaat. Een dak boven je hoofd. En tijd, zodat we elkaar weer kunnen leren kennen.'

'U gaat met ons mee!' sommeerde Costa. 'Nu meteen. Dit is een onderzoek naar een misdrijf en u bent een belangrijke getuige.'

Massiter wierp een blik op de Arcangelo's. Allemaal te overdonderd, te ellendig om iets te zeggen.

'O, kom nou! Ik moet naar mijn feest! En' – zijn gezicht betrok – 'met heel veel belangrijke mensen praten. Mensen die ik van u niet zou mogen teleurstellen.'

'U moet nu met ons meekomen, meneer!' zei Zecchini. 'Om negen uur op zijn laatst bent u terug. Hou dat feest dán! Teken uw contract dán!'

Ze waren zo doorzichtig. Zo stom.

'Maar, heren,' teemde Massiter, 'dat is helemaal niet nodig! De Arcangelo's en ik waren het gekissebis meer dan een uur geleden al zat. Het contract is al getekend. Het is geschied. Enkele miljoenen euro's zijn nu van de staat en de gemeente onderweg naar mijn bankrekeningen, een paar miljoen onderweg naar die van hen. Het wachten is alleen nog op de burgemeester en dan kan ik het goede nieuws aan de parasieten daar beneden bekendmaken.'

Hij zweeg even om dit tot hen door te laten dringen.

'Het Isola degli Arcangeli is van mij. Met alles wat erbij hoort: alle bureaucraten, alle broodpolitici, alle hebzuchtige politiemensen. Jullie mogen Forster meenemen naar de gevangenis. Maar jullie brengen Laura naar mijn advocaat en vervolgens, nadat ze op borgtocht is vrijgelaten, naar een plaats van mijn keuze. Voorlopig...'

En nog gaven ze het niet op. Er kwamen er alweer twee de trap op.

25

Overal om haar heen waren smokings en avondjurken, en een zwaar brouwsel van kakelende stemmen die boven de muziek uit om aandacht schreeuwden. Teresa Lupo had zin om te gillen dat iedereen zijn snater moest houden. Silvio had gebeld met een uitslag, eentje die vroeg was om de een of andere reden, waarom precies kon ze in de herrie niet verstaan. Wat Alberto Tosi had gezegd, bleef maar door haar hoofd spoken. Het sloeg nergens op. Het paste helemaal niet bij de keurig geordende reeks feiten en vermoedens waar ze de laatste paar dagen zo hard achteraan gezeten hadden.

Ze stond op de stoep van Ca' degli Angeli en was zich ervan bewust dat Peroni en Nic met de rest waren doorgelopen. Ze deed haar best Silvio's blikkerige gekakel in haar oor te scheiden van het lawaai om haar heen.

Toen gleed er een ober in zicht die een zilveren blad met hapjes onder haar neus duwde. Ze keek hem vertwijfeld aan. 'Wil je iets voor me doen? Ik ben net gebeld dat mijn oom is overleden. Ik heb even een beetje rust nodig. Kun je die mensen laten doorlopen?'

Het uitgestrekte, emotieloze gezicht van de ober straalde opeens van medeleven. '*Signora*! Wat vreselijk voor u. Vanzelfsprekend.'

Hij toog direct aan het werk, wuifde mensen weg met zijn witte handschoenen, maande ze tot iets wat op stilte leek.

Na enige tijd kon ze weer naar Silvio's gebabbel luisteren en horen wat hij zei en ze prentte zich in haar geheugen dat ze er echt een keer met haar assistent voor moest gaan zitten en hem moest leren niet te opgewonden te raken op spannende momenten.

'Silvio, Silvio... Doe nou eens rustig.'

Een zware schouder in groezelig zwart stootte tegen de hare. Automatisch deinsde ze achteruit, omdat ze zag dat het de schipper was, die er vanuit de verte niet al te schoon en van dichtbij niet al te vrolijk uitzag. Hij zat onder de modder en as en droeg een lange bos aanmaaktwijgen, die hij met beide armen tegen zijn borst klemde, terwijl hij met grote passen en een starre, gekwetste blik op zijn gezicht gedecideerd naar de ingang van het huis en de brede marmeren trap liep.

Toen luisterde ze weer naar Silvio, opgelucht dat het hem eindelijk was gelukt te zeggen wat hij bedoelde.

Snelle beslissingen. Ze haatte ze en ze was er dol op. Ze stopte de telefoon weer in haar zak en ging achter de schipper aan op zijn pad dat bezaaid lag met stukken aanmaakhout, die ze trachtte te ontwijken. Onder het lopen probeerde ze vertwijfeld een antwoord te vinden op de vraag wat ze aan moest met de kennis die ze had.

Teresa Lupo kwam boven aan de trap en begaf zich naar de open deur van de grote, mooie kamer waar ze allemaal bijeen waren. Het warme, gele licht van de zon viel door de merkwaardige ramen die haar buiten al waren opgevallen. Hugo Massiter, een man die ze pas twee keer had gezien, één keer op een boot in het Canal Grande en één keer in het naburige *palazzo*, stond midden in de kamer en keek alsof alles om hem heen al van hem was. De stenen, de specie, maar bovenal de mensen.

'Nic...' zei ze, maar niemand luisterde, niemand deed iets. Iedereen keek naar de schipper, die dommig, als een onnozelaar, voor haar uit schuifelde met de bos hout in zijn armen.

De oudste Arcangelo was de eerste die iets zei. Michele stond op uit zijn stoel. Zijn ene goede oog vlamde van haat en woede, emoties, dacht ze, die al lang voor deze arme, stomme Venetiaan de kamer binnen slofte, op zoek waren geweest naar een uitlaatklep.

'Waar ben jij nou mee bezig, idioot?' brulde Michele. 'Waar ben je mee bezig?'

Er volgde een korte stilte. Het was net of ze in het oog van een storm zaten.

'Ik dacht dat u brandhout nodig had,' zei de schipper in een sloom, onverschillig accent dat zo onbeschaafd was als zijn kleding. 'Ze zeiden tegen me dat u nog aan het werk was, *signor* Michele. Als u werkt, hebt u hulp nodig.'

Het paar met de handboeien dat ze had gezien, was er ook. Ze probeerden elkaar vast te houden, probeerden een soort bolwerk te vormen tegen alles wat hen omringde.

'Ga weg, Piero,' zei de man, zich half verslikkend in de woorden. 'Je kunt niets meer doen.'

'Doen?' vroeg de schipper verbaasd.

De vrouw stond te snikken. Iets in de aanblik van de schipper stootte haar af. Of maakte haar bang.

'Piero,' zei ze smekend. 'Luister naar me! Ga weg!'

Michele Arcangelo liep naar de man toe, sloeg hem zo hard als hij kon, twee keer in het gezicht, voorkant hand, achterkant hand, en schreeuwde daarbij zo driftig, dat Teresa de haat die uit de man opwelde toen hij zo tekeerging, kon voelen.

'*Matto! Matto! Matto!* Maak dat je wegkomt!'

Maar hij verroerde zich niet. Het brandhout bewoog nauwelijks. Hij keek naar de Engelsman. Massiter stond geamuseerd toe te kijken met zijn armen over elkaar, zijn voeten in een kleine spreidstand, de houding van een overwinnaar.

'Nic,' fluisterde ze, of ze dacht het alleen maar, dat wist Teresa Lupo niet zeker.

'*Signor* Massiter,' zei de schipper met kalme, bedachtzame stem, een stem die zelfverzekerder, en nogal wat intelligenter, klonk dan ze had verwacht.

'Je weet hoe ik heet?' De Engelsman straalde. 'Ik voel me gevleid.'

'Ik weet hoe je heet,' zei hij met een knikje. Toen draaide hij zich om en keek naar het paar. 'Een andere Scacchi heeft ons lang geleden voor je gewaarschuwd. Je kunt de duivel niet ontvluchten, zei hij. Hij vindt jou. Of jij vindt hem.'

'Piero, Piero!'

Het was Gianni Peroni, die snel op de schipper af liep met een gedecideerde blik op zijn gezicht die ze inmiddels van hem kende. Hij kon iemand in een seconde tegen de grond werken als vleien niet hielp.

'Blijf staan,' zei de schipper en hij liet de bos aanmaakhout los, zodat de twijgen met veel lawaai op de glanzende vloer en glimmende tafel vielen en Michele Arcangelo opnieuw brullend en scheldend in woede ontstak. Totdat...

'Nic,' zei ze en ze hoorde haar eigen stem bedeesd boven de plotselinge stilte uit klinken.

'Blijf staan.'

Ze verstijfden. Niemand – Nic, Peroni, Luca Zecchini – voelde de behoefte stiekem een vinger naar het vuurwapen in zijn jasje uit te steken. Iets in het gezicht van de man vertelde hun dat dit werkelijk een heel slecht idee zou zijn.

In zijn handen had hij een lang, oud jachtgeweer, dat hij met een ontspannen gracieuze handigheid vasthield, een dubbelloops geweer, even verweerd en versleten als de man zelf. Een man die nu het wapen in de borst van Hugo Massiter stootte, hem met veel geweld naar het grote gebogen raam dreef en hem zo hard achteruit duwde, dat het hoofd van de Engelsman tegen het glas sloeg, dat met een onverwachte, doordringende knal brak.

Hugo Massiter schreeuwde het uit van pijn.

'Nee,' zei een vrouwenstem en Teresa wist niet zeker waar het geluid vandaan kwam, uit de geboeide vrouw, Raffaela Arcangelo, of haar eigen droge keel.

'Wat wil je?' schreeuwde Massiter. Hij bracht een hand naar zijn hoofd en keek verbijsterd en geschrokken naar het bloed dat een wond ergens op de achterkant van zijn hoofd op zijn vingers achterliet. 'Wat is dit voor waanzin?'

'Ik wil niets,' antwoordde de schipper rustig, kalm en onbekommerd.

Massiters gezicht vertrok van woede. 'Venetianen, Venetianen! Noem je prijs. Dan hebben we het maar gehad. Een mens als ik koopt kerels als jij bij de vleet. Ik heb jullie allemaal al eens gekocht. Ik koop jullie allemaal nog een keer, nog twee keer, als dat nodig is.'

Piero Scacchi gaf geen krimp, haalde zijn blik niet van de opgeblazen Engelsman af die tegen het glanzende glas gedrukt stond.

'Je maakt twee fouten,' zei hij. 'Ik ben geen Venetiaan. En jij bent geen mens.'

Hij draaide een of andere pal op het wapen om. Het jachtgeweer schokte en vulde de kamer met zijn verschrikkelijke lawaai. Hugo Massiters bovenlichaam kwam omhoog, vloog achteruit tegen het bolle raam en werd daar door een volgende explosie getroffen, een explosie die zijn borst uiteen rukte en hem zo de kamer uit wierp de openlucht in, waar hij een moment in een zee van dwarrelende scherven leek te hangen, een stervende man wiekend in een wolk van glas dat zijn pijn weerspiegelde terwijl het zijn verbrijzelde lijf tot op het bot aan bloederige stukken scheurde.

Het volgende moment was hij verdwenen en van de kade beneden kwam een aanzwellend gemurmel, meer dierlijk dan menselijk, een zoemende, gonzende donderwolk van angst doorspekt met het steeds harder wordende geluid van gillende mensen.

Teresa was zich ook half bewust van één andere gebeurtenis. Peroni was eindelijk bij de schipper gekomen, hield hem stevig vast om hem ervan te weerhouden zijn slachtoffer door de kapotte ramen achterna te gaan de gouden avond in en wist hem, omdat hij inmiddels volkomen lethargisch was geworden, ten slotte vrij eenvoudig tegen de grond te werken.

'Het klopte niet, Nic,' fluisterde Teresa Lupo, toen ze eindelijk bij machte was de woorden uit haar mond te krijgen, hoewel ze wist dat niemand anders ze kon verstaan. 'Er klopte helemaal niets van.'

Vlees en dood. Gelegenheid en angst. Trillend in elkaar gekropen op de zoutige planken van de boot, niet in staat de scherpe ogen van het bloedvergieten op de kade af te houden, probeerde het heldere, snelle verstand van het dier het schouwspel te doorgronden, faalde en zag in plaats daarvan alleen het zwarte angstbeeld, het ultieme angstbeeld, het duistere niet-weten. Dit was niet de goede dood, nog één zucht voor de laatste slaap, een plots geraas van veren die in een ogenblik van adem naar niet-adem werden gesleurd en vervolgens in de vinnig koude kustmoerassen en een paar zachte zoekende kaken afdaalden. Dit was een verkeerd einde, een einde waardoor alles anders zou worden in de kleine, besloten wereld die het dier bewoonde. Het dier zag de man, de zeer geliefde man, naar buiten kijken door het kapotte glazen oog van het raam met een holle blik op zijn gezicht die het beest niet van hem kende. Het zag hem omlaagkijken naar wat hij had gedaan en toen het dat deed, voelde het zijn pijn als een schrijnende wond. Overal op de kade beneden duwden en botsten mensen schreeuwend en vechtend tegen elkaar, om te kijken, om blind te zijn. En op de harde stenen lag, met een stank die de hond goed kende, een verminkte hoop vlees. Niet menselijk. Niet dierlijk. Geen deel van deze heldere wegstervende dag. Het dier wachtte trillend af. Instinct vernauwde zijn neusgaten, belangrijker dan ogen en oren, open kanalen naar een bewustzijn dat beschermd moest worden tegen de smerige, donkere stad en het vieze bevrijdende water. Het dier voelde dat de daad die was voortgekomen uit het luide, bekende lawaai van het jachtgeweer, dat stevig in de handen van de man, zijn baas, lag, een einde betekende. Onzeker, zich alleen bewust van de harde overtuiging in zijn buik dat hij in beweging moest komen, zocht het dier de zijkant van de boot op, sloop nog één keer snel, stil over het oude vertrouwde hout, gleed onder de olieachtige, ongezonde spiegel van de vettige lagune en begon door het koude water te zwemmen.

Toen de hond bovenkwam, was het geluid van hun gegil nauwelijks afgenomen. Mensen, begreep het beest, hadden een zwakkere, inferieure vorm van bewustzijn. In de war, gekwetst, alleen zeker van een richting, spartelde hij door de zwarte, vettige golven en zwom snel en krachtig naar het open water van de lagune.

DEEL 5

STILLE PLECHTIGHEDEN

1   Het was de tweede week van september, een namiddag onder een zon die
    aan kracht inboette. Een onverwacht vleugje kou, het naderende einde
    van de zomer, school in de wind die boven de Adriatische Zee was opge-
stoken. Hij joeg over de grijze golven en geselde hun gezicht toen ze aan de rand
van de begraafplaats op San Michele stonden te wachten. Leo Falcone voelde zich
altijd slecht op zijn gemak bij begrafenissen, hoewel hij er in de loop der jaren
veel had bijgewoond. Nu was hij aan een rolstoel gekluisterd en afhankelijk van
anderen op een manier die hij vervelend vond, een manier die hem deed denken
aan een jongere Nic Costa, die eens op vergelijkbare wijze was getroffen. Er was
geen eenvoudige uitweg, geen excuus om werk voor privézaken te laten gaan.
Niets dan de onophoudelijke innerlijke reflectie die hem al minstens een week
kwelde.

'Leo?' vroeg Raffaela. 'Ben je zover? Michele was te gierig om voor de terugweg een taxi te bestellen. De laatste boot gaat zo. Die mogen we niet missen.'

'Heel even nog,' zei hij, terwijl hij eraan terugdacht hoe de kist in de verse
okerkleurige aarde was gezakt achter de rij ceders die hen van de graven scheidde.
'Ik zat te denken.'

Daar was de laatste tijd zeer veel gelegenheid voor. Nieuw denken. Oud
denken, het denken dat had plaatsgevonden voor hij bij kennis kwam en dat nog
altijd in zijn hoofd zat, helder en niet bereid weg te gaan. De vraag was, zoals
Leo Falcone maar al te goed begreep, wat hij met die sombere, onrustbarende
overpeinzingen aan moest.

De teraardebestelling van Uriel Arcangelo, die naar een tijdelijk verblijf in de
grond ging, zoals elk lijk op San Michele, om er over tien jaar uitgehaald te worden en plaats te maken voor andere, werd slechts bijgewoond door vijf rouwende
personen. De drie Arcangelo's, sinds kort rijk door de verkoop van het eiland aan
Hugo Massiter, Falcone en de jurist die de zaken van de familie had behartigd.
De stille, overgedienstige, zwartgeklede mensen van de begrafenisondernemer
overtroffen de familie in aantal. Om de een of andere reden leek het passend. De
Arcangelo's bleven buitenstaanders, zelfs in de dood.

Uriel had tenminste een passender einde gekregen dan Massiter. De macht
van de Engelsman was vervlogen zodra hij op de uitgesleten keien van het eiland
te pletter viel en de mensen gillend alle kanten op stoven.

Toen Massiter overleed, werd een betovering verbroken. De burgers van de
stad hoefden niet meer te vrezen dat hun illegale financiële transacties aan het
licht zouden komen. De Arcangelo's merkten dat hun eigen geldproblemen van

vorm veranderd waren, dat ze van de ene op de andere dag aan de armoede waren ontsnapt en betrekkelijk rijk waren geworden. De toekomst van het eiland was nog altijd even onzeker, maar het was nu het probleem van iemand anders, een architectonische curiositeit in een juridische impasse, deel uitmakend van de nalatenschap van een man zonder familie, voor zover bekend, zonder duidelijke erfgenamen. Er werd in de pers al gemompeld over een campagne om er publiek eigendom van te maken. Ooit zouden er op het Isola degli Arcangeli een hotel en een flatgebouw verrijzen, daar was Falcone van overtuigd. De manier waarop de familieleden, inclusief Michele, zich na het heengaan van Massiter bij het idee hadden neergelegd, duidde er ongetwijfeld op dat hun dagen als armzalige glasmakers tot het verleden behoorden.

Toch vond hij het opvallend hoe weinig de naam Hugo Massiter in gesprekken en publieke discussies naar voren kwam. Na de aanvankelijke storm van publiciteit over de arrestatie van Piero Scacchi op beschuldiging van moord, was de aandacht al snel verslapt. De vorige dag had op een binnenpagina van één dagblad één kort artikeltje gestaan waarin werd onthuld dat het lijk van Massiter naar Engeland was overgevlogen voor een uit zijn nalatenschap bekostigde, besloten begrafenis, een gebeurtenis die zou worden bijgewoond door advocaten en accountants, vermoedde Falcone, als er al iemand ging. Op dat moment zou voor Venetië, in een laatste stille plechtigheid, de kwestie van de schuldvraag worden afgesloten, samen met het gebroken lijk van Hugo Massiter worden begraven. Niemand was verantwoordelijk gesteld voor de moord op Gianfranco Randazzo, die, lieten de kranten nu doorschemeren, het gevolg was van een ruzie in de onderwereld over intimidatiepraktijken waar de voormalige *commissario* bij betrokken was. Niemand scheen nog veel aan het overlijden van Aldo Bracci en Uriel en Bella Arcangelo te denken. Venetië had een talent voor vergeten waar Leo Falcone bijna jaloers op was.

Hij dwong zichzelf zich op het heden te concentreren en keek naar Raffaela Arcangelo met die lichte, egoïstische hunkering die een aan een rolstoel gekluisterde man is vergund. Ze zag er in rouwkleding sereen, op de een of andere manier vervolmaakt uit. Ze droeg een lange zwarte jurk, van dure makelij, en een dun kort wollen jasje tegen de kille wind. Haar haar was, waarschijnlijk voor het eerst in jaren, vermoedde hij, door een kapper gekapt en viel nu golvend om haar aantrekkelijke, nauwelijks gerimpelde gezicht. Ze had het voorkomen van een intelligente en elegante docente aan de universiteit, iets wat ze misschien had kunnen worden, bedacht Falcone, als haar familie haar niet uit financiële noodzaak naar huis had gehaald uit Parijs.

'Wat ga je nu doen?' vroeg hij.

Ze glimlachte een beetje timide. 'Het heeft je veel tijd gekost die vraag te formuleren, Leo.'

Er zat geen verwijt in haar zachte stem, hoewel hij dat misschien verdiende.

Hij trok een boos gezicht, toevallig naar de rolstoel. 'Sorry. Ik was met mijn gedachten elders.'

'Uiteraard,' zei ze. 'Wat onnadenkend van me. We moeten een beetje coulant met je zijn.'

Dat was volgens hem niet zo. Zijn verwondingen waren tijdelijk, iets om te boven te komen, niet iets om ontstemd over te zijn. Bovendien...

'Vergeet mij even, Raffaela. Het ging me om jou. Wat gaat er nu gebeuren?'

Ze keek even naar Michele en Gabriele. Ze stonden al op de steiger op de volgende boot te wachten.

'Zij hebben hun deel van Massiters geld. Ik het mijne. Zij hebben ook het onroerend goed dat hij in het contract had opgenomen. De werkruimte. Een winkel, niet in het beste deel van de stad, maar nu hebben ze de middelen dat te veranderen. Ze zullen weer glas gaan maken. Ik denk niet dat iets hen daarvan kan weerhouden.'

Niets behalve een faillissement, dacht hij.

'En jij?'

Ze draaide haar hoofd naar hem toe en keek hem vrijmoedig, wijs, belangstellend aan. 'Dat weet ik niet. Wat stel je voor?'

De vraag bracht hem van zijn stuk. 'Je kunt toch doen wat je wilt?'

'Zeker,' antwoordde ze en ze knikte. 'Voor het eerst in mijn leven. En toch... Ik weet het niet. Ik ben zo lang alleen maar bezig geweest de familie bij elkaar te houden op dat roteiland. Nu is dat voorbij. Ik ben vrij. Het probleem is dat vrijheid anders aanvoelt dan ik had verwacht.'

De boot was gearriveerd. Haar broers stonden op het punt aan boord te gaan. Ze keken niet eens even om.

'Zullen we de volgende nemen?' zei ze met haar ogen op haar broers gericht. 'Ze hebben me niet meer nodig. Althans, dat denken ze.' Er viel haar iets in. 'Ik kan gaan reizen, denk ik.'

'Ga je dat doen?'

Ze keek hem weer aan, met een blik die Leo Falcone rusteloos en onzeker maakte. 'Waarschijnlijk niet. Ik...'

Dit vond ze kennelijk moeilijk om te zeggen. 'Ik heb iets nieuws geprobeerd,' bekende ze. 'Over mezelf nadenken voor de verandering. Niet over hen. Over het eiland.'

'Je zegt het alsof het een misdrijf is. Dat is het niet.'

'Dat weet ik. Maar het roept wel pijnlijke gedachten op.'

Haar donkere ogen schoten besluiteloos heen en weer; ze wilde op zijn reacties letten en was bang dat hij misschien iets zou zien.

'Ik besef nu dat ik nooit gewenst ben geweest. Dat is alles. Nooit op het eiland. Daar was voor iedereen enkel plicht. Geen liefde. Dat hebben we geen van allen ooit gehad, zelfs niet in het begin, geloof ik. We maakten deel uit van mijn vaders droom, een droom die over hem alleen ging. Dat hij de naam Arcangelo onsterfelijk zou maken. Het was een stomme, wrede oude man. Ik weet dat ik dat niet hoor te zeggen van mijn eigen vader, maar het is waar. Hij was bereid onze levens op te offeren voor het zijne, en moet je zien waar het ons heeft gebracht. Michele en Gabriele die nog steeds een of andere droombeeld najagen. Ik, een oude vrijster.'

Hij moest lachen. Het was zo'n belachelijk idee. 'Ik denk niet dat iemand je zo zou omschrijven.'

'Ik had het er niet over hoe mensen mij zien,' zei ze ogenblikkelijk. 'Ik had het erover hoe ik mezelf zie.' Ze aarzelde. 'Ik wil gewenst zijn, Leo. Ik wil dat er van me wordt gehouden. Omdat ik het ben. En verder niets. Dát is nog eens egoïstisch.'

Hij trok een grimas. 'Ik ben nooit zo'n expert in de liefde geweest,' bekende hij.

'Dan kunnen we elkaar een hand geven,' zei ze.

Er zat een beetje kleur op haar wangen. Make-up misschien. Of een lichte blos.

'Jij hebt hulp nodig,' merkte ze op. 'Dat vind je misschien geen prettig idee, maar het is een feit. Ik heb niets beters te doen. Ik heb nog niet veel van Rome gezien. Ik wil hier zeker niet blijven. We zouden het gewoon vriendschap kunnen noemen. Meer niet. Tenzij... Mensen veranderen van lieverlee. Wie weet?'

Het was verleidelijk, aanlokkelijker dan alles wat Hugo Massiter ooit op tafel had kunnen leggen.

Maar het gegil van het kind galmde door zijn hoofd.

'Je zou weer naar de universiteit kunnen gaan,' opperde hij. 'Je zei dat je het fijn vond in Parijs.'

'Dat is ook zo,' antwoordde ze, nu openlijk blozend. Misschien was ze bang dat ze te ver was gegaan. 'Nu niet meer. Studeren is voor jonge mensen, vind ik.'

'Maar wat iemand leert...' zei hij mijmerend. 'Dat blijft. Je hele leven.'

Het was criminologie in zijn geval. Leo Falcone had nooit getwijfeld aan zijn eigen toekomst.

'Je hebt toch scheikunde gedaan?' vroeg hij.

De vraag verraste haar. 'Had ik je dat verteld?'

Hij sprak tegen het kind in hem en zweeg toen even, blij dat het opeens stil was.

'Nee,' zei Leo Falcone. 'Dat heb ik uitgezocht. Feiten over mensen zijn gemakkelijk te vinden. Begrijpen wat ze betekenen, dat is lastig.'

Ze keek verbluft op hem neer, een beetje geïrriteerd door de manier waarop hij het gesprek een andere wending had gegeven misschien. 'Je hebt zo veel vrije tijd momenteel, Leo. Het vleit me dat je een deel daarvan aan mij besteedt.'

'Was het een gemakkelijke keuze? Ik zie in jou eigenlijk geen chemicus.'

'Ik was een Arcangelo,' zei ze. 'We moesten allemaal een bijdrage aan het plan van mijn vader leveren. Ik had liever letterkunde gedaan. Hij was mordicus tegen natuurlijk. Wat hebben boeken en poëzie voor nut als je in een oven staat te kijken?'

'Je was een goede student, neem ik aan. Plichtsgetrouw. En getalenteerd ook.'

Ze knikte gevleid. 'Dat hoopte ik altijd wel. Maar ik ben nooit afgestudeerd. Parijs was duur. Er was geen geld. Waarom hebben we het hier eigenlijk over? Is het relevant?'

'Ik denk dat ik weet hoe je broer is gestorven,' zei hij. 'Wil je het horen?'

Ze staarde hem treurig, teleurgesteld aan. 'Hebben we al niet genoeg tijd aan de dood besteed?'

'Het hoeft niet lang te duren.'

'Prima,' zei ze snibbig. 'Maar als we over de doden gaan spreken, laten we ze dan tenminste de gelegenheid geven mee te luisteren.'

Voor hij kon protesteren, pakte ze de duwstangen van de rolstoel beet en reed hem terug naar de begraafplaats, achter de rij ceders, waar ze al snel bij het graf van Uriel met zijn te witte marmeren steen kwamen.

De begraafplaats was verlaten. Er was niet één grafdelver aan het werk op een van de keurige bruine lapjes grond. Falcone herinnerde zich wat ze over de *vaporetti* had gezegd. De laatste boot ging aan het einde van de middag. Het dodeneiland had geen behoefte aan nachtelijke bezoekers.

2

Teresa Lupo zat aan de gehavende tafel. Ze had het koud en voelde zich stom. Ze waren het hele eiland over geweest. Hadden uren lopen zoeken, roepen en hopen. Nu waren ze terug op de plek waar ze telkens begonnen: de verlaten en deprimerende picknickplaats van Piero Scacchi. En waarvoor?

Voor een hond. Een dier dat dacht dat het de lagune kon overzwemmen om aan de gekte op het Isola degli Arcangeli te ontsnappen. Om er, als hij het overleefde, enkel achter te komen dat zijn baas weg was, voor lange tijd, meende ze. Er waren, voor zover de kranten schenen te weten, geen verzachtende omstandigheden die Scacchi kon aanvoeren. Een *matto* van de lagune had een van de prominenten uit de stad doodgeschoten op het moment van zijn apotheose, toen de helft van de *prosecco* slurpende beau monde van Venetië stond toe te kijken. Het was onbeschoft. Ronduit onbehoorlijk. Als gek van een eiland aan de rand van de lagune mocht Scacchi blij zijn als hij binnen tien jaar de buitenlucht weer zou zien, hoezeer het jonge stel, Daniel Forster en Laura Conti, ook voor hem pleitten. Zij zouden blijkbaar niet meer worden vervolgd. Daar was ze blij om. Ze zagen eruit als mensen die hadden geleden, onterecht voornamelijk. Uit wat ze had gelezen, had ze begrepen dat ze de dingen die ze verloren hadden, nooit zouden terugkrijgen. Daar hadden Massiters advocaten voor gezorgd. Maar niemand scheen er veel zin in te hebben de arrestatiebevelen die tegen hen waren uitgevaardigd, in stelling te brengen, omdat er dan te veel onverkwikkelijke zaken uit het verleden opgerakeld zouden worden. Het stond het tweetal ten minste vrij een nieuwe start te maken met hun leven.

'Hond! Hond! Xerxes!'

Peroni zat tot aan zijn knieën onder de modder van zijn dwaaltocht door de akkers en het moerassige land. Telkens brulde hij de naam van het dier. Ze vroeg zich af wat hij verwachtte. Zou het beest opeens kwispelend uit de welige, grazige wildernis aan de rand van de lagune komen zetten?

Hij riep nog een paar keer en kwam toen met een grimmig gezicht tegenover haar zitten. Hij was boos op zichzelf.

Ze gaf hem een klopje op zijn grote hand. 'Gianni, het is al een week geleden. Als hij het water heeft overleefd – en dat is nog maar de vraag – kan hij hier van honger zijn omgekomen. We weten dat de mensen in de omgeving hem niet te eten hebben gegeven.'

Ze hadden er genoeg gesproken. Boeren net zo goed als vissers en geen van allen zagen ze eruit alsof ze geneigd waren voor iets te zorgen dat niet tot hun eigen huishouden behoorde. Niemand had zelfs een kleine zwarte spaniël gezien, een mager beest met een hongerige blik, eenzaam en in de war omdat hij niet begreep waarom het hutje waar hij woonde dag aan dag verlaten was. Eigenlijk kon het niemand iets schelen. Alleen Gianni Peroni, die hoopte dat hij met zijn dierenliefde alles kon goedmaken.

'Hij is hier,' hield Peroni vol. 'Dat weet ik gewoon.'

'Daar gaan we weer. Instinct. Wees nou eens realistisch, wil je? Dat arme ding is waarschijnlijk verdronken.'

'Nee! Jij weet niets van honden. Spaniëls zijn dol op water. Hij zou heen en weer naar de stad kunnen zwemmen, als hij dat wilde.'

'Daar geloof ik niks van.'

'Geloof het nou maar,' zei hij en hij draaide zich om naar de vlakbij gelegen sprietige *rio* en begon weer telkens opnieuw de naam van de hond te roepen.

Ze wachtte tot hij zweeg om adem te halen en pakte zijn hand steviger beet. 'Is het nooit bij je opgekomen, hondenmens die je bent, dat die rotbeesten soms alleen komen als ze door iemand worden geroepen die ze kennen?'

'Dat is niet waar! We hadden vroeger thuis een hond. Die kwam naar iedereen toe die zijn naam kende.'

Ze dacht even na. 'Hoe heette hij?'

'Guido!'

'Goed. Dan zal ik je eens een beetje dierenpsychologie bijbrengen. Honden gaan af op lettergrepen. Duidelijk van elkaar afgescheiden brokken taal. Guido – GWIE-DO – is een uitstekende naam omdat hij uit twee zeer duidelijke lettergrepen bestaat, het ideale aantal voor iets met hersenen ter grootte van een bescheiden aardappel. Bovendien, en dat is heel belangrijk, worden deze lettergrepen van elkaar gescheiden door een harde medeklinker, een medeklinker die wordt uitgesproken wanneer je het middenstuk van je tong omlaagbeweegt, van je verhemelte af.'

Hij keek haar nors aan. 'Ik denk niet dat honden iets van harde medeklinkers snappen.'

'Dan vergis je je. Vraag me niet hoe ik het weet – het is al heel lang geleden – maar ze begrijpen er alles van. Een hond met een goede naam als Guido weet wanneer iemand hem roept, zelfs als het een volslagen vreemde is. Of hij gehoorzaamt is een tweede natuurlijk.'

'Leidt dit nog ergens toe?' vroeg hij.

'Nou en of. Guido is goed. Xerxes – denk er maar eens aan hoe je dat uitspreekt, KSER-KSES – is verschrikkelijk. Geen harde medeklinker. Twee rommelige lettergrepen. De hond heeft hem natuurlijk talloze malen gehoord van Piero en door de vele herhalingen en de intonatie in de stem van zijn baasje geleerd wat hij betekende. Uit de mond van iemand anders klinkt hij als één grote brij. Duidelijk?'

'Ja. Wat moet ik dan doen?'

'Mee naar huis gaan. Dan gaan we morgen terug naar Rome en proberen we weer een normaal leven te gaan leiden, voor zover dat met onze disfunctionele persoonlijkheden mogelijk is.'

'En de hond?'

Ze liet zijn hand los en zwaaide vermanend met haar vinger. 'Je kunt niet alles redden, Gianni. Dat gaat gewoon niet. Op een gegeven moment zul jij – én Nic én Falcone – moeten accepteren dat er in deze wereld slachtoffers vallen. Trouwens, stel dat je hem vindt. Wat ga je dan doen?'

Ze zag de schuldbewuste, ontwijkende blik op zijn gezicht en wenste opeens dat ze de vraag nooit had gesteld. Een man die regelmatig dingen redde, wist altijd wel een plekje om ze onder te brengen.

'Nee. Zeg maar niets. Het wordt die nicht in Toscane weer, hè?'

'Niet echt,' antwoordde hij en hij haalde een verkreukeld stapeltje papier uit zijn jasje, legde het op de tafel en streek het glad. Het bovenste vel was een fax van een memo uit de Questura in Rome. De rest bestond uit vellen papier met slechte kleurenfoto's van een boerderijtje, niet veel groter dan het hutje van Piero Scacchi, papieren zoals je van een makelaar kreeg.

'Ik was toch al van plan het hierover te hebben. Ze hebben ons een sabbatical aangeboden. Mij, Nic, Falcone. Sabbatsjaren zijn helemaal in in Rome op dit moment. Verfrist de geest. Of zoiets.'

Ze had gehoord dat ze gegeven werden, meestal aan mensen met wie de bazen zich geen raad wisten. Het idee alleen al maakte haar achterdochtig.

'En wat voor soort sabbatical zou dat dan wel zijn? Zoiets als "We hoeven je geen geld te betalen, maar jij rot op en zorgt dat we geen last van je hebben"?'

'De baan is er nog als je hem wilt. Je gaat gewoon weg. Voor zes maanden. Een jaar. Of langer, als je wilt.' Hij zweeg even en likte langs zijn lippen. 'Misschien voorgoed. Mijn neef Mauro heeft nog een tweede boerderij. Varkens. Hij kan hem niet verkopen. Ik zou hem een tijdje voor niets mogen hebben. Om te zien of ik er iets van kan maken.'

Ze haalde diep adem. 'Laat je me in de steek? Voor varkens?'

'Nee!' wierp hij tegen, geschokt door de beschuldiging. 'Ik ga alleen als jij ook een sabbatical kunt krijgen. Dat zal niet zo moeilijk zijn. Ik ken een paar mensen...'

'Ja, hoor eens. Ik ga geen varkens fokken.'

'Artsen hebben ze overal nodig,' zei hij met een schouderophalen. 'Je zou een baan bij het medisch centrum in het dorp kunnen krijgen. Het zijn aardige mensen.'

'Heb je dat al gevraagd?'

'Min of meer. Maar allemaal heel vrijblijvend. Niet...'

Hij zuchtte en kneep in haar vingers. Dikke vingers. In sommige opzichten leken ze op elkaar.

'Het is volgens mij tijd eens iets anders te proberen. Leo zal nog wel een paar maanden uit de running zijn. Nic heeft ook plannen.'

Geen lijken. Geen mortuarium. Geen budgetten. Ze kon het appartement onderverhuren. Ze kon weer een tijdje levende mensen gaan behandelen. Het was best aantrekkelijk. Het probleem was dat er een bepaald soort moed voor nodig was en dat ze niet wist of ze die had.

'Het was maar een idee. Ik had het met jou moeten bespreken voor ik die papieren aanvroeg,' gaf hij toe. 'Sorry. Stom van me.'

'Als het zou lukken, Gianni, weet je wat dat zou betekenen? Dan gaan we misschien nooit meer terug. Geen Rome meer. Geen Questura meer. Geen lijken. Geen pret.'

'Is dit pret volgens jou?'

'Soms wel. We hebben elkaar eraan overgehouden, of niet soms?'

'Ja, maar...'

'Wat nou "ja maar"? We zijn hier goed in. Wij allemaal. Het enige probleem is dat jullie drieën niet weten wanneer je moet ophouden. Jullie gaan er altijd voor de volle honderd procent in en pakken alles aan. Daar moet een einde aan komen.'

Dat vond hij niet leuk. 'Misschien kunnen we het niet anders.'

'Dan wordt het misschien tijd dat jullie dat leren.'

Hij protesteerde niet. Peroni was altijd bereid alternatieven te overwegen. Dat was nog zo'n onvoorspelbare eigenschap van hem die haar aangreep.

'En als ik dat doe, kunnen we dan allebei met sabbatical?'

Ze keek hem recht in zijn gehavende gezicht. 'Wil je dat echt?'

'Dat weet ik niet,' antwoordde hij eerlijk. 'Wat denk jij?'

'Ik denk dat we die hond moeten zien te vinden.'

'Je zei dat hij dood was!'

'Dat is hij waarschijnlijk ook. Maar je moet het probleem eens van een andere kant benaderen. Je hebt de juiste vraag niet gesteld. Ook al weet je hem, sterker nog, ik weet hem, omdat je me al alles over dat beest hebt verteld.'

Hij bleef zwijgend, verbaasd zitten.

'Kom op, zeg,' verzuchtte ze. 'Het ligt toch voor de hand?'

Teresa Lupo stond op en ging op pad naar het kleine hutje. Ze was ervan overtuigd dat het niet op slot zat. Ze was ervan overtuigd, door wat ze van hem wisten, dat Piero Scacchi een man was die van alles wat belangrijk voor hem was een reserve-exemplaar had.

Gianni Peroni bleef gehoorzaam aan tafel zitten wachten en zodra hij haar zag terugkomen, begon het hem te dagen.

Toen ze terug was, legde ze het oude, vieze jachtgeweer voor hem neer en zette ze de doos patronen die ze had gevonden aan haar kant van de tafel.

'Voor mij hoef je niets te doden,' zei ze.

3 'Er zat een stof op de voorschoot,' legde Falcone uit. 'Een industrieel oplosmiddel. Een middel dat overal in laboratoria wordt gebruikt, en ook in enkele productieprocessen. Soms in glasblazerijen. Het heet keton. Heb je er wel eens van gehoord?'

Ze schudde haar hoofd. 'Het is lang geleden dat ik met chemicaliën te maken heb gehad.'

'Er moet een voorraadlijst zijn. We zouden het kunnen nakijken.'

Raffaela Arcangelo keek hem kwaad aan. 'Waarom? Uriel en Bella zijn dood en begraven. De hele wereld denkt dat hij weet wie ze heeft vermoord: Aldo Bracci. Nic is het er niet mee eens. Hij denkt dat Hugo Massiter het heeft gedaan en dat hij Massiters redenen ook weet. Wie van de twee het ook is geweest...' Ze haalde haar schouders op. 'We kunnen het ze niet meer vragen.'

'Dat is waar,' zei hij en hij knikte instemmend. 'Maar laten we toch eens over die redenen nadenken. Bella was in verwachting. Niet van haar broer. Dat geloof ik echt niet. Van Massiter. Dat dacht ze tenminste en waarschijnlijk maakte ze de Engelsman het leven zuur. Chantage in een of andere vorm, vermoed ik. Dreigen met moeilijkheden bij het tekenen van het contract. Ik heb de indruk dat Bella altijd precies wist wat een man zijn zwakke plekken waren.'

Ze knikte. 'Je hebt zoals gewoonlijk weer gelijk.'

'Dank je. Maar waar het mij vooral om gaat, is het middel. Bella werd in haar eigen slaapkamer met simpel geweld gedood, of op zijn minst bewusteloos geslagen, en daarna bracht de dader haar naar de oven om van het lijk af te komen. Wreed, maar niet echt ongebruikelijk. Uriel daarentegen...'

Hij tuurde naar het graf. Ze sloeg haar armen over elkaar en keek naar hem. 'Ik begrijp werkelijk niet waar je het over hebt.'

'Het is net of we twee verschillende misdrijven door twee verschillende daders hebben. Het einde van Uriel, die bewerkte voorschoot, is aarzelend, half-slachtig, bijna alsof het niet helemaal opzettelijk was. Uit Teresa's aantekeningen heb ik opgemaakt, dat het slechts een zeer kleine kans van slagen had. Zelfs als de branders van de oven vastzaten, zodat de temperatuur ongewoon hoog was, was de kans zeer klein dat stof die met die substantie was geïmpregneerd, vlam zou vatten. Uriel had vreselijke pech. Het is mogelijk dat de aanwezigheid van alcohol de gebeurtenissen heeft versneld. Dat zullen we nooit weten. Toch is het net of de persoon die dat heeft gedaan, niet zeker wist of hij het misdrijf eigenlijk wel wilde plegen. Hij liet het over aan het toeval, liet het lot beslissen of het de voorschoot vlam zou laten vatten en de persoon die opgesloten was in die ruimte, zou veroordelen tot wat op het eerste gezicht een dood door ongeval kon worden genoemd. Was dat werkelijk gebeurd en was Bella niet ook vermoord, dan...'

'Dan?'

'Dan zou het zijn afgedaan als een bedrijfsongeval met dodelijke afloop. Geen twijfel mogelijk. En daarom geloofde ik aanvankelijk ook dat Bella op de een of andere manier medeplichtig moest zijn geweest. Maar toch...'

Hij had zo hard gewerkt om het te begrijpen. Zelfs nu kostte het hem nog moeite alle details op een rijtje te krijgen. Leo Falcone was zich ervan bewust dat zijn hersenen niet meer zo efficiënt, zo rechtlijnig werkten als vroeger.

'Ik zie het probleem niet,' zei ze.

'Het probleem is dat het contrast met het feitelijke einde van Bella nauwelijks groter had kunnen zijn! Dat was snel, resoluut, bloederig. Opzettelijk, voorspelbaar. Normáál, als je dat woord zou kunnen gebruiken als je het over moord hebt.'

Ze keek achterom naar de uitgang. 'We moeten zorgen dat we hier niet achterblijven. Duurt het nog lang?'

'Nee.'

'Fijn. En je oplossing?'

'Die was eenvoudig, toen ik er eenmaal over had nagedacht. Al die sleutels. Al die lintjes. Jullie zijn een familie die alles zoekmaakt. Mensen die iets pakken terwijl het van een ander is.'

'Iedereen maakt fouten,' zei ze scherp.

'Zeker. En, omdat ook hij wel eens een fout maakte, pakte Uriel die avond de voorschoot die voor Bella was bedoeld en zij die van hem. Ze droeg hem in de glasblazerij en ze vroeg zich af waarom het er zo heet was en de branders zo moeilijk af te stellen waren. Zonder dat haar iets overkwam, tot ze enigszins van slag naar het huis terugging met het gevoel, stel ik me zo voor, dat er iets niet in orde was.'

Raffaela gaf blijk van haar aarzelende instemming door haar wijsvinger op te steken. 'Zoiets zou er gebeurd kunnen zijn, neem ik aan.'

'Zo is het gebeurd. En als ze terugkomt, staat onze weifelende moordenaar, iemand die het lot wilde laten beslissen of Bella blijft leven of sterft, voor een keuze. Berusten of handelen? De klus afmaken of doen alsof er niets is gebeurd? Dat zal lastig zijn geweest. Er waren natuurlijk geen voorbereidingen getroffen. Maar wat er gedaan moest worden... dat moest in een paar tellen worden beslist, en daarom ging de dader toen er voor geweld werd gekozen, zo overijld te werk. Bella's dood moest snel worden bewerkstelligd, voordat de dader ging twijfelen. Dit was geen beredeneerde, afstandelijke gebeurtenis meer. Het vereiste kracht, vastberadenheid. Die bloedspetters op de muur van de slaapkamer...'

'Voor zover ik weet,' merkte ze op, 'was Hugo Massiter een sterke en vastberaden man.'

'Zeker. Maar er gebeurde ook iets onverwachts. Voor ze wordt vermoord, belt Bella Uriel, die halfdronken, half slapend in het kantoortje zit. Ze vertelt hem dat er iets met de oven is. Dat hij oververhit raakt. Misschien wil ze daar met hem overleggen. Dus gaat hij een beetje vroeger dan anders naar de glasblazerij. Als hij er komt, staat de deur op een kier. Dat is heel normaal, want hij viel nooit goed in het slot, en hij trekt hem achter zich dicht. De oven is nu volkomen op hol geslagen. De val die voor Bella was opgezet, klapt dicht met hem erin, wat absoluut niet de bedoeling was.'

Hij zag dat ze naar het graf blikte en zich toen omdraaide met een radeloze, verdrietige blik in haar ogen. 'Ik heb toch altijd al gezegd dat het een ongeluk was,' mompelde ze.

'Dat klopt. Wat Uriel betreft, heb je ongetwijfeld gelijk. Het spijt me dat dat geen troost voor je is. Ik zou willen dat ik de gebeurtenissen op een andere manier kon interpreteren. Echt.'

Tot zijn verrassing glimlachte ze. 'Jij was de enige met een vriendelijk woord, weet je dat. Van het begin af aan. Het viel me direct al op dat je een bijzondere en nogal ontroerende belangstelling voor andere mensen hebt, Leo, maar heel weinig voor jezelf.'

Hij gebaarde naar de rolstoel. 'Ik heb tijd om te veranderen. Ik zal proberen als een gewoon mens te denken. Niet als een inspecteur van politie.'

'Is dat wat je doet? Ik had meer de indruk dat je als een crimineel dacht.'

Het was een scherpe observatie, tot op zekere hoogte. 'Als je naar verklaringen zoekt, moet je de gebeurtenissen van beide kanten bekijken. Vanuit de dader. En vanuit het slachtoffer. Criminelen interesseren me. Dat geef ik toe. Ik heb nooit zoveel waarde gehecht aan de opvatting dat ze zo geboren zijn. Er gebeurt iets. Ze worden ergens door gevormd. Als ik weet waardoor, dan...'

'Dan word je een beetje zoals zij.'

Het was een constatering, geen vraag. Hij had geen zin een discussie aan te gaan.

'Het is mijn werk. En wie met pek omgaat, wordt ermee besmet. Maar je snapt niet wat ik wil zeggen. Criminelen worden gemaakt, niet geboren. Zelfs een man als Aldo Bracci.'

Haar gezicht lichtte op van verbazing. 'Aldo Bracci was een bruut en een dief! Hij is al die jaren geleden met Bella naar bed geweest! Dat weet je!'

'Het was een Bracci,' verklaarde Falcone. 'Deed hij niet precies wat er van hem werd verwacht?'

Ze zweeg. Toen ging Raffaela op de bank naast het graf zitten, keek op haar horloge en zei: 'We moeten gaan. De laatste boot vertrekt zo.'

'Ik ben bijna klaar. Aldo Bracci brengt me bijna bij het einde. Waarom denk je dat hij die avond naar het feest van Massiter ging? Met een vuurwapen en Bella's sleutels bij zich?'

Ze schudde haar hoofd. 'Nic zei dat hij dacht dat *commissario* Randazzo de sleutels in Bracci's zak had gestopt nadat hij hem had neergeschoten. Dat lijkt me zeker een mogelijkheid. Randazzo werd door Massiter betaald. Het ligt voor de hand, nietwaar? De *commissario* wilde ervoor zorgen dat Bracci de schuld kreeg van de moord op zijn zus, zodat Massiter vrijuit zou gaan.'

Falcone fronste zijn wenkbrauwen. 'Nic is jong en slim, maar hij moet nog veel leren. Ik heb die avond met Randazzo staan praten. Hij had nauwelijks genoeg tegenwoordigheid van geest om de kans te grijpen Bracci te doden. Meer kon hij niet. Aldo had die sleutels bij zich. Iemand, Massiter zelf misschien, of een ander, heeft ze aan hem gegeven. In een anonieme brief, zeg maar. Een brief waarin werd gesuggereerd dat ze op Massiters jacht waren gevonden, of in dat appartement op het eiland, het bewijs dat Bella, zijn eigen zus, door de Engelsman was vermoord omdat ze zwanger was. Bracci was al dronken. Het zou voor hem genoeg aanleiding geweest kunnen zijn.'

'De Bracci's zijn gewelddadige mensen. Ze vereffenen hun rekeningen altijd.'

Falcone viel haar bij. 'Wat iedereen uiteraard wist. En als Aldo stomdronken bij zo'n gebeurtenis verscheen, met de sleutels in zijn zak, en onzin begon te schreeuwen, tegen Hugo Massiter nota bene, wie zou hem dan geloven? Het zou alleen eens te meer bewijzen dat de broer schuldig was, wat hij ook beweerde. Door zijn maatschappelijke positie en zijn karakter zou hij van meet af aan gedoemd zijn. Het is een slimme truc. De boosheid en reputatie van een man tegen hemzelf keren.'

Hij ving haar blik. 'Het was pech dat hij jou het eerst zag. Dat hij jou uitkoos.'

'Ik stond bij de deur. Ik was de eerste die hij tegenkwam. Jij was op dat moment druk bezig met iets anders. Onattent, mag ik wel zeggen.'

'Sorry. Ik wilde dat ik meer tijd met je had doorgebracht. Echt waar.'

Ze vroeg: 'Is dat het? Kunnen we nu gaan?'

'Sleutels,' mompelde hij en het beeld van de blokhut in de bergen kwam weer bij hem op. 'Of beter gezegd, één sleutel. Uriels sleutel van de glasblazerij. Daar begreep ik helemaal niets van. Hij bracht me van de wijs en ik betwijfel het of ik er ooit achter was gekomen zonder...'

Een ontmoeting met zijn jongere ik, op een plaats in hun eigen gemeenschappelijke verbeelding, een terugkeer naar een beslissend moment dat van Leo Falcone de man had gemaakt die hij was.

'Sleutels zijn stukjes metaal,' zei ze. 'Je bent beter met mensen.'

'Er was een deel afgevijld,' ging hij verder. 'Had ik dat al verteld?'

Raffaela keek strak naar haar horloge en zei: 'Leo. De boot.'

'De boot kan wachten. Hij was afgevijld en ik begreep maar niet waarom. Of liever gezegd, ik zag maar één reden, bekeek alles van één kant. Uriel lag dood in een afgesloten ruimte. Iemand had de enige sleutel die hij had, bewerkt om ervoor te zorgen dat hij het niet deed. Het leek allemaal heel rechttoe rechtaan. Dat was gedaan om hem binnen te houden. Een andere reden kon er niet zijn. Maar toch...'

'Leo!' riep ze, op haar pols tikkend.

'Ik ben heel dom geweest.'

Hij keek haar recht in het gezicht en wist nu dat hij zich niet vergiste, dat er op deze verlaten begraafplaats, met het lijk van Uriel Arcangelo een meter diep in de grond naast hem, een soort ontknoping zou volgen, hoewel hij niet wist of het er eentje was die hij wilde en waar hij uiteindelijk toe zou leiden.

'De sleutel was afgevijld om hem buiten te houden, Raffaela,' zei hij en ongewild verhief hij zijn stem. 'Je wilde Bella dood hebben. Niet Uriel. Juist niet. Je wilde haar de glasblazerij in sturen, waar de branders waren vastgezet, zodat ze steeds harder gingen branden, met een voorschoot die vlam zou vatten als het lot het wilde. Je moest ervoor zorgen dat Uriel niet naar binnen kon als hij dat wilde. Dus vijlde je de sleutel af. Uriel zou, als hij erheen ging, het slot of de drank de schuld geven. Daarna zou hij op zoek gaan naar Bella's sleutels en ze nergens kunnen vinden. Uiteindelijk zou hij de persoon wakker maken die hem het meeste na stond. Zijn zus. Jij zou tijd rekken, vermoed ik. Je vermoedde hoelang het zou duren voor de oven zijn werk had gedaan. En tegen de tijd dat jij er was om de deur open te maken, zou Bella dood zijn. Het slachtoffer van een naar bedrijfsongeval dat niemand ooit volledig zou kunnen verklaren, maar dat verder geen achterdocht wekte.'

Ze leunde met gesloten ogen naar achteren op de bank en zei niets.

'Maar Bella, of Uriel, pakte de verkeerde voorschoot. De oven was in slechtere staat dan je dacht. En daar kwam al het andere uit voort. Bella die terugging naar het huis en jouw onvermijdelijke reactie. De noodzaak de schuld eerst op Aldo Bracci te schuiven. Vervolgens, toen jij de gebeurtenissen niet meer in de hand had, de moord op Bracci en die op Gianfranco Randazzo. De dood van Massiter ook, die gelukkig pas overleed nadat het eiland dat je zo verschrikkelijk haat, was verkocht. Zo veel sterfgevallen ten gevolge van zo'n simpele vergissing die niemand had kunnen voorzien, jij al helemaal niet.'

Drie meeuwen, vechtend om een stukje eten, krijsten boven hun hoofd. Toen was het stil. Ze waren nu alleen op de begraafplaats, wist hij, vergeten door een beheerder, belast met het bewaken van dit dodeneiland na zonsondergang, die een stuk verderop in zijn wachthuisje zat.

'Droom je van ze, Raffaela?' vroeg hij.

4 Het had drie dagen geduurd voor de Questura Costa en Peroni liet gaan. Toen het besluit eenmaal was genomen, werkten ze het tweetal in luttele seconden haastig het gebouw uit met de goede raad nooit meer terug te komen. Er zouden geen represaillemaatregelen worden genomen. Zaken als die van Hugo Massiter moesten in hun geheel worden begraven, of niet.

Dus nam Nic Costa afscheid van Venetië en pakte, met een mat gevoel van berusting, het eerste vliegtuig naar Rome, een vlucht die hij had uitgekozen omdat hij op Ciampino landde, het kleine vliegveld niet ver van de Via Appia.

Een plek die hij miste en vreesde tegelijk, omdat hij niet wist wat hem te wachten stond op de oude boerderij waar hij zich in de veel te korte tijd die ze er samen hadden doorgebracht, eindelijk weer thuis had gevoeld.

Emily was buiten bezig met de druiven die als zwart met groene slingers boven het terras hingen, toen de taxi hem voor het huis afzette. Een rieten mand vol fruit stond bij de deur. Ze droeg een spijkerbroek en een oud katoenen T-shirt en haar blonde haar, dat nu een tint lichter was dan het in Venetië was geweest, was uit haar gezicht gekamd.

Hij zette zijn tassen op de oude tegels en hield het boeket omhoog dat hij op de luchthaven had gekocht: rozen en fresia's en alles wat maar lekker rook. Ze keek ernaar en lachte.

'Dat is al het tweede boeket dat ik in een paar weken krijg,' zei ze. 'Ga je me verwennen?'

'Ik weet niet...'

Hij schudde zijn hoofd. Ze wees naar het betimmerde terras. Daar hing het bosje *peperoncini* dat Gianni Peroni op Sant' Erasmo van Piero Scacchi had gekocht. Het vruchtvlees van de pepertjes was al aan het rimpelen in afwachting van de winter.

Emily knikte naar de mand met fruit en ging toen aan de tafel zitten. Costa voegde zich bij haar.

'Ik dacht dat ik ze maar beter kon plukken. Het zijn er zo veel. Er moet iets aan die druif gedaan worden. Je kunt planten niet jaar in jaar uit hun gang laten gaan. Wat doe je trouwens met al die druiven?'

'Mijn vader maakte er vroeger wijn van. Gewoon *vino novello*. Simpele boerenwijn. Hij is drie maanden lekker en dan wordt het azijn. Hij heeft nooit tijd gehad me te laten zien hoe het moest. Of ik heb nooit tijd gehad het te leren. Een van de twee. Dat weet ik niet precies.'

'Je hebt nog twee weken vrij. Je zou het nu kunnen leren.'

Nee. Hij had hier al over nagedacht.

'Ik heb je een vakantie beloofd. Waar je maar wilt. In Toscane. Het maakt mij niet uit. Zeg het maar.'

'Hier,' zei ze ogenblikkelijk. 'Nergens anders. Dit is waar we moeten beginnen, Nic. Je moet me de plaatsen uit je jeugd laten zien. Ik wil fietsen kopen, zodat je met me over de Via Appia kunt gaan fietsen. En ik wil wijn leren maken. Vind je dat wat?'

Hij wilde haar in zijn armen nemen, maar durfde het niet. Hij wilde haar vertellen wat hij dacht en kon de woorden niet vinden.

'Ik wist niet of je er nog zou zijn,' zei hij. 'Ik had het je niet kwalijk genomen als je was weggegaan.'

Emily Deacon liet haar hoofd naar achteren zakken, haalde de spelden uit haar haar en schudde het los.

'Je kent me duidelijk nog niet goed genoeg,' zei ze. 'Ik heb niet de gewoonte een man stilletjes te verlaten. Als ik vertrek, zul je geschreeuw horen en taal die je nog nooit met een vrouw uit mijn milieu hebt geassocieerd. Begrepen?'

Hij pakte haar handen over de tafel heen vast.

'Mooi,' ging ze verder. 'Zou je me hebben gehaat? Als ik was weggegaan?'

'Ik zou je hebben gemist. Ik zou mezelf hebben gehaat.' Hij keek in haar scherpe, onderzoekende ogen. 'Het spijt me zo. Ik heb me nooit gerealiseerd hoe diep we erin verwikkeld waren, en wat ik van je vroeg. Kun je me dat ooit vergeven?'

Er verscheen een lichte, wrange glimlach. 'Jou vergeven is nooit het probleem geweest. Het gaat om mij. Ik weet niet of ik mezelf kan vergeven.'

Tijd, dacht hij. Dat was wat ze nodig hadden. Tijd en elkaar. 'Zeg me wat ik moet doen.'

'Wees jezelf. Wees hier als ik je nodig heb.'

Costa dacht aan zijn vader en de turbulente periode die hij in zijn leven had gekend toen hij begin dertig was. Uiteindelijk was er een soort rust gekomen, maar dat was niet zonder verdriet en offers gegaan. Kennelijk hoorde dat bij menselijke relaties, en het was enkel het kind in hem dat wilde geloven dat er een andere, minder zware weg was.

'Dat beloof ik,' zei hij. 'Het valt allemaal niet mee, hè?'

'Nee. Maar ik heb het gevoel dat het beter is dan het alternatief.' Ze boog zich naar voren en kuste hem op de wang. 'Dat is de reden dat ik hier nog ben. Zolang ik dat gevoel hou, is dat de reden dat ik zal blijven.'

'Dan mag ik mezelf wel gelukkig prijzen.'

'Nou en of,' beaamde ze. 'Hoe is het trouwens met Leo? Gaat hij straks weer aan het werk?'

Costa had de vorige ochtend met Falcone in het ziekenhuis doorgebracht.

Het was fijn te zien dat hij vooruitging, hoewel de man op de een of andere manier was veranderd, evenals hun relatie.

'Hij is aan de beterende hand. Leo komt wel weer terug in de Questura. Uiteindelijk.' Hij pakte een trosje druiven dat op tafel lag. 'Voor dit in azijn verandert. We gaan allebei terug.'

'Allebei?'

Ze boog zich vol verwachting en enigszins gespannen naar voren om de rest te horen. Het was goed nieuws. Daar had Costa zichzelf van overtuigd.

'Ik heb eerst nog een kleine opdracht.'

'Waar?' vroeg ze snel.

'In Rome. Alleen in Rome. Met een beetje reizen waar jij volgens mij ook van zou kunnen genieten.'

'Nic...'

Hij had de vorige middag onder een lange en aangename lunch in een duur restaurant ver weg van de toeristische gelegenheden bij de Rialto alles doorgesproken met Luca Zecchini. Het was een onverwacht aanbod, maar de *carabinieri* en de staatspolitie werden geacht van tijd tot tijd samen te werken. Het was ook een beloning, een verdiende beloning.

'Zecchini's mensen hebben die bestanden gekraakt die jij ze had gegeven. Vrijwel de eerste keer dat ze het probeerden.'

'Dat kan niet.'

'Ze hebben het wachtwoord gevonden. Het was gebaseerd op het telefoonnummer van Massiters vorige huis in Venetië. Blijkbaar –'

'Blijkbaar werken er bij de *carabinieri* heel slimme mensen,' onderbrak ze hem. 'Wat hebben ze ontdekt?'

'Namen. Bankrekeningen. Routes. Transporten. Alles. Het is een goudmijn. Lees de kranten maar de komende paar weken. Dan zul je het zien. Het is de grootste doorbraak die ze in jaren hebben gehad.'

Ze lachte. 'Hugo leek me altijd al het soort man dat slordig was met dat soort dingen. Hij voelde zich onkwetsbaar. Hij wíst dat ze hem nooit zouden aanpakken.'

'Dat hebben ze ook niet gedaan. Ze hebben alleen het slot geforceerd. Zonder jou...'

'Dan...' Emily keek weemoedig maar de tuin met het welig tierende onkruid en de slecht verzorgde groenten. 'Ik wilde bijna zeggen dat het dan de moeite waard is geweest. Maar dat was het niet.'

Nic Costa keek haar aan, zorgde ervoor dat ze wist dat hij er hetzelfde over dacht. Hij had iets geleerd in Venetië. Dat er voortaan een limiet gold voor de prijs die hij zichzelf, of iemand anders, zou laten betalen.

'Nee,' beaamde hij, 'dat was het niet. Er staat voor de lente een kunsttentoonstelling op de kalender. In Rome. De grootste in jaren. Zecchini heeft me voorgedragen als veiligheidsmedewerker. Het is een beloning. Ik krijg zulke mooie dingen te zien. Er komt een Caravaggio uit Londen voor de gelegenheid. *Een jongen gebeten door een hagedis*. Ik moet ervoor zorgen dat hij heel hier komt en weer terug. Een heleboel andere ook. Jij bent in Londen geweest. Ken je het?'

'Ja, het is prachtig,' zei Emily en haar gezicht drukte weer de vertrouwde vreugdevolle geestdrift uit. 'Er is een jonge, onschuldig uitziende jongen, met een bloem in zijn haar, het soort waar Caravaggio van hield. Hij steekt zijn hand in een schaal fruit. Opeens springt er een kleine hagedis uit en bijt in zijn hand. Hard. Je kunt zien dat hij schrikt en dat het pijn doet, en het is des te wezenlijker omdat hij genot verwachtte. Het is, denk ik, een allegorie van het onverwachte verdriet dat je soms krijgt wanneer je eigenlijk het tegenovergestelde verwacht. Heb je het nooit gezien?'

Schilderijen hadden de laatste tijd geen deel van zijn leven meer uitgemaakt. Hij realiseerde zich nu hoezeer hij ze miste.

'Als je je bagage hebt uitgepakt, kun je me helpen met het fruit,' verklaarde Emily Deacon. 'Caravaggio of niet, ik ben niet van plan al die druiven te laten wegrotten.'

Nic Costa popelde van ongeduld om, met Emily aan zijn zijde, het doek van dichtbij te zien, in het echt, even bezield als op de dag dat het was geschilderd.

'Iedereen wordt wel eens door de hagedis gebeten,' zei hij. 'Het enige wat telt, is wat er daarna gebeurt.'

5 'Waarom ga je hierop door, Leo?'
Hij vond het een merkwaardige vraag. 'Omdat het mijn werk is.'
'Zonder jezelf af te vragen wat het doel is? Of de prijs?'
Ze zat stil, zelfverzekerd op de bank. Hij hoorde de stoot van de hoorn van de *vaporetto* toen deze van de kade aan de andere kant van het eiland wegvoer.

'Het is mijn werk,' zei hij nogmaals.

'Maar waarom? De Venetiaanse Questura zal niet naar je luisteren. Niemand zal naar je luisteren. Zelfs je eigen mensen niet, denk ik. Heb je het ze verteld?'

'Nee,' gaf hij toe. 'Ik wilde het eerst met jou bespreken.'

'Altijd een heer,' zei ze met een klein glimlachje.

'Er is bewijsmateriaal,' merkte hij op. 'Je hebt het ons zelf bezorgd. Het overhemd met het monogram van Massiter en Bella's bloed. In het tweede DNA-monster op dat overhemd, dat voornamelijk zweet is, zit geen Y-chromosoom. Dat hoorde Teresa kort voordat Massiter werd gedood, te laat helaas om nog van nut te zijn. Het is vrouwelijk DNA. We hebben geen monster van dat van jou, maar ik durf er heel wat onder te verwedden dat het hetzelfde is.'

'Ik deed alle was in dat huis, sommige stukken op de hand,' zei ze half lachend. 'Zou dat zo'n verrassing zijn?'

'Maar dan...'

Leo Falcone had hier tot zijn ontzetting nooit aan gedacht. Hij werd zich er nu plotseling van bewust dat hij in het ziekenhuis meer van zijn scherpte had verloren dan hij had beseft. Maar er was nog één simpel feit onafgedaan.

'Ik heb Teresa gevraagd me dat overhemd te brengen. Het monogram was met de hand geborduurd, wat ongebruikelijk zou zijn voor een man die gewend was zijn overhemden in grote aantallen te kopen, zelfs van de beste kleermakers. De snit was ook niet zo goed. Eerder een overhemd voor Uriel dan dat van een welvarende Engelsman.'

Ze bleef hem verbijsterd aankijken zonder iets te zeggen.

'Jij hebt zelf de letters op Uriels bebloede overhemd geborduurd toen je doorkreeg in welke richting Nic dacht. Je wilde er zeker van zijn dat de schuld op Massiter werd geschoven, als Bracci niet meer verdacht werd, maar natuurlijk niet te snel, want dan kwam het contract in gevaar. Een technisch onderzoek zou dit allemaal kunnen ophelderen...'

'Je bent een man in een rolstoel, Leo. Geen inspecteur die de leiding heeft over een moordonderzoek. Overhemden met een slechte snit? Met de hand geborduurde letters? Denk je nou echt dat iemand naar dit gebazel zal luisteren, behalve ik?'

Hij wist niet zeker of dat hem nog iets kon schelen.

'Ik was blij met deze ontdekking,' ging Falcone verder. 'Als het overhemd echt van Massiter was geweest, kon het alleen hebben betekend dat jij het van tevoren had gestolen, met het idee Bella te vermoorden in gedachten; dat waar ik mee te maken had, een kwestie van voorbedachte rade was, niet een wanhopige improvisatie achteraf. Ik was heel blij dat ik het op dat punt niet bij het verkeerde eind had.'

Raffaela Arcangelo zei niets en zag hoe ongemakkelijk hij zich voelde nu hij zo'n persoonlijke bekentenis had gedaan.

'Mannen denken nooit over dat soort dingen na, hè? Wassen. Schoonmaken. Naaien. Al het vervelende werk. Al het sloven. Dat gebeurt gewoon ergens anders, door een paar onzichtbare handen. Mijn broers zagen het geen van allen. Zelfs Uriel niet, hoewel hij van allemaal toch nog het meeste weg had van een echt mens. Ik was gewoon een onderdeel van het mechaniek van dat huishouden. Net een machine of een of andere ondergeschikte van buiten.'

'Het lijkt wel alsof je ze haatte,' zei hij verrast.

Ze zuchtte en keek naar de rij ceders die hen scheidde van de muur van lichte baksteen rondom de begraafplaats en van de lagune. De bomen ruisten in de aantrekkende wind die door de op handen zijnde seizoenswisseling werd aangewakkerd.

'Soms wel. Niet vaak. Meestal voelde ik niets. Helemaal niets. Ik was de vrouw. Ik moest daar aanhoren hoe Michele zijn belachelijke, wilde plannen verzon om ons weer rijk te maken. Ik moest toekijken hoe Gabriele glas produceerde dat nooit verkocht zou worden, terwijl we, met een paar veranderingen, met enige aandacht voor wat de buitenwereld wilde, tenminste nog iets hadden kunnen verdienen.'

'Michele dacht dat dat de taak van de *capo* was.'

'Inderdaad! En een vrouw zal dat nooit worden, hè?'

'Sorry.' Falcone was echt geschrokken. 'Ik dacht eigenlijk dat het om simpelere dingen ging.'

Hij wilde niet verdergaan, maar ze keek zo verbijsterd, dat hij onmogelijk kon blijven zwijgen. 'Ik vroeg me af of Bella Massiters enige verovering in het huishouden was. Of er misschien sprake was van jaloezie.'

Ze lachte hardop en liet daarna haar gezicht in haar handen zakken. Toen ze hem weer aankeek, stonden er tranen in haar ogen, tranen van vrolijkheid en verwondering, naar het scheen.

'Dacht jij dat ik met dat creatuur naar bed zou gaan, Leo? Lieve hemel... Hoe kon je zo blind zijn? En je bent zo opmerkzaam in zo veel andere zaken! Soms sta ik echt versteld van je.'

Maar het was makkelijk geweest blind te zijn. Er was sprake geweest van een lichte jaloezie, die de blindheid had uitgelokt. Dat begreep Leo Falcone wel. Gevoelens maakten alles ingewikkeld en hadden dat steeds gedaan.

'Ik ben nog nooit met iemand naar bed geweest,' zei ze. 'Ik ben een zevenenveertig jaar oude maagd die haar hele leven kuis getrouwd is geweest met één enkel geloof: dat de Arcangelo's de grootste glasmakers ter wereld zijn en dat we alleen maar hoeven te wachten, als insecten gevangen in amber, tot de rest van de wereld zover is, dat hij dat feit erkent. Wat nooit zou gebeuren, en dat beseften ze geen van allen, behalve ik. Wat Hugo Massiter ons ook voor het eiland bood,' – haar bruine ogen keken hem opeens fel aan – 'we zouden het aannemen. Ik was niet van plan die laatste kans verloren te laten gaan. Zeker niet vanwege zo'n kleine slet als Bella die met iedereen het bed in zou duiken en achteraf nog eens langs zou gaan om haar prijs door te geven.'

'Heeft ze je verteld dat ze zwanger was?'

Raffaela schudde verwonderd haar hoofd. 'Natuurlijk! Hoor jij wel wat ik zeg? Ik was de huissloof. De bediende die waste en kookte en schoonmaakte, terwijl Bella om de avond een uurtje of twee in de glasblazerij werkte en de rest van de tijd met heel Venetië naar bed ging. Ze vertelde het me omdát het niet uitmaakte. Al die druk die ze op Massiter uitoefende. De dreigementen het hele contract onderuit te halen. Ze geloofde in Micheles dromen, dat Massiter ons harder nodig had dan wij hem. Die vrouw was te stom om te begrijpen dat ze in feite onze eigen toekomst in gevaar bracht.'

'Je had haar kunnen overtuigen.'

'Je luistert nog steeds niet,' antwoordde ze, opeens bitter. 'Bedienden overtuigen niemand. Als Bella was gestorven, zoals had moeten gebeuren, dan zouden we allemaal beter af zijn geweest. Maar nu... Ja! Ik heb Bracci dat briefje en de sleutels gestuurd. Ik verwachtte dat hij zichzelf en plein public voor schut zou zetten, meer niet, en als hij de schuld kreeg, mij best. Of het kon Massiter worden, als Nic wilde volharden in zijn obsessie. Op voorwaarde dat we eerst zijn geld kregen.'

Ze keek naar het graf, de verse aarde en de splinternieuwe steen met de pas uitgehouwen naam. 'Toen ze terugkwam naar het huis, heb ik haar gedood. Daarna ben ik naar bed gegaan. Er viel verder niets meer te doen. Die arme Uriel maakte altijd fouten. Hij liep altijd de verkeerde kamer in, pakte altijd het verkeerde stuk gereedschap. Ik heb zo vaak zijn hachje gered. Ik kon er niet elke minuut van de dag zijn.'

Ze stak een slanke hand uit naar het witte marmer en ging met een lange wijsvinger over de letters van zijn naam.

'Droom ik van ze?' vroeg ze. 'Niet meer. Het leven is een reeks beslissingen. Goede en slechte. Meestal onomkeerbaar. Ik ga niet achteromkijken, Leo. Daar is niets te zien. Uriels dood was een tragisch ongeluk. De anderen waren ieder op hun manier criminelen, zonder veel genegenheid voor mensen. Wat ik het meeste betreur' – haar hand liet de grafsteen los en strekte zich uit naar de zijne – 'is wat jou is overkomen. Het was zo onterecht, en het gevolg van zo'n onzelfzuchtige daad. Ik vind het vreselijk. Toen ik zag in wat voor staat Bracci was, dat hij een wapen had, heb ik geprobeerd hem tegen te houden. Je hebt gezien wat ervan kwam.'

Haar vingers sloten zich om zijn hand; haar ogen keken in de zijne. 'En jij wilde me beschermen. Ik heb je zo vaak verteld hoe vreselijk veel spijt ik had, in dat ziekenhuis, als ik naar je keek en niet wist of ik ooit nog die vonk in je ogen zou zien. Dáár had ik kapot aan kunnen gaan. Maar aan iets anders niet. Ik was er bijna boos om, weet je. Ik dacht dat ik te oud en te afgestompt was om nog ergens door geraakt te worden. Jij bewees dat ik me vergiste.'

Hij schudde zijn hoofd. 'En al die verwoeste levens?' vroeg hij.

'Welke?' luidde haar snelle reactie. 'Het mijne? Dat van mijn broers? Van Bracci dan? Waag het niet daar een oordeel over te vellen. Wat dacht je van de levens die jij met je halsstarrigheid kapot hebt gemaakt? De jonge Nic, die zijn relatie met die lieve Amerikaanse vrouw op het spel heeft gezet omdat hij dacht dat iets waar jij waarde aan hechtte, een of ander vaag, onduidelijk idee van gerechtigheid, kostbaarder was dan een eenvoudige menselijke emotie als liefde. En jij zelf? Is het niet een beetje ironisch dat het enige waar ik spijt van heb, betrekking heeft op wat jou is overkomen? En dat dat het laatste is waar jij zelf aan denkt?'

'Ik doe wat ik doe!'

Ze stond op en trok de kraag van zijn colbert strakker over zijn overhemd. De wind wakkerde aan. Het was bijna avond. Er lagen stellig koude nachten in het verschiet, weken te vroeg.

'En wat gaat er nu gebeuren, inspecteur Falcone?' vroeg ze bars. 'Je hebt hier een vrouw die bereid is een tijdje voor je te zorgen en, mijn hemel, je zult die zorg hard nodig hebben. Zouden we allebei niet eens voor één keer een beetje egoïstisch moeten zijn?'

'Dit gaat niet om jou en mij. Dit gaat om de wet...'

'Ga toch heen met de wet! Welke wet weerhield Hugo Massiter ervan te zijn wat hij was? Aan welke wet voelen al die corrupte politici en politiemensen zich gehouden? Hang de martelaar maar uit als je dat zo nodig moet, maar zoek dan ten minste een betere zaak uit.'

Hij was met stomheid geslagen. En hij voelde zich moe. Dat kwam vaak voor tegenwoordig. Hij was gehandicapt, hoezeer hij zich ook tegen dat idee verzette.

Ze haalde haar mobiele telefoon tevoorschijn. 'Nu moet ik een van die taxidieven bellen. Maar goed dat ik eindelijk een beetje geld heb.'

'We zijn nog niet klaar!' wierp hij tegen.

Raffaela keek hem aan met een gezicht vol sympathie en affectie. Toen wist

Leo Falcone het even niet meer. Venetië ging hem de pet te boven, besefte hij, en dat was steeds zo geweest. Het was gewoon zijn eigen arrogantie die hem van het tegendeel had proberen te overtuigen.

'Wat deze kwestie betreft, wel, Leo,' zei ze resoluut. 'Ik neem je nu mee terug naar het ziekenhuis. Volgende week gaan we maatregelen treffen om je naar Rome over te plaatsen. Ik hoop dat je wilt dat ik meega, maar dat is volledig aan jou.'

'Zorg dat ik hier sneller weg kan,' zei hij, bijna zonder erbij na te denken. 'Ik heb genoeg van deze stad.'

Ze glimlachte en boog zich, voor hij er bezwaar tegen kon maken, over hem heen en kuste hem op de wang. Leo Falcone voelde haar zachte lippen vochtig, warm en uitnodigend langs zijn huid strijken en probeerde zich te herinneren wanneer hij voor het laatst door een vrouw was omhelsd.

'Je bent niet de enige,' zei ze. 'Maar dit is voorbij, Leo. Over de dingen die we hier hebben besproken, zal ik nooit meer een woord zeggen. Nooit meer, begrepen? De wereld is voor de levenden, niet voor de doden.'

'Maar –'

Een dunne vinger drukte op zijn lippen.

'Niks maar. Dat is de afspraak. Als je hem niet nakomt... als je op een dag het onzalige idee mocht krijgen mij een politiebureau in te slepen en deze zaken opnieuw ter sprake te brengen, dan doe ik iets waar je spijt van krijgt, dat zweer ik.'

Hij wachtte af.

'Dan beken ik, Leo,' zei ze liefjes, terwijl ze de rolstoel beetpakte en hem naar de uitgang draaide. 'Daar kun je van op aan.'

6 Gianni Peroni stond bij de kleine *rio* en zei telkens het j-woord, terwijl hij het ongeladen wapen op de avondhemel richtte. Misschien kwam het door het jachtgeweer, of door de mogelijkheid dat er iets zou veranderen. Om welke reden dan ook, Teresa Lupo merkte, toen ze hem zo gadesloeg, dat haar zintuigen buitengewoon scherp waren. Ze kon elke mug in het riet horen zoemen, het gekwaak van kikkers, het onwelluidende gekrijs van ruziënde meeuwen en nu en dan, zo zacht, dat het nauwelijks meetelde, de spookachtige weeklacht van een *vaporetto,* ver weg in de stad.

Toen, dichterbij, iets subtielers. Sluipend, kruipend, een dier dat zich schuilhield in het struikgewas, dat oplette, afwachtte en de informatie die zijn zintuigen doorgaven, probeerde te ontcijferen.

Ze zat aan de picknicktafel en keek met een schuin oog naar het stapeltje papier met bovenop de foto's van de kleine boerderij. Ze was vastbesloten niet naar de details te kijken omdat ze wist dat die haar alleen maar zouden afschrikken. Het was een klein, verwaarloosd bedrijf. Een heel andere wereld dan het drukke *centro storico.* Een mogelijkheid. Hoger schatte ze het niet in.

Peroni riep nogmaals het j-woord. Nog kwam het dier niet.

Ze dacht na over de situatie. De laatste boot naar de stad ging over een halfuur. Ze was niet van plan de nacht door te brengen in het hutje van Piero Scacchi. Er zat echt niets anders op.

'Ik neem het terug,' verklaarde ze. Ze wierp hem de doos met patronen toe, die hij met één van zijn enorme handen en een grote grijns op zijn gezicht opving. 'Geef de hond wat hij wil. Als je dat kunt tenminste.'

Hij liet zijn hoofd schuin zakken. Een glinsterend oog knipoogde naar haar. Ze was verbaasd, en ook een beetje ontzet, toen ze zag hoe vaardig hij een paar patronen uit de doos greep, de rest liet vallen en er vervolgens twee in het wapen stopte zonder te hoeven kijken, waarna hij het jachtgeweer met een besliste, luide knal dichtklapte.

'Als ik dat kan?' vroeg hij. 'Ik ben een jongen van het platteland, hoor. Geboren en getogen. Dat moet je nooit vergeten.'

'Goed dan, plattelandsjongen...' wilde ze net zeggen, toen alles overbodig werd door wat hij deed.

'Hónd!' riep hij op dwingende, autoritaire toon.

Binnen een paar seconden kwam er een gevederde gedaante uit het riet. Het sierlijke lijfje, opgejaagd door wat klonk als een rauw, scherp geblaf, schoot als een pijl omhoog. Peroni richtte het jachtgeweer. Eén enkel, inmiddels bekend geluid verbrak de stilte van de lagune. Teresa keek geschokt maar vol bewondering, en een beetje verbaasd, hoe het bundeltje veren in elkaar kromp tot een balletje en daarna in een stekelige struik aan de andere kant van de *rio* viel.

Een zwarte gedaante joeg er door het water half zwemmend, half springend achteraan, verdween een moment in de vegetatie en kwam toen met een triomfantelijke, energieke tred tevoorschijn met iets zachts stevig tussen zijn kaken geklemd.

Gianni Peroni ontspande het jachtgeweer, liet de twee patronen, een lege en een scherpe, op de grond vallen, hing het wapen over zijn arm en stak zijn open hand uit over de *rio*.

'Brave hond,' verklaarde hij luid. 'Bráve hond. Kom dan.'

Piero Scacchi's spaniël dook met de dode vogel op uit het riet en paradeerde trots en vol verwachting naar hem toe.

Met zijn samengeklitte, onverzorgde pels zag hij er even mager uit als een in de steek gelaten wees. Het dier wandelde naar Peroni, liet zijn trofee voor zijn voeten vallen en ging zitten, een vermoeide zwarte driehoek met een onzeker kwispelende korte stompe staart, die zijn ogen strak op zijn gezicht gericht hield en volledig opging in de prijzende woorden van de man.

Teresa Lupo keek toe hoe de twee elkaar bewonderden en zei niets.

Na verloop van tijd keek Peroni, terwijl hij dat zwarte kopje klopjes gaf, op naar haar met het ernstigste gezicht dat ze van hem kende.

'Je wilt er niet heen, hè?' vroeg hij.

'Nee,' zei ze onmiddellijk. 'Nog niet in elk geval.'

Niet wanneer de mogelijkheid reëel werd. Het was ook geen lafheid. Iets zei Teresa dat dromen op eigen terrein nagejaagd hoorden te worden, niet ergens in een of ander Neverland.

Toch was het een lieve hond. Volkomen ongeschikt voor de stad, waar hij doodsbang zou worden van het lawaai en het verkeer en alle drukte.

'Laila zou dol op hem zijn,' ging ze verder. Het meisje was een van Peroni's beschermelingen, een levenslustige tiener die aan het herstellen was op een boerderij in Toscane, iemand die het dier zou verafgoden als ze even de kans kreeg.

'Dat weet ik,' beaamde Peroni zo snel, dat ze besefte dat hij de hele tijd al met de gedachte had gespeeld. Hij zag er helemaal niet teleurgesteld uit. Hij kon zijn gevoelens goed verbergen. Dat wist ze.

Rustig en stil liet Gianni Peroni een oude leren riem om de hals van het dier glijden en hield hem stevig, met liefde vast.

'Kom,' zei hij. 'We gaan.'

Openbare Bibliotheek
Bijlmerplein 93
1102 DA Amsterdam Z-O
Tel.: 020 – 697 99 16

Lees ook van David Hewson:

De Vaticaanse moorden

Een mysterie over Rome, het Vaticaan en Caravaggio

Professor Sara Farnese zit in de bibliotheek van het Vaticaan, wanneer een vroegere vriend binnenstormt met in de ene hand een pistool en in de andere een vuilniszak. Hij roept: 'Het bloed van de martelaren is het zaad van de kerk' en stort de bloederige inhoud op tafel. Kort daarna worden er in een nabije kerk twee lijken gevonden.

Rechercheur Nic Costa wordt op de zaak gezet, maar de Vaticaanse politie biedt meer tegenwerking dan hulp. In de weken daarop worden er meer moorden gepleegd, die alle een gelijkenis vertonen met het Martelaarschap van de Heiligen, een serie schilderijen van de zestiende-eeuwse kunstenaar Caravaggio.

Een andere overeenkomst tussen de slachtoffers is hun relatie met Sara Farnese. Costa voelt zich ondanks alles tot haar aangetrokken, al weet hij dat Farnese hem niet alles vertelt. Zijn zoektocht om het patroon van leugens, bedrog en verraad te doorgronden, voert hem naar het binnenste van het Vaticaan, waar een bankschandaal een strijd heeft ontketend onder de kardinalen. Zowel het Vaticaan als de maffia én de Italiaanse justitie zoeken een zondebok. En deze zondebok weet dat buiten de veilige muren van het Vaticaan een moordenaar op hem wacht…

'Een zeer verdienstelijk boek… sterk genoeg om uit te kijken naar de volgende delen.' **** *Thrillergids Vrij Nederland*

'De Vaticaanse moorden fascineert. Het is een roman en thriller tegelijk, en je zou het ook nog als reisgids kunnen gebruiken.' *Wegener*

ISBN: 978 90 261 2218 7
316 pagina's

Het Bacchus offer

In het moerasgebied langs de Tiber wordt het goed geconserveerde lijk van een tienermeisje gevonden, gekleed in een klassieke toga. Patholoog Teresa Lupo denkt dat het een eeuwenoud slachtoffer van een heidens ritueel betreft. Maar onderzoek wijst uit dat het meisje zestien jaar geleden is vermoord.

Dan wordt een zestienjarige Engelse toeriste ontvoerd. Het meisje vertoont veel uiterlijke overeenkomst met het pas gevonden slachtoffer. De geschiedenis dreigt zich te herhalen wanneer duidelijk wordt dat de rituelen ter ere van Bacchus nog altijd uitgevoerd worden en de verschrikkingen waarschijnlijk nog niet ten einde zijn.

De jonge rechercheur Nic Costa en zijn cynische partner Gianni Peroni gaan op onderzoek uit, bijgestaan door de temperamentvolle patholoog Teresa Lupo. In een race tegen de klok komen ze terecht in de Italiaanse onderwereld, waar ze een van de meest sinistere en verontrustende geheimen van het moderne Rome ontdekken...

'Dit is een geweldig boek, fantastisch om te lezen, op het puntje van de stoel – van harte aanbevolen.' *Murder Bookclub*

'Wanneer u het eerste boek hebt gemist, koop ze dan beide en geniet. Hewson is briljant.' *UK Newbury News*

ISBN: 978 90 261 2240 8
316 pagina's

De Pantheon Getuige

Voor het eerst sinds lange tijd wordt Rome geteisterd door een sneeuwstorm. Tijdens dit noodweer krijgt de politie een inbraakmelding vanuit het Pantheon. Wanneer de rechercheurs Nic Costa en Gianni Peroni bij de oude Romeinse tempel aankomen, treffen zij een gruwelijk tafereel aan. Onder de zacht neerdalende sneeuw ligt het vreselijk toegetakelde lichaam van een vrouw. De verminkingen verwijzen naar de Vitruviaanse Man van Leonardo Da Vinci, een mysterieus symbool dat alles te maken heeft met de Gulden Snede, de maatstaf voor de architectuur in de renaissance.

Al snel staat de FBI op de stoep en wil – geheel tegen de zin van de Italianen – het onderzoek overnemen en de zaak zo snel en stil mogelijk afronden. Costa is vastbesloten om erachter te komen waarom deze kwestie blijkbaar zo delicaat is. Dan geeft de FBI schoorvoetend toe dat dit niet het eerste slachtoffer is: op verschillende plekken in de wereld zijn zes mensen op dezelfde manier om het leven gebracht.

De FBI wordt gedwongen meer geheime informatie prijs te geven dan haar lief is…

'In dit bloedspannende boek zien we de Italianen veelvuldig in hun habitat met de talrijke Romeinse Piazza's, de espresso's in cafés en aan de pasta. Bellisimo.' ***** *Nu.nl*

'Een boek om met smaak van te genieten – een mix van de bedrieglijk relaxte sfeer van Donna Leons Brunetti-boeken en de duisternis van Ian Rankins Rebusserie. Excellent!' **** *Ink*

ISBN: 978 90 261 2248 4
320 pagina's